THEOFRIED BAUMEISTER

Die Anfänge
der Theologie
des Martyriums

ASCHENDORFF MÜNSTER

Münsterische Beiträge zur Theologie

Begründet von Franz Diekamp und Richard Stapper
fortgeführt von Hermann Volk
herausgegeben von Bernhard Kötting und Joseph Ratzinger

Heft 45

Als Habilitationsschrift
auf Empfehlung des Fachbereichs Katholische Theologie
der Westfälischen Wilhelms-Universität Münster
gedruckt mit Unterstützung
der Deutschen Forschungsgemeinschaft

Imprimatur
Provinzialat der Franziskaner in Werl
Werl, den 28. Mai 1979
Constantin Pohlmann (Vic. prov.)

Mit kirchlicher Druckerlaubnis
Nr. 305-6-8/79
Münster, den 7. Juni 1979
Dr. Spital, Generalvikar

Aschendorffsche Buchdruckerei, Münster Westfalen, 1980

ISBN 3-402-03950-8

WERNER BAUMEISTER

*6. 8. 1942   †13. 12. 1974

zum Gedächtnis

INHALTSVERZEICHNIS

I. Kapitel

DIE JÜDISCHE MARTYRIUMSDEUTUNG

II. Kapitel

DIE NEUTESTAMENTLICHE EVANGELIENTRADITION UND DIE APOSTELGESCHICHTE

III. Kapitel

DIE NEUTESTAMENTLICHEN BRIEFE
UND DIE OFFENBARUNG DES JOHANNES

IV. Kapitel

DIE NICHTKANONISCHE LITERATUR
DER FRÜHEN KIRCHE BIS ZUM POLYKARPMARTYRIUM

VERZEICHNIS DER ABKÜRZUNGEN

AAMz	= Abhandlungen (der geistes- und sozialwissenschaftlichen Klasse) der Akademie der Wissenschaften und der Literatur. Mainz.
AGF NRW	= Arbeitsgemeinschaft für Forschung des Landes Nordrhein-Westfalen. Geisteswissenschaften.
AnBib	= Analecta biblica
AnBoll	= Analecta Bollandiana
ARW	= Archiv für Religionswissenschaft
ATA	= Alttestamentliche Abhandlungen
ATD	= Das Alte Testament Deutsch
AThANT	= Abhandlungen zur Theologie des Alten und Neuen Testaments
AuC	= F. J. Dölger, Antike und Christentum, I—VI (Münster 1929—41)
BBB	= Bonner Biblische Beiträge
BEvTh	= Beiträge zur Evangelischen Theologie
BFChTh	= Beiträge zur Förderung christlicher Theologie
BHTh	= Beiträge zur historischen Theologie
BiKi	= Bibel und Kirche
BiLe	= Bibel und Leben
Billerbeck	= (H. L. Strack u.) P. Billerbeck, Kommentar zum Neuen Testament aus Talmud und Midrasch, I—IV (München 1922/8)
BJRL	= The Bulletin of the John Rylands Library
BWANT	= Beiträge zur Wissenschaft vom Alten und Neuen Testament
BZ	= Biblische Zeitschrift
CBQ	= The Catholic Biblical Quarterly
Charles AP	= The Apocrypha and Pseudepigrapha of the Old Testament in English, ed. R. H. Charles, I u. II (Oxford 1913)
EB	= Echter-Bibel
ÉtB	= Études Bibliques
EvTh	= Evangelische Theologie
FlorPatr	= Florilegium Patristicum
FRLANT	= Forschungen zur Religion und Literatur des Alten und Neuen Testaments
FTS	= Frankfurter theologische Studien
FVK	= Forschungen zur Volkskunde
GCS	= Die griechischen christlichen Schriftsteller der ersten (drei) Jahrhunderte
GuL	= Geist und Leben
HAT	= Handbuch zum Alten Testament
HE	= Historia Ecclesiastica
Hennecke — Schneemelcher	= E. Hennecke — W. Schneemelcher, Neutestamentliche Apokryphen in deutscher Übersetzung[4], I u. II (Tübingen 1968 u. 1971)
HJ	= Historisches Jahrbuch der Görres-Gesellschaft

HNT	=	Handbuch zum Neuen Testament
HSAT	=	Die Heilige Schrift des Alten Testaments übersetzt und erklärt
HThK	=	Herders Theologischer Kommentar zum Neuen Testament
HZ	=	Historische Zeitschrift
JAL	=	Jewish Apocryphal Literature
JBL	=	Journal of Biblical Literature
JThS	=	The Journal of Theological Studies
KAT	=	Kommentar zum Alten Testament
Kautzsch AP	=	E. Kautzsch, Die Apokryphen und Pseudepigraphen des Alten Testaments, I u. II (Neudruck Tübingen 1921)
KNT	=	Kommentar zum Neuen Testament
LXX Gott.	=	Septuaginta. Vetus Testamentum Graecum. Auctoritate Societatis Litterarum Gottingensis editum (Stuttgart/Göttingen 1926ff.)
MBTh	=	Münsterische Beiträge zur Theologie
Meyer K	=	Kritisch-exegetischer Kommentar über das Neue Testament, begr. v. H. A. W. Meyer
NGG	=	Nachrichten von der Gesellschaft der Wissenschaften zu Göttingen, Philolog.-hist. Klasse
NovT	=	Novum Testamentum
NovT.Suppl.	=	Novum Testamentum. Supplementum
NTA	=	Neutestamentliche Abhandlungen
NTD	=	Das Neue Testament Deutsch
NTS	=	New Testament Studies
Pauly—Wissowa	=	Paulys Realencyklopädie der klassischen Altertumswissenschaft, neue Bearb. v. G. Wissowa u. W. Kroll (mit K. Mittelhaus) (Stuttgart 1893ff.)
PL	=	Migne, Patrologia Latina
RAC	=	Reallexikon für Antike und Christentum
Rahlfs	=	Septuaginta, ed. A. Rahlfs, I u. II (Stuttgart 1935)
RB	=	Revue Biblique
RevSR	=	Revue des sciences religieuses
RGG[3]	=	Die Religion in Geschichte und Gegenwart[3]
RHPhR	=	Revue d'histoire et de philosophie religieuses
RHR	=	Revue de l'histoire des religions
RivAC	=	Rivista di Archeologia Cristiana
RNT	=	Regensburger Neues Testament
RQ	=	Römische Quartalschrift für christliche Altertumskunde und für Kirchengeschichte
RSPhTh	=	Revue des sciences philosophiques et théologiques
RSR	=	Recherches de science religieuse
RVV	=	Religionsgeschichtliche Versuche und Vorarbeiten
SAB	=	Sitzungsberichte der Preußischen Akademie der Wissenschaften zu Berlin, Phil.-hist. Klasse
SAH	=	Sitzungsberichte der Heidelberger Akademie der Wissenschaften, Phil.-hist. Klasse
SBM	=	Stuttgarter biblische Monographien
SBS	=	Stuttgarter Bibelstudien
SHG	=	Subsidia hagiographica
StANT	=	Studien zum Alten und Neuen Testament
StUNT	=	Studien zur Umwelt des Neuen Testaments

ThGl	=	Theologie und Glaube
ThHK	=	Theologischer Handkommentar zum Neuen Testament
ThLZ	=	Theologische Literaturzeitung
ThQ	=	Theologische Quartalschrift, Tübingen
ThRv	=	Theologische Revue
ThWNT	=	Theologisches Wörterbuch zum Neuen Testament
ThZ	=	Theologische Zeitschrift, Basel
TThSt	=	Trierer theologische Studien
TThZ	=	Trierer theologische Zeitschrift
TU	=	Texte und Untersuchungen zur Geschichte der altchristlichen Literatur
VetChr	=	Vetera Christianorum
VigChr	=	Vigiliae Christianae
VS	=	La Vie Spirituelle
VT	=	Vetus Testamentum
WMANT	=	Wissenschaftliche Monographien zum Alten und Neuen Testament
WUNT	=	Wissenschaftliche Untersuchungen zum Neuen Testament
ZKTh	=	Zeitschrift für katholische Theologie
ZNW	=	Zeitschrift für die neutestamentliche Wissenschaft und die Kunde der älteren Kirche
ZRGG	=	Zeitschrift für Religions- und Geistesgeschichte
ZSTh	=	Zeitschrift für systematische Theologie
ZThK	=	Zeitschrift für Theologie und Kirche

Abkürzungen der biblischen Bücher nach den Loccumer Richtlinien.

Die Briefe des Ignatius:

IgnEph (an die Epheser, im Unterschied zum ntl. Epheserbrief)
Magn (an die Magnesier)
Trall (an die Trallianer)
IgnRöm (an die Römer, im Unterschied zum paulinischen Römerbrief)
Phld (an die Philadelphier)
Sm (an die Smyrnäer)
Pol (an Polykarp)

VORWORT

Mit dieser Untersuchung verfolge ich eine Frage, die mich schon in meiner Dissertation kurz beschäftigt hat. Bei der Arbeit an den koptischen Märtyrerlegenden habe ich nach den Gründen gesucht, die zur Entstehung des Märtyrerbildes der Legende geführt haben. Es zeigte sich, daß die Märtyrerlegende in der vorausgehenden theologischen Deutung des Märtyrertodes, wie sie im Judentum und im frühen Christentum entwickelt wurde, verwurzelt ist. Ursprünglich hatte ich die Absicht, die Geschichte der Theologie des Martyriums von den Anfängen bis ins 3. Jahrhundert zu behandeln. Bei der Ausarbeitung stellte es sich jedoch heraus, daß eine engere Begrenzung angebracht war. Diese Arbeit wurde im Sommersemester 1976 vom Fachbereich Katholische Theologie der Westfälischen Wilhelms-Universität Münster als Habilitationsschrift angenommen. Für die Erstellung der Gutachten danke ich meinem langjährigen Lehrer Prof. Dr. Bernhard Kötting, der sich auch als Mitherausgeber der »Münsterischen Beiträge zur Theologie« um die Drucklegung bemüht hat, und Prof. Dr. Wilhelm Thüsing. Die 1976 und später erschienene Literatur habe ich, solange es mir möglich war, eingearbeitet. Dank schulde ich weiterhin dem Franziskanerkonvent in Münster, der Deutschen Forschungsgemeinschaft für die Gewährung eines Habilitandenstipendiums und die Bereitstellung eines Druckkostenzuschusses, dem römischen Kolleg am Campo Santo Teutonico mit seinem damaligen Rektor Prälat Bernhard Hanssler, Frau Charlotte Berlit für die Schreibarbeiten, Herrn Peter Reifenberg für die Mithilfe bei der Korrektur und Herrn lic. theol. Reinhard Seeliger für die Erarbeitung des größten Teiles der Register.

Die biblischen Namen und Bücher führe ich nach den Loccumer Richtlinien an. Die biblischen Texte bringe ich, wenn nicht auf eine andere Übersetzung hingewiesen oder eine eigene Übertragung geboten wird, nach der Einheitsübersetzung des Alten und Neuen Testaments. Bücher und Aufsätze werden bei der ersten Zitation mit vollem Titel genannt, bei weiteren Hinweisen in Abkürzung. Der volle Titel der nicht ins Literaturverzeichnis aufgenommenen Literatur läßt sich leicht mit Hilfe des Registers der modernen Autoren ermitteln.

Mainz, im August 1979   Th. B.

EINLEITUNG

In der Antwort auf die Frage nach dem Sinn des Märtyrertodes stehen wir bis heute in der Tradition der altkirchlichen Theologie des Martyriums[1]. In ihr wurzelt die Märtyrerverehrung mit ihren vielen Äußerungen in Liturgie, Brauchtum, Wallfahrtswesen[2], bildender Kunst und Literatur[3], die seit Konstantin die kirchliche Frömmigkeit immer stärker geprägt hat. Die Erschütterung zahlreicher ererbter Selbstverständlichkeiten in letzter Zeit kann dazu beitragen, die reiche und lebendige Gedankenwelt, die all diesen Formen zugrundeliegt, neu in den Blick zu nehmen. Dabei darf die dem altkirchlichen »Kanon« der Theologie des Martyriums vorausliegende Periode der Anfänge dieses Denkens eine besondere Aufmerksamkeit beanspruchen. In ihr ist das Denken vielfach ursprünglicher und stärker durch die Situation veranlaßt als zur Zeit eines immer mehr fixierten Märtyrerbildes. Die Traditionen, die später beherrschend sind, kristallisieren sich langsam heraus. Die Originalität des Denkens geht zwar auch später nicht verloren, doch ist sie eher ein Kennzeichen der Anfänge als der folgenden Geschichte.

In der Entwicklung der theologischen Deutung des Martyriums war die frühe Kirche durch das Judentum beeinflußt, das seit dem 2. vorchristlichen Jh. den gewaltsamen Tod derer theologisch reflektierte, die wegen ihrer Treue zum jüdischen Glauben starben. Eine Geschichte der Anfänge der Theologie des Martyriums kann daher nicht absehen von der Verwurzelung der christlichen Märtyreridee in der jüdischen Martyriumsdeutung. Das hellenistische Judentum hat den Gedanken der Treue zum ererbten Glauben mit der griechischen Bewunderung des heroischen Todes verbunden. Seit Sokrates war der aus Wahrheitsliebe erlittene Tod ein Thema der griechischen Philosophie. Durch Vermittlung des hellenisti-

---

[1] Vgl. die Übersicht bei W. Rordorf, L'espérance des martyrs chrétiens = Forma Futuri. Studi in onore del Card. M. Pellegrino (Turin 1975) 445/61.

[2] Vgl. B. Kötting, Peregrinatio Religiosa. Wallfahrten in der Antike und das Pilgerwesen in der alten Kirche (Münster 1950) = FVK 33/5.

[3] Zur Märtyrerlegende vgl. Th. Baumeister, Martyr Invictus. Der Martyrer als Sinnbild der Erlösung in der Legende und im Kult der frühen koptischen Kirche. Zur Kontinuität des ägyptischen Denkens (Münster 1972) = FVK 46. Zur Verwurzelung des Märtyrerbildes der Legende in der Theologie des Martyriums s. 32/50.

schen Judentums und infolge direkter Beeinflussung durch die Umwelt hat auch das Christentum Motive und Gedanken griechisch-römischer Herkunft in seine Deutung des Märtyrergeschicks aufgenommen. Diese Einflüsse der hellenistischen Welt auf die jüdische und christliche Märtyreridee müssen selbstverständlich in dieser Arbeit beachtet werden. Doch gehört das griechisch-römische Thema des heroischen Todes der Überzeugung wegen in seiner Gesamtheit nicht in den Bereich der Theologie des Martyriums. Es empfiehlt sich daher, die der griechisch-römischen Vorstellungswelt entstammenden Ideen zum heroischen Tod nicht für sich, sondern im Zusammenhang mit ihrer Rezeption durch jüdische und christliche Schriften zu besprechen. In dieser Arbeit werden die hellenistischen Motive und Gedanken deshalb nicht in einem eigenen Kapitel dargestellt, sondern dort notiert, wo bei der Interpretation jüdischer und christlicher Schriften ihr Einfluß feststellbar ist.

Die Theologie des Martyriums beginnt im Judentum, das sich dann in seiner späteren Geschichte seit den Katastrophen des 1. und 2. nachchristlichen Jh.s zurückhaltender gegenüber dem Märtyrertod zeigte. Die Rabbinen gaben genaue Anweisungen, wann man dem Martyrium nicht ausweichen durfte. Das Sterben galt vor allem als Gelegenheit, frühere Schuld zu sühnen. Das Ende der Phase der Anfänge der christlichen Theologie des Martyriums markiert das Polykarpmartyrium aus der Zeit um 160 n. Chr. In diesem Bericht wird der wegen des Glaubens Hingerichtete nach Ausweis der erhaltenen Literatur zum erstenmal mit dem Titel μάρτυς benannt. Der Märtyrertod wird jetzt zum Thema einer ganzen christlichen Schrift, nachdem das Judentum mit dem Martyrium des Jesaja und dem 4. Makkabäerbuch schon vorausgegangen war. Die im 2. Jh. feststellbare Herauslösung der Theologie des Martyriums aus dem größeren Kontext der theologischen Bewältigung der Verfolgungssituation allgemein gewinnt an Deutlichkeit. Der Bericht faßt viele ältere Motive der Martyriumsdeutung zusammen und formt sie zu einem Gesamtbild, das in der Folgezeit einen bestimmenden Einfluß ausgeübt hat.

Da sich im Judentum und im frühen Christentum die Theologie des Martyriums erst allmählich als eigenständiges Thema herauskristallisiert, ist eine Geschichte der Anfänge der Theologie des Martyriums zugleich eine Darstellung der theologischen Verfolgungsdeutung, während die Frage des nicht des Glaubens wegen zu tragenden Leidens unberücksichtigt bleiben kann, wenn nicht Beziehungen zum Verfolgungsgeschick vorhanden sind. Diese Studie geht nicht von der Zeugnisterminologie aus, sondern von dem Phänomen der theologischen Deutung des gewaltsamen Todes und der Verfolgung um des Glaubens willen. Die Verbindung zwischen diesem Thema und der Zeugnisbegrifflichkeit muß natürlich untersucht werden; doch sind beide Bereiche zu unterscheiden. Erst im Polykarpmartyrium bedeutet das Wort μάρτυς »Blutzeuge«. Diese Wortbedeutung hat sich nicht langsam aus dem neutestamentlichen Wortgebrauch herausgebildet, sondern ist eine Neuschöpfung der Zeit um die Mitte des 2. Jh.s. Die Sache jedoch, daß jemand eher stirbt, als daß er seinen Glauben verleugnet, gibt es seit dem 2. vorchristlichen Jh.

Die Theologie des Martyriums hat in der Forschung Beachtung gefunden. Die Studie von F. W. Gaß[4] ist immer noch lesenswert, wenn auch manches inzwischen überholt ist. Gaß behandelt zunächst die »biblische Vorbereitung« im Neuen Testament; er gibt sodann einen Überblick über die Verfolgungen und beginnt die eigentliche Darstellung mit den Apologeten und mit Tertullian und Cyprian. Er verzichtet also auf eine Untersuchung der jüdischen Martyriumsdeutung und bespricht auch die Anfänge der christlichen Theologie des Martyriums recht summarisch. Das Buch von H. von Campenhausen über »die Idee des Martyriums in der alten Kirche«[5], das die Frage des Martyriums sehr eng mit der Zeugnisthematik verknüpft, läßt ebenfalls die jüdische Theologie des Martyriums — abgesehen von einigen knappen Bemerkungen[6] — unberücksichtigt, da der Verfasser die Begriffe so definiert, daß nach ihm die Idee des Martyriums und die Vorstellung des Märtyrers christlichen Ursprungs sind[7]. Dagegen hat W. H. C. Frend in seiner umfangreichen Monographie über Martyrium und Verfolgung in der frühen Kirche[8] der jüdischen Martyriumssicht ein eigenes Kapitel gewidmet[9]. Wegen der umfassenden Thematik seiner Studie konnte er allerdings auf manche Fragen zu den Anfängen der christlichen Theologie des Martyriums nur kursorisch eingehen. Gute Beiträge zur Geschichte der Theologie des Martyriums hat auch die intensive Diskussion über die frühchristliche Zeugnisterminologie erbracht. Doch zeigt gerade die dieser Frage nachgehende

---

[4] F. W. Gaß, Das christliche Märtyrerthum in den ersten Jahrhunderten, und dessen Idee = Zeitschrift für die historische Theologie 29 (1859) 323/92; 30 (1860) 315/81.

[5] H. von Campenhausen, Die Idee des Martyriums in der alten Kirche (Göttingen 1936).

[6] Ebd. 2/5.

[7] Ebd. 1. Vgl. auch 5: »Jesu Auftreten, Predigt und Tod sind die entscheidende Voraussetzung für die Idee und Wirklichkeit des Martyriums.«

[8] W. H. C. Frend, Martyrdom and Persecution in the Early Church. A Study of a Conflict from the Maccabees to Donatus (Oxford 1965).

[9] Ebd. 31/78.

Arbeit von N. Brox[10], daß die Geschichte der Zeugnisterminologie
nicht identisch ist mit einer Geschichte der frühchristlichen Theologie des Martyriums. Weiter wäre eine Fülle von einzelnen Studien zu Teilfragen der Theologie des Martyriums zu nennen, die
hier jedoch nicht eigens aufgeführt werden können.

Der Blick in die Forschungsgeschichte zeigt, daß eine an der theologischen Deutung des Märtyrertodes und der Verfolgung orientierte Darstellung der Anfänge dieser Theologie nicht überflüssig
ist. In dieser Arbeit wird versucht, eine Gesamtsicht dieser Anfänge zu bieten und einige Lücken zu schließen, die in der bisherigen Forschung offen geblieben sind. Ziel ist nicht eine These, sondern eine deskriptive, nicht wertende Bestandsaufnahme dessen,
was in der Zeit bis zur Abfassung des Polykarpmartyriums in der
erhaltenen Literatur zu diesem Thema gesagt worden ist. Als
Grunddatum gilt die Aussage einer Schrift, nicht eine Tradition
oder ein Motiv. Dieses Vorgehen führt zu Einzelanalysen, die
manchmal unverbunden nebeneinander zu stehen scheinen. Doch
werden die Abhängigkeiten und Querverbindungen im Verlauf der
Darstellung bzw. in einem Schlußresümee jeweils genannt. Vor
allem das letzte Kapitel versucht, auf der Basis der vorhergehenden
Untersuchungen Traditionslinien zu zeichnen, um ihr Einmünden
in die Martyriumssicht des 2. Jh.s zu kennzeichnen. Die Nachteile
eines vielleicht schematisch wirkenden Vorgehens nach einzelnen
Schriften werden in Kauf genommen, um einen gewissen Grad an
Objektivität zu erreichen. Die Texte werden innerhalb des chrono-
logischen Rahmens nach ihrer sachlichen Zusammengehörigkeit besprochen. So erklärt es sich etwa, daß zunächst die Evangelien zusammen mit der Apostelgeschichte bis zum Johannesevangelium
und dem 1. Johannesbrief untersucht werden und dann erst die
zeitlich viel früheren Briefe des Paulus, die im Zusammenhang mit
den späteren neutestamentlichen Briefen gesehen werden müssen.

Ein Augenmerk liegt auf der religionsgeschichtlichen Frage nach
dem Weiterwirken jüdischer Vorstellungen im Christentum und
auf dem Problem der hellenistischen Einflüsse auf die jüdische und
christliche Theologie des Martyriums, ohne daß allerdings das Spezifikum der christlichen Märtyreridee übersehen werden soll. Diese

---

[10] N. Brox, Zeuge und Märtyrer. Untersuchungen zur frühchristlichen Zeugnis-
Terminologie (München 1961) = StANT 5. Vgl. auch J. Beutler, Martyria.
Traditionsgeschichtliche Untersuchungen zum Zeugnisthema bei Johannes
(Frankfurt a. M. 1972) = FTS 10. Ein neuer Forschungsbericht über die Stu-
dien zur Zeugnisthematik bei E. Nellessen, Zeugnis für Jesus und das Wort.
Exegetische Untersuchungen zum lukanischen Zeugnisbegriff (Köln-Bonn 1976)
= BBB 43,1/41.

gründet in der Nachfolge Jesu. Vom Jünger wird verlangt, daß er in Konfliktsituationen in bedingungsloser Treue zu seinem Meister zur Aufgabe seines Lebens bereit sein muß. Aus diesem Kern entwickelte sich mit Bezug auf den Tod und die Auferstehung Jesu unter dem Einwirken jüdischer und hellenistischer Gedanken die christliche Theologie des Martyriums, wobei die der griechisch-römischen Umwelt entstammenden Ideen zu einem großen Teil über das hellenistische Judentum an das Christentum vermittelt wurden. Das Problem der Deutung des Todes Jesu wird hier nur insoweit besprochen, als die Sicht des Jüngergeschicks vom Verständnis des Todes Jesu abhängig ist. Die andere Frage, wie weit die jüdische Theologie des Martyriums die Deutung des Todes Jesu beeinflußt hat, ist kürzlich von Kl. Berger u. a. erneut aufgeworfen worden[11]. M. E. reicht die angegebene Textbasis kaum aus, um eine Tradition zu erschließen, in der vom Tod und von der Auferstehung des endzeitlichen Propheten die Rede war. Es ist auffällig, wenn eine Tradition, die für die Deutung des Geschicks Jesu von eminenter Bedeutung gewesen sein soll, nicht explizit in jüdischen Texten zur Theologie des Martyriums begegnet, sondern aus christlichen Schriften, in denen jüdische Traditionsstücke abgegrenzt werden, erschlossen wird. Doch kann im Rahmen dieser Arbeit nicht ausführlicher auf solche Fragen eingegangen werden, da die Deutung des Todes Jesu wegen der Verknüpfung mit der Christologie ein eigenes Thema darstellt. Sicherlich wird mit dieser Arbeit nicht alles gesagt. Manche Punkte bleiben offen für weiterführende Einzeluntersuchungen. Hier soll der Rahmen abgesteckt werden, in dem sie stehen können.

---

[11] Kl. Berger, Die Auferstehung des Propheten und die Erhöhung des Menschensohnes. Traditionsgeschichtliche Untersuchungen zur Deutung des Geschickes Jesu in frühchristlichen Texten (Göttingen 1976) = StUNT 13. Vgl. auch R. Pesch, Zur Entstehung des Glaubens an die Auferstehung Jesu. Ein Vorschlag zur Diskussion = ThQ 153 (1973) 201/28, und die anschließend abgedruckten Diskussionsbeiträge. Weitere Angaben bei J. Kremer, Entstehung und Inhalt des Osterglaubens. Zur neuesten Diskussion = ThRv 72 (1976) 1/14.

I. Kapitel

DIE JÜDISCHE MARTYRIUMSDEUTUNG

1. Die Frage der Prophetenmärtyrer

An mehreren Stellen des Neuen Testaments wird dem jüdischen Volk der Vorwurf gemacht, es habe die ihm von Gott gesandten Propheten verfolgt und getötet[1]. Die weite Verbreitung des Motivs zeigt, daß die Vorstellung, die alttestamentlichen Propheten seien verfolgt und getötet worden, allgemeine Überzeugung der neutestamentlichen Kirche war.

Nach der Apostelgeschichte hat der Märtyrer Stephanus in seiner anklagenden Rede dem Hohen Rat vorgehalten: »Welchen der Propheten haben eure Väter nicht verfolgt? Sie haben jene getötet, die die Ankunft des Gerechten geweissagt haben, dessen Verräter und Mörder ihr jetzt geworden seid« (7,52). In der Bergpredigt wird die Verfolgung der Jünger Jesu als Fortsetzung der Prophetenverfolgung gedeutet (Mt 5,11f.; vgl. Lk 6,22f.). Nach 1 Thess 2,15 liegt die Verfolgung der Jünger Jesu auf der Linie der Ermordung der Propheten und der Tötung Jesu. Im Verständnis dieser neutestamentlichen Stellen wären so die verfolgten Propheten Vorläufer der bedrängten Jünger Jesu gewesen.

Mehrere Studien schlagen den von den genannten neutestamentlichen Stellen gewiesenen Weg ein. K. Holl hat in der Fortführung eines Gedankens Kattenbuschs[2] den Märtyrer als denjenigen bestimmt, dem nach der Überzeugung der urchristlichen Gemeinde »in der entscheidenden Stunde die Gabe verliehen werde, die überirdische Welt und den Herrn, zu dem er sich bekannte, mit Augen zu sehen. Dadurch wurde sein Bekenntnis ein Reden aus unmittelbarer Anschauung heraus«[3]. Der Besitz einer prophetischen Gabe

---

[1] Mt 5,11f.; 23,29—39; Lk 6,22f.; 11,47—51; 13,31—35; Apg 7,52; 1 Thess 2,15; vgl. auch das Winzergleichnis Mk 12,1—12; Mt 21, 33—46; Lk 20,9—19, sowie Hebr 11,36—38 u. Jak 5,10.

[2] F. Kattenbusch, Der Märtyrertitel = ZNW 4 (1903) 111/27, hier 115f. Kattenbusch fragt, gestützt auf das Stephanusmartyrium: »Gelten die Märtyrer für solche, die im besonderen zum Schauen der δόξα Gottes und Jesu als des Messias gelangten?« (115). Jedoch läßt Kattenbusch diese Hypothese wieder fallen.

[3] K. Holl, Die Vorstellung vom Märtyrer und die Märtyrerakte in ihrer geschichtlichen Entwicklung = Gesammelte Aufsätze zur Kirchengeschichte II. Der Osten (Tübingen 1928) 68/102, hier 71.

läßt den Märtyrer als Propheten erscheinen[4]. Diese Vorstellung vom Märtyrer hat das Christentum aus dem Judentum übernommen. In makkabäischer Zeit hat man die Propheten zu Märtyrern umgebildet. »Die Anschauung, die schon Deuterojesaja vertritt, daß der Prophet für sein Zeugnis sterben muß, schlägt nunmehr durch«[5].
A. Schlatter, der den Ursprung des Märtyrerbildes auf die Makkabäerzeit zurückführt[6], sucht den Ursprung des christlichen Märtyrertitels in der seit jener Zeit vorgenommenen »Zuteilung des Martyriums an den Propheten«[7]. Für O. Michel ist der Prophet wesentlich Märtyrer, und der Märtyrer ist Prophet[8]. H. A. Fischel geht die Frage vor allem aus seiner Kenntnis der jüdischen Literatur an[9]. Unter Hinweis auf die oben genannten neutestamentlichen Stellen fragt er nach dem jüdischen Märtyrerbild. Die Idee, daß ein Prophet für seinen Glauben oder seine Taten leiden müsse, sei in frühen biblischen Schriften, die das Geschick des Micha, Urija, Elija, Amos, Jeremia und anderer berichten, implizit enthalten. An wen auch immer der Autor der Gottesknechtslieder gedacht habe, so habe er die Ansicht gehabt, daß der große Prophet in seiner Mission zu leiden oder zu sterben habe[10]. Im Midrasch der tannaitischen Zeit und aller späteren Epochen habe sich dieser Trend verstärkt[11]. Die Folgerung nach der Durchmusterung des Materials: Es kann gesagt werden, daß es schon im 1. Jh. n. Chr. eine allgemein akzeptierte Lehre des Judentums war, daß Propheten leiden oder sogar als Märtyrer sterben mußten[12]. Im 2. Teil seiner Studie stellt Fischel dann die Zeugnisse zusammen, die den jüdischen und christlichen Märtyrer als einen Propheten erscheinen lassen. Ausgehend von den zu Beginn angeführten neutestamentlichen Texten sieht auch M. Lods im Propheten den Märtyrer[13]. Der christliche Märtyrer trägt prophetische Züge; er sollte zwar nicht Prophet

---

[4] Ebd. 74, 84.
[5] Ebd. 79.
[6] A. Schlatter, Der Märtyrer in den Anfängen der Kirche (Gütersloh 1915) = BFChTh 19,3,10/4.
[7] Ebd. 18/22, das Zitat S. 20. »... der Wert ihrer Leistung (der christlichen Märtyrer), die sie durch ihren Kampf vor dem Richter vollbrachten, wird dadurch geehrt, daß ihnen der Name gegeben wird, der zunächst den Propheten und Aposteln gebührt« (ebd. 20).
[8] O. Michel, Prophet und Märtyrer (Gütersloh 1932) = BFChTh 37,2.
[9] H. A. Fischel, Martyr and Prophet (A Study in Jewish Literature) = The Jewish Quarterly Review 37 (1946/7) 265/80, 363/86.
[10] Ebd. 270.   [11] Ebd. 271.   [12] Ebd. 279.
[13] M. Lods, Confesseurs et martyrs successeurs des prophètes dans l'église des trois premiers siècles (Neuchâtel-Paris 1958) = Cahiers Théologiques 41,10f.

genannt werden, da er im Unterschied zum alttestamentlichen Propheten eher Tat- als Wortzeuge ist, sich also von ihm unterscheidet, doch ist er Nachfolger der Propheten[14]. Schließlich kann man noch auf die Arbeiten von F. Dornseiff[15], E. Lohmeyer[16], G. Fitzer[17], T. W. Manson[18], A. Gelin[19] und H. Kraft[20] hinweisen, in denen der Ursprung der Märtyreridee bei Deuterojesaja gesucht wird, sei es daß man die Zeugnisvorstellung oder die Gestalt des Gottesknechtes zum Ausgangspunkt nimmt oder auch beides miteinander verbindet.

Manche Passagen der angeführten Studien erscheinen recht spekulativ. An anderen Stellen hat man den Eindruck einer voreiligen Harmonisierung. Ein kurzes Eingehen auf den Sachverhalt verspricht Aufklärung für die Frage nach dem Beginn der Theologie des Martyriums.

H. J. Schoeps hat in einem Aufsatz, in dem er der Herkunft des Motivs vom Prophetenmord nachgeht, die wenigen alttestamentlichen Stellen zusammengetragen, an denen die Ermordung eines Propheten berichtet wird[21]. Kap. 26 des Jeremiabuches beschreibt die Reaktion der Zuhörer auf die Tempelrede des Propheten (Jer 7,1—15). Auf Jeremias Warnung, daß der Ungehorsam gegen Gott die Zerstörung des Tempels nach sich ziehe, antworten Prie-

---

[14] Ebd. 79.

[15] F. Dornseiff, Der Märtyrer: Name und Bewertung = ARW 22 (1923/4) 133/53. Der Keim der Bedeutungsentwicklung vom Zeugen vor Gericht zum glaubensstarken Bekenner seiner Überzeugung, der auch dafür den Tod erleidet, liege bei Deuterojesaja (134). Weiter verweist Dornseiff auf die allgemeine religionsgeschichtliche Idee des Todes der Kultgestalt.

[16] E. Lohmeyer, Die Idee des Martyriums im Judentum und Urchristentum = ZSTh 5 (1928) 232/49, vgl. 234.

[17] G. Fitzer, Der Begriff des μάρτυς im Judentum und Urchristentum (theol. Diss. Breslau 1928). Die bei Lohmeyer in Breslau gemachte Arbeit ist dessen Konzept (s. die vorhergehende Anm.) verpflichtet (vgl. 8: »Danach [nach Lohmeyer] bleibt es nur noch übrig, die hier gegebenen Anregungen in einer sachlich und geschichtlich genauen Untersuchung auszuführen.«)

[18] T. W. Manson, Martyrs and Martyrdom = BJRL 39 (1956/7) 463/84, verbindet Neh 9,26 mit Deuterojesaja (465f.).

[19] A. Gelin, Les origines bibliques de l'idée de martyre = Lumière et Vie 36 (1958) 123/9. — E. Günther, Μάρτυς. Die Geschichte eines Wortes (Gütersloh 1941) 79/94; ders., Zeuge und Märtyrer. Ein Bericht = ZNW 47 (1956) 145/61, hier 153f., versteht den Märtyrertitel vom sog. »apokalyptischen Bezeugen« her, das sich aus dem »prophetischen Zeugnis« herausgebildet habe. Älteste Stelle für das prophetische Zeugnis sei Jes 8,16, ferner: Sach 3,6.7, Neh 11,26 u. 1 Makk 2,56.

[20] H. Kraft, Zur Entstehung des altchristlichen Märtyrertitels = G. Kretschmar — B. Lohse (Hrsg.), Ecclesia und Res Publica (Göttingen 1961) 64/75.

[21] H. J. Schoeps, Die jüdischen Prophetenmorde = Aus frühchristlicher Zeit. Religionsgeschichtliche Untersuchungen (Tübingen 1950) 126/43, hier 127f.

ster und Propheten mit einer Todesdrohung. Die königlichen Beamten greifen ein und bewahren den Propheten vor der Verwirklichung der bösen Absicht. Wohl um die Größe der Gefahr, in der Jeremia schwebte, zu verdeutlichen, fügt der Schreiber einen Bericht über das Ende des Propheten Urija an (26,20—23). Dieser, wie Jeremia ein Unheilsprophet, flieht vor Jojakim, der seinen Tod will, nach Ägypten, wird dort jedoch von einer Gesandtschaft des Königs ergriffen und vor den Herrscher gebracht, der ihn mit dem Schwert hinrichten läßt. Der Haß des Königs gönnt dem Propheten keine Beisetzung in der Familiengruft, sondern nur einen Begräbnisplatz bei den einfachen Leuten. Jeremia wird vor einem ähnlichen Schicksal durch das Wohlwollen seines einflußreichen Gönners Ahikam bewahrt (26,24). Jer 2,30 macht dem Volk den Vorwurf: »Euer Schwert fraß eure Propheten wie ein reißender Löwe.«

Ein zweiter Fall eines Prophetenmordes wird 2 Chr 24,17—22 erzählt. Der König Joasch hatte nach dem Tod des Priesters Jojada die rechte Gottesverehrung mit dem Höhenkult vertauscht (24,17f.). Die Propheten, die das Volk zu Gott zurückführen wollen, werden überhört. Secharja, der Sohn des Jojada, wird gar auf Befehl des Königs im Vorhof des Tempels gesteinigt. Ein siegreicher Feldzug der Aramäer und das unrühmliche Ende des Joasch sind die Strafe Gottes für Glaubensabfall und Prophetenmord (24,23—26). Die in die Theologie des Chronisten passende Geschichte des Prophetenmordes[22] findet sich nicht in dem Joasch-Bericht von 2 Kön 12. Jedoch muß man damit rechnen, daß die uns nicht bekannten Quellen des Chronisten, auf die er häufig, so auch 24,27, verweist, echte historische Erinnerung bewahrt haben können[23].

Einen Hinweis auf die Ermordung von Propheten enthält 1 Kön 19,10.14. Auf der Flucht vor Isebel, der aus dem phönizischen Königshaus stammenden, den Baalskult fördernden Gemahlin des Königs Ahab, klagt Elija, daß die Israeliten die Propheten ermordet hätten, er allein übriggeblieben sei und man nun auch ihm nach dem Leben trachte. Von einer Prophetenverfolgung spricht auch 1 Kön 18,4.13. Demnach hat Isebel versucht, die Jahwepropheten auszurotten. Der Palastvorsteher bewahrt hundert Propheten in Höhlenverstecken vor ihrem Zugriff. Zum hier geschilderten gewalttätigen Verhalten des Königshauses gegenüber mißliebigen

---

[22] Vgl. die generelle Aussage 2 Chr 36,14—20: Jahwe schickt seine Boten, doch das Volk verachtet die Propheten und ist so selbst schuld am Zorn Gottes, der sich in der politischen Geschichte zeigt. Siehe auch 2 Chr 16,10: Der König Asa wirft den Seher Hanani, dessen Worte er nicht erträgt, ins Gefängnis.

[23] Vgl. W. Rudolph, Chronikbücher (Tübingen 1955) = HAT 21,XIf. u. 273f.; O. Eissfeldt, Einleitung in das Alte Testament[3] (Tübingen 1964) 730/2.

Propheten paßt der Bericht 1 Kön 22,13—28[24]. Ahab läßt den Propheten Micha, den Sohn Jimlas, der ihm nicht den gewünschten günstigen Gottesspruch für seinen Krieg gegen die Aramäer überbringt, sondern ihm im Gegenteil Unheil verheißt, ins Gefängnis werfen. Die Bildung und Ausformung der Elijaüberlieferung dürfte in der Zeit nach dem Auftreten des Propheten begonnen haben[25]. Daß die Auseinandersetzungen zwischen dem Königshaus und den Jahwepropheten gefährliche Situationen für letztere mit sich brachten, ist nicht unwahrscheinlich[26].

Schwierig ist die Frage, ob das 4. Gottesknechtslied des Deuterojesaja (52,13—53,12) in den Zusammenhang hier gehört. Die Diskussion, ob der Ebed Jahwe kollektiv oder individuell gedeutet werden müsse, ist bis heute nicht entschieden[27]. Die Tatsache, daß die Gottesknechtslieder Züge enthalten, die eine Deutung auf ein Individuum nahelegen, und andere, die an eine kollektive Deutung auf Israel denken lassen, kann gut im Sinn von W. Zimmerli interpretiert werden, der vermutet, daß sich in den Liedern das einem einzelnen Widerfahrene niedergeschlagen hat »und nun allerdings eine Deutung erfahren hat, die die Empirie seines Lebens sprengt und im Glauben letzte Erkenntnisse zu fassen wagt«[28]. Die prophetischen Züge lassen an eine prophetische Gestalt, vielleicht an den Propheten Deuterojesaja selbst denken. Interpretiert man den Ebed als eine einzelne prophetische Gestalt, so spricht das 4. Gottesknechtslied von der Gewalteinwirkung durch andere Menschen und vom Tod und Begräbnis des Knechtes[29].

[24] Übernommen in 2 Chr 18,12—27.
[25] G. Fohrer, Art. Elia = RGG[3] II,424/7, hier 424. E. Sellin — G. Fohrer, Einleitung in das Alte Testament[11] (Heidelberg 1969) 252f.
[26] J. Gray, I and II Kings. A. Commentary[2] (London 1970) = The Old Testament Library, 410, fragt, ob sich 1 Kön 19,10 nicht auf die Verfolgung, die 18,4.13 erwähnt wird, beziehen könne. »The complaint of Elijah that he is left alone is a typical case of hyperbole for the sake of emphasis, which is common in Semitic thought and speech.« Die Frage, ob es zu Prophetenmorden gekommen ist, läßt sich nicht entscheiden. Doch wird man mit gefährlichen Situationen während der Auseinandersetzung rechnen müssen.
[27] Überblick über die Geschichte der Deutung bei P. Volz, Jesaia II (Leipzig 1932) = KAT 9,182/8. Unter den neueren Arbeiten bezieht P.-E. Bonnard, Le Second Isaïe (Paris 1972) = ÉtB, 269/80, den Ebed auf Israel, während C. Westermann, Das Buch Jesaja. Kapitel 40—66 (Göttingen 1966) = ATD 19,207/17, und E. Kutsch, Sein Leiden und Tod — unser Heil. Eine Exegese von Jesaja 52,13 — 53,12 (Neukirchen-Vluyn 1967) = Biblische Studien 52,39f., an einen einzelnen denken.
[28] W. Zimmerli, Art. παῖς θεοῦ = ThWNT V,653/76, hier 666.
[29] »Everything in the chapter points to his having died a violent death.« C. R. North, The Second Isaiah[2] (Oxford 1967) 241, zu Jes 53,8. Zum Begräbnis des Knechtes vgl. Jer 26,23.

Das hier entworfene Bild läßt sich erweitern, wenn man über die bisher genannten Stellen hinaus das Thema des Leidens und der Verachtung der Propheten berücksichtigt. Dann ist vor allem auf Jeremia zu verweisen[30]. Andere Propheten brauchten zwar nicht um ihr Leben zu fürchten; doch von einer Ablehnung ihrer Botschaft und vom Spott über sie ist häufiger die Rede[31].

All diese Stellen können jedoch nicht die neutestamentliche Aussage von der generellen Verfolgung und Tötung der Propheten rechtfertigen. Woher beziehen die neutestamentlichen Schriftsteller ihr Wissen? H. J. Schoeps sucht die Antwort auf diese Frage in jüdischen Prophetenapokryphen wie dem Martyrium des Jesaja und den sog. Vitae Prophetarum[32]. Da die jüdischen Legenden Einzelschicksale der Propheten erzählen, ginge die Generalisierung auf das Konto des frühen Christentums. Schoeps stellt sich nicht die Frage, ob nicht auch die generelle christliche Aussage schon in der Linie vorausgehender jüdischer Formulierungen liegt. O. H. Steck hat gezeigt, daß es tatsächlich eine solche vorchristliche Tradition gab, in die sich die christlichen Aussagen einordnen lassen[33]. Demnach hat man im Rahmen des deuteronomistischen Geschichtsbildes »die Vorstellung von Israel als dem Täter eines generell gewaltsamen Geschicks der Propheten«[34] gebildet, um den Widerstand Israels gegen das durch die Propheten ergehende Angebot Gottes auszudrücken. Gott lädt durch die Propheten zur Umkehr ein. Doch Israel verschließt sich allen Mahnungen. Stärkster Ausdruck seiner Halsstarrigkeit ist die Ermordung der Propheten. Das Volk trägt so selbst die Schuld an den in der politischen Geschichte ergehenden Strafgerichten Gottes.

Die Vorstellung von dem generell gewaltsamen Geschick der Propheten findet sich erstmals in Neh 9,26. Sie wurde durch die Überlieferung des deuteronomistischen Geschichtsbildes tradiert und läßt sich nach Steck im palästinensischen Judentum, im Urchristentum,

---

[30] Vgl. H. Wheeler Robinson, The Cross in the Old Testament[2] (London 1956) 115/92; H. Kremers, Leidensgemeinschaft mit Gott im Alten Testament. Eine Untersuchung der »biographischen« Berichte im Jeremiabuch = EvTh 13 (1953) 122/40; P. Welten, Leiden und Leidenserfahrung im Buch Jeremia = ZThK 74 (1977) 123/50.

[31] Vgl. E. Janssen, Juda in der Exilszeit. Ein Beitrag zur Frage der Entstehung des Judentums (Göttingen 1956) = FRLANT 51,85f.

[32] H. J. Schoeps, Die jüdischen Prophetenmorde, 128ff.

[33] O. H. Steck, Israel und das gewaltsame Geschick der Propheten. Untersuchungen zur Überlieferung des deuteronomistischen Geschichtsbildes im Alten Testament, Spätjudentum und Urchristentum (Neukirchen-Vluyn 1967) = WMANT 23.

[34] Ebd. 317.

in frühchristlicher und rabbinischer Tradition und im Koran nach-
weisen. Die Vorstellung ist »eine theologische Aussage über Israel
im Gewande einer geschichtlichen über die Propheten«[35]. Mit Recht
hält es daher Steck für unangebracht, in diesem Zusammenhang
von der Gestalt des Märtyrerpropheten zu sprechen[36]. Hätte man
den Märtyrerpropheten zeichnen wollen, so hätte man den Propheten nicht als den Betroffenen, an dem etwas geschieht, sondern als
den Handelnden und Leidenden beschreiben müssen. Steck zieht
eine scharfe Grenzlinie zwischen der von ihm erhobenen Tradition,
die am Täter Israel orientiert ist, und der Märtyrerbegrifflichkeit.
Doch ist hier eine Differenzierung angebracht. Wenn in neutesta-
mentlicher Zeit die Tradition vom gewaltsamen Geschick der Propheten verwandt wird, um das Geschick Jesu und seiner Jünger zu
deuten, indem man es in eine Linie mit dem von der Tradition be-
haupteten Geschick der Propheten stellt, so enthält die Aussage
über die Sünde des Täters einen Hinweis auf die Art und Weise,
wie man sich die neue Verfolgungssituation verständlich machte.
Dort, wo die Tradition auf ein neues Verfolgungsgeschick bezogen
wird, dient sie seiner Deutung. Steck warnt davor, die verschiedenen
theologischen »Erfassungen ... des gewaltsamen Todesgeschicks des
Frommen im Blick auf diesen selbst« unter dem Oberbegriff einer
jüdischen Märtyrertheologie zu nivellieren[37]. Doch gerade wenn
man die verschiedenen theologischen Deutungen nicht harmonisie-
ren will, darf man einen Blick auf die Verwendung der Tradition
vom gewaltsamen Prophetengeschick nicht unterlassen[38].
Für die Frage nach dem Ursprung der jüdischen Theologie des
Martyriums lassen sich nun einige Folgerungen ziehen. Es gibt
einige wenige alttestamentliche Stellen, die vom gewaltsamen Tod
eines Propheten berichten. Die in der Erfüllung ihres Auftrags
ermordeten Propheten kann man Märtyrer nennen. Mit ihrem Tod
hat sich das Alte Testament, wenn wir das 4. Gottesknechtslied

---

[35] Ebd.   [36] Ebd. 252/4 u. 263f.

[37] Ebd. 263. In diesem Zusammenhang lehnt Steck auch den Oberbegriff »Märtyrertheologie« als unsachgemäß ab. Wenn es jedoch im Judentum den Märtyrer als den wegen seines Glaubens Getöteten gibt, ist es nicht einsichtig,
warum man nicht den Ausdruck »Märtyrertheologie« oder »Theologie des
Martyriums« als Oberbegriff benutzen kann, um die verschiedenen Versuche
der theologischen Deutung dieses Verfolgungsgeschicks knapp zu bezeichnen.
Die Warnung vor der Nivellierung dieser Bemühungen gilt allerdings zurecht.

[38] Steck lehnt eine Beziehung zwischen der Tradition vom generell gewaltsamen
Geschick der Propheten und dem Martyrium Isaiae, den Vitae Prophetarum
und der Prophetengrabverehrung ab (ebd. 243/52). Es ist jedoch zu fragen, ob
nicht die Erfahrungen der Verfolgungszeit unter syrischer Herrschaft, die sich
der Deutung des Martyriums widmende Literatur und die obengenannte Tradition dazu führten, einzelne Propheten als Märtyrer zu schildern.

unberücksichtigt lassen, nicht in Form einer Theologie des Martyriums beschäftigt. Die Tradition von Israel als dem Täter eines generell gewaltsamen Geschicks der Propheten hat ebensowenig eine solche Theologie geschaffen. Der Ursprung der jüdischen Theologie des Martyriums ist in der Verfolgungszeit unter dem syrischen Herrscher Antiochus IV. Epiphanes zu suchen. In dieser Zeit hat man sich mit der Ermordung jüdischer Frommer, die eher starben, als daß sie ihren Glauben verleugneten, in theologischer Reflexion auseinandergesetzt. Dabei mußte man nicht eine gänzlich neue Theologie schaffen, sondern konnte auf tradierte oder zeitgenössische Gedanken vor allem zur Deutung des Leidens oder auch des Todes zurückgreifen[39], die man weiterentwickelte. Ursprung der Theologie des Martyriums ist nicht eine sich entwickelnde Idee, eine Tradition, eine Gestalt oder ein »Bild«, sondern die theologische Deutung eines historischen Faktums. Erste Versuche der theologischen Interpretation werden im Danielbuch faßbar.

2. Das Buch Daniel

Das Buch Daniel stammt aus der Zeit der religiösen Auseinandersetzungen unter der Herrschaft des syrischen Königs Antiochus IV. Epiphanes (175—163 v. Chr.). Das Kap. 11 enthält in der Form einer Zukunftsvision einen Überblick über die Geschichte von den Persern bis auf Antiochus IV. Die Angaben werden genauer, je mehr sich der Verfasser der Zeit dieses Herrschers nähert. 11,25 weist auf die ersten Kämpfe des Syrers mit Ägypten im Jahre 169 v. Chr. hin; 11,29 bezieht sich auf seinen zweiten ägyptischen Feld-

---

[39] Zur Leidensdeutung vgl. N. Peters, Die Leidensfrage im Alten Testament (Münster 1923) = Biblische Zeitfragen 11. Folge, H. 3/5; E. Balla, Das Problem des Leides in der Geschichte der israelitisch-jüdischen Religion = ΕΥΧΑΡΙΣΤΗΡΙΟΝ. Studien zur Religion und Literatur des Alten und Neuen Testaments. Festschrift H. Gunkel I (Göttingen 1923) = FRLANT N. F. 19,1,214/60; W. Wichmann, Die Leidenstheologie. Eine Form der Leidensdeutung im Spätjudentum (Stuttgart 1930) = BWANT 53; J. J. Stamm, Das Leiden des Unschuldigen in Babylon und Israel (Zürich 1946) = AThANT 10,33/75; E. F. Sutcliffe, Providence and Suffering in the Old and New Testament (London 1953); J. Scharbert, Der Schmerz im Alten Testament (Bonn 1955) = BBB 8,133/216; J. A. Sanders, Suffering as Divine Discipline in the Old Testament and Post-Biblical Judaism (Rochester 1955) = Colgate Rochester Divinity School Bulletin, Vol. XXVIII, Special Issue; A. Bertrangs, De Bijbel over het lijden (Roermond-Maaseik 1962); L. Ruppert, Der leidende Gerechte. Eine motivgeschichtliche Untersuchung zum Alten Testament und zwischentestamentlichen Judentum (Würzburg 1972) = Forschung zur Bibel 5; ders., Der leidende Gerechte und seine Feinde. Eine Wortfelduntersuchung (Würzburg 1973); G. Gerstenberger — W. Schrage, Leiden (Stuttgart 1977) = Kohlhammer-Taschenbücher 1004, 9/117; E. Kutsch, Von Grund und Sinn des Leidens nach dem Alten Testament = H. Schulze (Hrsg.), Der leidende

zug von 168. Im folgenden Abschnitt 11,30—39 beschreibt der
Apokalyptiker die Verfolgungszeit. Bis hierher entspricht der Text
dem, was wir aus anderen Quellen über die Zeit wissen. Mit 11,40
endet die Übereinstimmung. Der Tod des Königs wird in apokalyptischen Bildern geschildert; die tatsächliche Geschichte ist anders
verlaufen. Das Buch Daniel ist also bald nach 168 und noch vor
dem Tod des Antiochus während der Verfolgungszeit geschrieben
worden[1].

Von der Bedrängnis der treu zum ererbten Gesetz haltenden Juden
spricht schon Kap. 7[2]. In einem Traumgesicht schaut Daniel vier
Tiere, die die aufeinander folgenden Weltreiche darstellen[3]. Das
vierte Tier hat zehn Hörner, Sinnbilder der Herrscher des Reiches.
Ein letztes Horn wächst nach, das drei andere verdrängt. Gemeint
ist Antiochus IV. Von diesem Horn heißt es 7,21f., daß es gegen die

Mensch. Beiträge zu einem unbewältigten Thema (Neukirchen-Vluyn 1974)
73/84. — Zum Verständnis des Todes vgl. G. Quell, Die Auffassung des
Todes in Israel (Darmstadt 1967); J. Leipoldt, Der Tod bei Griechen und
Juden (Leipzig 1942); L. Wächter, Der Tod im Alten Testament (Stuttgart
1967) = Arbeiten zur Theologie II,8.

[1] Diese Datierung ist heute nicht mehr strittig. Vgl. Eissfeldt, Einleitung, 705f.;
F. Dexinger, Das Buch Daniel und seine Probleme (Stuttgart 1969) = SBS
36,15/7. Bei der Abfassung des Buches hat sich der Verf. der Apokalypse im
ersten Teil auf ältere Erzählungen stützen können, die er jedoch seinem Anliegen dienstbar gemacht hat. Zur Einheitlichkeit des Buches vgl. F. Dexinger,
26/9. Zur Geschichte der Zeit des Antiochus IV. vgl. M. Noth, Geschichte
Israels[2] (Göttingen 1954) 322/43; J. Bright, Geschichte Israels. Von den Anfängen bis zur Schwelle des Neuen Bundes (Düsseldorf 1966) 443/55; E.
Bickermann, Der Gott der Makkabäer. Untersuchungen über Sinn und Ursprung der makkabäischen Erhebung (Berlin 1937); ders., From Ezra to the
Last of the Maccabees. Foundations of Post-Biblical Judaism[3] (New York
1968) 93ff.; O. Plöger, Theokratie und Eschatologie (Neukirchen 1959) =
WMANT 2,9/18; M. Hengel, Judentum und Hellenismus. Studien zu ihrer
Begegnung unter besonderer Berücksichtigung Palästinas bis zur Mitte des
2. Jh.s v. Chr. (Tübingen 1969) = WUNT 10,464/564. Der Verf. des Danielbuches sieht in Antiochus IV. den Urheber der Verfolgung. Der Sachverhalt
ist jedoch nicht so eindeutig. Entscheidend war das Verhalten der hellenistisch
eingestellten jüdischen Partei, das der syrischen Herrschaft Anlaß zum Eingreifen bot.

[2] Die neueren Kommentare zu Daniel: M. Delcor, Le Livre de Daniel (Paris
1971) = Sources Bibliques; O. Plöger, Das Buch Daniel (Gütersloh 1965) =
KAT 18; N. W. Porteous, Das Danielbuch (Göttingen 1962) = ATD 23;
A. Bentzen, Daniel[2] (Tübingen 1952) = HAT 1,19; F. Nötscher, Daniel
(Würzburg 1948) = EB. In den Übersetzungen folge ich meistens O. Plöger,
dem auch die hier gegebene Interpretation verpflichtet ist. Vgl. auch D. Daube,
Civil Disobedience in Antiquity (Edinburgh 1972) 82/7.

[3] Zur nicht nur hier begegnenden Vorstellung von den vier Reichen, die von
einem fünften Reich abgelöst werden, und zur Wirkungsgeschichte von Dan 7
u. 2 vgl. J. Ward Swain, The Theory of the Four Monarchies. Opposition
History under the Roman Empire = Classical Philology 35 (1940) 1/21.

Heiligen Krieg führte und sie überwältigte, bis ihnen die Herrschaft gegeben wurde. 7,25—27 deutet das vom Horn Gesagte auf den König, der sich an den Heiligen vergeht, in dessen Gewalt sie gegeben werden, bis dem Volk der Heiligen selbst die Herrschaft zufällt. In der folgenden Vision Daniels (Kap. 8) wird die Eroberung des Perserreiches durch Alexander im Bild des Sieges eines Ziegenbockes über einen Widder dargestellt. Dem Ziegenbock wachsen vier Hörner — die Diadochenreiche. Aus einem Horn wächst ein neues hervor — Antiochus IV. In seinem Übermut erhebt er sich gegen Gott. Er entzieht ihm das tägliche Opfer und entweiht sein Heiligtum (8,11). In der Ausdeutung des Bildes heißt es 8,24 f., daß dieser König sich gegen die Heiligen richtet und viele umbringt. Doch er wird zerschmettert werden. Das Kap. 9 beginnt mit einem Gebet, in dem Daniel die Schuld des Volkes, das nicht auf die Propheten gehört hat und von Gottes Gesetz abgewichen ist, bekennt[3a]. Dem Gebet liegt das deuteronomistische Geschichtsverständnis zugrunde. Auf das Gebet hin belehrt der Engel Gabriel den Seher in der Ausdeutung von Jer 25,11 und 29,10 unter dem Bild der siebzig Jahreswochen über die Zeit der Geschichte des jüdischen Volkes nach dem Exil. Dem Ende geht eine Zeit der Bedrängnis voraus. Im Zuge dieser Bedrängnis wird der Jahwekult abgeschafft; es gibt Verwüstungen, bis der Verwüster selbst dem Unheil anheimfällt (9,26 f.). Wieder ist Antiochus IV. gemeint. Der Abschnitt 11,30—39, in dem die Verfolgung durch ihn am ausführlichsten beschrieben wird, wurde schon genannt und muß später noch gesondert besprochen werden.

Der Verfasser schreibt für seine Zeit. Er will Antworten auf die in der Verfolgungszeit aufbrechenden Fragen geben. Dem Zweifel an der Macht Gottes wehrt er, indem er zeigt, daß die gesamte Weltgeschichte entsprechend dem Plan Gottes verläuft. Der Leser der Visionen wird sich bewußt, daß seine drangvolle Gegenwart ein Moment im Plan Gottes ist, den er einst Daniel hat schauen lassen und den er nun durch die Weisen erklären läßt. Gott ist es, der den einander folgenden Reichen ihre Macht einräumt, auch wenn diese sie gegen ihn selbst und die unbeirrt an ihn Glaubenden verwenden. Die Verfolgung durch Antiochus IV. und dessen religiöses Verhalten allgemein sind der Gipfel der frechen Selbstüberheblichkeit menschlicher Herrscher (11,30 ff.). Im Tod findet der König die ihm zugedachte Strafe (11,45). Für die Zeit seines Todes, also für die unmittelbare Zukunft, erwartet der Verfasser des Buches den großen Um-

---

[3a] Wohl kein nachträglicher Einschub; vgl. O. H. Steck, Israel und das gewaltsame Geschick der Propheten, 113, Anm. 9.

schwung, der aller Ungerechtigkeit ein Ende macht (12,1). Dann ist alle Schuld des jüdischen Volkes gesühnt (9,24).

Im Kap. 2 erklärt Daniel dem König Nebukadnezzar dessen Traum. Die Gestalt aus Gold, Silber, Erz, mit Füßen teils von Eisen, teils von Ton, ein Bild der vier Weltreiche, wird von einem Stein an den Füßen getroffen und ganz vernichtet. Dieser Stein wird zu einem großen Felsen und erfüllt die ganze Erde (2,35). Er versinnbildet die Gottesherrschaft, die ohne menschliches Zutun (vgl. 2,45) in Erscheinung tritt und für alle Ewigkeit die irdischen Reiche ablöst (2,44). Nebukadnezzar anerkennt den Gott Daniels als den Gott der Götter und Herrn der Könige (2,46). In 2,21 sagt Daniel in einem Gebet von ihm: »Er verändert Zeiten und Fristen, nimmt Könige weg und setzt Könige ein...« Dieser Gott kann auch allen menschlichen Reichen ein Ende setzen. Nach Kap. 4 vernimmt Nebukadnezzar in einem weiteren Traum, daß das im Bild des umgeschlagenen Baumes ausgedrückte ihn treffende Geschick dazu dienen soll, daß die Lebenden erkennen, »daß Herr ist der Höchste über das Reich der Menschen, und wer ihm gefällt, dem kann er es geben, und den Niedrigsten unter den Menschen kann er über es setzen« (4,14, vgl. 4,29). Nach Ablauf der Zeit des Herrschaftsverlustes anerkennt der König Gottes Macht und erhält die Herrschaft zurück (4,31—34). Dem Belschazzar nimmt Gott Herrschaft und Leben (5,22—30). Nach der Rettung der drei Jünglinge im Feuer und des Daniel in der Löwengrube finden sich Nebukadnezzar und Darius zur Anerkennung der Macht des rettenden Gottes bereit (3,95—97 [3,28—30] und 6,27f.).

Die den Menschen von Gott überlassene Herrschaft nimmt zu an Bosheit. Gipfel der Sünde ist die Regierung des Antiochus IV., der sich an der Gottesverehrung versündigt und die Gott treuen Gläubigen verfolgt. Doch die ihm eingeräumte Zeit ist kurz. Sie dauert bis zu dem Moment des großen Umschwungs. Dann wird dem selbstherrlichen König die Macht genommen und dem Volk der Heiligen übergeben (7,26f.). Die vorher Bedrängten herrschen infolge des machtvollen Eingreifens Gottes. Der vorher Mächtige wird vernichtet (8,25; 9,27; 11,45).

Das Wissen um die Macht Gottes, der die menschliche Herrschaft zugelassen hat, der aber nun, da das Maß der Bosheit erreicht ist, den totalen Umschwung bewirken wird, ist dem Verfasser des Danielbuches der Trost, der ihm hilft, die Verfolgungszeit zu ertragen. Er beruft sich für dieses Wissen auf Daniel, der mit Gottes Hilfe Träume deutet und dem in Visionen die Zukunft gezeigt und erklärt wird. Gott ist nicht nur der Herr über die Könige, der Herrscher ab- und einsetzt, sondern auch derjenige, der den Weisen Weisheit und den Verständigen Verstand gibt, der das Tiefe enthüllt und das Verborgene weiß (2,21f.). Das Daniel verliehene Wissen (vgl. 5,11f.) ist nicht für die breite Menge bestimmt. Daniel soll die Vision vom Ziegenbock und Widder geheim halten (8,26). In der letzten Vision schaut Daniel allein die leuchtende Gestalt, während die Männer, die bei ihm sind, die Erscheinung nicht sehen, wohl aber von einem großen Schrecken gepackt werden (10,7). Der Seher wird aufgefordert, die Worte dieser letzten Vision zu verbergen und das Buch bis auf die Endzeit zu versiegeln (12,4, vgl. 12,9). Zur Zeit der dem Ende vorausgehenden Verfolgung gibt es eine wohl zu den in 1 Makk 2,42 erwähnten Hasidäern gehörende Gruppe der Weisen, von denen es heißt, daß sie vielen zur Einsicht verhelfen (11,33). Sie sind diejenigen, die sich und anderen unter Berufung auf den Seher Daniel den Trost des Wissens zusprachen, daß Gott als Herr der Weltgeschichte der Bosheit bald ein endgültiges Ende setzen wird, und die dieses Wissen zur Richtschnur ihres Verhaltens machten. Der Verfasser des Danielbuches ist Sprecher dieser Gruppe. Der Hinweis auf die Versiegelung des Buches und die Geheimhaltung des apokalyptischen Wissens soll wohl erklären, daß die im Glauben gewonnene Erkenntnis der Weisen, auch wenn sie auf Daniel zurückgeführt wurde, als neu galt und im Volk nicht allgemein aufgegriffen wurde.

Vom gewaltsamen Tod einiger Mitglieder der Gruppe der Weisen spricht 11,35 innerhalb des für die danielische Verfolgungsdeutung zentralen Abschnitts 11,30—12,3. 11,30 bezieht sich auf den zweiten Zug des Antiochus IV. gegen Ägypten im Jahr 168 v. Chr. Eine römische Drohung veranlaßte ihn zum Rückzug. Mit der Rückkehr des Königs beginnt nach dem Verfasser des Danielbuches die Eskalation der syrischen Religionspolitik: Unterstützung der hellenistisch gesinnten jüdischen Partei (V. 30b), Entweihung des Tempels, Abschaffung des täglichen Opfers und Einführung eines synkretistischen hellenistischen Kultes (V. 31). Der Verfasser stellt denen, die auf die syrische Förderung des hellenistischen Synkretismus eingehen, die bereit sind, am Bunde zu freveln, und die sich zum Abfall bewegen lassen (V. 32), die standhaften Mitglieder des Volkes gegenüber. Eine besondere Rolle kommt den Weisen zu, die vielen zur Einsicht verhelfen. Sie erscheinen hier gleichsam als Gegenspieler des Königs (V. 33)[4]. Die in Opposition zum Machthaber stehende Gruppe wird blutig verfolgt[5]. Während dieser Verfolgung gibt es eine kleine Hilfe für sie (V. 34a). Wahrscheinlich

---

[4] O. Plöger, Daniel, 164.
[5] V. 33b dürfte sich nicht allein auf die Weisen beziehen.

ist der Makkabäeraufstand gemeint[6]. Er bringt nur eine kleine Hilfe, da der Verfasser des Buches die Rettung in einer Tat Gottes ohne menschliches Zutun erwartet. Zur Opposition gehören auch Opportunisten, die sich ohne innere Überzeugung der Partei der Hellenistengegner anschließen (V. 34b)[7]. V. 35 spricht nun vom gewaltsamen Tod einiger aus der Gruppe der Weisen.

Der Verfasser drückt das Geschick, das einige Weise trifft, durch das Wort *kšl* (straucheln, stolpern) aus, mit dem er in V. 33 den gewaltsamen Tod durch das Schwert bezeichnet hat[8]. Über diesen Tod einiger aus der Gruppe der Weisen macht er in den drei folgenden Verben eine Aussage. *Ṣrp* bezeichnet das Schmelzen des Metalls zum Zweck der Reinigung und Läuterung. Durch das Feuer wird das Metall von Schlacken gereinigt. Das Wort kann im übertragenen Sinn die Reinigung des Volkes von den Gottlosen durch die Strafgerichte Gottes oder die Läuterung der sittlich-religiösen Haltung einzelner bezeichnen[9]. *brr* heißt hier »sichten«[10], »läutern«[11]; *lbn* schließlich hat hier die Bedeutung »weiß machen«, »reinigen«[12].

Die gleichen drei Verben dienen in 12,10 zur Charakterisierung der Endzeit, insofern sie als Verfolgungszeit eine Gelegenheit der Läuterung ist[13]. Der Satz legt es nahe, die Läuterung mit der im gleichen Satz genannten Erkenntnis zu verbinden. Die Verfolgungszeit führt bei den Weisen zu einer geläuterten, klaren und sicheren Erkenntnis. Ihren Inhalt gibt das Danielbuch an, in dem es vor allem um die jede menschliche Herrschaft übersteigende Macht Gottes geht,

[6] O. Plöger, Daniel, 165; M. Delcor, 244; A. Bentzen, 83.

[7] F. Nötscher, 57.

[8] Die nach R. H. Charles von S. K. Williams, Jesus' Death as Saving Event. The Background and Origin of a Concept (Missoula, Montana 1975) = Harvard Dissertations in Religion 2,63f., vorgeschlagene Emendation entsprechend dem LXX-Text (διανοηθήσονται) ist m. E. nicht überzeugend. Warum sollten nur einige von den Weisen Einsicht haben oder vermitteln? Vgl. 11,33.

[9] L. Koehler — W. Baumgartner, Lexicon in Veteris Testamenti Libros (Leiden 1953) 817; W. Gesenius — Fr. Buhl, Hebräisches und Aramäisches Handwörterbuch über das Alte Testament[17] (Leipzig 1921) 696. Vgl. J. Scharbert, Der Schmerz im Alten Testament, 211f.; W. Wichmann, Die Leidenstheologie, 8f.; N. Peters, Die Leidensfrage im Alten Testament, 39/41.

[10] Koehler—Baumgartner[3], Lieferung 1 (1967) 155.

[11] Gesenius—Buhl 119.

[12] Koehler—Baumgartner[3], Lieferung 2 (1974) 492; Gesenius—Buhl 377.

[13] Daniel wird in 12,9 bedeutet, daß die Worte, in denen das Datum des eschatologischen Endes genannt wird und die er zwar hört, aber nicht versteht, bis zur Endzeit verborgen und versiegelt bleiben. Das Ende ist nach 12,7 erreicht, »wenn aufhören wird das Zerstören des Bereiches des heiligen Volkes...«. In der Endzeit sind es die Weisen, die zum Verständnis gelangen, während die Frevler, gemeint sind die hellenistisch eingestellten Mitglieder des Volkes, den Ruf der Stunde nicht verstehen.

der in naher Zukunft in der Antwort auf den Übermut des Antiochus IV. die eschatologische Wende herbeiführen und so die Verfolgung beenden wird. Die Erkenntnis der Weisen impliziert das dem eschatologischen Wissen entsprechende Verhalten. Inmitten aller sie treffenden Leiden bleiben die Weisen bei ihrem wartenden Vertrauen auf Gottes nahes Eingreifen. Die als Endzeit gedeutete Leidenszeit bestärkt sie in ihrer Haltung.

In 11,35 wird die Läuterung mit dem Tod einiger aus der Gruppe der Weisen verbunden. Man könnte daran denken, daß unwürdige Mitglieder der Gruppe fallen und ihr Tod so eine Reinigung bewirkt. Doch ist diese Deutung unmöglich, da nach 12,3 den gefallenen Weisen ein Ehrenplatz zugewiesen wird. Gilt dann aber die Reinigung den getöteten Weisen selbst, die durch den Tod geläutert werden? Wenn sie nach 12,3 leuchten wie die Sterne, ist dann dieses Leuchten Ergebnis des im Tod erfahrenen Reinigungsprozesses? Eine solche Deutung gerät in Schwierigkeiten mit dem Wort *bhm*, »unter ihnen«, das sich auf die Weisen zu Anfang des Satzes bezieht[14]. Als wahrscheinliche Bedeutung empfiehlt sich der Sinn: Der Tod einiger Glieder der Gruppe bewirkt eine Läuterung in ihr. Diese Läuterung wird allgemein auf die Gruppe bezogen; sie wird nicht bestimmten Personen der Gruppe zugesprochen. Dem Text nach sind die Getöteten von ihr nicht ausgeschlossen.

Da der Vers nichts Genaueres sagt, ist es schwierig, zu erheben, worin exakt die Läuterung besteht. Zu 12,10 wurde schon gesagt, daß zur apokalyptischen Erkenntnis der ihr entsprechende Lebenswandel gehört. In der Verfolgungszeit schließt er die Bereitschaft zum Tod mit ein. Das Sterben ist die Gelegenheit, die Festigkeit des Glaubens unter Beweis zu stellen und schuldhafte Unvollkommenheiten zu überwinden. Die lebenden Mitglieder der Gruppe lassen sich durch den Tod einiger von ihnen nicht entmutigen. Vielmehr wächst ihr Vertrauen auf Gott im Freiwerden von menschlicher Schwäche. Durch das Sterben einiger nimmt die Gruppe zu an religiös-sittlicher Qualität. Die Schlacken der Unvollkommenheit werden ausgeschieden[15]. Der Tod gilt in diesem Zusammenhang nicht als Strafe für Schuld. Hier ist also nicht eine Sühne in dem Sinn

[14] Vgl. R. H. Charles, A Critical and Exegetical Commentary on the Book of Daniel (Oxford 1929) 313: Die Präposition *b* in *bhm* muß hier, wenn man sich an den MT hält, im Sinn von »among« verstanden werden.

[15] L. Ruppert, Der leidende Gerechte, 55f., sieht in Dan 11,33—35; 12,1—3 das Leiden des Gerechten ausgesagt. In seiner Deutung geht er von 12,3 aus, kann aber dann gerade mit 11,35 nicht viel anfangen (»Für die ›Einsichtigen‹ selbst hat das Martyrium nach Dan 11,35 eigenartigerweise den Sinn einer ›Prüfung‹...«, S. 56). Vgl. auch 9,20, wo sogar von den Sünden Daniels gesprochen wird.

gemeint, daß das Ertragen der Sündenstrafe im Geschick des gewaltsamen Todes von eigener oder fremder Schuld befreit[16].

Die Interpretation der Verfolgung und des gewaltsamen Todes als einer Gelegenheit der Läuterung hilft, die schwere Zeit zu bestehen. Eine weitere Hilfe liegt in der festen Gewißheit der Weisen, daß die Verfolgung bald enden wird. Die Frist bis zum Anbruch des Endes ist von Gott gesetzt (11,35b). Die sich steigernde Vermessenheit des Königs (11,36—45) ruft geradezu nach dem endgültigen Eingreifen Gottes, das mit dessen Tod beginnen wird (11,45). Auf diese Zeit bezieht sich die Vision 12,1—3[17]. Während der Verfolgung wird Michael[18] für das jüdische Volk eintreten. Israel wird, soweit es Gott treu geblieben ist[19], gerettet. 12,2f. spricht nun von solchen, die vor der großen Wende gestorben sind: »Und viele von denen, die im Land des Staubes schlafen, werden erwachen, die einen zu ewigem Leben, die anderen zu Schmach und zu ewigem Abscheu. Und die Weisen werden glänzen wie der Glanz des Firmaments und die, die viele gerecht gemacht haben, wie die Sterne für immer und ewig.«

Der Autor stellt sich die Frage nach dem Geschick der während der Verfolgungszeit Gestorbenen. In kühner Weiterentwicklung alttestamentlicher Gedanken[20] spricht er von einem Erwachen der Toten. Der Zusammenhang verbietet es, in den zitierten Sätzen eine

---

[16] Doch s. 9,24: die 70 Wochen, in denen die Schuld gesühnt wird. In Kap. 11 u. 12 fehlt ein solcher Gedanke. Zur jüdischen Vorstellung der Sühnkraft von Leiden und Tod vgl. E. Lohse, Märtyrer und Gottesknecht. Untersuchungen zur urchristlichen Verkündigung vom Sühntod Jesu Christi[2] (Göttingen 1963) = FRLANT 64,9/110, u. W. Wichmann, Die Leidenstheologie.

[17] Interpretationen dieser Stelle außer in den Kommentaren auch bei K. Schubert, Die Entwicklung der Auferstehungslehre von der nachexilischen bis zur frührabbinischen Zeit = BZ N. F. 6 (1962) 177/214, hier 189f.; G. Stemberger, Das Problem der Auferstehung im Alten Testament = Kairos 14 (1972) 273/90, hier 273/8 (S. 273 Anm. 4 weitere Lit. zur Frage der Auferstehung im AT); G. W. E. Nickelsburg, Resurrection, Immortality, and Eternal Life in Intertestamental Judaism (Cambridge-London 1972) = Harvard Theological Studies 26,11/27; L. Ruppert, Der leidende Gerechte, 55f. Vgl. auch O. Kaiser — E. Lohse, Tod und Leben (Stuttgart 1977) = Kohlhammer-Taschenbücher 1001,68/76.

[18] Michael ist himmlischer Schutzgeist des jüd. Volkes, vgl. 10,13 u. 10,21. Siehe W. Lueken, Michael. Eine Darstellung und Vergleichung der jüdischen und der morgenländisch-christlichen Tradition vom Erzengel Michael (Göttingen 1898) 25/7. Die Nennung Michaels soll auf den göttlichen Charakter der Rettung hinweisen. Sie ist nicht das Ergebnis menschlicher Anstrengung.

[19] Die ins Buch Eingetragenen sind die Gott treu gebliebenen Mitglieder des jüd. Volkes, die Gott genau bekannt sind. Von himmlischen Büchern ist auch in der Gerichtsszene 7,9—14 die Rede. 7,10: die Bücher wurden aufgeschlagen.

[20] H.-J. Kraus, Art. Auferstehung III. In Israel = RGG[3] I,692f.

lehrmäßige Aussage über das allgemeine Geschick aller Toten zu sehen. So wie 12,1 von der Rettung des jüdischen Volkes spricht, so ist hier von den während der Verfolgung gestorbenen Mitgliedern des Volkes die Rede[21]. Die Gott treu Gebliebenen erwachen zu ewigem Leben; Schicksal der anderen, der zum hellenistischen Synkretismus Übergegangenen, ist ewige Schmach[22]. Aus der ersten Gruppe werden 12,3 die Weisen besonders hervorgehoben. Ihr Lohn wird bildhaft als Verklärung[23] beschrieben. Diese besondere Ehre wird in demselben Satz begründet: sie haben viele gerecht gemacht[24]. Die Einsicht, zu der die Weisen vielen verhelfen (11,33), ist nicht eine bloß intellektuelle Wissensvermittlung. Zur Erkenntnis gehört die ihr entsprechende Haltung. Indem die Weisen durch ihre Belehrung die rechte Einsicht vermitteln, sorgen sie dafür, daß die Belehrten, die entsprechend der Lehre leben, gerecht vor Gott dastehen. Diese gerechtmachende Belehrung der Weisen wird in 12,3 mit einer Formulierung ausgesagt, die, wie vor allem H. L. Ginsberg gezeigt hat[25], große Ähnlichkeit mit einem Satz des 4. Gottesknechtsliedes hat[26]. Es ist nicht unwahrscheinlich, daß sich der Autor des Danielbuches auf Jes 53,11 bezieht und daß er das endzeitliche Geschick der gefallenen Weisen im Rückgriff auf den abschließenden Abschnitt des 4. Gottesknechtsliedes beschreibt, in dem die Rettung und Erhöhung des Ebed Jahwe nach seinem Tod angedeutet wird (Jes 53,10—12). Dann dürfte das Bild vom Leuchten der Weisen durch Jes 53,11a angeregt worden sein: »Aus der Mühsal seiner Seele sieht er Licht...«[27].
Ein Vergleich zwischen dem 4. Gottesknechtslied und der danielischen Deutung des Geschicks der Weisen läßt Ähnlichkeiten erkennen, schärft aber auch den Blick für Unterschiede. Der gerechte Gottesknecht trägt die Schuld der anderen. Mit dem Tod der Weisen verbindet sich eine Läuterung, von der sie selbst nicht ausgeschlossen werden. Der Knecht leidet stellvertretend für die Vielen

---

[21] O. Plöger, Daniel, 171.

[22] Auf die Diskussion im Anschluß an B. J. Alfrink, L'idée de résurrection d'après Dan., XII,1.2 = Biblica 40 (1959) 355/71, braucht hier nicht eingegangen zu werden. Nach Alfrink spricht der Danieltext nur von einer Auferstehung der Gerechten. Von den Ungerechten werde ihr Verbleiben im Tod ausgesagt. Vgl. G. Stemberger, Das Problem der Auferstehung, 274f.

[23] Ebd. 277f.

[24] $ṣdq$ im Hifil = gerecht machen (kausative Bedeutung).

[25] H. L. Ginsberg, The Oldest Interpretation of the Suffering Servant = VT 3 (1953) 400/4. So schon A. Bentzen, 85. S. auch L. Ruppert, Der leidende Gerechte, 56; G. W. E. Nickelsburg, Resurrection, 24/6; N. Delcor, 256.

[26] In Jes 53,11 finden sich die gleichen Worte $ṣdq$ Hifil und $rabbīm$.

[27] Vgl. C. Westermann, Jesaja, 206.

und macht sie so vor Gott gerecht. Die Weisen belehren viele und
sorgen durch ihre Lehre dafür, daß diejenigen, die sie sich zu eigen
machen und ihr entsprechend leben, gerecht vor Gott dastehen. Der
Verfasser des Danielbuches hat sich wohl vom 4. Gottesknechtslied
anregen lassen; das, was er aufnimmt, interpretiert er in seinem
Sinn und paßt es in seine Gesamtsicht ein.
Die Verfolgung gehört nach 9,24—27 in die Zeit, in der das jüdische
Volk seine Schuld sühnt. In Kap. 11 und 12 gilt sie als Gelegenheit
der Läuterung, die bald durch Gottes machtvolles Eingreifen ein
Ende finden wird. Dem Wissen um Gottes alle menschliche Herrschaft übersteigende Macht entspricht die totale Treue zur ererbten
Religion und das Warten auf Gottes Handeln unter Verzicht auf
diplomatische und militärische Unternehmungen. Die Weisen predigen den religiösen Widerstand. In der Konsequenz ihrer Haltung
finden einige aus der Gruppe den gewaltsamen Tod. Ihr Sterben
bewirkt eine Läuterung in ihr. Mit dem Tod des Antiochus IV. wird
während einer erbitterten Verfolgung der Gläubigen die totale
Wende der Geschichte beginnen, die auch die getöteten Weisen
einschließt. Sie können nicht von der Heilszeit ausgeschlossen sein.
Mit der Rettung der Gläubigen ist die Strafe für die Untreuen verbunden.
Man kann diese Sicht die erste Theologie des Martyriums nennen.
Sie entspringt der Notwendigkeit, aus dem Glauben heraus die Verfolgungszeit zu deuten und den gewaltsamen Tod der Standhaften
als sinnvoll zu verstehen. Die überlieferte Antwort, den Tod als
Strafe für die Sünden anzusehen[28], genügte hier nicht mehr. Der
Verfasser des Danielbuches tat zwar nicht den Schritt, den Tod der
Weisen als stellvertretende Sühne in der Art des 4. Gottesknechtsliedes zu deuten. Er gehört zur Gruppe der Weisen und rechnet
auch mit Schwäche bei denen, die in der Verfolgung eines gewaltsamen Todes sterben. Doch verbindet er mit dem Sterben der Weisen den Gedanken der Läuterung. Weiter konnte er sich nicht
damit abfinden, in traditioneller Weise im Tod der standhaften
Mitglieder seiner Gruppe ein düsteres Ende ihres Wirkens anzuerkennen[29]. Ihr Tod ist ein Schlaf, aus dem sie erwachen, um eine
bevorzugte Stelle im geretteten Volk der Endzeit einzunehmen.
Es bleibt nun noch, einen Blick auf die Kap. 3 und 6 zu werfen. Mit
den beiden Geschichten von den drei Jünglingen im Feuerofen und

---

[28] Der Tod des Antiochus IV. ist Strafe für seine Schuld und Auswirkung des
göttlichen Gerichtes (Dan 11,45).
[29] Vgl. G. Quell, Die Auffassung des Todes in Israel, 27/38. S. 37: »Sterben ist
ein Unglück für den Israeliten, das man fürchtet in jedem Fall. Je früher der
Tod kommt, um so größer ist das Unglück.«

von Daniel in der Löwengrube führt der Verfasser Beispiele standhaften Verhaltens in der Vergangenheit vor. Die in sich geschlos-
senen Erzählungen dürften dem Autor des Buches wohl schon vorgelegen haben[30]. Ihre ursprüngliche Aussageabsicht besteht wohl in
der Veranschaulichung göttlicher Hilfe in ausweglos erscheinenden
Situationen[31]. Indem der Verfasser sie seinem in der Verfolgungszeit unter Antiochus IV. geschriebenen Buch einfügt und wohl auch
überarbeitet[32], bekommen sie den Sinn des Trostzuspruches für die
Verfolgten. Der Gott, der die drei Gefährten Daniels und diesen
selbst gerettet hat, läßt zwar die Verfolgung und auch den Tod
einiger zu, doch wird er in naher Zukunft sein rettendes Handeln
beginnen. Mit dem Trostzuspruch verbindet sich die Mahnung zu
unbedingter Standhaftigkeit und Treue in der Nachfolge der Helden der Vergangenheit.
Die Theologie des Martyriums des Buches Daniel hat eine große
Wirkung auf die folgende Zeit ausgeübt. Eine direkte Linie läuft
zur Martyriumsdeutung der späteren apokalyptischen Literatur. Die
Geschichten von den drei Jünglingen und von Daniel in der Löwengrube wiederum haben auf die Texte eingewirkt, in denen in
erzählender Form Martyrien berichtet wurden.

3. Die apokalyptische Martyriumsdeutung

Die Erwartung der großen Wende, die der Ungerechtigkeit ein
Ende setzt und die Heilszeit beginnen läßt, ist sowohl für das Buch
Daniel wie auch für die gesamte Apokalyptik zentral. Gottes Eingreifen bewirkt eine Umkehrung der Verhältnisse. Die vorher Bedrängten erleben nun seine Strafe an ihren Bedrängern. Dem endzeitlichen Triumph der Gerechten entspricht die Bestrafung der
Ungerechten.
In der eschatologischen Grundsicht stimmen die Apokalypsen überein, wobei immer noch genügend Raum für unterschiedliche Varia-
tionen des Themas bleibt[1]. Die Szene der endzeitlichen Vergeltung
kann etwa Züge harter Bestrafung annehmen oder sich mit der Dar-

---

[30] Eissfeldt, Einleitung, 708/11; A. Bentzen, 5f.; M. Delcor, 12. O. Plöger,
Daniel, 67 u. 101: Kap. 3 = vorliegende Geschichte, nach der der Verf. Kap. 6
selbst gestaltet habe.
[31] Wie in den Büchern Judit und Ester.
[32] 3,17 antworten die drei Jünglinge, daß Gott die Macht habe, sie aus dem
Ofen zu retten. 3,18 klingt wie eine unter dem Eindruck der Verfolgungszeit
unter Antiochus IV. geschriebene Ergänzung: Wenn Gott aber nicht rettend
eingreife, werden sie doch nicht das vom König aufgestellte Bild verehren.
Vgl. auch 3,95 (3,28).
[1] Zur Apokalyptik allg. vgl. H. H. Rowley, Apokalyptik, ihre Form und Bedeutung zur biblischen Zeit (Einsiedeln-Zürich-Köln 1965); ders., Jewish Apo-

stellung der Beschämung der zuvor mächtigen Verfolger, die nun den Triumph der von ihnen Verachteten erleben müssen, begnügen. Wegen der Übereinstimmung der Apokalypsen in ihrer eschatologischen Grundlinie ist es im Rahmen dieser Arbeit nicht notwendig, alle in Frage kommenden Texte zu besprechen. Die Eigenart der apokalyptischen Verfolgungs- und Martyriumsdeutung läßt sich bereits an einigen Beispielen erkennen.

a) Das äthiopische Henochbuch

Das äthiopische Henochbuch[2] vertritt eine recht massive Vergeltungslehre, in der auch das Thema einer Strafaktion der Verfolgten nicht fehlt. Das Buch ist das Ergebnis einer Redaktion, die verschiedene von Henoch handelnde Stücke unterschiedlichen Alters miteinander verbunden hat.

In der Tiersymbolapokalypse (Kap. 85—90), die in verschlüsselter Weise unter dem Bild von Tieren die Geschichte Israels bis auf die Makkabäerzeit vorführt, wird die Bedrängnis des jüdischen Volkes

---

calyptic and the Dead Sea Scrolls (London 1957); D. S. Russell, The Method and Message of Jewish Apocalyptic 200 BC—AD 100 (London 1964) = The Old Testament Library; ders., Between the Testaments[4] (London 1970) 93/162; J. Schreiner, Alttestamentlich-jüdische Apokalyptik. Eine Einführung (München 1969) = Bibl. Handbibliothek 6; J. M. Schmidt, Die jüdische Apokalyptik. Die Geschichte ihrer Erforschung von den Anfängen bis zu den Textfunden von Qumran[2] (Neukirchen-Vluyn 1976); W. Schmithals, Die Apokalyptik. Einführung und Deutung (Göttingen 1973); J. Maier — J. Schreiner (Hrsg.), Literatur und Religion des Frühjudentums. Eine Einführung (Würzburg-Gütersloh 1973) 31/42 (K. Müller), 214/53 (J. Schreiner). Zur Eschatologie vgl. P. Volz, Die Eschatologie der jüdischen Gemeinde im neutestamentlichen Zeitalter. Nach den Quellen der rabbinischen, apokalyptischen und apokryphen Literatur (Tübingen 1934, Nachdruck Hildesheim 1966); P. Hoffmann, Die Toten in Christus. Eine religionsgeschichtliche und exegetische Untersuchung zur paulinischen Eschatologie (Münster 1966) = NTA N. F. 2,58/174; G. Stemberger, Der Leib der Auferstehung (Rom 1972) = AnBib 56.
[2] Aramäische Fragmente bei J. T. Milik, The Books of Enoch. Aramaic Fragments of Qumrân Cave 4 (Oxford 1976). Die erhaltenen griech. Stücke wurden neu herausgegeben von M. Black, Apocalypsis Henochi Graece (Leiden 1970) = Pseudepigrapha Veteris Testamenti Graece 3,1/44. Deutsche Übersetzung des äthiopischen Textes durch G. Beer bei Kautzsch AP II,236/310. Vgl. auch P. Rießler, Altjüdisches Schrifttum außerhalb der Bibel (Augsburg 1928) 355/451. — Zu den Einleitungsfragen vgl. Eissfeldt, Einleitung, 836/43; J. Schreiner, Alttestamentlich-jüdische Apokalyptik, 27/34; A.-M. Denis, Introduction aux Pseudépigraphes Grecs d'Ancien Testament (Leiden 1970) = Studia in Veteris Testamenti Pseudepigrapha 1,15/30; L. Rost, Einleitung in die alttestamentlichen Apokryphen und Pseudepigraphen einschließlich der großen Qumran-Handschriften (Heidelberg 1971) 101/6, und vor allem jetzt J. T. Milik, 1/135.

als Tötung von Schafen durch wilde Tiere geschildert[3]. Wenn das Maß des Frevels voll ist, greift der Herr der Schafe selbst ein. Ihnen wird ein großes Schwert überreicht, »und die Schafe zogen gegen alle Tiere des Feldes, um sie zu töten, und alle Tiere und Vögel des Himmels flohen vor ihnen« (90,19)[4]. Es beginnt das Gericht Gottes mit der Vernichtung der Ungerechten und der Belohnung der Gerechten. Das den Schafen verliehene Schwert wird nun versiegelt (90,34).

Von einer Verfolgung spricht auch die wohl aus der Zeit um 100 v. Chr. stammende Epistula des Henoch (Kap. 91—105)[5]. In fünf Wehrufen ist die Rede von der Bedrängnis der Gerechten, der die den Bedrängern beim Endgericht drohende Strafe gegenübergestellt wird[6]. Der sich steigernden Verfolgung entspricht »eine analoge Eskalation in der Bestrafung der Feinde«[7]. In der Klage der Gerechten 103,9—15[8] wird die Gefährlichkeit der Lage deutlich. Die Gerechten sind wenige geworden (103,9f.). Sie finden keinen Platz, wohin sie fliehen können (103,13)[9]. Sie werden getötet, und keiner nimmt daran Anstoß (103,15). Der Verfasser der Epistula des Henoch kennt eine Antwort auf die Klage. Die Zukunft bringt den Klagenden die Erhöhung. Sie werden leuchten wie die Sterne (vgl. Dan 12,3), und die Türen des Himmels werden ihnen geöffnet (104,1f.)[10]. Ihr Rufen wird erhört, und das Gericht, nach dem sie rufen, wird an ihren Bedrängern und Mördern vollzogen (104,3f.)[11].

Das Sterben der Gerechten geschieht in Trauer; in den Tagen der Sünder können sie nicht erwarten, daß es ihnen gut ergeht, wie es ihre Frömmigkeit eigentlich verdient hätte (102,5)[12]. Die Unerfülltheit ihres Lebens ruft nach der Vergeltung (97,3.5)[13]. Im Endgericht wird ihnen Genugtuung und Lohn zuteil; der ihnen feindliche Sünder kann seiner Strafe nicht entgehen (103,1—8)[14].

[3] J. T. Milik, 41/7, datiert das Buch der Traumgesichte Kap. 83—90 auf das Jahr 164 v. Chr. (vgl. 44).
[4] Kautzsch AP II,296.
[5] Vgl. J. T. Milik, 47/57. Zur Verfolgungsthematik in diesem Teil des äth. Henoch vgl. L. Ruppert, Der leidende Gerechte, 136/57.
[6] 95,7; 96,8; 98,13.14; 100.7. Kautzsch AP II,302/5; M. Black, 39f.
[7] L. Ruppert, 138.
[8] M. Black, 42.
[9] Die Lücke im griech. Text kann ergänzt werden nach Kautzsch AP II,307.
[10] M. Black, 42.
[11] Ebd. 42f.
[12] Ebd. 41.
[13] Kautzsch AP II,302.
[14] M. Black, 42; Kautzsch AP II,306f.

Bisher bezog man die Verfolgungsaussagen dieses Teils des äthiopischen Henochbuchs meist auf die Pharisäerunterdrückung vor allem durch Alexander Jannai[15]. J. T. Milik denkt dagegen »an das Milieu einer wohlhabenden griechischen Stadt, in der Juden als eine ökonomisch ›unterentwickelte‹ Minorität leben«[16]. Inmitten einer solchen jüdischen Gemeinde könne es dann auch zu Spaltungen zwischen hellenistisch eingestellten Juden und Orthodoxen gekommen sein. Die Verfolgungsaussagen beträfen kommerzielle und handwerkliche Rivalitäten und einen gelegentlichen Pogrom, der vielleicht indirekt durch die militärischen Unternehmungen eines Hyrkanus oder Alexander Jannai gegen die Städte, die Ethnarchen und die griechischen Könige verursacht worden sei. Immerhin gilt die Unterdrückung und Verfolgung als religiöse Auseinandersetzung. Neben sozialen Momenten muß in der Interpretation auch der jüdische Glaube in Anschlag gebracht werden. Die Gefährlichkeit der Situation erhellt aus 103,9—15.

Die Bilderreden der Kap. 37—71, die zum jüngsten Bestand des äthiopischen Henoch gehören[17], gehen in der Begründung des Gerichts an den Sündern, unter denen vorzugsweise die Könige und Machthaber verstanden werden, auf die Verfolgung der Gerechten ein[18]. Die 2. Bilderrede (Kap. 45—57) läßt erkennen, daß zur Sünde der Machthaber und Könige, die 46,7f. beschrieben wird[19], auch die Ermordung der Gerechten gehört. 47,1f. heißt es nämlich: »In jenen Tagen wird das Gebet der Gerechten und das Blut des Gerechten vor den Herrn der Geister aufsteigen. In diesen Tagen werden die Heiligen, die oben in den Himmeln wohnen, einstimmig fürbitten, beten, loben, danken und preisen den Namen des Herrn der Geister

---

[15] Vgl. L. Ruppert, 155f. Ruppert sieht in 103,5c.6.9b.c-15; 104,3 eine Vorlage, die der Verf. in sein Werk eingearbeitet hat. Auch die 5 Wehrufe haben nach Ruppert dem Verf. schon vorgelegen (vgl. 138/40, 149/53).

[16] J. T. Milik, 49.

[17] J. T. Milik, 89/98, plädiert für eine christliche Herkunft dieses nicht in Qumran bezeugten Teils des äth. Henoch. Er sei um 270 n. Chr. verfaßt worden. Die Verfolgungsaussagen bezögen sich auf die Christenverfolgungen des Decius und des Valerian (vgl. 96). Doch dürfte ein christlicher Verf. zu dieser Zeit dem apokalyptischen Stoff einen deutlicheren christlichen Charakter aufgeprägt haben. G. Stemberger, Der Leib der Auferstehung, 29, denkt an eine Abfassungszeit um ca. 80—100 n. Chr. Der jüd. Ursprung sei außer Zweifel. Rost, Einleitung, 104: frühestens 1. Jh. v. Chr., bis 2. Jh. n. Chr.; Eissfeldt, Einleitung, 839: etwa 1. Viertel des 1. Jh.s v. Chr.

[18] Vgl. L. Ruppert, Der leidende Gerechte, 134/6.

[19] Charles AP II,215, übersetzt 46,8 abweichend von Beer bei Kautzsch AP II,263: »And they persecute the houses of His congregations, and the faithful who hang upon the name of the Lord of Spirits.« So auch P. Rießler, Altjüdisches Schrifttum, 382.

wegen des Bluts der Gerechten und (wegen) des Gebets der Gerechten, daß es vor dem Herrn der Geister nicht vergeblich sein möge, daß das Gericht für sie vollzogen, und der Verzug (desselben) für sie nicht ewig dauere«[20]. Die ermordeten Gerechten und ihre himmlische Assistenz rufen also nach der baldigen Vergeltung durch das Gericht Gottes. Auf dieses Gericht bezogen sagt 47,4, daß die Herzen der Heiligen von Freude erfüllt waren, weil »das Gebet der Gerechten erhört und das Blut des Gerechten vor dem Herrn der Geister gerächt war«[21]. Das Gericht bringt den Ermordeten die Genugtuung der Rache an ihren Verfolgern. Die Gerechten erfahren die Hilfe des Menschensohnes (48,7). »Die Könige der Erde und die Starken, die das Festland besitzen,« werden jedoch niedergeschlagen sein (48,8). Sie werden den Händen der Auserwählten Gottes übergeben.»Wie Stroh im Feuer und wie Blei im Wasser, so werden sie vor dem Angesichte der Gerechten brennen und vor dem Angesichte der Heiligen untersinken, so daß keine Spur von ihnen gefunden werden wird« (48,9)[22]. Das Thema der Rache an den Sündern, besonders an den Königen und Mächtigen, hat den Verfasser der Bilderreden stark beschäftigt. Nach 53,3—5 machen die Plageengel dem Satan Werkzeuge zurecht, mit denen die Könige und Mächtigen der Erde vernichtet werden sollen; nach 54,1f. werden sie in loderndes Feuer geworfen.

Die 3. Bilderrede (Kap. 58—69) geht ebenfalls auf dieses Thema ein. Bei dem durch den Menschensohn vollzogenen Gericht erschrecken die Könige und Mächtigen (62,5). Sie werden ihn anerkennen und vor ihm niederfallen; doch werden sie nicht der ihnen bereiteten Strafe entgehen (62,6—10). »Die Strafengel werden sie in Empfang nehmen, um an ihnen Rache dafür zu nehmen, daß sie seine Kinder und Auserwählten mißhandelt haben« (62,11)[23]. Die Situation hat sich grundlegend geändert. Die Verfolger werden nun verfolgt, und die Gerechten freuen sich an der jenen zuteil werdenden Strafe. »Sie werden für die Gerechten und seine Auserwählten ein Schauspiel abgeben; sie werden sich über sie freuen, weil der Zorn des Herrn der Geister auf ihnen ruht, und sein Schwert sich an ihrem (Blute) berauscht hat« (62,12)[24]. Die Mächtigen und Könige werden

---

[20] Kautzsch AP II,263. Die hier zum Ausdruck kommende Sicht dürfte zurückgehen auf die Darstellung der Bedrückung der Menschen durch die Riesen in der alten Quelle Kap. 6—19. Vgl. 7,3f.; 8,4—11,2. Siehe auch 22,5—7 u. Gen 4,10f.

[21] Ebd. 263.

[22] Ebd. 264.

[23] Ebd. 272.

[24] Ebd.

um Ruhe flehen (63,1), sie werden ihre Schuld bekennen (63,2—10),
doch können sie der Strafe nicht entgehen. Sie werden aus der Nähe
des Menschensohnes vertrieben, »und das Schwert wird unter ihnen
vor seinem Angesichte hausen« (63,11)[25].
Bei aller Unterschiedlichkeit der ins äthiopische Henochbuch aufgenommenen Stücke ist die Sammlung doch von einer gemeinsamen
Grundsicht in der Beurteilung des gewaltsamen Todes geprägt. Der
von außen zugefügte Tod ist ein düsteres Geschick, in Klage und
Trauer erlitten (7,3f.; 8,4—9,3; 22,5—7). Der gewaltsame Tod, der
die Gerechten in der Verfolgung trifft, macht keine Ausnahme. Das
Sterben der Weisen des Danielbuches bewirkt eine Läuterung; es
bekommt einen Sinn. Das äthiopische Henochbuch kennt eine solche
Sinngebung nicht. Der Tod in der Verfolgung, dem nichts von seiner Furchtbarkeit genommen wird, verlangt nach der Wiederherstellung des Rechtes, die von Gott erwartet wird. Das gerechte göttliche Gericht ist der Trost angesichts der Verfolgungssituation. Die
Grausamkeit des Geschehens steht im Vordergrund. Doch verbindet
sich mit dem Protest gegen menschliche Ungerechtigkeit der Glaube
an die Gerechtigkeit Gottes. In diesem Glauben weiß man, daß die
Ungerechtigkeit enden und bestraft werden wird. Indem von der
Zukunft des göttlichen Gerichtes die Rede ist, macht man eine
theologische Aussage über das Verfolgungsgeschick. Gott steht auf
der Seite der Verfolgten. Die Zukunft macht seine Parteinahme
offenkundig. Die Verfolgung erhält zwar keinen besonderen Sinn;
sie ist jedoch nicht gänzlich sinnlos. Sie ist bei aller Betonung der
Schrecken und des Schmerzes im letzten umfangen von der Gerechtigkeit Gottes, die den Verfolgten die Genugtuung der Bestrafung
ihrer Gegner verschafft. Dem grausamen Verfolgungsgeschick entspricht eine grausame Strafe, an der vor allem die Bilderreden der
Kap. 37—71 interessiert sind. In vorweggenommener Schaden-
freude schildert der Verfasser wortreich die zukünftige Bestrafung
der Verfolger. Der Gedanke der Vergeltung und der Rache beflü-
gelt seine Phantasie in der Ausmalung des zukünftigen Geschicks
der Feinde der verfolgten Schützlinge Gottes.

b) Das Buch der Weisheit

Große Ähnlichkeit mit apokalyptischen Aussagen über den Tod
und die Rechtfertigung der Gerechten besitzt der Abschnitt des
Weisheitsbuches, in dem die Verfolgung und der Triumph eines
Gerechten genannt wird, auch wenn das hellenistisch beeinflußte

---

[25] Ebd. 273.

Buch als ganzes nicht zur apokalyptischen Literatur gehört[26]. L. Ruppert sieht in den Passagen Weish 2,12—20 und 5,1—7 ein ursprünglich zusammengehörendes Stück, das der Verfasser des Weisheitsbuches mit einem Kommentar versehen habe[27]. In dem Abschnitt 2,12—20 geben die Gottlosen in Form einer Rede Auskunft über ihre böse Absicht, den Gerechten mißhandeln und töten zu wollen. Als Begründung führen sie an, sehen zu wollen, ob die Reden des Gerechten wahr seien und Gott ihn aus der Hand der Widersacher befreie (2,17f.). Weiter wollen sie ihn prüfen, um seine Sanftmut kennenzulernen und seine Geduld zu erproben (2,19). 5,1—7 schildert nun den Triumph des Gerechten nach seinem Tod. Seine Verfolger geraten beim Anblick des Gerechten in schreckliche Furcht und bekennen ihre Schuld und den Irrtum ihrer früheren Meinung über ihn. Der Sicherheit des Gerechten wird die Verwirrung und Furcht seiner Bedränger gegenübergestellt[28]. — Der gesamte Abschnitt ist beeinflußt durch das 4. Gottesknechtslied[29]. Die Erhöhungsszene erinnert an Dan 12[30] und an die Gerichtsbeschreibungen des äthiopischen Henochbuches. Ein Vergleich mit dem Henochbuch zeigt aber gleich die Unterschiede. Die Kap. 48 und 62 dieser Schrift zeichnen nicht nur die Verwirrung der Verfolger der Gerechten, sondern auch ihre Bestrafung, die Rache ihrer ehemaligen Opfer und ihre Vernichtung. Der Verfasser von Weish 5,1—7 begnügt sich mit der Verwirrung und Selbstanklage der Verfolger.

Für den Autor von Weish 2,12—20; 5,1—7 ist die Verfolgung und der Tod des Gerechten eine von den Verfolgern betriebene Erpro-

---

[26] Das Buch dürfte im 1. Jh. v. Chr. in Alexandria geschrieben worden sein. Eissfeldt, Einleitung, 815; Rost, Einleitung, 43. Über die Berührungspunkte zwischen Weish, Dan und äth. Henoch vgl. J. Fichtner, Die Stellung der Sapientia Salomonis in der Literatur- und Geistesgeschichte ihrer Zeit = ZNW 36 (1937) 113/32, der S. 124 Weish ein »apokalyptisches Weisheitsbuch« nennt.

[27] L. Ruppert, Der leidende Gerechte, 73/100.

[28] 5,1: τότε στήσεται ἐν παρρησίᾳ πολλῇ ὁ δίκαιος... 5,2: ἰδόντες ταραχθήσονται φόβῳ δεινῷ... LXX Gott. XII,1,108 Ziegler.

[29] M. J. Suggs, Wisdom of Salomon 2,10—5: A Homily Based on the Fourth Servant Song = JBL 76 (1957) 26/33. Der deutlichste Hinweis: παῖς κυρίου von Weish 2,13 bezieht sich auf Jes 52,13. Vgl. die Bemerkung von L. Ruppert, Der leidende Gerechte, 87, daß sich die von Suggs in Weish 2,10—5,23 aufgezeigten Anspielungen auf das vierte Gottesknechtslied fast alle in dem von ihm entdeckten »Diptychon« 2,12—20; 5,1—7 finden, so daß man die These von Suggs modifizieren müsse: »Nicht Weish 2,10—5,23 ist eine auf Jes 53 basierende Lehrpredigt, sondern nur das ›Diptychon‹.«

[30] L. Ruppert, Der leidende Gerechte, 95; G. W. E. Nickelsburg, Resurrection, 68/70.

bung seiner religiösen Haltung. Das Leiden und der Tod sind also für den Gerechten die Gelegenheit, die Festigkeit seiner Haltung gegenüber den Gegnern zu beweisen. Nicht jedoch wird seinem Tod eine sühnende oder läuternde Wirkung auf andere zugeschrieben. Das ist auffällig, wenn man an die Beziehungen zwischen Weish 2,12—20; 5,1—7 und dem 4. Gottesknechtslied und an die Möglichkeit einer Berührung von Weish 5,1—7 mit Dan 12 denkt (vgl. Dan 11,35).

Der Verfasser hat das apokalyptisch geprägte Stück[31] in seine hellenistisch beeinflußte Theologie eingebaut[32]. Das Leiden der Gerechten gilt als eine Erziehung, Prüfung und Läuterung durch Gott, das sie im letzten nicht berührt, weil ihnen das göttliche Geschenk der Unsterblichkeit zuteil wird. Die Verfasser des äthiopischen Henochbuches leiden unter der Ungeheuerlichkeit der Ermordung von Mitgliedern ihrer Gruppe. Der gewaltsame Tod wird in keiner Weise beschönigt; er steht da in seiner ganzen Grausamkeit. Mit dem Tod beginnt der Zustand des Wartens auf die Rechtfertigung im Gericht Gottes. Sowohl der Tod selbst wie auch der Zustand der Toten sind geprägt von Unerfülltheit, Klage und Bitte um Vergeltung. Der Verfasser des Weisheitsbuches, der die griechischen Termini »Unsterblichkeit« und »Unvergänglichkeit« gebraucht, kennt kein solches gemindertes Leben der ermordeten Gerechten. Sie befinden sich im Frieden der Gemeinschaft mit Gott. Der Tod durch die Ungerechten hat sie nur dem äußeren Bild nach treffen können. In Wirklichkeit aber sind sie im Moment des Todes in Gottes Hand[33]. Der Verfasser des Weisheitsbuches spricht nicht im

---

[31] L. Ruppert, Der leidende Gerechte, 103, datiert das »Diptychon« auf etwa zwischen 100 u. 75 v. Chr. und bringt es mit der Pharisäerverfolgung unter Alexander Jannai in Verbindung.

[32] Zur Leidensdeutung des Buches vgl. H. Eising, Die theologische Geschichtsbetrachtung im Weisheitsbuche = N. Adler (Hrsg.), Vom Wort des Lebens. Festschrift für M. Meinertz (NTA, Ergänzungsband) (Münster 1951) 28/40, hier 32ff. Zur hellenistisch geprägten Unsterblichkeitslehre s. J. M. Reese, Hellenistic Influence on the Book of Wisdom and its Consequences (Rom 1970) = AnBib 41,62/71; C. Larcher, Études sur le Livre de la Sagesse (Paris 1969) = ÉtB, 237/327; H. Bückers, Die Unsterblichkeitslehre des Weisheitsbuches. Ihr Ursprung und ihre Bedeutung (Münster 1938) = ATA 13,4.

[33] Weish 3,1—6 (LXX Gott. XII,1,102 Ziegler); 5,15 (111). Hier soll nicht ein Doketismus des Leidens des Gerechten ausgesagt werden. Der Gerechte leidet tatsächlich. Die Unverständigen sehen nur die Außenseite des Geschehens, eben das Leiden und den Tod, nicht aber das verborgene Geschehen der Bewahrung des Gerechten durch Gott zur Gemeinschaft mit ihm. Von einem Doketismus spricht D. Georgi, Der vorpaulinische Hymnus Phil 2,6—11 = Zeit und Geschichte. Dankesgabe an R. Bultmann zum 80. Geburtstag (Tübingen 1964) 263/93, hier 272.

platonischen Sinn von einer der Seele eigentümlichen Unsterblichkeit. Nach ihm ist die Unsterblichkeit ein Geschenk Gottes, das den Gerechten zuteil wird, nicht aber den Sündern[34]. Insofern ist er nicht griechischer Philosoph, sondern jüdischer Theologe. Er hat sich aber in seiner Theologie von der griechischen Tradition anregen lassen, das glückliche Leben der getöteten Gerechten gleich mit ihrem Tod beginnen zu lassen.

Der Tod der Gerechten hat eine Außen- und eine Innenseite. Die Außenseite ist das Leiden und das Todesgeschick, das als erziehende Prüfung und Läuterung durch Gott erklärt wird. Die Geprüften und Geläuterten nimmt Gott wie ein Brandopfer an (3,6). Die Innenseite ist die Hoffnung der Gerechten auf Unsterblichkeit, ihr Ruhen in Gottes Hand und das Leben in der Gemeinschaft mit Gott und in seinem Frieden.

c) Das Jubiläenbuch

Eine Stelle des etwa um 100 v. Chr. verfaßten oder abschließend redigierten Jubiläenbuches[35] gehört vielleicht in diesen Zusammenhang. Das Buch spricht im Anschluß an den Bericht über den Tod Abrahams im Kap. 23 von der Zunahme der Sünde und ihrer Bestrafung in der Folgezeit. Die Strafe gipfelt in einer großen Züchtigung durch die Heiden, bei der nach 23,23 viel Blut vergossen wird. In dieser Zeit beginnt der Umschwung, weil man wieder die Gesetze studiert und zur Gerechtigkeit zurückkehrt (23,26). Das Lebensalter der Menschen erreicht wieder die Zahl der Jahre der Vorväter (23,27). Bei der Schilderung der paradiesischen Heilszeit heißt es 23,30f.: »Und dann wird Gott seine Knechte heilen, und sie werden sich erheben und werden tiefen Frieden schauen und werden ihre Feinde vertreiben, und die Gerechten werden (zu)schauen und danken und sich freuen bis in alle Ewigkeit in Freude und werden an ihren Feinden all' ihr Gericht und all' ihren Fluch sehen. Und ihre Gebeine werden in der Erde ruhen, und ihr Geist wird viel Freude haben, und sie werden erkennen, daß Gott es ist, der Gericht hält und Gnade übt an Hunderten und an Tausenden und (zwar) an allen, die ihn lieben«[36]. 23,31 zeigt, daß von verstorbenen Gerechten gesprochen wird. Die Erwähnung des Gerichtes an ihren Feinden läßt an die 23,23 erwähnten Heiden denken, die Israel bedrängen und dabei Blut vergießen. Dann handelt es sich in 23,31 vielleicht um Gerechte, die durch die Heiden zu Tode gekommen

[34] J. M. Reese, 62 u. 64.
[35] Eissfeldt, Einleitung, 823f.; Rost, Einleitung, 100.
[36] Kautzsch AP II,80 (E. Littmann).

sind[37] und deren eschatologische Freude beschrieben wird. Sie erfahren die Gnade Gottes und werden Zeugen des göttlichen Gerichts an ihren Feinden.

d) Die Himmelfahrt des Mose

Einen weit größeren Raum nimmt die Verfolgungsthematik in der aus dem 1. nachchristlichen Jh. stammenden »Himmelfahrt des Mose« ein. Der nur in einer lateinischen Übersetzung vorliegende Text enthält eine apokalyptisch gezeichnete Geschichte des jüdischen Volkes bis in die Zeit des Herodes, die in der Fiktion einer prophetischen Vorausschau Mose in den Mund gelegt ist[38]. Unmittelbar vor seinem Tod hinterläßt Mose seinem Nachfolger Josua seine Schau der Zukunft als Testament. Kap. 6 bezieht sich auf Herodes d. Gr. und seine Nachfolger. 6,8f. spricht von einer römischen Aktion, bei der ein Teil des Tempels in Brand gesetzt wird und einige gekreuzigt werden. Gemeint ist wohl die Expedition des Legaten Varus im Jahre 4. v. Chr.[39]. Mit 7,1 beginnt die Vorausschau auf die dem Verfasser nicht bekannten Ereignisse der apokalyptischen Endzeit[40]. Kap. 7 spricht von der Herrschaft gottloser Menschen[41]; Kap. 8 schildert eine schreckliche Verfolgungszeit, die nach dem Modell der Religionsverfolgung unter Antiochus IV. beschrieben wird. Den deutlichsten Hinweis auf die Zeit des Antiochus IV. enthält die 1 Makk 1,15 entsprechende Aussage in 8,3, daß man die männlichen Kinder operieren wird, »um ihnen die Knabenvor-

---

[37] P. Hoffmann, Die Toten in Christus, 102: »Es handelt sich wahrscheinlich um jüdische Märtyrer.« Hoffmann bringt 99/104 eine ausführliche Exegese der Stelle. Zur Eschatologie des Buches vgl. G. L. Davenport, The Eschatology of the Book of Jubilees (Leiden 1971) = Studia Post-Biblica 20, der auch das Werden der Schrift behandelt (10/8). Der eschatologische Abschnitt 23,13—31 stammt nach ihm aus der Zeit des Makkabäeraufstandes 166—160 v. Chr. (14f.). Der Grundbestand des Buches gehe auf die Zeit um 200 zurück, sei zur Zeit des Makkabäeraufstandes aktualisiert und überarbeitet und schließlich in der 2. Hälfte des 2. Jh.s abschließend redigiert worden. Die Exegese von 23,14—31 ebd. 32/46. Vgl. auch G. W. E. Nickelsburg, Resurrection, 31/3 u. 46f.

[38] Eissfeldt, Einleitung, 844/6; Rost, Einleitung, 110/2. Der lat. Text bei C. Clemen, Die Himmelfahrt des Mose (Bonn 1904) = Kleine Texte für theol. Vorlesungen und Übungen 10. Von Clemen stammt auch die deutsche Übers. bei Kautzsch AP II,317/31. Eine neue Übers. von E. Brandenburger in: Jüdische Schriften aus hellenistisch-römischer Zeit V,2 (Gütersloh 1976) 59/84.

[39] Eissfeldt, Einleitung, 845; Clemen bei Kautzsch AP II,324 (Anm.); Charles AP II,419 (Anm.); E. Brandenburger, 74 (Anm.). Vgl. E. Schürer, Geschichte des jüd. Volkes, I,421; zu Varus ebd. 322.

[40] *Ex quo facto finientur tempora . . .* (9 Clemen).

[41] 7,3 (9): *Et regnarunt de his homines pestilentiosi et impii docentes se esse iustos.*

haut überzuziehen«[42]. Die endzeitliche Verfolgung ist die größte, die
es je gegeben hat (8,1). Diejenigen, die sich zur Beschneidung bekennen, werden gekreuzigt. Andere werden gefoltert und ins Gefängnis
geworfen (8,1f.)[43]. Ihre Frauen werden entehrt, ihre Söhne in der
genannten Weise operiert (8,3). Durch physischen Zwang bringt
man andere dazu, ihrem Glauben untreu zu werden (8,4f.).

In dieser Zeit der größten Verfolgung spielt nun ein Mann aus dem
Stamm Levi namens Taxo mit seinen sieben Söhnen eine besondere
Rolle (Kap. 9). Er spricht zu seinen Söhnen: »Seht, meine Söhne,
über das Volk ist eine zweite, grausame, unreine Rache gekommen
und eine Strafe ohne Erbarmen, die die erste übertrifft. Denn wel-
ches Geschlecht oder Land oder Volk von Frevlern gegen ⟨den
Herrn⟩, die viele Greuel verübt haben, hat so viele Übel erlitten,
wie sie uns widerfahren sind? Nun also, meine Söhne, hört auf
mich! Seht doch und wißt, daß niemals weder die Väter noch deren
Vorväter Gott versuchten, daß sie seine Gebote überträten. Ihr wißt
ja, daß darin unsere Kraft besteht. Und so wollen wir dies tun: Laßt
uns drei Tage lang fasten und am vierten in eine Höhle gehen, die
auf dem Felde ist, und laßt uns lieber sterben, als die Gebote des
Herrn der Herren, des Gottes unserer Väter, übertreten. Denn wenn
wir das tun und so sterben, wird unser Blut vor dem Herrn gerächt
werden« (9,2—7)[44]. Auf diese Rede folgt die Beschreibung der
eschatologischen Wende (10,1—10). Gottes Herrschaft erscheint
über der Schöpfung (10,1). Begleitet von kosmischen Erschütterun-
gen straft Gott die Heiden (10,7) und erhöht Israel (10,8—10).

Den Schlüssel zur Deutung der Rolle des Taxo und seiner Söhne im
Endgeschehen liefert 10,2. Bei der eschatologischen Wende wird
der höchste Engel sie an ihren Feinden rächen[45]. Dem entspricht,

---

[42] E. Brandenburger, 75.

[43] Der Text hat 8,2 (10): *nam necantes torquebit et tradidit duci uinctos in
custodiam.* Clemen schlägt statt *necantes,* das keinen Sinn ergibt, *negantes* vor.
Charles AP II,420 liest *celantes* (those who conceal...) und fügt an: »Possibly
we should read *secantes* ›circumcise‹, or even *negantes,* ›refuse to confess‹.«
Für *negantes* entscheidet sich auch E. Brandenburger, 75.

[44] E. Brandenburger, 75f.

[45] 10,2 (11): *Tunc implebuntur manus nuntii, qui est in summo constitutus, qui
protinus uindicauit illos ab inimicis eorum.* Zur hier vorgetragenen Deutung
vgl. J. Licht, Taxo, or the Apocalyptic Doctrine of Vengeance = The Journal
of Jewish Studies 12 (1961) 95/103. Licht vermutet, daß das Buch eine nach-
herodianische Überarbeitung einer aus der Zeit des Makkabäeraufstandes
stammenden Schrift ist (102f.). Interessante und z. T. etwas konstruiert anmutende Gedanken zur Ass. Mos. bei Nickelsburg, Resurrection, 28/31, 43/5,
99/102.

daß Taxo nach 9,7 erwartet, daß dann, wenn er und seine Söhne
ihre Absicht verwirklichen, ihr Blut vor Gott gerächt wird. Ihr Tod
veranlaßt die Rache des Himmels und damit den Beginn der eschatologischen Wende. Nach dem Autor der Himmelfahrt des Mose ist
das Leiden des Volkes Strafe für seine Sünden. Entsprechend diesem Dogma erklärt er die Leiden des Exils (Kap. 3). Das Leiden der
Endzeit übertrifft aber bei weitem die frühere Strafe (9,2). Auch ist
es größer als jede Bestrafung eines noch so frevelhaften heidnischen
Volkes (9,3). Die Verfolgung kann daher nicht allein als Strafe für
die Schuld des Volkes erklärt werden. Die Leiden der Verfolgungszeit rufen nach der eschatologischen Wende, die den Übermut des
Verfolgers straft. Den Anlaß für das eschatologische Handeln Gottes schafft die freie Tat des Taxo und seiner Söhne aus dem Stamm
Levi. Seine Väter und deren Vorväter haben Gottes Gebote nie
übertreten (9,4). Das dreitägige Fasten wird man als einen Akt der
Reinigung verstehen müssen (9,6). Wenn Taxo mit seinen Söhnen
stirbt, kann dieser Tod also nicht eine Strafe für begangene Sünden
sein. In der in keinem Verhältnis zur Schuld des Volkes stehenden
Religionsverfolgung soll der Tod der Gerechten, das Vergießen
unschuldigen Blutes, das Eingreifen Gottes veranlassen. Der Rückzug in die Höhle erklärt sich wohl als Anspielung auf die 1 Makk
2,29—38 berichtete Begebenheit aus der Verfolgung unter Antiochus IV. Dort heißt es, daß sich viele in die Höhlen der Wüste zu-
rückzogen und an einem Sabbat ohne Gegenwehr töten ließen.
In der Höhle erwartet Taxo mit seinen Söhnen den Tod um
des Glaubens willen. Sie wollen lieber sterben, als die Gebote Gottes übertreten. Ihr Tod hat die Rache des höchsten Engels zur Folge.
So veranlassen sie durch ihren Tod den Anbruch der eschatologischen Wende und damit das Ende der Leidenszeit. Sie opfern sich
zugunsten des Volkes. Ihr Tod hat einen dem ganzen Volk zugute
kommenden Wert. Vorbilder für Taxo und seine sieben Söhne
waren wohl Eleasar und die sieben Brüder aus 2 Makk 6 und 7[46].
Der Name Taxo erklärt sich vielleicht vom griechischen Wort τάξων
= Ordner her, das der Lateiner nicht übersetzt hat[47].

---

[46] C. C. Torrey, »Taxo« in the Assumption of Moses = JBL 62 (1943) 1/7,
dachte an Mattatias und das auf ihn zurückgehende Hasmonäerhaus. Gegen
diese Deutung wandte sich H. H. Rowley, The Figure of »Taxo« in the
Assumption of Moses = JBL 64 (1945) 141/3, der auf die wenig ehrenhafte
Erwähnung der Makkabäerherrscher in 6,1 verwies. Die Entgegnung Torrey's:
»Taxo« once more = JBL 64 (1945) 395/7, hat die Einwände Rowley's nicht
entkräften können.
[47] Vgl. Eissfeldt, Einleitung, 846.

e) Die Qumran-Schriften

Man hat gemeint, der Lehrer der Gerechtigkeit sei eines gewaltsamen Todes gestorben[48]. Doch können die angeführten Stellen in ihrer bildhaften, den Psalmen entlehnten Redeweise diese These nicht beweisen[49]. Wohl ist häufig von einer Verfolgung des Lehrers und seiner Gemeinde die Rede[50]. In den dem Lehrer der Gerechtigkeit selbst zuzuschreibenden Hymnen[51] heißt es, daß seine Gegner ihn verspotten[52] und zu vernichten suchen[53]. Sie verachten ihn und wollen sein Blut vergießen[54]. Er muß sein Land verlassen, selbst seine Freunde und Verwandten lehnen ihn ab und wollen ihn veranlassen, seinen Weg aufzugeben[55]. Der Lehrer antwortet auf die Verfolgung aus der Sicherheit seines Erwählungsbewußtseins. Die Angriffe seiner Feinde können ihn nicht an der Aufgabe, zu der Gott ihn berufen hat, irre werden lassen[56]. An ihm scheiden sich die Geister. Wer sich gegen ihn stellt, handelt gegen Gott, der ihn erwählt hat. Ein solcher ist schuldig und wird die Strafe Gottes erfahren. Wer sich zum Lehrer bekennt, ist gerecht vor Gott[57].

[48] A. Dupont-Sommer, Le Maître de Justice fut-il mis à mort? = VT 1 (1951) 200/15; ders., Quelques remarques sur le Commentaire d'Habacuc, à propos d'un livre récent = VT 5 (1955) 113/29, hier 126/8.

[49] »... eine gewaltsame Tötung des Lehrers (ist) zumindest nicht bezeugt.« G. Jeremias, Der Lehrer der Gerechtigkeit (Göttingen 1963) = StUNT 2,326 mit Anm. 3.

[50] Zu den Gegnern des Lehrers s. ebd. 36/139.

[51] Ebd. 168/267. — Zum Thema der Verfolgung und der Leidenstheologie in Qumran vgl. noch L. Ruppert, Der leidende Gerechte, 114/34; G. W. E. Nickelsburg, Resurrection, 144/69; J. Carmignac, La théologie de la souffrance dans les Hymnes de Qumrân = Revue de Qumrân 3 (1961) 365/86; A. R. C. Leaney, The Eschatological Significance of Human Suffering in the Old Testament and the Dead Sea Scrolls = Scottish Journal of Theology 16 (1963) 286/96.

[52] 1 QH II,9—13 (E. Lohse, Die Texte aus Qumran. Hebräisch und Deutsch[2] [Darmstadt 1971] 116f.).

[53] Ebd. 16f. (116f. Lohse).

[54] Ebd. 32—36 (118f.). Zur Deutung vgl. G. Jeremias, Der Lehrer der Gerechtigkeit, 203, Anm. 2, der davor warnt, »in der Aussage, die Gegner hätten das Blut des Beters vergießen wollen, einen Bezug auf ein ganz bestimmtes, fixierbares Ereignis zu sehen«, dann aber doch vorsichtig Grundmann zustimmt, »wenn er an unserer Stelle den Bericht über einen mißlungenen Anschlag auf das Leben des Lehrers findet«.

[55] 1 QH IV,8—11 (124f.). Zur Deutung vgl. G. Jeremias, 211/3, der den historischen Hintergrund erhebt. — Eine Zusammenstellung aller Leidenstexte aus den Hodajot des Lehrers bei L. Ruppert, Der leidende Gerechte, 124.

[56] 1 QH VII,1—9 (138f.).

[57] Ebd. 11f. (139): »Aber es gibt keinen Mund für den Geist des Verderbens und keine Antwort der Zunge für alle [S]öhne der Schuld; denn verstummt sind die Lippen des Trugs. Denn alle meine Gegner sprichst du schuldig zum Gericht, [um zu] scheiden durch mich zwischen gerecht und gottlos.«

Der Lehrer hat so einen Weg gefunden, sich die Feindschaft seiner Gegner verständlich zu machen. Ihr Widerstand gegen ihn ist die notwendige Folge seiner prophetischen Berufung. L. Ruppert hat darauf aufmerksam gemacht, daß es eine weitgehende Übereinstimmung zwischen den dem Lehrer zuzuschreibenden Hymnen und der Terminologie der individuellen Klage- und Danklieder des Psalters gibt und daß weiter die Konfessionen des Jeremia auf die Lieder des Lehrers eingewirkt haben[58]. Demnach habe der Autor das Leiden der Gerechten der Psalmen und das Prophetenlos des Jeremia auf sich selbst bezogen und so sein Leiden gedeutet. Es ist für ihn ein »Verfolgungsleiden um der (prophetischen) Botschaft willen[59]«, die Kehrseite der Erwählung durch Gott. In der Stellung zu ihm wird die Gesinnung der Menschen offenbar. Die ihn ablehnen, handeln so, weil sie gottwidrig eingestellt sind. Deshalb trifft sie das Gericht Gottes. Der Lehrer selbst kann sich auf Gottes Schutz und Rettung in den Gefahren verlassen. Das Leiden ist also notwendig. Es läßt sich bestehen im Vertrauen auf Gott, der den Lehrer berufen hat und der ihn in den Anfeindungen schützt. Darüber hinaus kann der Beter dem Leiden einen Sinn abgewinnen, indem er es als Läuterung begreift[60].

Aussagen über die Verfolgung nicht nur des Lehrers, sondern auch seiner Gemeinde enthalten vor allem die Kommentare zum Habakukbuch und zum Psalm 37. Beide Kommentare sind daran interessiert, die alttestamentlichen Texte auf die Geschichte der Gemeinde zu beziehen. Der Habakukkommentar benennt die Feinde des Lehrers der Gerechtigkeit und der Gemeinde, deren Schuld dadurch gestraft wird, daß sie »in der eschatologischen Zeit in die Hände des eschatologischen Feindes gegeben« werden[61]. Der Autor ist mehr an der Bestrafung der Feinde als an einer Sinngebung des Leidens interessiert. Der Kommentar zu Ps 37 interpretiert das Leiden des Lehrers und seiner Gemeinschaft als eine Läuterung, aus der Gott sie gerettet hat[62].

Wenn man versucht, ein Gesamtbild der Leidensdeutung in den Qumranschriften zu geben, kann man im Anschluß an J. Carmi-

---

[58] L. Ruppert, Der leidende Gerechte, 125f.
[59] Ebd. 126.
[60] 1 QH V,15f. (131): »Und damit du dich stark erzeigest an mir vor den Menschenkindern, hast du wunderbar gehandelt am Armen. Du brachtest ihn in Läute[rung wie Go]ld in den Werken des Feuers und wie Silber, das im Ofen der Schmelzer geläutert wird, um es siebenfach zu reinigen.«
[61] L. Ruppert, Der leidende Gerechte, 120. Genaueres zu den Verfolgungsaussagen des Habakukkommentars dort 119/21.
[62] 4 Q pPs 37 II,17—19 (274f.).

gnac[63] zwischen dem Leiden der Gottlosen und dem der Gerechten unterscheiden. Die Sünder leiden gerechterweise für ihre Schuld. Sie werden vernichtet und verfallen dem Gericht Gottes. Die Gerechten müssen leiden unter den Anfeindungen der Sünder. Auch für sie kann das Leiden Strafe für begangene Schuld sein. Der Sinn ihres Leidens liegt in einer Läuterung und einer stärker werdenden Festigkeit im Dienste Gottes. Die verfolgten Gerechten können für die Zukunft ewiges Heil und ewigen Frieden erwarten[64]. Durch das Gericht an den Sündern und die Prüfung und Auszeichnung der Gerechten erweist Gott seine Herrlichkeit.

In den Qumranschriften findet sich eine ausführliche theologische Beschäftigung mit der Verfolgung und dem Leiden der Gerechten; es fehlt jedoch das Thema des bei der Verfolgung erlittenen gewaltsamen Todes. Man könnte höchstens hinweisen auf eine Stelle in der Kriegsrolle, die von solchen spricht, die bei der eschatologischen Auseinandersetzung auf der Seite der Söhne des Lichtes fallen[65]. Ihr Sterben gilt als eine Erprobung der Kämpfenden und als Strafe für die eigenen Fehler[66]. Trotz der vielen Berührungspunkte mit der Apokalyptik fehlt die Szene der postmortalen Vergeltung, wie sie etwa im äthiopischen Henoch vorkommt[67]. Offensichtlich war das Thema des gewaltsamen Todes der Gerechten nicht akut. Ansatzpunkte zu einer Theologie des Martyriums finden sich in der Verfolgungsdeutung der dem Lehrer der Gerechtigkeit zuzuschreibenden Hymnen. Sie sind jedoch nicht auf das Thema des gewaltsamen Todes des Gerechten hin weiterentwickelt worden.

Die apokalyptische Sicht des Märtyrertodes wird bei der Darstellung der jüdischen Theologie des Martyriums leicht übersehen. Andererseits wäre es falsch, sie allzusehr in den Mittelpunkt zu rücken. Von gleich starker, wenn nicht größerer Bedeutung für die Ausbildung der christlichen Theologie des Martyriums waren die Martyriumsberichte und die in ihnen enthaltenen Theologumena.

---

[63] Vgl. Anm. 51.

[64] 1 QH XV,14—17 (165/7).

[65] 1 QM XVI,11—XVII,3 (216/9).

[66] J. Carmignac, La théologie de la souffrance, 378: ».. .l'auteur, au lieu d'exalter la noblesse de leur sacrifice, évoque l'exemple de Nadab et Abihou (XVII,2), exterminés par Dieu en punition de leurs fautes (Lévitique 10,1—4) .. .«

[67] Zur eschatologischen Erwartung der Gemeinde vgl. P. Hoffmann, Die Toten in Christus, 131/3, u. G. Stemberger, Der Leib der Auferstehung, 3, Anm. 8 (Lit.).

4. Die Martyriumsberichte

a) Das erste Buch der Makkabäer

Das wohl um 100 v. Chr. hebräisch verfaßte, griechisch erhaltene
1. Makkabäerbuch[1] berichtet im ersten Kap. von der Leidenszeit des
jüdischen Volkes unter Antiochus IV. Epiphanes. Wer sich der
Hellenisierungspolitik des Königs widersetzte, sollte sterben (1,50).
Wer im Besitz einer Bundesrolle angetroffen wurde oder zum
Gesetz hielt, wurde zum Tod verurteilt (1,57). Die Frauen, die ihre
Kinder beschneiden ließen, tötete man mit ihren Söhnen (1,60f.).
»Dennoch blieben viele aus Israel fest und stark und aßen nichts,
was unrein war. Lieber wollten sie sterben, als sich durch die Spei-
sen unrein machen und den heiligen Bund entweihen. So starben
sie« (1,62f.)[2]. Der Verfasser berichtet weiter von ungefähr tausend
Menschen, die sich in die Höhlen der Wüste zurückgezogen hatten
und in der Treue zum Sabbatgebot an einem Sabbat ohne Gegenwehr töten ließen (2,29—38). Sie hätten sich durch die Befolgung
der königlichen Vorschriften retten können (2,33f.).
Der Autor des Buches kennt also das Faktum des Martyriums, doch
gehören seine Sympathien eindeutig dem Befreiungskampf der
Makkabäer. Diese fassen den Entschluß, auch am Sabbat zu kämpfen (2,39—41). Die Leiden, unter die das Sterben um des Gesetzes
willen subsumiert wird, treffen das Volk, weil ein großer Zorn auf
Israel liegt (1,64). Dieser Zorn Gottes ist die Antwort auf die Untreue weiter Teile des jüdischen Volkes. Er wurde erst hinwegge-
nommen, als Judas der Makkabäer die Gottlosen aus dem Volk
vertilgte (3,8). Das Leiden des Volkes und das Sterben um des
Gesetzes willen sind der dunkle Hintergrund, vor dem die gottgewollte Tat der Makkabäer hell leuchtet. Der mutige Tod im
Kampf findet die Bewunderung des Autors[3]. Mattatias fordert seine

---

[1] Eissfeldt, Einleitung, 781/5; Rost, Einleitung, 55/8. Vgl. auch J. C. Dancy,
A Commentary on I Maccabees (Oxford 1954) 1/54; S. Tedesche — S. Zeitlin,
The First Book of Maccabees (New York 1950) = JAL, 1/66; F.-M. Abel,
Les Livres des Maccabées (Paris 1949) = ÉtB, XXI/XXXII; ders. u.
J. Starcky, Les Livres des Maccabées[3] (Paris 1961) = La Sainte Bible, 13/7;
D. Schötz, Erstes und zweites Buch der Makkabäer (Würzburg 1948) = EB,
3f.; H. Bévenot, Die beiden Makkabäerbücher (Bonn 1931) = HSAT IV,4,
1/45; C. L. W. Grimm, Das erste Buch der Maccabäer (Leipzig 1853) = Kurz-
gefasstes exegetisches Handbuch zu den Apokryphen des AT, IX/XXXV. —
Zur theol. Konzeption des Buches s. E. Bickermann, Der Gott der Makkabäer,
27/32, u. D. Arenhoevel, Die Theokratie nach dem 1. und 2. Makkabäerbuch
(Mainz 1967) = Walberberger Studien 3,1/96.

[2] LXX Gott. IX,1², 54f. Kappler.

[3] Vgl. den Bericht über den mutigen Tod des Eleasar Awaran, der unter einen
Elephanten kroch, auf dem er den König Antiochus V. Eupator vermutete, das

Söhne auf dem Sterbelager dazu auf, für das Gesetz zu kämpfen und das Leben für den Bund der Väter einzusetzen (2,50). Die Märtyrergeschichten von Dan 3 und 6 werden in derselben Rede nicht auf die Märtyrer, sondern auf die Rettung des Volkes durch die Aktion der Makkabäer bezogen (2,59—61). Die Rettung, die Gott denen schenkt, die ihm vertrauen, ist der innerweltliche Sieg, so wie die Strafe Gottes sich innerweltlich im Tod des Antiochus IV. auswirkt (2,62f. und 6,5—16).

Im Martyrium zeigt sich also wie in der Religionsverfolgung allgemein der auf dem jüdischen Volk lastende Zorn Gottes. Eine weitere theologische Aussage enthält der Bericht über den Tod der Tausend. Die in den Höhlen Eingeschlossenen sprechen zu ihren Bedrängern: »Laßt uns insgesamt in unserer Unschuld sterben! Der Himmel und die Erde zeugen für uns, daß ihr uns ungerechterweise umbringt« (2,37)[4]. Der Satz soll wohl andeuten, daß der unschuldig erlittene Tod den Mördern die Strafe Gottes bringen wird.

b) Das zweite Buch der Makkabäer

Von einer weit höheren Wertschätzung des Märtyrertodes zeugen die Berichte des 2. Makkabäerbuches. Nach 2,23 ist das Werk eine Zusammenfassung der fünf Bücher des Jason aus Zyrene, von denen uns, abgesehen von dieser Notiz, nichts bekannt ist. Die Epitome dürfte im 1. Jh. v. Chr. in griechischer Sprache verfaßt worden sein[5]. Der Verfasser berichtet zunächst von den Parteikämpfen in Jerusalem unter Seleukus IV. und Antiochus IV. und von der Plünderung der Stadt unter letzterem (Kap. 3—5). Die in den Parteikämpfen sichtbar werdende Zunahme der Sünde begründet die von Gott zugelassene Aktion gegen Jerusalem und den Tempel. Um der Sünden der Bewohner willen zürnte der Herr für kurze Zeit der Stadt (5,17). Mit Kap. 6 beginnt der Bericht über die durch die Hellenisierungspolitik des Königs verursachte Unterdrückung der jüdischen Religion. Die Juden in den hellenistischen

---

Tier von unten erstach und von ihm erdrückt wurde: 6,43—46. Von dieser Tat des Eleasar heißt es 6,44: καὶ ἔδωκεν ἑαυτὸν τοῦ σῶσαι τὸν λαὸν αὐτοῦ καὶ περιποιῆσαι ἑαυτῷ ὄνομα αἰώνιον. LXX Gott. IX,1²,88. Über die tapfere Todesbereitschaft Judas' des Makkabäers s. 9,10.

[4] Ἀποθάνωμεν πάντες ἐν τῇ ἁπλότητι ἡμῶν· μαρτυρεῖ ἐφ' ἡμᾶς ὁ οὐρανὸς καὶ ἡ γῆ ὅτι ἀκρίτως ἀπόλλυτε ἡμᾶς. LXX Gott. IX, 1²,59. E. Kautzsch bei Kautzsch AP I,38.

[5] Eissfeldt, Einleitung, 785/8; Rost, Einleitung, 58/61; anders Chr. Habicht, 2. Makkabäerbuch (Gütersloh 1976) = Jüdische Schriften aus hellenistisch-römischer Zeit I,3,167/98, der mit einer späteren Überarbeitung der von ihm auf 124 v. Chr. datierten Epitome rechnet (175/7). — Vgl. auch S. Zeitlin — S. Tedesche, The Second Book of Maccabees (New York 1954) = JAL, 1/97;

Städten, die den Übertritt zum Griechentum ablehnten, sollten getötet werden (6,9). Wie in 1 Makk 1,60f. und 2,29—38 wird von der Ermordung von Frauen erzählt, die ihre Kinder hatten beschneiden lassen, und von der Hinmetzelung solcher, die sich in Höhlen zurückgezogen hatten und ohne Gegenwehr am Sabbat starben (6,10f.). Der Verfasser unterbricht sodann seinen Bericht durch einen gleich zu nennenden Einschub, in dem er den Leser direkt anspricht (6,12—17). Der folgende Abschnitt des Kap. 6 ist dem Martyrium des Eleasar, das ganze Kap. 7 dem der sieben Brüder mit ihrer Mutter gewidmet. Der weitere Teil des Buches berichtet vom Erfolg der Makkabäer und vom Tod Antiochus' IV., der als gerechte Strafe Gottes gezeichnet wird (Kap. 9).

Die theologische Deutung des Martyriums durch den Epitomator läßt sich aus den Sätzen erheben, in denen er den Leser anspricht und aus dem mit diesem seinem Konzept übereinstimmenden Schluß von Kap. 7. 6,12—17 heißt es[6]: »An dieser Stelle möchte ich die Leser des Buches ermahnen, sich durch die schlimmen Ereignisse nicht entmutigen zu lassen. Sie mögen bedenken, daß die Strafen unser Volk nicht vernichten, sondern erziehen sollen. Denn wenn die Sünder nicht lange geschont, sondern sofort bestraft werden, ist das ein Zeichen großer Güte. Bei den anderen Völkern wartet der Herr geduldig, bis das Maß ihrer Sünden voll ist; dann erst schlägt er zu. Mit uns aber beschloß er, anders zu verfahren, damit er uns nicht am Ende verurteilen müsse, wenn wir es mit unseren Sünden bis zum Äußersten getrieben hätten. Daher entzieht er uns nie sein Erbarmen, sondern er erzieht sein Volk durch das Unglück und läßt es nicht im Stich. Das soll uns zur Beherzigung gesagt sein. Nach dieser kurzen Abschweifung aber wollen wir mit der Erzählung fortfahren.« Gott erzieht also sein Volk zeitig durch Strafen; die übrigen Völker züchtigt er erst, wenn das Maß ihrer Schuld voll ist. Diese Leidensdeutung[7] wird vom Verfasser auf die Martyrien bezogen. Er hält in seinem Bericht kurz an, um das bereits Erzählte

---

F.-M. Abel, Les Livres des Maccabées, XXXIII/XLVIII; ders. u. J. Starcky, Les Livres des Maccabées, 17/34; D. Schötz, Erstes und zweites Buch der Makkabäer, 66; C. L. W. Grimm, Das zweite, dritte und vierte Buch der Maccabäer (Leipzig 1857) = Kurzgefaßtes exegetisches Handbuch zu den Apokryphen des AT, 3/30. — Zur Theologie des Buches s. E. Bickermann, Der Gott der Makkabäer, 32/5; D. Arenhoevel, Die Theokratie nach dem 1. und 2. Makkabäerbuch, 97/174.

[6] LXX Gott. IX,2,71f. Kappler—Hanhart.

[7] Vgl. W. Wichmann, Die Leidenstheologie, 18/21, der in 2 Makk 6,12—17 das älteste Zeugnis der von ihm untersuchten Leidenstheologie sieht, und J. A. Sanders, Suffering as Divine Discipline, 106/8.

zu deuten und um dem Leser eine Hilfe für das Verständnis des nun Folgenden an die Hand zu geben.

Die Rede des Jüngsten der sieben Brüder 7,30—38 greift den Gedanken auf und führt ihn weiter. Als Mitglied des jüdischen Volkes erklärt der Märtyrer: »Denn wir leiden nur, weil wir gesündigt haben. Wenn auch der lebendige Herr eine kurze Zeit lang zornig auf uns ist, um uns durch Strafen zu erziehen, so wird er sich doch mit seinen Dienern wieder versöhnen« (7,32f.)[8]. Wie seine Brüder gibt auch der Jüngste Leib und Leben für die väterlichen Gesetze hin. Er fleht dabei zu Gott, er möge dem Volk bald wieder gnädig sein und den Verfolger unter Qualen zum Bekenntnis bringen, daß er allein Gott ist (7,37). Er bittet, daß bei ihm und seinen Brüdern der Zorn des Allmächtigen zur Ruhe komme, der über das Volk mit Recht ergangen ist (7,38). Der König läßt auch diesen letzten der Brüder grausam hinrichten. Dann heißt es 7,40: »Auch dieser starb also in Reinheit, indem er sein ganzes Vertrauen auf den Herrn setzte«[9].

Der Märtyrer stirbt ohne Schuld. Er leidet nicht zur Strafe für eigene Sünden. Er trägt vielmehr das Leiden, das die göttliche Gerechtigkeit dem in Schuld gefallenen jüdischen Volk zugedacht hat. Mit seiner Bereitschaft, das Leiden auf sich zu nehmen, bahnt sich schon die Wende an[10]. Dem Gebet des Märtyrers entspricht die 8,2—4 genannte Bitte der Makkabäer, Gott möge das zertretene Volk gnädig ansehen, sich des entweihten Tempels erbarmen, mit der zerstörten Stadt Mitleid haben, auf das zu ihm schreiende Blut hören[11], der Ermordung der unschuldigen Kinder und der Lästerungen gegen ihn gedenken und er möge seinen Haß gegen das Böse offenbaren. Im Sieg der Makkabäer zeigt sich die Erhörung sowohl der Bitte des Märtyrers wie auch dieser selbst. »Sobald der Makkabäer eine Streitmacht aufgestellt hatte, konnten ihn die Heiden nicht mehr aufhalten; denn der Herr hatte seinem Zorn Gnade folgen lassen« (8,5)[12]. Die Makkabäer berufen sich bei ihrer Bitte auf das Blut der Märtyrer. Das Leiden der Märtyrer, das sie, ohne selbst schuldig zu sein, tragen, und der Übermut der Feinde, der sich gegen Gott selbst wendet, sollen Gott bewegen, die Feinde zu bestrafen und dem jüdischen Volk erneut sein Erbarmen zu schenken. Das jüdische Volk als ganzes leidet zu Recht für seine Schuld; die Mär-

[8] LXX Gott. IX, 2,78.
[9] Ebd.
[10] E. Bickermann, Der Gott der Makkabäer, 33: »Das Blut der Märtyrer bewirkt die Wendung.«
[11] Vgl. äth. Henoch 47,1f.4; Gen. 4,10f.
[12] LXX Gott. IX, 2,79.

tyrer leiden stellvertretend für das Volk[13]. Ihr Leiden erfüllt die
Erfordernisse der göttlichen Gerechtigkeit und bewegt Gott gleichzeitig, weil es unschuldig ist, die Strafe an den Verursachern zu voll-
strecken. In diesem Gedanken verbindet sich die theologische Leidensdeutung mit der aus der Apokalyptik bekannten Idee der Bestrafung der Verfolger, die hier jedoch nicht eschatologisch, sondern politisch verstanden wird[14].

Das Konzept des Verfassers von 2 Makk und die Bedeutung, die den
Martyrien in seinem theologischen Aufriß zukommt, ist klar. Die
Sünde des Volkes, die sich in den Parteikämpfen zeigt, erklärt das
Eingreifen Antiochus' IV. und die Verfolgung des jüdischen Glaubens. Das Leiden der Märtyrer markiert die Peripetie. Sie leiden
stellvertretend für das Volk und unterliegen so noch dem Zorn Gottes. Doch mit ihnen kündigt sich schon die Zeit des göttlichen Erbarmens an, das sich offenkundig im Sieg der Makkabäer und in der
Bestrafung des Antiochus zeigt.

Das theologische Gerüst, in das der Verfasser die Martyrien hinein-
gebaut hat, stammt vom Autor des 2. Makkabäerbuches selbst.
Die Martyriumserzählungen dagegen dürften ihm, abgesehen von
seinen Änderungen und Ergänzungen, schon fertig vorgelegen
haben. Darauf weist ihre Geschlossenheit und etwa die Unstimmig-
keit, daß nach 5,21 Antiochus nach Antiochia zurückkehrt, von dort
den Befehl für die Hellenisierungspolitik erläßt (6,1), nach Kap. 7
jedoch beim Martyrium der sieben Brüder und ihrer Mutter, das
man nicht gut nach Antiochia verlegen kann, zugegen ist[15]. Die zwei
Geschichten von Eleasar und von den sieben Brüdern und ihrer
Mutter sind unterschiedlich in ihrer Art. Man kann daher vermuten,
daß sie ursprünglich unabhängig voneinander überliefert worden
sind.

Eleasar wird von der Geschichte als Vorbild der Standhaftigkeit
gezeichnet. Er bleibt stark, auch als man ihm den Ausweg eröffnet,
anderes Fleisch anstelle des verbotenen Schweinefleisches zu essen.
Er müsse nur so tun, als sei es Schweinefleisch. Doch Eleasar zieht
einen ruhmvollen Tod einem mit Schande befleckten Leben vor

---

[13] Zum Gedanken der Stellvertretung s. E. Lohse, Märtyrer und Gottesknecht,
66/9.
[14] Vgl. Taxo und seine Söhne in der Himmelfahrt des Mose.
[15] Vgl. H.-W. Surkau, Martyrien in jüdischer und frühchristlicher Zeit (Göttingen 1938) = FRLANT 54,9/14. Surkau zieht in Erwägung, daß der Verf. von
2 Makk die Märtyrerberichte aus Jason von Zyrene übernommen hat, dem sie
bereits als fertige Erzählungen vorgelegen hätten (11 u. 14/29). Nach Chr.
Habicht, 2. Makkabäerbuch, 173 u. 232f., Anm. 31, sind in 6,18—31 zwei Versionen des Eleasarmartyriums miteinander kontaminiert worden: 1. 21—28;
2. 18—20.30.31. Die ältere Fassung 6,21—28 dürfte nach ihm auf Jason zurück-

(6,19)[16]; er ist entschlossen, der Jugend ein edles Beispiel zu hinterlassen, »wie man freudig und edelmütig für die erhabenen und
heiligen Gesetze eines schönen Todes sterben soll« (6,28)[17]. Sein
Tod ist »ein Beispiel edler Gesinnung und ein Denkmal sittlicher
Tüchtigkeit« (6,31)[18]. Der Gedanke der Auferstehung, der in der
zweiten Märtyrergeschichte so zentral ist, fehlt hier. Eleasar weiß
zwar, daß er weder lebend noch tot den Händen des Allmächtigen
entgehen kann (6,26). Er rechnet also mit einem Gericht Gottes und
hofft implizit wohl auch auf die Belohnung durch Gott (vgl. 6,30);
doch wird das Motiv nicht weiter ausgeführt[19]. Der Verfasser ist an
der Zeichnung eines Beispiels der Treue zur jüdischen Religion
interessiert. Aus seiner Erzählung spricht Bewunderung für die
Charakterstärke und Verehrung eines Vorbildes. Die Hochachtung,
die der Verfasser des 1. Makkabäerbuches dem sich im Kampf
Opfernden entgegenbringt, gilt hier dem Märtyrer. Der Unterschied zwischen dieser Sicht und der Theologie des Epitomators,
der den theologischen Rahmen geschaffen hat, fällt ins Auge. Der
Redaktor fühlt sich gedrängt, das Martyrium zu erklären, es gleichsam zu entschuldigen. Für die Erzählung vom Martyrium des Eleasar gilt ein solcher Gesichtspunkt nicht mehr. Gezeichnet wird ein
heroischer Tod, den man bewundert. Der theologische Rahmen
erklärt sich aus der jüdischen Tradition, die Geschichte selbst zeigt
hellenistische Züge. Ein Einfluß der griechischen Anthropologie
läßt sich in den Abschiedsworten des Greises beobachten: Dem
Leibe nach erduldet er grausame Schmerzen von den Geißelhieben,
aber der Seele nach leidet er dieses gern um der Gottesfurcht willen
(6,30)[20]. Leib und Seele werden einander gegenübergestellt. Diese
Gegenüberstellung dient dazu, die Überwindung der Schmerzen
anzudeuten, ohne ihre Realität zu leugnen.

Im Zentrum der vom Epitomator stärker als die gerade besprochene
Erzählung überarbeiteten Märtyrergeschichte von den sieben Brü-

gehen; die jüngere wie auch das ganze Kap. 7 möchte er einer späteren Überarbeitung der Epitome zuweisen (vgl. 176f.). Doch wie soll man dann die
theologischen Übereinstimmungen zwischen 6,12—17 (Epitomator) und der
Rede des Jüngsten der sieben Brüder 7,30—38 erklären? Es ist m. E. wahrscheinlicher, daß der Epitomator zwei vorliegende Märtyrergeschichten aufgegriffen und überarbeitet hat. Eine Rekonstruktion des ursprünglichen Textes
von 6,18—20 bei P. Katz, Eleazar's Martyrdom in 2 Maccabees: The Latin
Evidence for a Point of the Story = TU 79 (Berlin 1961) 118/24.

[16] LXX Gott. IX,2,72.
[17] Ebd. 73. A. Kamphausen bei Kautzsch AP I,98.
[18] LXX Gott. IX,2,73f.
[19] G. Stemberger, Der Leib der Auferstehung, 14f. — In 6,23 klingt sogar mit
dem Wort Hades die griechische Unterweltvorstellung an.
[20] Zum Einfluß der griech. Anthropologie auf diese Stelle vgl. G. Stemberger, 9.

dern und ihrer Mutter steht der Auferstehungsglaube[21]. Der zerstö-
renden Aktion des Königs und seiner Gehilfen wird das feste Wissen der Märtyrer gegenübergestellt, daß Gott sie auferweckt. Die
Tat des Verfolgers und die erwartete Tat der Neuschöpfung durch
Gott entsprechen einander. So wie der König die Märtyrer grausam verstümmelt, Zunge und Hände abtrennen läßt, so wird Gott
das Leben und dabei auch Zunge und Hände wiedergeben (7,10f.).
Gott, der den Menschen als Schöpfer bildet, hat auch die Macht,
ihn neu zu schaffen (7,22f.). Der Verfasser denkt sich die Auferstehung nach dem Modell der Vergeltungslehre und im Rückgriff
auf den Schöpfungsglauben. Der Verfolger erhält die genau passende Strafe[22], dem Märtyrer steht die seinem Tod entsprechende
Neuschöpfung bevor.

Der Auferstehungsglaube bildet das Fundament der unerschütter-
lichen Sicherheit der Märtyrer. Sie sind entschlossen, lieber zu
sterben, als die väterlichen Gesetze zu übertreten (7,2). Die grausamsten Qualen können sie nicht beeindrucken. Sie beschimpfen
und verspotten den König (7,9.27.39) und sagen ihm die göttliche
Strafe voraus (7,14.17.19.31.34—36). Der König muß selbst mit
seinen Leuten über den Mut des Märtyrers staunen, »dem die
Schmerzen nichts bedeuten« (7,12)[23]. Er fühlt sich verspottet und
versucht, durch große Versprechungen wenigstens den Jüngsten zu
gewinnen (7,24). Als sein Bemühen ohne Erfolg bleibt, gerät er
außer sich vor Zorn und läßt ihn grausamer als alle anderen quä-
len (7,39).

Die Bewunderung des Autors für seine Helden spricht aus seinen
Worten. Die Märtyrer ermahnen einander, edel zu sterben (7,5)[24].
Der dritte der Brüder reicht schnell und beherzt Zunge und Hände
hin, als man ihn dazu auffordert, und redet edel (7,10f.). Besonders
bewundernswert und eines rühmlichen Andenkens würdig ist die
Mutter, die es in der Hoffnung auf den Herrn voller Mut erträgt,
daß an einem Tag ihre sieben Söhne sterben (7,20). Sie spricht ihren
Söhnen in edler Gesinnung und mit Mannesmut zu (7,21).

In nuce enthält die Erzählung schon die Motive der christlichen
Märtyrerlegende. Es soll deutlich gemacht werden, daß die grausamsten Anstrengungen nichts gegen Gott und die auf ihn vertrauenden Märtyrer vermögen. Der Märtyrer ist keine gescheiterte

---

[21] Ebd. 15/22; P. Hoffmann, Die Toten in Christus, 92/4.
[22] C. L. W. Grimm, Das zweite, dritte und vierte Buch der Makkabäer, 10, faßt
die diesbezügliche Denkweise von 2 Makk zusammen in dem Satz: *in eo genere
quisque punitur, in quo peccavit.*
[23] LXX Gott. IX,2,75.
[24] γενναίως τελευτᾶν. Ebd. 74.

Existenz, sondern der wahre Sieger. Jüdische Theologie und griechisch klingende Bewunderung der Charakterstärke verbinden sich,
um das Theologumenon anschaulich darzustellen.

c) Das vierte Buch der Makkabäer

Die Martyrien des Eleasar und der sieben Brüder mit ihrer Mutter
begegnen noch einmal im sog. 4. Makkabäerbuch[25]. Dieses Buch,
keine Geschichtserzählung wie 1 und 2 Makk, sondern eine rhetorische Abhandlung[26], dürfte etwa in der ersten Hälfte des 1. nachchristlichen Jh.s von einem Diasporajuden auf Griechisch in Alexandria oder Antiochia geschrieben worden sein[27]. Der Verfasser gibt
zu Anfang sein Thema an. Er möchte untersuchen,»ob die fromme

[25] Die Einleitungsfragen bei U. Breitenstein, Beobachtungen zu Sprache, Stil und
Gedankengut des Vierten Makkabäerbuchs (Basel-Stuttgart 1976); Eissfeldt,
Einleitung, 831/4; Rost, Einleitung, 80/2; M. Hadas, The Third and Fourth
Books of Maccabees (New York 1953) = JAL, 91/141; A. Dupont-Sommer,
Le Quatrième Livre des Machabées. Introduction, traduction et notes (Paris
1939) = Bibliothèque de l'Ecole des Hautes Etudes. Sciences historiques et
philologiques 274,1/85; C. L. W. Grimm, Das zweite, dritte und vierte Buch
der Maccabäer, 285/96.

[26] Zum literarischen Charakter vgl. U. Breitenstein, 91/130, 148/51, 178f.; J.
C. H. Lebram, Die literarische Form des vierten Makkabäerbuches = VigChr 28
(1974) 81/96; H. Thyen, Der Stil der Jüdisch-Hellenistischen Homilie (Göttin-
gen 1955) = FRLANT 65,12/4, 40/63; M. Hadas, The Third and Fourth
Books of Maccabees, 103/9; A. Dupont-Sommer, Le Quatrième Livre des
Maccabées, 20/5, 67/75; E. Norden, Die antike Kunstprosa vom VI. Jh. v.
Chr. bis in die Zeit der Renaissance[3] I (Berlin 1915) 416/20; J. Freudenthal,
Die Flavius Josephus beigelegte Schrift Ueber die Herrschaft der Vernunft
(IV Makkabäerbuch). Eine Predigt aus dem ersten nachchristlichen Jh. (Bres-
lau 1869) = Jahresbericht des jüd.-theol. Seminars »Fraenckel'scher Stiftung«.
— Dupont-Sommer und Hadas denken an eine Predigt aus Anlaß des Mär-
tyrergedächtnisses (Freudenthal: Synagogenpredigt; ähnlich Thyen). Dagegen
zeigen Norden, Lebram und Breitenstein, daß 4 Makk keine wirklich gehaltene
Predigt, sondern eine literarische Rede ist. Nach Lebram ist der 1. Teil im
Stil eines philosophischen Traktats (Diatribe) gehalten, während der den Märtyrern gewidmete 2. Teil eine Prunkrede darstellt, die nach dem Modell des
Epitaphios Logos gestaltet ist.

[27] A. Dupont-Sommer, Le Quatrième Livre des Machabées, 75/85, datiert die
Schrift auf 117/8 n. Chr. (vgl. 81, Anm. 45). Ihm schließt sich Breitenstein
im wesentlichen an: erstes Drittel des 2. Jh.s n. Chr. (vgl. 179). Doch ist nicht
gut ersichtlich, wie eine zu dieser Zeit verfaßte Schrift noch Eingang ins Christentum finden konnte (vgl. die Berührungspunkte mit dem Martyrium des
Polykarp und dem Brief der Gemeinden von Vienne und Lyon: O. Perler,
Das vierte Makkabäerbuch, Ignatius von Antiochien und die ältesten Martyrerberichte = RivAC 25 [1949] 47/72). E. J. Bickerman, The Date of Fourth
Maccabees = Louis Ginsberg Jubilee Volume. English Section (New York
1945) 105/12, denkt an die Zeit um 35 n. Chr. So auch M. Hadas, The Third
and Fourth Books of Maccabees, 95/9. Vgl. dazu S. K. Williams, Jesus' Death
as Saving Event, 197/202. — Eine antiochenische Herkunft legt sich wegen

Vernunft Selbstherrscherin der Affekte ist« (1,1)[28]. Nach einer kurzen Darlegung des geplanen Vorgehens (1,1—12), in der die bejahende Antwort auf die einleitende Frage schon vorweggenommen wird, entwickelt der Verfasser in zwei ungleichgewichtigen Teilen seine These. Im kürzeren 1. Teil (1,13—3,18) bedient er sich einer nur gelegentlich durch Beispiele aus der Geschichte des jüdischen Volkes unterbrochenen abstrakt-philosophischen Argumentationsweise. Nach 1,14 will er bestimmen, »was denn ›Vernunft‹ ist und was ›Affekt‹, ferner wie viele Arten von Affekten es gibt, und ob diese alle die Vernunft beherrscht«[29]. Der Abschnitt läßt an stoische, kynische und peripatetische Einflüsse denken; doch ist der Autor nicht einer festen Systematik verpflichtet[30]. Seine Eigenständigkeit zeigt sich am deutlichsten in seinem Vernunftbegriff, der einen im Verlauf der Darlegungen immer deutlicher zu Tage tretenden religiösen Inhalt hat. Dem Verfasser geht es wesentlich um den Gehorsam gegenüber der Tora und dem in diesem Gehorsam errungenen Sieg über die Affekte. Die philosophische Begrifflichkeit wie auch die an hellenistischer Literatur geschulte Darstellungsweise und Rhetorik dienen dem apologetischen Zweck, jüdischen Gesetzesgehorsam als vernünftig und bewunderswert erscheinen zu lassen, die Juden der Diaspora in der Treue zum Gesetz

des später dort bezeugten Kultes der Märtyrer nahe. Vgl. M. Schatkin, The Maccabean Martyrs = VigChr 28 (1974) 97/113; J. Jeremias, Heiligengräber in Jesu Umwelt (Mt. 23,29; Lk. 11,47). Eine Untersuchung zur Volksreligion der Zeit Jesu (Göttingen 1958) 18/23; E. Bammel, Zum jüdischen Märtyrerkult = ThLZ 78 (1953) 119/26; J. Obermann, The Sepulchre of the Maccabean Martyrs = JBL 50 (1931) 250/65. Zur christlichen Verehrung der makkabäischen Märtyrer s. M. Maas, Die Maccabäer als christliche Heilige (Sancti Maccabaei) = Monatsschrift für Geschichte und Wissenschaft des Judentums 44 (1900) 145/56 (referiert die ältere Lit.); M. Simon, Les Saints d'Israël dans la dévotion de l'Eglise ancienne = RHPhR 34 (1954) 98/127, hier 102/6. Die antiochenische Herkunft vertritt etwa A. Dupont-Sommer, Le Quatrième Livre des Machabées, 67/75, u. M. Hadas, The Third and Fourth Books of Maccabees, 109/13. An Alexandria denkt man andererseits wegen der für diese Stadt so reich bezeugten Begegnung des Judentums mit dem Hellenismus. Eine alexandrinische Herkunft wird von Eissfeldt, Einleitung, 833, u. Rost, Einleitung, 82, vorgezogen.

[28] Rahlfs I,1157: Φιλοσοφώτατον λόγον ἐπιδείκνυσθαι μέλλων, εἰ αὐτοδέσποτός ἐστιν τῶν παθῶν ὁ εὐσεβὴς λογισμός, ... A. Deißmann bei Kautzsch AP II,152/77, hier 152. Anmerkungen zur Übers. Deißmanns bei E. Roos, Das Rad als Folter- und Hinrichtungswerkzeug im Altertum = Opuscula Archaeologica VII (Lund 1952) 87/108, hier 92/7, u. bei U. Breitenstein, 189/96. Vgl. auch die Übers. von P. Rießler, Altjüdisches Schrifttum, 700/28.

[29] Rahlfs I,1158.

[30] Vgl. U. Breitenstein, 131/67. Die ethische Lehre von 4 Makk ist synkretistische Popularphilosophie, die der jüdischen Idee des Gesetzesgehorsams dienstbar gemacht wird.

zu bestärken und möglichen heidnischen Lesern die Überlegenheit der jüdischen Sittlichkeit zu demonstrieren[31].

Diesem Anliegen dienen auch die im 2. Teil des Buches (3,19—18,24) beschriebenen Martyrien des Eleasar und der sieben Brüder mit ihrer Mutter. Vorlage war aller Wahrscheinlichkeit nach das 2. Makkabäerbuch. Die Abweichungen erklären sich aus der Absicht des nachschaffenden Verfassers[32].

Wie in 2 Makk wird die Verfolgung des Antiochus IV. durch eine im jüdischen Volk selbst begangene Schuld, nämlich die Hellenisierungsbereitschaft des Hohenpriesters Jason, begründet. Die deshalb erzürnte göttliche Gerechtigkeit führt Antiochus zum Kampf gegen das jüdische Volk herbei (4,21). Dieser Kampf besteht in dem Versuch des Königs, das Volk zur Aufgabe des Toragehorsams zu bewegen. Als er erfährt, daß seine Erlasse nicht beachtet werden, kümmert er sich persönlich darum, die einzelnen durch Foltern zu zwingen, ihm zu Willen zu sein und durch den Genuß von Schweinefleisch dem Judentum abzuschwören (4,23—26). Die Martyrien zeigen den Sieg der Gesetzestreue und die Niederlage des Verfolgers.

In der Darstellung des im Martyrium liegenden Sieges greift der Verfasser Motive des 2. Makkabäerbuches auf und entwickelt sie seiner Intention gemäß weiter. Die Standhaftigkeit des Märtyrers wird wortreich beschrieben und im Ton der Bewunderung kräftig hervorgehoben. Alle Überredungskünste und Foltern des Königs vermögen nicht, die Märtyrer umzustimmen. Antiochus hat in der Sprache des Autors eine Niederlage erlitten, weil es ihm nicht gelungen ist, einen Greis zum Genuß von Schweinefleisch zu bewegen (8,2). Er bewundert schließlich sogar die Standhaftigkeit der Märtyrer (17,17) und stellt sie seinen Leuten als vorbildlich hin (17,23f.).

Die in 2 Makk anklingende Geringschätzung der Schmerzen (vgl. 2 Makk 7,12) wird in 4 Makk in rhetorischer Breite ausgeführt. Die Märtyrer verachten die ihnen durch die schrecklichsten Foltern zugefügten Schmerzen, so als empfänden sie diese gar nicht. Am

---

[31] Eissfeldt, Einleitung, 832, prägt die Formel: »Griechische Form und jüdischer Gehalt.«

[32] H.-W. Surkau, Martyrien, 24/9, denkt an eine sowohl 2 Makk wie auch 4 Makk vorausliegende Quelle, aus der beide Schriften unabhängig voneinander geschöpft hätten. Doch erklärt er nicht die Parallelität zwischen der 4 Makk 3,20—4,26 berichteten Vorgeschichte der Martyrien und dem 2 Makk 3,1—6,11 Erzählten. Vgl. bes. 4 Makk 3,20 mit 2 Makk 3,1—3 u. die Vision des Heliodor bzw. Apollonius 2 Makk 3 u. 4 Makk 4,1—14. Diese Passagen können ja nicht gut auch noch der hypothetischen Quelle beider Bücher zugeschrieben werden.

ältesten der Brüder geißeln sich die Folterknechte müde, ohne etwas auszurichten (9,12). In der schrecklichsten Qual seufzt er nicht (9,21). »Vielmehr, als wäre ihm im Feuer durch Verwandlung Unzerstörbarkeit verliehen worden, ertrug er voll Adel die Foltern« (9,22)[33]. In diesen und ähnlichen Aussagen liegt bereits der Keim der Wundergeschichte, wie sie später in der christlichen Legende begegnet. Der Mut der Märtyrer zeigt sich weiter in der Beschimpfung des Königs und seiner Folterknechte. Dieses Motiv begegnet ebenfalls bereits in 2 Makk, findet hier aber eine erheblich breiter ausgeführte rhetorische Darstellung. Es verbindet sich oft mit dem Thema der Androhung göttlicher Strafe für den Verfolger.

Eine Neuheit gegenüber 2 Makk ist es, wenn der Verfasser die Märtyrer als Nachfolger der danielischen Märtyrer (Dan 3 und 6) bezeichnet[34]. Wahrscheinlich hat die danielische Geschichte vom göttlichen Schutz im Feuer (Dan 3) den Verfasser dazu angeregt, in seiner rhetorischen Darstellung der Charakterstärke der Märtyrer die Unschädlichkeit des Feuers im Herunterspielen seiner schädlichen Wirkungen anzudeuten[35].

Die Sicherheit der Märtyrer beruht auf ihrer festen Gewißheit, im Moment des Todes zu Gott zu gelangen. In 2 Makk rechnet der Märtyrer mit seiner leiblichen Auferstehung. Der Autor des 4. Makkabäerbuches, der hier stärker hellenistisch beeinflußt ist, vermeidet diese Sicht[36] und denkt an ein mit dem Tod beginnendes Leben der Seele in der Nähe Gottes und in der Gemeinschaft der Väter[37]. Hellenistisch ist die Unterscheidung zwischen Leib und Seele und die Terminologie, in der er zuweilen das Leben bei Gott benennt. Wie der Autor des Weisheitsbuches verwendet er die Begriffe »Unsterblichkeit« und »Unvergänglichkeit«[38]. Jüdisch ist die Sprechweise vom Leben bei Gott und von der Gemeinschaft mit den Vätern. Der in die Unsterblichkeit und in das Leben bei Gott führende Tod wird vom Verfasser als Sieg bezeichnet[39].

Der Verfolger wird der göttlichen Strafe nicht entgehen. Die Märtyrer künden ihm die Vergeltung Gottes für dieses Leben und den

---

[33] Rahlfs I,1171. Deißmann bei Kautzsch AP II,164.
[34] 13,9; 16,3.21. Vgl. auch 18,13.
[35] 9,22 (s. Anm. 33) u. 11,26.
[36] W. Marchel, De resurrectione et de retributione statim post mortem secundum 2 Mach comparandum cum 4 Mach = Verbum Domini 34 (1956) 327/41.
[37] P. Hoffmann, Die Toten in Christus, 87/91.
[38] ἀθανασία in 14,5 u. 16,13. ἀθάνατος 7,3; 14,6; 18,23. ἀφθαρσία 17,12. Vgl. P. Hoffmann, Die Toten in Christus, 89, Anm. 49 u. 50; zu Weish ebd. 85.
[39] 7,3 (Rahlfs I,1167): κατ᾽ οὐδένα τρόπον ἔτρεψε τοὺς τῆς εὐσεβείας οἴακας, ἕως οὗ ἔπλευσεν ἐπὶ τὸν τῆς ἀθανάτου νίκης λιμένα (von Eleazar gesagt). Vgl. auch 17,12 (Rahlfs I,1182): τὸ νῖκος ἀφθαρσία ἐν ζωῇ πολυχρονίῳ.

Moment des Todes an[40]. Mit dem Tod beginnt für seine Seele die ewige Qual. Für die Bezeichnung der Bestrafung des Verfolgers bedient sich der Autor gern des Wortes βάσανος[41], mit dem er auch die Foltern des Martyriums benennt — ein Hinweis auf das Vergeltungsdenken, das in 2 Makk sicherlich zentraler ist, das aber auch hier nicht fehlt. Das Motiv der Vorhersage der zukünftigen Strafe durch den Märtyrer verbindet sich oft mit dem Topos der mutigen Rede und der Beschimpfung des Verfolgers.

Der oben genannten theologischen Überzeugung, daß die im jüdischen Volk geschehene Sünde die Verfolgung des Antiochus nach sich gezogen hat, entspricht es, wenn der Tod der Märtyrer als Sühnetod[42] geschildert wird. Nach 2 Makk leiden die Märtyrer wegen der Schuld des Volkes. Indem sie für die väterlichen Gesetze sterben, beten sie zu Gott, er möge dem Volk wieder gnädig sein und sein Zorn möge bei ihnen zum Stillstand kommen (2 Makk 7,37f.). Die Märtyrer tragen also in einer besonderen stellvertretenden Weise die Strafe, die das Volk als Folge der Sünde trifft. Nach ihrem Tod kann Gott dem Volk wieder gnädig sein. Der Verfasser des 4. Makkabäerbuches geht einen Schritt weiter. Im Tod der Märtyrer, der in der Terminologie des Opfers beschrieben werden kann, geschieht die Reinigung des Volkes. Ihr Tod ist ein stellvertretender Sühnetod. Eleasar betet vor seinem Tod (6,27—29)[43]: »Du, o Gott, weißt es: ich hätte mich retten können, aber unter des Feuers Qualen sterbe ich um des Gesetzes willen. Sei gnädig deinem Volke, laß dir genügen die Strafe, die wir um sie erdulden! Zu einer Läuterung laß ihnen mein Blut dienen und als Ersatz für ihre Seele nimm meine Seele!« Der erste Satz des Gebetes (6,27) entspricht dem Gebet des Eleasar in 2 Makk 6,30. Die Fortführung 6,28 könnte durch die Rede des Jüngsten der sieben Brüder in 2 Makk 7,30—38, besonders durch 7,37f. angeregt worden sein. Der Verfasser von 4 Makk reproduziert jedoch nicht einfach den Gedanken, sondern führt ihn in seinem Sinne weiter: Das Blut der Märtyrer dient zur Reinigung des Volkes, der Tod des Eleasar ist Ersatz für den dem Volk als Strafe für die Sünde drohenden Tod (6,29). Durch den Tod des Märtyrers wird also das seiner Sünde wegen leidende Volk von seiner Schuld befreit. Die Konsequenz ist, daß die Macht des Antiochus gebrochen ist und das

---

[40] Die Stellen bei P. Hoffmann, Die Toten in Christus, 91.
[41] Vgl. ebd. 91, Anm. 62.
[42] Vgl. E. Lohse, Märtyrer und Gottesknecht, 69/72; S. K. Williams, Jesus' Death as Saving Event, 165/97; J. A. Sanders, Suffering as Divine Discipline, 114/6.
[43] Rahlfs I,1166. Deißmann bei Kautzsch AP II,160.

Volk wieder Frieden erhält (18,4). Der Tod selbst wird als Sühneopfer verstanden[44]. Dieses Opfer bringen die Märtyrer nicht kraft
eigener Anstrengung dar. Sie bitten vielmehr, daß ihr Tun von Gott
als Sühne angenommen werde. So ist Gott im Sühnegeschehen der
eigentlich Handelnde.

Die Martyriumstheologie des 4. Makkabäerbuches läßt sich nun
kurz zusammenfassen. Die Sünde im jüdischen Volk bewirkt die in
der Verfolgung des Antiochus ergehende göttliche Strafe. Der Verfolger ist Werkzeug Gottes und doch nicht frei von Schuld. Im Haß
auf die jüdische Religion will er den Abfall vom Gesetz erzwingen.
Die Auseinandersetzung ist ein Kampf zwischen dem König und den
Märtyrern, bei dem die letzteren den Sieg davontragen. Die Märtyrer siegen auf ganzer Front. Sie lassen sich nicht erschüttern in
ihrer Treue zur Tora; sie besiegen die Schmerzen; ihre Gesetzestreue ist stärker als Bruder- und Mutterliebe; sie fürchten nicht den
Tod, da er sie zu Gott führt. In ihnen siegt wirklich die gottgeleitete, am Gesetz orientierte Vernunft über die Affekte. Durch
ihren Tod reinigen die Märtyrer das Volk von seiner Schuld, weil
Gott ihn als sühnendes Opfer annimmt. Der Verfolger kann der
göttlichen Strafe nicht entgehen.

Die theologische Konzeption ist eine Weiterentwicklung der Sicht
des 2. Makkabäerbuches. Hatte der Verfasser von 2 Makk noch
gemeint, das Leiden der Märtyrer gewissermaßen entschuldigen zu
müssen, so folgt der Autor des 4. Makkabäerbuches eher der in den
Märtyrergeschichten von 2 Makk selbst liegenden Tendenz der Bewunderung der Glaubenshelden. Seine theologische Sicht ermöglicht
es ihm, die stoische und kynische Topik der Bewunderung der
Charakterstärke, der Verachtung der Schmerzen und des Tyrannen
in breiter Ausgestaltung auf den Märtyrer zu übertragen. Der Hellenismus bot ihm auch die zu seinem Sujet passende Literaturform.

Das Buch enthält gegen Ende einen rhetorisch ausgemalten Lobpreis des Sieges der Märtyrer, wie er ähnlich in einer christlichen
Märtyrerpredigt stehen könnte. Der Abschnitt läßt die rhetorische
und inhaltliche Eigenart von 4 Makk gut deutlich werden und wird
deshalb hier zitiert (17,11—16)[45]: »Ja wahrhaftig, ein göttlicher
Kampf war es, der von ihnen gekämpft wurde. Die Kampfespreise
dabei hatte die Tugend ausgesetzt, und diese fällte die Entscheidung nach der von den Kämpfern an den Tag gelegten Ausdauer.
Der Sieg war die Unvergänglichkeit in einem lange dauernden

---

[44] Das Blut der Märtyrer gilt als Reinigungs- und Sühnemittel. Zu καθάρσιον
u. ἱλαστήριον vgl. E. Lohse, Märtyrer und Gottesknecht, 70, Anm. 7 u. 71,
Anm. 2.

[45] Rahlfs I,1182. Deißmann bei Kautzsch AP II,174.

Leben. Eleasar war der Vorkämpfer, die Mutter der sieben Knaben stand ringend dabei, die Brüder kämpften. Der Tyrann war der Gegner im Kampfe, die Welt und die Menschheit waren die Zuschauer. Siegerin aber blieb die Gottesfurcht, die dann ihren Athleten den Kranz[46] reichte. Wer sollte sie nicht anstaunen, die Athleten der göttlichen Gesetzgebung? Wer sollte vor ihnen nicht erbeben?«

d) Philon von Alexandria

Der Verfasser des 4. Makkabäerbuches dürfte ungefähr Zeitgenosse Philons, des bedeutendsten Vertreters des hellenistisch geprägten Judentums der Hauptstadt Ägyptens, gewesen sein[47]. Im Aufgreifen stoischer und kynischer Gedanken preist Philon in der Schrift »Quod omnis probus liber sit«[48] die innere Freiheit des Weisen, der den Tod nicht fürchtet und voll Freimut, ohne die angedrohten Foltern zu beachten, dem ungerecht Gebietenden widerspricht[49]. Die vom Verfasser gerühmte innere Freiheit wurde verwirklicht von den sieben Weisen Griechenlands, den persischen Magiern,

[46] Hierzu vgl. A. J. Brekelmans, Martyrerkranz. Eine symbolgeschichtliche Untersuchung im frühchristlichen Schrifttum (Rom 1965) = Analecta Gregoriana 150,46f.

[47] Ausgangspunkt für die Philon-Chronologie ist die Gesandtschaft der alexandrinischen Juden an Caligula im Winter 39/40 n. Chr., die Philon nach Ausweis seines Berichtes in der Legatio ad Gaium 178ff. als älterer Mann angeführt hat. — Benutzt werden die Edition von L. Cohn — P. Wendland, I—VII (Berlin 1896—1930), für die Legatio die Ausgabe: E. M. Smallwood, Philonis Alexandrini Legatio ad Gaium² (Leiden 1970) u. die deutsche Übers. von L. Cohn, J. Heinemann, M. Adler u. W. Theiler, I—VII² (Berlin 1962—1964), abgekürzt: Werke.

[48] Abgekürzt: probus (VI,1/45 Cohn). Zur Echtheit der Schrift vgl. K. Bormann in der Einleitung zur Übers., Werke VII,1 (Lit.). — Zum stoisch-kynischen Charakter s. O. Hense, Bion bei Philon = Rheinisches Museum für Philologie N. F. 47 (1892) 219/40 (Lit.). Zur Aufnahme stoisch-kynischer Gedanken allgemein bei Philon s. P. Wendland, Philo und die kynisch-stoische Diatribe = ders. u. O. Kern, Beiträge zur Geschichte der griechischen Philosophie und Religion (Berlin 1895) 1/75, u. E. Bréhier, Les idées philosophiques et religieuses de Philon d'Alexandrie (Paris 1925) = Études de Philosophie Médiévale 8,252/71 (259/61: peripatetische Einflüsse).

[49] Vgl. probus 21f. (6,4/7,1) u. 25 (7,14/8,4). Siehe Fr. Geiger, Philon von Alexandreia als sozialer Denker (Stuttgart 1932) = Tübinger Beiträge zur Altertumswissenschaft 14,65/7 u. 76f. Zum philonischen Begriff der παρρησία vgl. auch E. Peterson, Zur Bedeutungsgeschichte von Παρρησία = Reinhold-Seeberg-Festschrift I (Leipzig 1929) 283/97, hier 289/92; H. Schlier, Art. παρρησία, παρρησιάζομαι = ThWNT V,869/84, hier 875f.; G. Scarpat, Parrhesia, Storia del termine e delle sue traduzioni in Latino (Brescia 1964) 74; G. J. M. Bartelink, Quelques observations sur ΠΑΡΡΗΣΙΑ dans la littérature paléo-chrétienne = Graecitas et Latinitas Christianorum Primaeva. Supplementa III (Nijmegen 1970) 5/57, hier 10f.

den indischen Gymnosophisten und den jüdischen Essenern[50]. Als
Beispiele für die Tüchtigkeit einzelner führt er u. a. den indischen
Philosophen Kalanos, Herakles und die griechischen Philosophen
Anaxarchos und Zenon von Elea an[51]. Kalanos habe Alexander,
der ihn zwingen wollte, mit ihm zu ziehen, geschrieben: »Feuer bereitet den lebenden Körpern sehr große Schmerzen und zerstört sie;
hierüber sind wir erhaben, wir lassen uns lebendig verbrennen«[52].
Zenon habe sich in der Folter, durch die er zur Aussage gezwungen
werden sollte, selbst die Zunge abgebissen und sie gegen die Fol-
terer ausgespuckt[53]. Als Ausspruch des vom Tyrannen Nikokreon
auf Zypern mißhandelten Anaxarchos wird berichtet: »Zerstampfe
nur die Körperhülle des Anaxarchos — Anaxarchos selbst kannst
du nicht zerstampfen«[54]. Auch die noch folgenden Beispiele sollen
zeigen, daß der Weise sich nicht zwingen läßt, weder Tod noch
Schmerzen achtet und das Sterben jeder Beeinträchtigung seiner
inneren Freiheit vorzieht. Der Verfasser, dessen Schrift sich in
mancher Hinsicht mit dem 4. Makkabäerbuch berührt[55], hätte das
jüdische Martyrium in die Schar seiner Beispiele einordnen können.
Er begnügt sich mit der Beschreibung der Unangreifbarkeit der
Essener. Die grausamsten Machthaber, die ihre Untertanen glied-
weise zerstückelten, und andere weniger grausame, dafür um so
heimtückischere Herrscher waren nicht in der Lage, ihnen eine
Schuld vorzuwerfen. »Vielmehr waren alle der sittlichen Vortreff-
lichkeit dieser Männer nicht gewachsen und behandelten sie wie Un-
abhängige und von Natur aus Freie...«[56].
Die Bewunderung der inneren Freiheit und des Freimutes des Weisen hat Philon nicht daran gehindert, harte Worte gegen den zu

[50] Probus 71—91 (20/6).
[51] Ebd. 92ff. (26ff.). Diese Beispiele gelten nach 92 (26,8/11) als »Zeugen«
hervorragender sittlicher Tüchtigkeit. Zur Zeugnisterminologie bei Philon
vgl. J. Beutler, Martyria, 147f. u. 148/55.
[52] Probus 96 (27,11/3); deutsche Übers. nach K. Bormann, Werke VII,28.
Zu Kalanos und seinem Feuertod vgl. Pauly—Wissowa X (1919) 1544 (Kroll).
[53] Probus 108 (31,7/11). Es geht um einen mißglückten Anschlag auf den
Tyrannen Nearchos (auch Diomedon oder Demylos genannt); vgl. Pauly—
Wissowa X A (1972) 54f. (von Fritz).
[54] Probus 109 (31,12): πτίσσε τὸν Ἀναξάρχου ἀσκόν· Ἀνάξαρχον γὰρ οὐκ
ἂν δύναιο. Zur Übers. s. A. Alföldi, Der Philosoph als Zeuge der Wahrheit
und sein Gegenspieler der Tyrann = Scientiis Artibusque. Collectanea Academiae Catholicae Hungaricae I (Rom 1958) 7/19, hier 8.
[55] Beide Schriften wollen einen Satz beweisen. 4 Makk will zeigen, daß der
gottgeleitete λογισμός Herr der πάθη ist (4 Makk 1,1 u. ö.); die philonische
Schrift will zeigen, ὅτι πᾶς ὁ ἀστεῖος ἐλεύθερος (probus 1). Beide Schriften
entwickeln ihr Thema zuerst lehrhaft und bringen dann Beispiele.
[56] Probus 88—91 (25f.); das Zitat 91 (26,4/6), deutsch nach K. Bormann,
Werke VII,27.

unpassender Zeit geäußerten Freimut zu richten. In einer langen Passage seines zweiten Buches über die Träume[57] wendet er sich gegen diejenigen, die eine unpassende Freimütigkeit an den Tag legen und Königen und Tyrannen widersprechen, wenn ihnen und ihren Familien Folter und Tod drohen. »So werden sie denn gestochen, gegeißelt und verstümmelt, und wenn sie alles zusammen, was schlimmer ist als der Tod, grausam und unbarmherzig erduldet haben, abgeführt, um schließlich zu sterben. Das ist der Lohn für den zu unpassender Gelegenheit geäußerten Freimut, nicht der für Freimut vor verständigen Richtern, sondern der voller Torheit, Wahnsinn und unheilbarem Trübsinn«[58]. In die Gefahr rennt man nicht offenen Auges, so wie der Schiffer nicht auf die brausende See hinausfährt und der von einem wilden Tier Angegriffene dieses nicht noch reizt. »Und wenn es die Gelegenheit erlaubt, so ist es schön, zum Angriff überzugehen und die Macht der Feinde zu brechen; läßt sie es aber nicht zu, so ist es sicher, sich ruhig zu verhalten; wer sich aber von ihnen einen Vorteil verschaffen will, der muß sie (die Feinde) zahm machen«[59]. Das oben notierte Fehlen der Martyriumsthematik erklärt sich leicht aus der hier zum Ausdruck kommenden Vorsicht Philons. Die gleiche Zurückhaltung spricht aus den zwei Schriften, in denen er sich ausdrücklich mit der Judenverfolgung in Alexandria vom Jahre 38 n. Chr. beschäftigt hat[60].

In der gegen Flaccus, den Präfekten Ägyptens, gerichteten Schrift[61] wird die Absicht des Politikers, sich bei den Alexandrinern einen Rückhalt zu verschaffen, als Ursache der Verfolgung beschrieben. Die alexandrinischen Judenfeinde sehen sich nicht mehr behindert und schreiten zu einem entsetzlichen Pogrom, bei dem sie sich der Unterstützung des Flaccus sicher sind. Innerhalb des Berichtes über die Leiden der alexandrinischen Juden findet sich eine Notiz, die das Martyriumhafte der Situation deutlich zu erkennen gibt[62]. Im Theater ließ man Jüdinnen Schweinefleisch bringen. Alle, die davon aßen, wurden freigelassen. »Die Standhafteren aber kamen zu

---

[57] De somniis II,81—92 (III,272f. Wendland). Zitiert und besprochen bei E. R. Goodenough, The Politics of Philo Judaeus. Practice and Theory (New Haven 1938) 5/7.

[58] De somniis II,84f. (272,15/20); Übers. nach M. Adler, Werke VI,239.

[59] Ebd. 92 (273,24/7); Werke VI,241.

[60] Zum Verlauf s. H. J. Bell, Juden und Griechen im römischen Alexandreia. Eine historische Skizze des alexandrinischen Antisemitismus (Leipzig 1926) = Beihefte zum »Alten Orient« 9,14/30.

[61] In Flaccum (VI,120/54 Reiter). Vgl. die Einführung von A. Pelletier, Les Oeuvres de Philon d'Alexandrie 31 (Paris 1967) 13/42.

[62] In Flaccum 96 (VI,137,25/138,6).

unmenschlichen Martern in die Hände der Folterknechte und er-
wiesen damit aufs bestimmteste ihre Unschuld«[63]. Doch ist nicht die
Beschreibung der Leiden die eigentliche Absicht des Buches. Der
Verfasser will zeigen, daß die göttliche Gerechtigkeit den, der sich
solche Schuld aufgeladen hat, erreicht. Flaccus fällt bei Caligula in
Ungnade; er wird in die Verbannung geschickt und dort schließlich ermordet. Gott rettet sein Volk und bestraft dessen Feinde. Die
Juden singen auf die Nachricht von der Verhaftung des Flaccus
Danklieder und preisen Gott: »Dir aber gebührt unser Dank, weil
du Erbarmen und Mitleid mit uns gezeigt und unsere dauernden,
unendlichen Leiden gemildert hast«[64]. Über Flaccus wird gesagt,
daß er vor seinem Tod erkennt, daß seine Leiden die göttliche Vergeltung für das den Juden zugefügte Unrecht sind[65]. Die göttliche
Gerechtigkeit vergilt genau entsprechend der Schuld. Im Bericht
über die Ermordung des Flaccus heißt es: »Denn die Gerechtigkeit
wollte, daß dieser eine Körper ebenso viele Schläge empfing, wie
Juden widerrechtlich ermordet worden waren«[66]. Flaccus wurde
so »zum untrüglichen Beweis dafür, daß Gottes Beistand dem Volk
der Juden nicht versagt ist«[67]. Das in der Märtyrerliteratur seit
Daniel geläufige Motiv der Bestrafung des Verfolgers erfährt bei
Philon eine Ausweitung in der Art der Schriften »de mortibus per-
secutorum«. Im Mittelpunkt des Buches steht die Rettung des jüdischen Volkes und die Bestrafung des Feindes. Das Leiden wird nicht
heroisiert, sondern eher konstatiert. Aber auch so konnte die jüdische Bereitschaft zum Tod dem hellenistischen Publikum als un-
erschütterliche Festigkeit des Charakters verständlich gemacht
werden.
In der »Gesandtschaft an Gaius«[68] gilt die Überheblichkeit des
Caligula, der selbstherrlich über Leben und Tod entscheidet und
der sich, da er göttliche Ehren beansprucht, gegen Gott auflehnt,
als Ursache der Verfolgung des jüdischen Volkes, das sich als
einziges seinem Irrsinn widersetzt. Nur dieses Volk »stand im Ver-
dacht, es werde Widerstand leisten, gewohnt, den Tod als Unster-
lichkeit auf sich zu nehmen, um nie gleichgültig zuzusehen, daß ein
Stück uralter Tradition, und sei es auch noch so geringfügig, be-

[63] Ebd. (138,4/6); K.-H. Gerschmann, Werke VII,148f.
[64] Ebd. 121 (142,15/17); Werke VII,153.
[65] Ebd. 169—175 (151).
[66] Ebd. 189 (154,1/3); Werke VII,165.
[67] Ebd. 191 (154,7/9); Werke VII,165.
[68] Zur Ausgabe von Smallwood vgl. Anm. 47. Deutsche Übers. von F. W. Kohnke
in: Werke VII,174/266. Vgl. die Einführung von A. Pelletier, Les Oeuvres
de Philon d'Alexandrie 32 (Paris 1972) 17/57.

seitigt werde«[69]. Der Stolz, mit dem Philon die Widerstandskraft des jüdischen Volkes anführt, ist unverkennbar. Dieser Stolz entspricht hellenistischem Empfinden[70].

Die alexandrinischen Judengegner fühlen sich mit ihrem Haß gegen das jüdische Volk im Einklang mit den kaiserlichen Wünschen und entfesseln die fürchterliche Verfolgung, von der auch in der Schrift gegen Flaccus die Rede ist. Im weiteren wird von der durch Philon angeführten Gesandtschaft der alexandrinischen Juden nach Rom berichtet und von dem Versuch des Caligula, im Tempel von Jerusalem sein Standbild aufstellen zu lassen. Philon läßt keinen Zweifel daran, daß die Juden eher sterben werden, als daß sie diesen Frevel zulassen. Sie würden es vorziehen, »für der Väter Gesetze zu sterben, in barbarischem Geist nach Meinung einiger Übelwollender, in Wahrheit aus Freiheitsdrang und hoher Gesinnung«[71]. Philon selbst nimmt in den Situationen, in denen er zusammen mit der Gesandtschaft mit dem Tod rechnen muß, eine vorsichtige Haltung ein. Er wägt ab, ob man sich in Todesgefahr bringen soll oder ob man sich nicht im Interesse der Aufgabe der Gesandtschaft zurückhält, und entscheidet sich für das letztere[72]. Die Verfolgung, welche die Juden trifft, deutet er als »Prüfung der heutigen Generation, wie sie zur Tugend steht und ob sie gelernt hat, Schrecken mit starkem Herzen und kühlem Verstand in ihren Entschlüssen zu ertragen, und nicht vorher zu wanken«[73]. Wie in der Schrift gegen Flaccus sieht er in Gott den Retter, der sein Volk bewahrt und die Verfolger bestraft[74].

[69] Legatio 117 (83,15/8 Smallwood). Vgl. F. W. Kohnke, Werke VII,204f.

[70] Zur philonischen Lehre von der Unsterblichkeit der Seele s. H. A. Wolfson, Philo. Foundations of Religious Philosophy in Judaism, Christianity, and Islam I (Cambridge Mass. 1948) 395/413; P. Hoffmann, Die Toten in Christus, 81/4.

[71] Legatio 215 (109,28/32); Werke VII,231.

[72] Ebd. 192 u. 369 (103 u. 145f.). In 369 geht es um die einer gefährlichen Situation nachfolgende Reflexion.

[73] Ebd. 196 (103); Werke VII,225f.

[74] Zum Gedanken der göttlichen Rettung vgl. die Fortführung der gerade Anm. 73 zitierten Stelle. Zur Bestrafung der Verfolger: Legatio 206 (107,13/8). Die Schrift schließt mit der Bemerkung, es müsse nun noch die Palinodie erzählt werden; 373 (147,18). Eine Palinodie ist die Zurücknahme falscher Ansichten. Die etwas rätselhafte Stelle soll wohl bedeuten, daß Caligula nun noch in seiner Reue gezeigt werden müßte, etwa so, wie Flaccus am Ende der ihm gewidmeten Schrift erscheint. Vgl. den Kommentar zur Stelle bei Smallwood, 324f., die vermutet, »that the subject of the palinode was the fall of Gaius, represented as divine retribution for his attack on the Jews, and the change for the better which Jewish fortunes underwent after Claudius' accession« (325). Zu Philons Verhältnis zum röm. Prinzipat vgl. auch S. Tracy, Philo Judaeus and the Roman Principate (Williamsport, Penna 1933).

In der philonischen Sicht des jüdischen Martyriums verbinden sich
Bewunderung des Mutes mit Vorsicht. Die beiden apologetischen
Schriften zur Zeitgeschichte, in ihrer Absicht vergleichbar mit ihren
heidnischen Gegenstücken, den sog. Alexandrinischen Märtyrerakten[75], zeigen, daß Philon die Möglichkeit, den Märtyrer in den
Farben des stoisch-kynischen Weisen der Schrift Quod omnis probus liber sit zu zeichnen, nicht verwirklicht hat. Wohl macht er das
jüdische Martyrium den hellenistisch Denkenden verständlich; doch
verzichtet er dabei auf die rhetorische Ausgestaltung, ohne seinen
Stolz auf die jüdische Charakterstärke zu verheimlichen. Ursache des
jüdischen Leidens ist in der Schrift gegen Flaccus dessen Charak-
terlosigkeit und in der Legatio ad Gaium der sich im letzten gegen
Gott richtende Übermut des Kaisers. Im zweiten Fall führt Philon
eine sich schon im Danielbuch findende Linie weiter. Das Leiden
selbst wird in all seiner Grausamkeit beschrieben und nicht heroisiert. Nur beiläufig klingt der Gedanke der göttlichen Prüfung an.
Gott macht dem durch menschliche Schuld bewirkten Leiden seines
Volkes ein Ende. Er ist der Retter und Wiederhersteller des Rechtes.
Die Verfolger müssen in ihrem Sturz und in ihrem Tod die Strafe
der göttlichen Gerechtigkeit erfahren. Auch dieser Gedanke findet
sich zum ersten Mal im Danielbuch. Die in Philons Märtyrersicht
zum Ausdruck kommende Vorsicht dürfte nicht zuletzt in seinem
Charakter begründet sein. Zweimal hat er sich selbst gegen einen
ehrenvollen Tod und für die Erfüllung seiner Aufgabe entschieden.

e) Flavius Josephus

Etwa eine Generation nach Philon schreibt Flavius Josephus, in
dessen Werken sich einige hier zu beachtende Passagen finden[76].
Josephus berichtet in den Antiquitates[77] von der Aufdeckung einer
Verschwörung gegen Herodes und der Hinrichtung der Beteiligten.
Die Verschwörer handeln aus religiösen Gründen. Sie sind nicht
bereit, die Hellenismusfreundschaft des Königs zu ertragen und
halten es für ihre Pflicht, »eher das Leben aufs Spiel zu setzen,

---

[75] H. Musurillo, The Acts of the Pagan Martyrs. Acta Alexandrinorum (Oxford
1954).
[76] Die Stellen wurden zuletzt zusammengestellt und kommentiert von M. Hengel,
Die Zeloten. Untersuchungen zur jüdischen Freiheitsbewegung in der Zeit von
Herodes I. bis 70 n. Chr.[2] (Leiden-Köln 1976) = Arbeiten zur Geschichte des
antiken Judentums und des Urchristentums I,261/77. Vgl. auch die Zusammenfassung bei N. Brox, Zeuge und Märtyrer, 165f. — De bello iudaico wird
zitiert nach der griech.-deutsch. Ausgabe von O. Michel u. O. Bauernfeind,
I—III (Darmstadt 1959—1969), die übrigen Schriften werden nach der Edition
von B. Niese, Flavii Iosephi Opera I—VI (Berlin 1885—1894), angeführt.
[77] Ant. XV,280/91 (III,382/4 Niese).

als... zu dulden, daß Herodes mit Gewalt eine Lebensweise ein-
führe, die nicht der alten Sitte entspräche, wobei er dem Titel nach
zwar König sei, in Wirklichkeit sich jedoch als Feind des ganzen
Volkes erweise«[78]. Man will den König im Theater ermorden; doch
das Vorhaben wird vor der Ausführung entdeckt. Herodes läßt die
Verschwörer, die nichts zurücknehmen und dem Tod mutig und gefaßt ins Auge sehen, vorführen und schließlich hinrichten. Aus dem
Bericht des Josephus spricht Bewunderung für den Mut dieser Leute,
von denen er sagt, daß sie das ihnen sicher bevorstehende Geschick
dadurch verschönten, daß sie in nichts von ihrer Gesinnung abgin-
gen[79].
Von einer weiteren, gegen Herodes gerichteten Aktion, bei der eine
Gruppe junger Leute den goldenen Adler, den der König über dem
großen Tor des Tempels hatte anbringen lassen, herunterreißt, berichtet Josephus im Jüdischen Krieg und in den Antiquitates[80]. Der
Bericht im Bellum ist kürzer und älter und soll deshalb als erster
charakterisiert werden. Zwei Gesetzeslehrer fordern dazu auf, den
Adler herunterzuschlagen. Als Inhalt ihrer Rede wird angegeben:
»... auch wenn eine gewisse Gefahr dabei entstünde, sei es doch
gut, für das Gesetz der Väter zu sterben. Denn welche eine solches
Ende nähmen, deren Seele werde unsterblich, und ewig bleibe das
Empfinden himmlischer Seligkeit; die gemeine Masse aber, die
der Weisheit der Gelehrten bar sei und auch keine echte Erkenntnis
habe, schätze ihr natürliches Leben über alles und ziehe
das Sterben auf dem Krankenbett einem ehrenvollen Tode vor«[81].
Eine Gruppe junger Leute folgt der Aufforderung, schlägt den
Adler herunter, wird festgenommen und vor Herodes geführt. Sie
geben an, auf Befehl des väterlichen Gesetzes gehandelt zu haben.
Auf die Frage, warum sie trotz des bevorstehenden Todes so freudig seien, antworten sie, nach ihrem Ende größere Freuden kosten
zu können[82]. Die Hauptschuldigen werden zusammen mit den beiden Lehrern lebendig verbrannt, die anderen hingerichtet[83]. Von da
an, so fährt der Bericht unmittelbar nach der Notiz über die Hinrichtung fort, ergriff die Krankheit den ganzen Körper des Hero-

---

[78] Ebd. 281 (382,15/8); Übers. nach M. Hengel, Die Zeloten, 263.
[79] Ant. XV,287 (III,383,15/7): ....ἐπεκόσμησαν δὲ τὴν ἀναγκαίαν καταστροφὴν
τοῦ τέλους τῷ μηδὲν ὑφιέναι τοῦ φρονήματος.
[80] Bell. I,648/55 (I,172 u. 174 Michel—Bauernfeind) u. Ant. XVII,149/67
(IV,96/100 Niese).
[81] Bell. I,650 (I,172 Michel—Bauernfeind); Übers. ebd. 173.
[82] Ebd. 653 (172).
[83] Ebd. 655 (174). Nach II,6 (I,180) sind die im Feuer Umgekommenen nach
Meinung des Volkes ὑπὲρ τῶν πατρίων νόμων καὶ τοῦ ναοῦ gestorben.

des[84]. Mit diesem Anschluß kann eine zeitliche Folge gemeint sein;
es ist aber auch möglich, daß der Verfasser andeuten will, die
Krankheit des Herodes sei die Strafe für die Schuld, die er auf sich
geladen hat[85].

Die beiden bisher vorgeführten Berichte des Josephus zeigen, daß
der Verfasser daran interessiert ist, den im äußersten Gesetzesgehorsam erlittenen Tod jüdischer Eiferer einem hellenistisch empfin-
denden Publikum als Ausdruck eines besonderen Mutes verständlich zu machen. Diese Tendenz tritt noch deutlicher zu Tage, wenn
man die zuletzt genannte Geschichte mit der Parallelfassung in den
Antiquitates vergleicht. Im Bellum verweisen die Schriftgelehrten
auf das mit dem Tod beginnende ewige Leben. In den Antiquitates
fordern sie zur lebensgefährlichen Tat auf, indem sie auf den un-
sterblichen Ruhm abheben[86]. Aus der kurzen Wechselrede zwischen
König und Festgenommenen wird eine längere Rede, in der die zum
Tod Bereiten erklären, mit Freude den Tod und die Martern, die
der König etwa noch hinzufüge, ertragen zu wollen, da sie sich bewußt seien, nicht wegen ungerechter Taten, sondern als Freunde
der Wahrheit zu sterben[87]. Eine weitere Besonderheit ist es, wenn
in dem Bericht der Antiquitates erzählt wird, in der Nacht nach
dem Verbrennungstod der Anführer der Aktion habe sich der
Mond verfinstert[88]. Die in dem Bericht der Antiquitates zum Ausdruck kommende stärkere Verwendung hellenistischer Motive erklärt sich aus der Tendenz dieses Buches: »Josephus will die gebildete römisch-hellenistische Welt über Geschichte und Glauben der
Juden aufklären und dem verachteten Volke Anerkennung verschaffen«[89].

Trotz der prorömischen Tendenz des Bellum, in dem die Schuld am
Krieg den jüdischen Freiheitskämpfern zugeschrieben wird, unter-
läßt es Josephus nicht, die Todesverachtung der Zeloten, die sich
bis in ihrer Bereitschaft zum Selbstmord zeigte, hervorzuheben[90].
Von den Essenern berichtet Josephus, daß man sie während des
jüdischen Krieges durch grausame Foltern zwingen wollte, Gott zu
lästern oder etwas Verbotenes zu essen[91]. Die Märtyrer bleiben jedoch fest und vergießen keine Tränen. »Unter Schmerzen lächelnd

---

[84] Ebd. 656 (174).
[85] So N. Brox, Zeuge und Märtyrer, 166.
[86] Ant. XVII,152/4 (IV,97f. Niese).
[87] Ebd. 159 (99,1/3).
[88] Ebd. 167 (100,9/12).
[89] M. Hengel, Die Zeloten, 12.
[90] Die Stellen ebd. 265/71. Bei der Frage des Selbstmordes ist natürlich vor
allem an die Verteidiger von Masada zu denken.
[91] Bell. II,152f. (I,210).

und der Folterknechte spottend gaben sie freudig ihr Leben dahin
in der Zuversicht, es wieder zu empfangen«[92]. Allgemein auf das
jüdische Volk bezogen sagt Josephus in Contra Apionem I,43, daß
man oft habe beobachten können, daß jüdische Gefangene »eher
Folterqualen und vielfältige Todesarten in den Theatern erdulde-
ten, als daß sie auch nur ein einziges Wort gegen das Gesetz und
die darauf folgenden Schriften geäußert hätten«[93].

Die in den besprochenen und ähnlichen Todesberichten bei Flavius
Josephus zum Ausdruck kommende Grundlinie läßt sich nun skizzieren. Der in den genannten Stellen dargestellte Tod ist die Konsequenz eines absoluten Gehorsams gegenüber dem jüdischen Gesetz.
Er wird nicht als düsteres Geschick voll Trauer erlitten, sondern
mutig in Kauf genommen oder sogar gesucht. Im Tod für das Gesetz erringt man die Unsterblichkeit[94]. Der Mut der dem Tod Geweihten zeigt sich in der freien Sprache gegenüber dem, der die
Macht über Leben und Tod hat, und in der Verachtung der Schmerzen und des Todes selbst. Der Kern dieser Sicht ist jüdisch; die
Ausmalung bedient sich einer Reihe von Motiven, die ihre Herkunft aus dem stoisch-kynischen Bereich nicht verleugnen können.
Wenn man Flavius Josephus zwischen 4 Makk und Philon einordnen möchte, wird man sagen können, daß er dem 4. Makkabäerbuch
näher steht als Philon.

Die Möglichkeit dieser Verbindung jüdischer Elemente mit griechisch-hellenistischen Motiven bei Josephus ist das Ergebnis eines
Wandels im Martyriumsverständnis des palästinensischen Judentums. Der Tod um des Gesetzes willen hat den düsteren Charakter,
wie er etwa im äthiopischen Henochbuch begegnet, weitgehend verloren. Er gilt nun, bei den Zeloten vor allem, aber nicht nur bei
ihnen, als heroische Tat, die man sogar erstrebt, oder zumindest als
voll innerer Ruhe bejahtes Geschick[95]. Die Rabbinen haben sich
dieser Entwicklung nach den Katastrophen des 1. und 2. Jh.s ent-
gegengestellt und die Fälle genau bestimmt, in denen man dem
Martyrium nicht ausweichen durfte[96].

---

[92] Ebd. 153 (210); Übers. ebd. 211.
[93] V,9,15/8 Niese; Übers. nach M. Hengel, Die Zeloten, 268.
[94] Josephus, der für ein hellenistisches Publikum schreibt, spricht häufig von der
    Unsterblichkeit der Seele, kennt aber auch die Auferstehungshoffnung. Vgl.
    M. Hengel, Die Zeloten, 275f.
[95] Vgl. ebd. 271/7.
[96] J. H. Greenstone, Art. Restriction of Martyrdom = The Jewish Encyclopedia
    VIII (1907) 353f.; Billerbeck I,221/4; D. Daube, Collaboration with Tyranny
    in Rabbinic Law (London 1965) 18/39, bes. 26; ders., Limitations on Self-
    Sacrifice in Jewish Law and Tradition = Theology 72 (1969) 291/304; ders.,
    Civil Disobedience, 9f., 79, 83, 97/101, 112/4.

f) Das Martyrium des Jesaja

Als Zeugnis der palästinensischen Sicht des Martyriums kann man die in der Ascensio Isaiae überlieferte Legende vom Märtyrertod des Propheten Jesaja ansehen[97]. Diese Geschichte zeigt, wie die in hellenistisch beeinflußten Schriften unter Verwendung von Motiven stoisch-kynischer Herkunft ausgesagte Überwindung des Todes in einer palästinensischen Vorstellungen entsprechenden Weise beschrieben werden konnte. Jesaja wird auf Befehl des dem Satan verfallenen Königs Manasse[98] mit einer Holzsäge zersägt (5,1). Die falschen Propheten, die ihn beim König angeklagt hatten, stehen dabei und fordern Jesaja zum Widerruf seiner Botschaft auf. »Aber Jesaja war (entrückt) in einem Gesicht des Herrn, und obgleich seine Augen geöffnet waren, sah er sie nicht« (5,7). Dem Anführer der Lügenpropheten, der weiter auf ihn eindringt und ihm die Verehrung aller verspricht, wenn er ihm zustimme, antwortet der Prophet: »Wenn es bei mir steht, das zu sagen (so sage ich): ausgestoßen und verflucht seist du und alle deine Mächte und dein ganzes Haus! Denn du kannst nicht mehr als die Haut meines Fleisches nehmen« (5,9f.). Dieser Ausspruch erinnert an den von Philon angeführten Satz, den der Philosoph Anaxarchos dem Tyrannen ins Gesicht geschleudert haben soll: »Zerstampfe nur die Körperhülle des Anaxarchos — Anaxarchos selbst kannst du nicht zerstampfen.« Der Vergleich macht aber auch den Unterschied deutlich. Aus Jesaja spricht die Ruhe des seiner Berufung treu gebliebenen Propheten, der sich in der Schau Gottes geborgen weiß; der griechische Philosoph spricht als stolzer und freier Widersacher des Tyrannen, der sich nicht knechten läßt. — Jesaja weiß, daß Gott ihm das Leiden geschickt hat. Den Propheten, die bei ihm sind, rät er, in die Gegend von Tyrus und Sidon zu gehen, denn für ihn

---

[97] Die in einer äthiopischen Übers. vollständig vorliegende Ascensio Isaiae trägt christliche Züge und stammt daher in ihrer heutigen Gestalt aus christlicher Zeit. Für das in ihr überlieferte Martyrium Isaiae nimmt man einen jüdischen Ursprung u. einen hebräischen Urtext an. Nach Eissfeldt, Einleitung, 825, u. Rost, Einleitung, 113, umfaßt dieses jüd. Traditionsstück Asc. Is. 1,1—2a. 6b—13a; 2,1—3,12 u. 5,1b—14; andere Abgrenzungen enthalten nur 2,1—3,12 u. 5,2—14, so bei H.-W. Surkau, Martyrien, 30. Eissfeldt, 826, datiert das Mart. Is. etwa ins 1. Jh. v. Chr.; Surkau, 30, denkt an das 1. Jh. n. Chr. Kritische Bemerkungen zur Abgrenzung, Datierung und Traditionsgeschichte bei O. H. Steck, Israel und das gewaltsame Geschick der Propheten, 245/7. — Benutzt wird die deutsche Übers. des äth. Textes von E. Hammershaimb in: Jüdische Schriften aus hellenistisch-römischer Zeit II,1 (Gütersloh 1973) 23/32 (17/22: Einleitung).

[98] Der König Manasse, seine Ratgeber und die Lügenpropheten, die Jesaja anklagen, stehen auf der Seite Satans und handeln auf sein Anstiften; vgl. 2,2.7; 3,11; 5,1.

allein habe Gott den Becher gemischt (5,13)[99]. Gott, der ihm das Leiden geschickt hat, ist es aber auch, der ihm hilft, es zu überwinden: »Und Jesaja schrie weder, noch weinte er, als er zersägt wurde, sondern sein Mund redete mit dem heiligen Geist, bis er in zwei Teile zersägt war« (5,14).

Die Legende geht wohl zurück auf 2 Kön 21,16; darüber hinaus ist sie Ergebnis der Hochschätzung des Martyriums, die dazu führte, daß man das Bild des Märtyrers auf den Propheten übertrug. Die Idee für die Vision während des Leidens dürfte Jes 6 geliefert haben. Auf diese Stelle bezieht sich die Anklage des falschen Propheten Balkira, der Jesaja nach Mart. Is. 3,6—10 beschuldigt, gesagt zu haben, daß er Gott gesehen habe. Die Vision während des Martyriums zeigt nun, daß Jesaja gerechtfertigt ist. Sie dient gleichzeitig dazu, Jesaja dem üblen Geschehen zu entheben. Er sieht seinen Ankläger nicht und lebt schon in der Welt Gottes (5,7). Auf die Vision dürfte sich auch die Aussage in 5,14 beziehen: Jesaja, der mit dem heiligen Geist redet, schreit und weint nicht, er spürt keinen Schmerz. Das Motiv der Vision hat die Aufgabe, die in der Schau Gottes mögliche Überwindung des Leidens und des Todes anzudeuten. Surkau[100] vergleicht die Vision des Jesaja mit der rhetorisch angedeuteten Überwindung des Schmerzes durch Eleasar in 4 Makk 6,5f.: Eleasar kümmert sich in nichts um die Foltern, gerade als träume er nur von ihnen, und, die Augen zum Himmel gerichtet, läßt er sich geißeln. In 4 Makk 6,5f. wird nun aber nicht von einer Vision gesprochen. Der Blick zum Himmel drückt die totale Hingabe an Gott aus. Der rhetorische Vergleich, in dem die Überwindung der Schmerzen ausgesagt wird, paßt zur Aussageabsicht des 4. Makkabäerbuches, das den Sieg des Gesetzesgehorsams auch über die Schmerzempfindung deutlich machen will und das sich dabei in rhetorischer Art einiger Motive stoisch-kynischer Provenienz bedient. Eine wunderbare Schmerzunempfindlichkeit wird nicht behauptet, sondern nur im Vergleich angedeutet. Das Martyrium Jesajas läßt den Märtyrer in der Vision bei Gott geborgen sein. Aus der Sicherheit dieser Geborgenheit weiß er, daß die Verfolger ihm nur die Haut seines Fleisches (5,10) nehmen können. Inmitten des grausigen Geschehens lebt er schon in der Gemeinschaft mit Gott (5,14).

Das Martyrium Jesajas zeigt ebenso wie die durch die Berichte des

---

[99] Zum Kelch als Bild des von Gott zuerteilten Leidens im Mart. Is. vgl. A. T. Hanson, The Wrath of the Lamb (London 1957) 52. In Mart. Is. 5,13 ist so wie in Mk 10,38; Mt 20,22; Lk 22,42 das Leidensgeschick und nicht der sonst im Bild des Bechers ausgedrückte Zorn Gottes gemeint (dazu s. ebd. 27/36).
[100] Martyrien, 32.

Josephus durchscheinende palästinensische Sicht des Martyriums den Wandel im Martyriumsverständnis des palästinensischen Judentums. Die Klage, Trauer und oft etwas mühsame theologische Rechtfertigung sind von der stärkeren Hochachtung des Martyriums aufgesogen worden. Trotz der grundsätzlichen Ablehnung des Hellenismus durch die palästinensischen Kreise dürfte die hellenistisch beeinflußte Bewunderung des Märtyrers im Diasporajudentum diese Entwicklung bewirkt haben.

Die Tatsache, daß man neben Jesaja auch anderen Propheten ein Martyrium zugeschrieben hat, wird man ebenfalls als Ausdruck wachsender Hochschätzung des Märtyrers deuten können[101]. Die deuteronomistische Tradition vom Prophetenmord dürfte den Anlaß dafür geboten haben, daß man einige Propheten als Märtyrer gezeichnet hat. Doch hat sich diese Zuerteilung des Martyriums an die Propheten nicht aus der Tradition des generell gewaltsamen Geschicks der Propheten gleichsam entsprechend einer inneren Entelechie herausentwickelt. Ursprung der Gestalt des Märtyrerpropheten ist die Theologie des Martyriums, Anlaß für diese Identifizierung die genannte Tradition. Die an den Grabstätten beheimatete Verehrung der Propheten, die sich sowohl auf die als Märtyrer gezeichneten wie auch auf die anderen bezog[102], hat aber nicht dazu geführt, daß sich ein spezifischer jüdischer Märtyrerkult entwickelte. Der für Antiochia erschlossene Kult der makkabäischen Märtyrer ist denn doch zu singulär, als daß man von einer jüdischen Märtyrerverehrung sprechen könnte.

[101] Die in mehreren Rezensionen vorliegenden Vitae Prophetarum berichten von einigen Propheten, daß sie eines gewaltsamen Todes gestorben sind. Hinter den christliches Gepräge tragenden Rezensionen vermutet man eine jüdische Grundschrift, die im 1. Jh. n. Chr. verfaßt worden sein könnte. Vgl. Th. Schermann, Propheten- und Apostellegenden nebst Jüngerkatalogen des Dorotheus und verwandter Texte (Leipzig 1907) = TU 31,3,43/133, u. O. H. Steck, Israel und das gewaltsame Geschick der Propheten, 247/50. Edition der Texte ebenfalls durch Th. Schermann, Prophetarum vitae fabulosae, Indices apostolorum discipulorumque Domini Dorotheo, Epiphanio, Hippolyto aliisque vindicata (Leipzig 1907). Rekonstruktionsversuch der jüdischen Grundschrift in deutscher Übers. nach der von Schermann für ursprünglicher gehaltenen Dorotheus-Version bei P. Rießler, Altjüdisches Schrifttum, 871/80. Die einzelnen Prophetennotizen enthalten knappe Hinweise zur Herkunft, Tätigkeit, Todesart und zum Begräbnis. Als Propheten, die eines gewaltsamen Todes durch Menschenhand gestorben sind, werden genannt: Amos, Micha, Jesaja, Jeremia, Ezechiel u. Secharja, Sohn des Jojada.

[102] J. Jeremias, Heiligengräber in Jesu Umwelt.

g) Rabbinische Berichte

Es wurde schon auf die rabbinische Zurückhaltung gegenüber dem Martyrium hingewiesen. Diese Haltung zeigt sich auch darin, daß man in den sog. rabbinischen Märtyrerberichten, den Erzählungen vom Tod der in den Auseinandersetzungen des 2. Jh.s n. Chr. als Märtyrer gestorbenen Rabbinen[103], an der in 2 Makk 6,12—17 zuerst bezeugten, von Wichmann »Leidenstheologie« genannten Form der Leidensdeutung anknüpft[104]. In dieser Sicht ist das Leiden eine Konsequenz früherer Schuld und eine Gelegenheit der Sühne. Der Fromme darf sich freuen, wenn ihn Leid trifft, weiß er sich doch darin von Gott angenommen. Er kann damit rechnen, im Tod als Geläuterter vor Gott zu treten. Den Sünder trifft die Strafe, wenn das Maß seiner Sünde voll ist. Dann gibt es für ihn keine Möglichkeit der Sühne mehr. Auch wenn es ihm im irdischen Leben gut geht, ist er doch im Blick auf seine jenseitige Zukunft zu bedauern. Die Rabbinen des 2. Jh.s beschäftigten sich ausführlich mit der Frage der Sühne durch das Leiden. Das den Frommen treffende Leid gilt als segensreich, als Ausdruck der Liebe Gottes, der die ihm Ergebenen züchtigt, um ihnen die Möglichkeit der Sühne zu geben[105].

In der Aktualisierung dieser Leidensdeutung konnte man auch den Tod des Märtyrers als Konsequenz der Sünde und als Gelegenheit der Sühne interpretieren. Der im Gesetzesgehorsam erlittene Tod verleiht die Gewißheit, daß der seine Schuld sühnende Märtyrer Anteil an der zukünftigen Welt erlangt[106]. Doch scheint diese Sicht

---

[103] Ausführlich besprochen bei H.-W. Surkau, Martyrien, 34/57. Vgl. auch E. Lohse, Märtyrer und Gottesknecht, 72/8, u. N. Brox, Zeuge und Märtyrer, 162/5. Deutsche Übers. einiger Texte bei P. Fiebig, Jüdische Wundergeschichten des neutestamentlichen Zeitalters (Tübingen 1911) 38/46, u. Billerbeck I,223/6.

[104] Vgl. W. Wichmann, Die Leidenstheologie, 51/80. Siehe auch J. A. Sanders, Suffering as Divine Discipline, 105/16.

[105] Vgl. A. Büchler, Studies in Sin and Atonement in the Rabbinic Literature of the First Century (Reprint New York 1967) 119/211, 335/74, u. die Zusammenfassung von E. P. Sanders. R. Akiba's View of Suffering = The Jewish Quarterly Review 63 (1972/3) 332/51, hier 332/8.

[106] E. Lohse, Märtyrer und Gottesknecht, 73/8, hebt als wichtige Eigentümlichkeiten der in den rabbinischen Märtyrerberichten enthaltenen Theologie hervor: Gelegentlich wird der Tod des Märtyrers ausdrücklich als die ihn treffende Strafe bezeichnet; er bedeutet für das ganze Volk ein Zeichen für den Anbruch einer schweren Strafe; für sein erduldetes Leiden wird dem Märtyrer der Lohn zuteil, daß er in die zukünftige Welt gelangt; die Sühnkraft des Märtyrertodes wird angedeutet. N. Brox, Zeuge und Märtyrer, 163f., legt den Akzent auf das Motiv der die Todesbereitschaft einschließenden treuen Gesetzeserfüllung.

zur Zeit der religiösen Auseinandersetzungen unter Hadrian nicht
genügt zu haben. Rabbi Akiba, der der rabbinischen Leidensdeu-
tung einen pointierten Ausdruck verliehen hat[107], modifiziert seine
Theologie im Blick auf das Martyrium, ohne sie gänzlich zu ändern.
Das den Märtyrer in der Treue zum Gesetz treffende Leid ist nicht
nur Ausdruck der Liebe Gottes, der die Gelegenheit der Sühne
schenkt, sondern auch Beweis der Liebe des Menschen zu Gott[108].
Diese Deutung findet ihren Ausdruck in der Erzählung von seinem
Tod, die im babylonischen Talmud als Veranschaulichung seiner
Interpretation des Gebotes »Du sollst den Herrn, deinen Gott,
lieben« mitgeteilt wird[109]. Akiba wird festgenommen, weil er dem
Gebot der römischen Regierung, das Gesetzesstudium zu unterlassen, nicht Folge leistet. Zur Stunde der Sch^ema-Rezitation, beim
ersten Morgenlicht, wird er zur Hinrichtung geführt. Während er
beginnt, das Sch^ema zu sprechen, zerfleischen ihn die Henker mit
eisernen Kämmen. Seinen Schülern, die ihn bitten, es genug sein zu
lassen, erklärt er: »Mein ganzes Leben grämte ich mich über den
Schriftvers: *Mit deiner ganzen Seele:* sogar wenn er deine Seele
nimmt; ich dachte: wann bietet sich mir die Gelegenheit, daß ich
es erfülle, und jetzt, wo sie sich mir darbietet, sollt ich es nicht erfüllen?!« Akiba stirbt, während er im Bekenntnis des einzigen
Herrn das Wort »einzig« spricht. Den Engeln, die sich darüber
wundern, daß ein solcher Tod der Lohn der Gesetzeserfüllung ist,
antwortet Gott: »Ihr Anteil ist im Leben.« Darauf ertönt eine Himmelsstimme, die spricht: »Heil dir, R. Akiba, du bist für das Leben
der zukünftigen Welt bestimmt.« Der Märtyrer, der den ersten Teil
des Sch^ema, das Bekenntnis zum einzigen Gott, noch vor seinem
Tod sprechen kann, drückt durch seinen Tod die Erfüllung der im
Gebet folgenden Aufforderung zur Gottesliebe mit ganzem Herzen
und ganzer Seele aus. Die legendenhafte Erzählung will deutlich
machen, daß der Tod um des Gesetzes willen die Erfüllung der
Gottesliebe ist. Lohn der Gesetzestreue im Tod ist der Anteil an der
zukünftigen Welt. In der Geschichte dürfte sich die Haltung wider-
spiegeln, in der R. Akiba seinen Tod verstanden hat. Akiba und der
Verfasser haben die engen Grenzen der rabbinischen Leidenstheo-

---

[107] Vgl. E. P. Sanders, R. Akiba's View of Suffering, 336f.

[108] Ebd. 346: »In the time of persecution and death, he found that sufferings
could be a means *not only* for God's expression of his love for man, *but also*
for man's expression of love for God, when he suffers and dies for the sake
of the commandments.«

[109] Berachot 61b; bei: L. Goldschmidt, Der babylonische Talmud I² (Leipzig
1906) 228f., der Todesbericht auf S. 229. — Zu den letzten Lebensjahren des
R. Akiba und zu seinem Tod vgl. L. Finkelstein, Akiba. Scholar, Saint and
Martyr (Cleveland-New York 1962) = Meridian Books, 235/77.

logie erweitert, indem sie den Tod um des Gesetzes willen als höchsten Ausdruck der Gottesliebe verstanden haben. So zeigt sich auch in der rabbinischen Theologie das Bemühen, dem Tod um des Gesetzes willen einen über die Erklärung des normalen Leides hinausgehenden Sinn abzugewinnen. Ein solches Bemühen wird auch an den wenigen Stellen deutlich, an denen eine im Martyrium liegende Sühne fremder Schuld angedeutet wird[110]. — Die rabbinischen Märtyrerberichte entstammen einer Zeit, in der das frühe Christentum bereits einen beträchtlichen Weg in der Ausbildung der christlichen Martyriumstheologie zurückgelegt hatte. Der Darstellung der Anfänge dieses Weges in der erzählenden Tradition der Evangelien und der Apostelgeschichte ist der nun folgende Teil gewidmet.

[110] E. Lohse, Märtyrer und Gottesknecht, 75/8.

II. Kapitel

DIE NEUTESTAMENTLICHE EVANGELIENTRADITION
UND DIE APOSTELGESCHICHTE

Das Christentum hat seinen Weg vom Ausgangsland Palästina in
die Weite der griechisch-römischen Welt genommen. Es ist klar,
daß dieser Weg auch die Entwicklung der christlichen Theologie
des Martyriums geprägt hat. In ihr finden sich jüdische und hellenistische Elemente. Doch ist sie nicht ein zufälliges Konglomerat
von Ideen unterschiedlicher Herkunft. Es gibt eine durchgehende
Konstante, eine Mitte, auf die alles hin ausgerichtet wird: die Beziehung des christlichen Märtyrers zu seinem Herrn Jesus von
Nazaret[1].

1. Jesus und seine Jünger

a) Der Tod Jesu

Die Diskussion zum Problem des historischen Jesus[2] hat deutlich
gemacht, daß Jesus mit einem außergewöhnlichen Anspruch aufge-
treten ist. Er kündete die nahe Gottesherrschaft an und verknüpfte
das endzeitliche Handeln Gottes mit seinem Wirken. Er bean-
spruchte, den wahren Willen Gottes auszusagen. In einer Autorität,

---

[1] H. v. Campenhausen, Die Idee des Martyriums, betont wegen der Beziehung
   des christlichen Märtyrers zu Jesus von Nazaret sehr scharf die Diskontinuität zwischen dem jüdischen und christlichen Märtyrertum (1/5). Dem widersprechen etwa H.-W. Surkau, Martyrien, 135/45, u. W. H. C. Frend, The
   Persecutions: some Links between Judaism and the Early Church = The
   Journal of Ecclesiastical History 9 (1958) 141/58, s. 151; ders., Martyrdom
   and Persecution, 21f. u. 31/78. Man kann weder eine Kontinuität noch eine
   Diskontinuität leugnen. Bedenklich ist es, die christliche Eigenart so sehr zum
   Inhalt der Begriffe zu machen, daß sie nur noch auf das christliche Phänomen
   zutreffen. Die christliche Besonderheit braucht nicht nivelliert zu werden,
   wenn man anerkennt, daß es eine jüdische Idee des Martyriums gibt und daß
   diese die christliche Idee beeinflußt hat. Vgl. auch A. Satake, Das Leiden der
   Jünger »um meinetwillen« = ZNW 67 (1976) 4/19, hier 11/6.
[2] Vgl. etwa A. Vögtle, in: R. Kottje — B. Moeller (Hrsg.), Ökumenische Kirchengeschichte I (Mainz-München 1970) 3/24, 279f. (Lit.); Chr. Burchard,
   Art. Jesus = Der Kleine Pauly II (Stuttgart 1967) 1344/54 (Lit.); K. Kertelge
   (Hrsg.), Rückfrage nach Jesus. Zur Methodik und Bedeutung der Frage nach
   dem historischen Jesus (Freiburg-Basel-Wien 1974) = Quaestiones Disputatae
   63; J. Dupont (Hrsg.), Jésus aux origines de la christologie (Löwen-Gembloux 1975) = Bibl. Ephem. Theol. Lovan. 40.

die er nicht aus der Schrift ableitete, radikalisierte oder relativierte er das Gesetz. Es wurde hingeordnet auf die zentrale Botschaft von der gnädigen Zuwendung Gottes zum Menschen, die den Sünder und den vom gesetzesfrommen Judentum Abgelehnten einschließt. Jesus stellte sich in Gegensatz zur pharisäischen Gesetzeserklärung. Die Zuwendung Gottes zum Menschen, die er zum Maßstab seines eigenen Handelns machte, und das Gebot der Nächstenliebe waren ihm wichtiger als pharisäische Gesetzlichkeit und priesterliche Kultordnung.

Die Tätigkeit Jesu stieß auf Resonanz und blieb nicht verborgen. Mit der Zustimmung zu Jesus meldete sich jedoch die Ablehnung und der Widerspruch der jüdischen Kreise, die sich durch seinen Anspruch in ihrem Selbstverständnis getroffen fühlten. Die Feindschaft der Gesetzeslehrer und der jüdischen Obrigkeit ist historisch gesehen durchaus verständlich; es besteht daher kein Grund, den Angaben der Evangelien zu mißtrauen. Die wachsende Feindschaft konnte Jesus nicht unbekannt bleiben; von einem bestimmten Moment seines Wirkens an wird er gewußt haben, daß man ihn ausschalten wollte. Das Wissen um den gewaltsamen Tod des Täufers (Mk 6,17—29; Mt 14,3—12) könnte ihn beeinflußt haben[3]. Die Leidensweissagungen (Mk 8,31—33; 9,30—32; 10,32—34) tragen zwar den Stempel des nachösterlichen Wissens der Gemeinde, doch könnten sie durch die Erinnerung an Worte Jesu veranlaßt worden sein, mit denen er die Jünger auf das ihm drohende Geschick hinwies. Wahrscheinlich wurde Jesus von seinen jüdischen Feinden bei Pilatus als gefährlicher Aufrührer angeklagt und als Messiasprätendent hingerichtet[4].

In der von Mt und Lk benutzten Quellensammlung wird die deuteronomistische Tradition vom gewaltsamen Geschick der Propheten verwandt. Lk 11,49—51/Mt 23,34—36 handelt allgemein von der Abweisung von Propheten und Gesandten, wobei das Geschick Jesu, auf das die Gemeinde, aus der die Sammlung stammt, zurückblickt, implizit eingeschlossen sein mag. Ausdrücklich spricht das Logion Lk 13,34f./Mt 23,37—39 von der Abweisung Jesu. Lk 13,35b par deutet seine Abwesenheit an. Demnach ist in der Ablehnung die Tötung Jesu eingeschlossen[5]. Die sehr frühe Verwendung der Prophetenmordtradition könnte ein Hinweis darauf sein,

[3] E. Fuchs, Die Frage nach dem historischen Jesus = Zur Frage nach dem historischen Jesus. Ges. Aufs. II[2] (Tübingen 1965) 143/67, hier 157f. u. 161.
[4] H. Kessler, Die theologische Bedeutung des Todes Jesu. Eine traditionsgeschichtliche Untersuchung[2] (Düsseldorf 1971) 230/2.
[5] Vgl. P. Hoffmann, Studien zur Theologie der Logienquelle[2] (Münster 1975) = NTA N. F. 8,164/80, 187/90.

daß Jesus selbst seine Ablehnung und den bevorstehenden Tod in der Linie dieser Tradition gesehen hat[6]. Die Tradition ist an der Täterschaft Israels interessiert; die Abweisung und Ermordung der Propheten gilt als Beweis für die Unbußfertigkeit und Schuld des Volkes. Die Vorstellung dient nicht dazu, das Geschick der Propheten etwa als Folge ihres prophetischen Wirkens verständlich zu machen. Doch verändert sich die Aussageabsicht, sobald die Tradition von einem Abgewiesenen auf seine eigene Situation angewandt wird. Denn dadurch stellt er sein Geschick in die Linie früherer Abweisungen. Er kann sich das ihn treffende Los verständlich machen als das den Propheten normalerweise wegen ihrer Botschaft zustoßende Geschick. Wenn also Jesus die Tradition vom gewaltsamen Prophetengeschick benutzt hat, so hat er dadurch auch den ihm zugedachten Tod gedeutet. In der Treue zu seiner Aufgabe muß er die Feindschaft derer, die ihn wegen seines Wirkens und seines Anspruches ablehnen, ertragen. Der Tod trifft ihn wegen seiner Botschaft. Diese Sicht[7] berührt sich mit der Leidensdeutung des Lehrers der Gerechtigkeit und der dem Martyrium Jesajas zugrundeliegenden Vorstellung. Ein Unterschied zu den beiden Parallelen besteht in dem Anspruch Jesu, der letzte Bote der nahenden Königsherrschaft Gottes zu sein.

Nach M. Hengel enthielt die Urschicht des möglicherweise auf Jesus zurückgehenden Gleichnisses von den Weingärtnern (Mk 12,1—12) die Aussageabsicht, daß seine Ermordung das Gericht über die Führer des Volkes nach sich ziehen wird, so wie die Tötung des Sohnes des Weinbergbesitzers dessen Eingreifen zur Folge hat[8]. Jesus könnte das Gericht Gottes an denen, die seine Botschaft ablehnten und ihn mit ihrer Feindschaft verfolgten, als seine Rechtfertigung erwartet haben. Ob er damit rechnete, an diesem Gericht

---

[6] H. Kessler, 232f.; F. Hahn, Christologische Hoheitstitel. Ihre Geschichte im frühen Christentum[3] (Göttingen 1966) 382, Anm. 2; A. Vögtle, Ökumenische Kirchengeschichte, 21; Fr. Schnider, Jesus der Prophet (Freiburg/Schweiz-Göttingen 1973) = Orbis Biblicus et Orientalis 2,258.

[7] Sie unterscheidet sich von P. E. Davies, Did Jesus die as a Martyr-Prophet? = Biblical Research. Papers of the Chicago Society of Biblical Research 2 (1957) 19/30, der in harmonisierender Manier von der Gestalt des jüdischen Märtyrer-Propheten spricht.

[8] M. Hengel, Das Gleichnis von den Weingärtnern Mc 12,1—12 im Lichte der Zenonpapyri und der rabbinischen Gleichnisse = ZNW 59 (1968) 1/39, hier 38. Anders J. Blank, Die Sendung des Sohnes. Zur christologischen Bedeutung des Gleichnisses von den bösen Winzern Mk 12,1—12 = J. Gnilka (Hrsg.), Neues Testament und Kirche. Für R. Schnackenburg (Freiburg-Basel-Wien 1974) 11/41. Vgl. auch H.-J. Klauck, Das Gleichnis vom Mord im Weinberg (Mk 12,1—12; Mt 21,33—46; Lk 20,9—19) = BiLe 11 (1970) 118/45.

beteiligt zu sein, etwa als apokalyptischer Menschensohn, ist bis
heute strittig[9]. L. Ruppert vermutet, Jesus habe sich im Rückgriff
auf die Tradition von der Erniedrigung und Erhöhung des Gerechten »seine Vollendung als Einsetzung zum eschatologischen Menschensohn (in der Weise des Henoch)« denken können[10]. Nach
T. E. Pollard habe Jesus, sobald er sich als Märtyrer verstand, entsprechend der mit dem jüdischen Märtyrerbild verbundenen Idee
der »instant resurrection« seine sofortige Auferstehung oder Erhöhung erhoffen können[11]. Kl. Berger kommt zu einer ähnlichen Aussage aufgrund der von ihm erschlossenen Tradition von der Auferweckung des als Märtyrers gezeichneten endzeitlichen Propheten[12]. In dieser Tradition gelte die Auferweckung als legitimierende
Rechtfertigung des Bevollmächtigten Gottes. Da Jesus sich als den
letzten Boten Gottes verstanden habe, könne er auch angesichts
seines Todes von seiner eigenen künftigen Auferweckung gesprochen haben. All diese Hypothesen sind mit viel Unsicherheit be-
haftet[13]. Vielleicht begnügt man sich am besten damit, anzunehmen,
daß Jesus entsprechend seiner Aufforderung zum unbesorgten Vertrauen auf Gott seine Rechtfertigung und seine Zukunft über den
Tod hinaus bei Gott und in seiner Königsherrschaft gesichert wußte
(vgl. Mk 14,25).
Die Frage, ob Jesus seinem Tod Heilsbedeutung zugeschrieben hat,
läßt sich auch nach dem wichtigen Aufsatz von H. Schürmann[14]

[9] Zum Menschensohn-Titel vgl. die Vögtle-Festschrift R. Pesch — R. Schnackenburg (Hrsg.), Jesus und der Menschensohn (Freiburg-Basel-Wien 1975).

[10] L. Ruppert, Jesus als der leidende Gerechte? Der Weg Jesu im Lichte eines
alt- und zwischentestamentlichen Motivs (Stuttgart 1972) = SBS 59,71. —
Jesus habe sich als leidenden Propheten und als leidenden Gerechten verstanden (74f.).

[11] T. E. Pollard, Martyrdom and Resurrection in the New Testament = BJRL 55
(1972/3) 240/51. — Doch können die jüdischen Texte nicht das Dogma
der »instant resurrection« belegen. Vielfach ist von der Auferweckung die
Rede, ohne daß sie direkt mit dem Moment des Todes verbunden wird. Im
äth. Henoch gibt es den Zwischenzustand der klagenden Gerechten.

[12] Kl. Berger, Die Auferstehung des Propheten, 146: Man muß ernsthaft mit der
Möglichkeit rechnen, »daß Jesus von seiner eigenen künftigen ›notwendigen‹
($\delta\epsilon\tilde{\iota}$) Auferweckung gesprochen hat«. Vgl. auch R. Pesch, Zur Entstehung
des Glaubens an die Auferstehung Jesu, 225: Aufgrund der Tradition konnten
die Jünger Jesus als den Auferweckten proklamieren.

[13] Vgl. etwa die Diskussionsbeiträge von W. Kasper, K. H. Schelkle, P. Stuhl-
macher u. M. Hengel zu dem in der vorausgehenden Anm. genannten Aufsatz von R. Pesch: ThQ 153 (1973) 229/69 (die abschließende Stellungnahme
von R. Pesch ebd. 270/83) u. J. M. Nützel, Zum Schicksal des eschatologischen
Propheten = BZ N.F. 20 (1976) 59/94.

[14] Wie hat Jesus seinen Tod bestanden und verstanden? Eine methodenkritische
Besinnung = P. Hoffmann — N. Brox — W. Pesch (Hrsg.), Orientierung an

und der Diskussion der letzten Jahre nicht eindeutig beantworten[15]. Jesu Wirken war ein totaler Dienst für das Heil der Menschen. In der Konsequenz dieses Wirkens ist er dem Tod nicht ausgewichen. Er konnte ihn als letzten Ausdruck seiner dienenden Selbsthingabe verstehen. Doch ist es fraglich, ob Jesus selbst in expliziter Weise die Sühnevorstellung aufgegriffen hat. Wahrscheinlicher ist es, daß nachösterliche Reflexion den Dienstcharakter des Todes Jesu im Sinn der Sühnetheologie interpretiert hat.

Es läßt sich keine volle Klarheit gewinnen über die Deutung, die Jesus selbst seinem Tod gegeben hat. Man wird jedoch festhalten können, daß Jesus mit wachsender Feindschaft seiner Gegner den gewaltsamen Tod als Wahrscheinlichkeit vor Augen hatte, daß er diesen Tod zwar nicht gesucht hat, ihm aber auch nicht ausgewichen ist. Jesus wußte, daß der ihm zugedachte Tod die Konsequenz seines Wirkens war, hinter dem sein Anspruch stand, aus der Nähe zu Gott den wahren Willen Gottes zu erklären. Diesem Willen Gottes galt sein Dienst, nach ihm richtete er sein Leben aus, ihm wird er sich im Tod ausgeliefert haben. Die Ergebung in Gottes Willen wird Jesus in der Todesgefahr nicht leicht gefallen sein; doch berechtigt nichts zu der Vermutung, er könne an seinem Auftrag irregeworden sein[16]. Seine Jünger hätten sich dann sicher nicht nach Ostern im Glauben an ihn zusammengefunden. Jesus wird sich im Tod darauf verlassen haben, daß Gottes Macht größer ist als die todbringende Gewalt seiner Gegner. Er dürfte den Anbruch der Herrschaft Gottes trotz seines Todes erwartet haben. Jesus bleibt seiner Botschaft treu und zeigt dadurch, daß sie über seinen Tod hinaus gilt. Er gehört in die Reihe der Märtyrer; doch unterscheidet

Jesus. Zur Theologie der Synoptiker. Für J. Schmid (Freiburg-Basel-Wien 1973) 325/63 (auch in dem Band: H. Schürmann, Jesu ureigener Tod. Exegetische Besinnungen und Ausblick[2] [Freiburg-Basel-Wien 1976] 16/65).

[15] Vgl. J. Downing, Jesus and Martyrdom = The Journal of Theological Studies N. S. 14 (1963) 279/93, hier 279 u. 292; J. Roloff, Anfänge der soteriologischen Deutung des Todes Jesu (Mk. X. 45 und Lk. XXII. 27) = NTS 19 (1972/3) 38/64, hier 62f.; X. Léon-Dufour, Jésus devant sa mort à la lumière des textes de l'institution eucharistique et des discours d'adieu = J. Dupont (Hrsg.), Jésus aux origines de la christologie, 141/68; J. Gnilka, Wie urteilte Jesus über seinen Tod? = K. Kertelge (Hrsg.), Der Tod Jesu. Deutungen im Neuen Testament (Freiburg-Basel-Wien 1976) = Quaestiones Disputatae 74,13/50; A. Vögtle, Todesankündigungen und Todesverständnis Jesu = ebd. 51/113; R. Pesch, Das Abendmahl und Jesu Todesverständnis = ebd. 137/87.

[16] R. Bultmann, Das Verhältnis der urchristlichen Christusbotschaft zum historischen Jesus[4] (Heidelberg 1965) 12: »Die Möglichkeit, daß er zusammengebrochen ist, darf man sich nicht verschleiern.« Dazu H. Schürmann, Wie hat Jesus seinen Tod bestanden und verstanden? 337f.

er sich von allen anderen durch sein Selbstverständnis, der letzte, endzeitliche Bote Gottes zu sein, mit dessen Wirken die Herrschaft Gottes beginnt. Sein Tod gehört, genauso wie sein Wirken, in diesen Anfang der endzeitlichen Herrschaft Gottes und trägt so ein besonderes Kennzeichen. Sein Dienst reicht bis in den Moment des Todes. Mit der implizit enthaltenen Bedeutung beschäftigte sich die theologische Reflexion der frühen Gemeinde, um den Schock des Todes Jesu zu überwinden und um die Erfahrung, die man mit dem irdischen Jesus gemacht hatte, und den Osterglauben mit dem Faktum seines Todes in Einklang zu bringen.

Bei der Deutung des Todes Jesu griff man z. T. auf jüdische Traditionen und Vorstellungen zurück. Von den Traditionen des gewaltsamen Geschicks der Propheten und der Erniedrigung und Erhöhung des Gerechten war schon die Rede. Ausgehend vom Verständnis des Wirkens und des Todes Jesu als eines Dienstes der Selbstentäußerung gewann das Sühnemotiv und damit der Bezug auf Jes 53 und auf Gedanken, wie sie in 2 und 4 Makk zur Deutung des Märtyrertodes verwandt wurden, eine große Bedeutung[17]. In den frühchristlichen Deutungen des Todes Jesu begegnen so Motive, die auch bei der jüdischen Interpretation des Märtyrertodes benutzt worden sind. Auch ist ein gewisser Einfluß der jüdischen Märtyrerberichte auf die Passionsgeschichte feststellbar[18]. Doch hat die neutestamentliche Deutung des Todes Jesu aufs ganze mit dem Hereinspielen der Christologie und der Auferstehungstheologie den Bereich der Theologie des Martyriums weit überschritten[19]. Die folgenden Ausführungen gehen daher nur insofern auf die Deutungen des Todes Jesu ein, als das Verständnis des Leidens und Ster-

---

[17] Zu den Berührungen zwischen dem in Röm 3,25f. verwandten Hymnus und 4 Makk 17,21f. vgl. H. Kessler, Die theol. Bedeutung des Todes Jesu, 265f., s. auch 272f., u. S. K. Williams, Jesus' Death as Saving Event, bes. 230/54.

[18] H.-W. Surkau, Martyrien, 82/103. Doch unterscheidet sich die Passionsgeschichte vom Märtyrerbericht und stellt eine eigene Gattung dar. Vgl. L. Ruppert, Jesus als der leidende Gerechte? 45/7.

[19] Zu den ntl. Deutungen des Todes Jesu vgl. M.-L. Gubler, Die frühesten Deutungen des Todes Jesu. Eine motivgeschichtliche Darstellung aufgrund der neueren exegetischen Forschung (Freiburg/Schweiz-Göttingen 1977) = Orbis Biblicus et Orientalis 15; K. Kertelge (Hrsg.), Der Tod Jesu; S. K. Williams, Jesus' Death as Saving Event; H.-R. Weber, Kreuz. Überlieferung und Deutung der Kreuzigung Jesu im neutestamentlichen Kulturraum (Stuttgart-Berlin 1975); H. Kessler, Die theol. Bedeutung des Todes Jesu, 235/329; G. Delling, Der Kreuzestod Jesu in der urchristlichen Verkündigung (Göttingen 1972); G. Schneider, Die Passion Jesu nach den drei älteren Evangelien (München 1973) = Bibl. Handbibliothek 11; W. Schrage, Das Verständnis des Todes Jesu im Neuen Testament = E. Bizer u. a., Das Kreuz Jesu Christi als Grund des Heils (Gütersloh 1967) 49/89.

bens des Jüngers von der jeweiligen Sicht des Leidens und des Todes seines Meisters abhängig ist.

b) Die Nachfolge der Jünger

Die Evangelien enthalten eine Fülle von Aussagen über die Verfolgung der Jünger[20]. Nach D. W. Riddle handelt es sich um vaticinia ex eventu, die der Verfolgungssituation der frühen Kirche entstammen und als Worte Jesu in die Evangelien aufgenommen worden sind, weil sich so das durch sie angestrebte Ziel, die Normierung des christlichen Verhaltens in der Verfolgung, wirkungsvoller erreichen ließ[21]. Die Verfolgung der frühen Kirche von seiten des Judentums und des römischen Staates wäre so der einzige Sitz im Leben der Verfolgungsaussagen der Evangelien. Doch stellt sich die Frage, ob die Situation der frühen Kirche das volle Gewicht der Aussagen tragen kann[22]. Weiter ist zu fragen, ob sich die Situation Jesu so sehr von der Lage der frühen Kirche unterschied, daß erst in der Kirche das Thema der Verfolgung akut wurde. Jesus stieß auf Ablehnung und Feindschaft. Es ist nicht unwahrscheinlich, daß er seine Jünger darauf vorbereitete, daß der Haß, der ihm galt, auch sie treffen könnte. Die frühe Gemeinde, die diese Worte Jesu tradierte, blickte auf den Tod Jesu zurück und bezog seine Worte auf die eigene Situation. Die Verfolgungsaussagen der Evangelien sind also durch die formende Hand der frühen Gemeinde gegangen. Doch enthalten sie einen Kern, der auf die Verfolgungssituation und die Jüngerbelehrung des historischen Jesus

[20] Vgl. die Zusammenstellungen bei D. W. Riddle, Die Verfolgungslogien in formgeschichtlicher und soziologischer Beleuchtung = ZNW 33 (1934) 271/89, hier 272/5, u. A. Satake, Das Leiden der Jünger »um meinetwillen«, 4f.

[21] Vgl. D. W. Riddle, Die Verfolgungslogien, 287, u. ders., The Martyrs. A Study in Social Control (Chicago 1931) 217. Zu Riddle's Frage nach der Funktion der martyrologischen Literatur vgl. auch seine Aufsätze: The Martyr Motif in the Gospel according to Mark = The Journal of Religion 4 (1924) 397/410; From Apocalypse to Martyrology = Anglican Theological Review 9 (1926/7) 260/80.

[22] D. R. A. Hare, The Theme of Jewish Persecution of Christians in the Gospel according to St Matthew (Cambridge 1967) = Society for New Testament Studies. Monograph Series 6,42, widerspricht Riddle. Nach Hare war das Verhältnis zwischen Juden und Christen weniger von Verfolgung geprägt, als es christliche Quellen vermuten lassen (ebd. 78). Vgl. auch I. Abrahams, Studies in Pharisaism and the Gospels. Second Series (Cambridge 1924) 56/71, der auf den tendenziösen Charakter und die apokalyptische Eigenart christlicher Verfolgungsaussagen hinweist, die man nicht als Beschreibung tatsächlicher Zustände im Verhältnis zwischen Juden und Christen ansehen dürfe. Doch wird man sich auch vor dem Extrem hüten müssen, jede jüdische Verfolgung von Christen zu leugnen.

zurückgeht[23]. Allerdings ist es nicht leicht, diesen Kern zu bestimmen.

»Daß Jesus Jünger in die Nachfolge gerufen hat, steht fest«[24]. Er forderte einzelne Menschen, die ihm begegneten, dazu auf, Besitz, Beruf und Familie aufzugeben, und rief sie in seine Nähe[25]. Die durch die Initiative Jesu geschaffene Jüngergruppe unterschied sich von der bei den Rabbinen üblichen Schülerschaft. Der Schüler der Rabbinen suchte sich seinen Lehrer und bemühte sich, von seinem Meister eine memorierbare Gesetzeserklärung zu lernen[26]. Eher berührt sich die Jüngerschaft Jesu mit der Nachfolge, wie sie in apokalyptischen und zelotischen Kreisen geübt wurde. Auch in diesen Kreisen war man bereit zur kompromißlosen Aufgabe des bürgerlichen Lebens und zum unbedingten Gehorsam gegenüber einer charismatischen Führergestalt. Doch darf man die Unterschiede nicht übersehen. Jesus verfolgte keine politischen Ziele; er bildete keinen esoterischen Zirkel, sondern wandte sich mit seinen Jüngern an das ganze Volk, um ihm die Augen für die beginnende endzeitliche Herrschaft Gottes zu öffnen[27]. Der Jüngerkreis Jesu unterscheidet sich von ähnlichen Gruppierungen, wie sich das Selbstverständnis Jesu abhebt von vergleichbaren Phänomenen der jüdischen Religionsgeschichte. Bei der Frage nach dem Sinn des Rufes Jesu zum radikalen Verzicht wird man mit M. Hengel an eine Beauftragung der Jünger zur Teilnahme am Dienst Jesu denken können[28]. Jesus, der unter dem Eindruck der drängenden Zeit nichts der Verkündigung und Verwirklichung des wahren Gotteswillens vorzieht, ruft Menschen, damit sie, frei von allen bürgerlichen Bin-

[23] Vgl. H. Braun, Spätjüdisch-häretischer und frühchristlicher Radikalismus. Jesus von Nazareth und die essenische Qumransekte. II: Die Synoptiker (Tübingen 1957) = BHTh 24,II,100.

[24] E. Schweizer, Jesus Christus im vielfältigen Zeugnis des Neuen Testaments[3] (Hamburg 1972) 43. — Zur vorösterlichen Jüngerschaft vgl. A. Schulz, Nachfolgen und Nachahmen. Studien über das Verhältnis der neutestamentlichen Jüngerschaft zur urchristlichen Vorbildethik (München 1962) = StANT 6,17/133; ders., Jünger des Herrn. Nachfolge Christi nach dem Neuen Testament (München 1964) 9/38; F. Hahn, Die Nachfolge Jesu in vorösterlicher Zeit = Die Anfänge der Kirche im Neuen Testament. Evangelisches Forum 8 (Göttingen 1967) 7/36; H. D. Betz, Nachfolge und Nachahmung Jesu Christi im Neuen Testament (Tübingen 1967) = BHTh 37,13/27; M. Hengel, Nachfolge und Charisma. Eine exegetisch-religionsgeschichtliche Studie zu Mt 8,21f. und Jesu Ruf in die Nachfolge (Berlin 1968) = Beihefte ZNW 34.

[25] A. Schulz, Nachfolgen und Nachahmen, 79/97; F. Hahn, Die Nachfolge Jesu in vorösterlicher Zeit, 17/21; M. Hengel, Nachfolge und Charisma, 9/17.

[26] M. Hengel, 55/63.

[27] Ebd. 63/70.

[28] Ebd. 80/93. Vgl. auch M. Hengel, Die Ursprünge der christlichen Mission = NTS 18 (1971/2) 15/38, hier 35/7.

dungen, bei ihm lernen, in ihrem Verhalten seiner Botschaft zu entsprechen und an seinem Dienst teilzunehmen. Das Leben im Anschluß an Jesus verlangt Mut zur Ungesichertheit und die Bereitschaft, der Ablehnung, auf die Jesus stößt, nicht auszuweichen. Von dem Moment an, in dem Jesus mit der Möglichkeit seines gewaltsamen Todes rechnen mußte, hat er auch seine Jünger auf die Konsequenzen, die die ihm geltende Feindschaft für sie haben konnte, aufmerksam gemacht.

Nach H. Braun geht die Aufforderung zum Bekennen Lk 12,8f./ Mt 10,32f.; Mk 8,38par auf Jesus selbst zurück[29]. Die Warnung vor dem Verleugnen zeigt, daß die Jünger auf Schwierigkeiten stießen und daß es die Versuchung der Abwendung von Jesus gab. Doch auch angesichts von Ablehnung und Feindschaft darf der Jünger nicht Jesus und seiner Botschaft untreu werden. Als echtes Jesuswort führt H. Braun weiterhin Lk 6,28b/Mt 5,44b an. Auch hier zeigt sich, »daß bereits Jesus selber mit Komplikationen für diejenigen gerechnet hat, welche hinter ihm hergehen«[30]. Weiter ist an die Urform des Wortes vom Kreuztragen zu denken (Lk 14,27/Mt 10,38; Mk 8,34parr)[31]. Nach E. Dinkler besagt das Wort Jesu eine Aufforderung zur endzeitlichen Versiegelung in der Gestalt eines Tav (vgl. Ez 9,4), das man wie ein aufrechtes oder liegendes Kreuz gezeichnet hat[32]. Das Zeichen gehöre in die eschatologische Bußpredigt Jesu und sei Ausdruck der Umkehr, zu der Jesus aufrufe. Erst nach der Kreuzigung Jesu sei das Tav-Zeichen auf sein Kreuz hin gedeutet worden[33]. Sicherlich hat die auf den Kreuzestod Jesu zurückblickende Gemeinde das Logion auf das Kreuz Jesu bezogen. Doch ist zu fragen, ob nicht auch der historische Jesus vom Kreuz gesprochen haben könnte. Nach H. Braun »wäre der Hinweis auf eine leidensbereite, martyriumsnahe Haltung auch für die älteste Etappe der Sinnentwicklung des synoptischen Wortes, also für das Jesuswort selber, als möglich zu erwägen«[34]. A. Schulz verweist darauf, daß Kreuz und Kreuztragen für den antiken Menschen keine völlig fremden Vorstellungen gewesen seien. Heidnische und rabbinische Texte ließen sogar auf eine ge-

---

[29] H. Braun, Spätjüdisch-häretischer und frühchristlicher Radikalismus II,101.

[30] Ebd. 103, Anm. 1.

[31] Ebd. 104, Anm. 4; A. Schulz, Nachfolgen und Nachahmen, 82/90. Der Urform dürfte die lukanische Fassung am nächsten kommen; vgl. R. Bultmann, Geschichte der synoptischen Tradition[8] (Göttingen 1970) = FRLANT 29,173.

[32] E. Dinkler, Jesu Wort vom Kreuztragen = Neutestamentliche Studien für R. Bultmann (Berlin 1954) 110/29.

[33] Ebd. 129.

[34] H. Braun, Spätjüdisch-häretischer und frühchristlicher Radikalismus II,104, Anm. 4.

wisse Vertrautheit mit solcher Redeweise schließen. »Man kann deshalb den primären Sinn der Forderung Jesu an seinen μαθητής, das Kreuz zu tragen, umschreiben: Mein Gefährte kann nur sein, wer mit der Übernahme von Leiden und Tod einverstanden ist«[35]. Nach M. Hengel könnte das Bild vom Kreuztragen aus zelotischem Milieu stammen[36]. Man muß also mit der Möglichkeit rechnen, daß Jesus von seinen Jüngern die Bereitschaft zum gewaltsamen Tod verlangt hat.

Ein anderes Logion, der Spruch vom Retten und Verderben des Lebens (Lk 17,33/Mt 10,39; Mk 8,35parr), der auf Jesus zurückgehen dürfte, weist in die gleiche Richtung[37]. Ψυχή meint hier die Existenz, das konkrete Leben eines einzelnen. Nach dem von G. Dautzenberg zusammengetragenen Vergleichsmaterial[28] geht es um die Alternative der Rettung der Existenz vor dem Tod und des Verlustes des Lebens. Das Logion will sagen: Wer jetzt sein Leben retten will, wird es im zukünftigen Äon verlieren; wer es aber jetzt verliert, wird es retten für die eschatologische Zukunft. Das Wort konfrontiert den Angesprochenen mit zwei Möglichkeiten und stellt ihn vor die Entscheidung. Mit Blick auf die jüdische Aussage zur endzeitlichen Rettung heißt es bei Dautzenberg: »Die jüdische Tradition knüpft die Rettung an den radikalen Gehorsam gegenüber dem Gesetz, dem Willen Gottes und an die Gliedschaft in der Gemeinde, während das Logion zwar auch den Gehorsam für die Rettung voraussetzt, aber einen Gehorsam gegen den in der Situation Jesu und seiner Nachfolger sich offenbarenden Willen Gottes, der die Gemeinschaft mit dem Meister bis in den Tod fordert«[39].

H. Schürmann führt unter den echten Jesusworten auch Lk 12,4f./ Mt 10,28 an[40]. Der Spruch, der der menschlichen Macht die umfassendere Macht Gottes gegenüberstellt und so der Furcht vor den Menschen entgegenwirken will, setzt die Auffassung vom Zwischenzustand voraus[41]. Die ψυχή überdauert den Tod, in dem der Mensch

---

[35] A. Schulz, Nachfolgen und Nachahmen, 85.

[36] M. Hengel, Nachfolge und Charisma, 64. Vgl. auch ders., Leiden in der Nachfolge Jesu. Überlegungen zum leidenden Menschen im Neuen Testament = H. Schulze (Hrsg.), Der leidende Mensch (Neukirchen-Vluyn 1974) 85/94, hier 87.

[37] G. Dautzenberg, Sein Leben bewahren. Ψυχή in den Herrenworten der Evangelien (München 1966) = StANT 14,51/67. Zur ursprünglichen Form des Logions s. 51/3.

[38] Ebd. 53/6.

[39] Ebd. 59.

[40] H. Schürmann, Wie hat Jesus seinen Tod bestanden und verstanden? 339. Zur Interpretation vgl. G. Dautzenberg, Sein Leben bewahren, 138/53.

[41] G. Dautzenberg, 147.

sein σῶμα verliert. Gott hat die Macht, im Endgericht ψυχή und σῶμα zu verderben, so wie in seiner Macht die Auferweckung liegt. Bedeutet ψυχή im vorher besprochenen Logion die konkrete menschliche Existenz, so ist hier vom überlebenden Teil des Menschen die Rede. Der jüdisches Kolorit tragende Spruch, der zum Mut angesichts des Martyriums aufruft, wobei er auf die Frage antwortet, was beim Märtyrertod geschieht, dürfte in seiner ermittelbaren ältesten Gestalt eher der palästinensischen Urgemeinde als dem historischen Jesus zuzuschreiben sein.

Immerhin ist deutlich geworden, daß Jesus mit ernsten Konflikten und mit der Möglichkeit eines gewaltsamen Todes für seine Jünger gerechnet hat. Die Zugehörigkeit zu Jesus und der im Anschluß an ihn ausgeübte Dienst konnten also gefährlich sein. Die Feindschaft, die sich gegen ihn richtete, machte vor seinen Jüngern nicht halt. Jesus verlangt nun von ihnen, daß sie auch in Lebensgefahr ihrer Entscheidung für ihn und seine Botschaft treu bleiben. Der Jünger muß bereit sein, in der Konsequenz seiner Berufung den Tod zu erleiden. Diese Forderung Jesu liegt auf der Linie der Logien, in denen der Verzicht auf Beruf, Besitz, Familie und bürgerliches Leben verlangt wird. Dem im Gehorsam gegen den endzeitlichen Boten Gottes zu leistenden Dienst darf nichts, auch nicht die Rettung des eigenen Lebens vorgezogen werden. Der von Jesus verlangte absolute Gehorsam gilt dem von ihm ausgelegten endzeitlichen Willen Gottes und damit eingeschlossen ihm selbst. Die Treue zu Gott schließt die Gemeinschaft mit Jesus ein. In der Forderung an seine Jünger, zur Aufgabe des eigenen Lebens bereit zu sein, ist implizit das Spezifische der christlichen Martyriumsidee enthalten.

2. Abweisung und Verfolgung der Boten Jesu nach der Logienquelle

Ein Einblick in die frühe nachösterliche Verkündigungssituation läßt sich anhand der von der Forschung erschlossenen, Spruch- oder Logienquelle (Q) genannten Vorlage des Mattäus- und Lukasevangeliums gewinnen[1]. Es empfiehlt sich, von der Botenrede Lk 10,2—12/Mt 9,37f.; 10,7—16 und ihrer Fortsetzung in Lk 10,13—16.21f./Mt 11,21—23; 10,40; 11,25—27 auszugehen[2].

---

[1] Zur Forschungsgeschichte vgl. S. Schulz, Q. Die Spruchquelle der Evangelisten (Zürich 1972) 11/44.

[2] Nach P. Hoffmann, Studien zur Theologie der Logienquelle, 263/87, entspricht die lukanische Abfolge 10,2—16.21f. im wesentlichen der ursprünglichen Q-Ordnung (vgl. die Zusammenfassung S. 287/9). Die Auslegung der Botenrede ebd. 287/331. Vgl. auch ders., Die Anfänge der Theologie in der

Die Instruktion beginnt mit der Aufforderung, zu Gott um Arbeiter für die Ernte zu beten (Lk 10,2). Die Arbeiter sind die in der Aussendungsrede angesprochenen Boten, also die Mitglieder der Q-Gruppe in ihrer Mission[3]. Die drängende Zeit verlangt nach vielen Missionaren für die eschatologische Sammlung. Die von Jesus gesandten Boten werden mit Schafen verglichen, die mitten unter die Wölfe geschickt werden (Lk 10,3). Das Bild läßt an Konfliktsituationen denken, in denen die wehrlosen Gesandten Jesu ihren Feinden ausgeliefert sind. Unter Verzicht auf Reiseausstattung, ohne Geld, Provianttasche und Schuhe, sollen sie sich auf den Weg machen (Lk 10,4). In voller Ungesichertheit und Armut verlassen sie sich auf die Hilfe derer, an die sie sich mit ihrer Botschaft wenden. Ihr Gruß ist Ansage des endzeitlichen Friedens (Lk 10,5). Dort, wo er angenommen wird, sollen sie bleiben und die Gastfreundschaft in Anspruch nehmen (Lk 10,6f.). Ihr Tun gehört bereits in die anbrechende Endzeit: Sie sollen die Kranken heilen (Lk 10,9a). Ihre Botschaft wird in Lk 10,9b in dem Ruf zusammengefaßt: Das Reich Gottes ist euch nahe gekommen. Das Wort der Gesandten Jesu wird nicht überall aufgenommen; Lk 10,6 rechnet damit, daß der Friedensgruß ohne Resonanz bleibt. In einem solchen Fall kehrt er zu den Grüßenden zurück; die Angesprochenen haben sich selbst vom endzeitlichen Frieden ausgeschlossen. Nach Lk 10,10—12 wird die Ablehnung der Boten durch die endzeitliche Verwerfung bestraft. Der Wehruf gegen Chorazin, Betsaida und Kafarnaum (Lk 10,13—15) bezieht sich auf die Abweisung, die Jesus in den galiläischen Städten erfahren hat. Das Geschick der Boten entspricht dem ihres Herrn. Den Gegnern wird jeweils die Strafe im Endgericht angedroht. Der Grund für die Bedeutung, die der Entscheidung für oder gegen die Boten zukommt, wird in Lk 10,16 angegeben. Ihre Sendung geht auf Jesus, den Gesandten Gottes, zurück. Der Jubelruf Lk 10,21f. enthält eine weitere Begründung des Anspruches der Q-Gemeinde. Die ihr von Gott geschenkte Offenbarung, die den Weisen und Klugen verborgen bleibt, ist ihr durch Jesus, den alleinigen Offenbarungsmittler, zuteil geworden[4].

Logienquelle = J. Schreiner — G. Dautzenberg (Hrsg.), Gestalt und Anspruch des Neuen Testaments (Würzburg 1969) 134/52, hier 138/41. Siehe auch S. Schulz, Q, 213/28, 360/6, 404/19, 457/9.

[3] Zur Frage, ob die Q-Gruppe sich auch an Heiden gewandt habe, wird man sagen können, daß Q die Möglichkeit anerkennt, daß Heiden sich bekehren (vgl. Lk 7,1—10/Mt 8,5—13), ohne daß eine ausdrückliche Heidenmission erkennbar ist.

[4] Auslegung der Stelle bei D. Lührmann, Die Redaktion der Logienquelle, 64/8; P. Hoffmann, Studien zur Theologie der Logienquelle, 102/42; S. Schulz, Q, 213/28.

Der Anspruch der Boten, die von ihnen Angesprochenen vor die Entscheidung zu stellen, die über ihre Zukunft im Endgeschehen entscheidet, wird auf die Vollmacht Jesu zurückgeführt. Jesus ist im Verständnis der Logienquelle vor allem der Menschensohn; er ist identisch mit dem zum Gericht kommenden Menschensohn und kann deshalb auch in seinem Erdenwirken so bezeichnet werden[5]. Die Stellung zu ihm entscheidet über Heil und Unheil. Die Boten der Logienquelle, die sich als Gesandte Jesu verstehen, setzen seine Verkündigung nach seinem Tod fort. Die Beauftragung der Jünger zur Teilnahme an der Tätigkeit Jesu gilt über den Tod des Meisters hinaus. Als Gesandte Jesu bieten die Boten nach der Ablehnung Jesu eine letzte Heilsmöglichkeit an. Dabei machen sie wie Jesus selbst die Erfahrung der Abweisung und Verfolgung.

Nach Lk 10,3 sind sie wie Schafe unter die Wölfe gesandt. Lk 10,10—15 bezieht sich auf die Ablehnung ihrer Botschaft. Von Schmähung und Verleumdung spricht Lk 6,22f./Mt 5,11f.[6]. Der Nachfolgespruch Lk 9,57f./Mt 8,19f. besagt, daß die Jesus Nachfolgenden bereit sein müssen, an der Ungesichertheit und Heimatlosigkeit des Meisters teilzunehmen. Die Mahnungen zu furchtlosem Bekennen Lk 12,2—9/Mt 10,26—33 zeigen, daß mit lebensgefährlichen Situationen gerechnet werden mußte. Die Mitglieder der Q-Gruppe müssen wie die vorösterlichen Jünger zur Aufgabe des Lebens bereit sein (Lk 14,27/Mt 10,38 und Lk 17,33/Mt 10,39). Der Grund für den Haß und die Ablehnung der Boten liegt in ihrem Bekenntnis zu Jesus als dem Menschensohn (Lk 6,22/Mt 5,11)[7].

Bei der Deutung der Verfolgung greift die Gruppe, vielleicht in der Anknüpfung an Worte des historischen Jesus, auf die deuteronomistische Tradition vom Prophetengeschick zurück. In der Seligpreisung Lk 6,22f./Mt 5,11f. wird die Abweisung, die die Angeredeten erfahren, in eine Linie mit der Ablehnung der Propheten gestellt. Lk 11,49—51/Mt 23,34—36 spricht von der Ermordung von Propheten und Gesandten der Weisheit Gottes. In dem Wehruf

---

[5] Zur Christologie der Logienquelle vgl. J. Gnilka, Jesus Christus nach frühen Zeugnissen des Glaubens (München 1970) = Biblische Handbibliothek 8,110/26; P. Hoffmann, Jesusverkündigung in der Logienquelle = W. Pesch (Hrsg.), Jesus in den Evangelien[2] (Stuttgart 1972) = SBS 45,50/70; A. Polag, Die Christologie der Logienquelle (Neukirchen-Vluyn 1977) = WMANT 45.

[6] S. Schulz, Q, 452: »Bei der Aufzählung der Schmähungen scheinen beide Evangelisten zusätzliche Glieder eingeführt zu haben, und die kürzeste Fassung wird die ursprünglichste sein.« Dann enthielt der Spruch in Q nur den Hinweis auf Schmähungen und Verleumdungen. — Vgl. auch die Aufforderung zur Feindesliebe Lk 6,27/Mt 5,44, die zeigt, daß mit Feindschaft gerechnet werden mußte.

[7] ἕνεκα τοῦ υἱοῦ τοῦ ἀνθρώπου in Lk 6,22 dürfte ursprünglicher sein als ἕνεκεν ἐμοῦ bei Mt. S. Schulz, Q, 453.

Lk 11,47f./Mt 23,29—31 wird den Angesprochenen die Gesinnungs- und Tatkontinuität mit den Vätern vorgeworfen[8]. Das Drohwort Jesu gegen Jerusalem Lk 13,34f./Mt 23,37—39 verknüpft die Ermordung der Propheten mit der Ablehnung des Heilsangebotes Jesu.

Das Logion enthält eine Deutung des Todes Jesu[9]. Jesus, der abgewiesene Bote Gottes, den seine Gegner nicht mehr sehen werden, weil sie ihn töten, kündigt das Gericht über die Stadt und seine Rehabilitierung im Endgericht an. Dann werden ihn die an seinem Tod Schuldigen begrüßen müssen: Gesegnet sei der im Namen des Herrn Kommende. Das Logion erinnert an die Gerichtsszene Weish 5,1—6, in der die Mörder des Gerechten in der endzeitlichen Konfrontation mit ihm ihre Schuld erkennen. Zu denken ist auch an die ähnliche Aussage im äthiopischen Henochbuch 62,5f.[10]. Q verbindet also die deuteronomistische Prophetenmordtradition mit dem apokalyptischen Bild des Endgerichts.

Dieses Gericht bringt den angegriffenen Jüngern von Lk 6,22f./Mt 5,11f. ihren Lohn. Sie können sich deshalb freuen[11]. Zu fürchten sind nicht diejenigen, die den Leib töten können, sondern zu fürchten ist Gott, der im Endgericht die Macht hat, die Menschen in der Hölle zu verderben (Lk 12,4f./Mt 10,28). Dann bekennt sich der Menschensohn zu denjenigen, die ihn vor den Menschen bekannt haben, und er verleugnet diejenigen, die ihn vor den Menschen verleugnet haben (Lk 12,8f./Mt 10,32f.). Wer sein Leben als Jünger Jesu verloren hat, wird es im Gericht retten (Lk 17,33/Mt 10,39). Alle aber, die die Boten Jesu und Jesus selbst abgelehnt haben, werden dem Gericht verfallen (Lk 10,10—15).

Die Ablehnung der Boten Jesu und das Geschick Jesu werden von der Logienquelle im Rückgriff auf die deuteronomistische Prophetenmordtradition gedeutet. Für Q gibt es eine Parallelität zwischen dem Geschick Jesu und dem seiner Jünger. Doch wird die Parallelität durch die Überzeugung der Q-Gemeinde durchbrochen, daß der abgewiesene Jesus der zum Gericht erscheinende Menschensohn ist. Als Gesandte des zum Menschensohn bestimmten Jesus setzen die Jünger seine Predigt fort, wobei sie auf die gleiche Ab-

---

[8] P. Hoffmann, Studien zur Theologie der Logienquelle, 166.

[9] Ebd. 187/90; H. Kessler, Die theol. Bedeutung des Todes Jesu, 236/9. Vgl. auch M.-L. Gubler, Die frühesten Deutungen des Todes Jesu, 10/94.

[10] Vgl. P. Hoffmann, Studien zur Theologie der Logienquelle, 177f.

[11] Vgl. auch W. Nauck, Freude im Leiden. Zum Problem einer urchristlichen Verfolgungstradition = ZNW 46 (1955) 68/80, der auf die Verbindung zum jüdischen Motiv der Freude im Leiden hinweist. Dazu J. A. Sanders, Suffering as Divine Discipline, 113.

lehnung wie er stoßen. Die Feindschaft gegen Jesus wie auch gegen seine Boten wird jedoch im bald anbrechenden Gericht, zu dem der Getötete als Menschensohn erscheint, geahndet werden. Die Boten selbst können dem Endgeschehen ohne Sorge entgegensehen. Der Menschensohn wird sich zu ihnen bekennen, sie werden den Lohn ihrer Mühen erhalten. Die jüdische Tradition vom Prophetengeschick und die Vorstellung der endzeitlichen Vergeltung werden aufgegriffen, aber entscheidend modifiziert durch die Überzeugung, daß Jesus der endzeitliche Bote Gottes ist und die zentrale Stelle im anhebenden Endgeschehen einnimmt. Von der Dignität Jesu leiten die Boten der Logienquelle die Bedeutung ihrer Tätigkeit ab. In der Nachfolge Jesu treten sie als bevollmächtigte Gesandte auf. An der Haltung zu ihrer Botschaft, die die Predigt Jesu fortführt, entscheidet sich die Zukunft der von ihnen Angesprochenen. Durch sie ergeht in der dem Ende zudrängenden Zeit das letzte Angebot Gottes.

Der Rückgriff auf die Prophetenmordtradition diente den Boten der Spruchquelle dazu, sich die sie in der Nachfolge Jesu treffende Ablehnung verständlich zu machen. Diese Tradition ist am Täter, dessen Schuld herausgestellt werden soll, orientiert. Wie jedoch schon bei der Frage, wie Jesus selbst sein Geschick verstanden hat, gesagt wurde, kann sie dort, wo sie vom Betroffenen auf sein eigenes Geschick angewandt wird, dem Verfolgten den Grund der Ablehnung angeben. Wenn das halsstarrige Volk immer die Propheten verfolgt hat, wenn Jesus selbst getötet wurde, dann ist es nicht ungewöhnlich, daß auch seine Boten Ablehnung und Verfolgung erleiden müssen. Ein weiterer Trost liegt in dem apokalyptischen Gerichtsgedanken. Vom Gericht des Menschensohnes erwartet man die Rechtfertigung.

Der historische Jesus hat Jünger in seine Nachfolge gerufen, von denen er verlangt hat, daß sie wegen des Anschlusses an ihn zur Preisgabe des Lebens bereit sein mußten. In der Spruchquelle wird dieser Ansatz fortgeführt. Die Boten Jesu müssen darauf eingestellt sein, wegen des Bekenntnisses zu Jesus, dem Menschensohn, abgelehnt und verfolgt zu werden. Die Ablehnung trifft die vorösterlichen Jünger Jesu in ihrer Teilnahme an seinem Dienst und die Boten der Spruchquelle in ihrer Fortsetzung seiner Verkündigung. Man leidet im aktiven Einsatz für die Sache Jesu und im missionarischen Zugehen auf die Menschen. In diesem Punkt wie auch in der Idee der Nachfolge Jesu unterscheidet sich der verfolgte Jünger Jesu vom jüdischen Märtyrer, der nicht im Anschluß an einen anderen und wegen eines missionarischen Tuns, sondern wegen seiner Treue zum Gesetz und Gotteswillen leidet. Eine gewisse Nähe gibt es zu den Zeloten. Diese setzen sich im Anschluß an eine charismatische Führergestalt in höchster Aktivität für die Geltung des jüdischen Gesetzes ein und nehmen dabei Leiden und Tod in Kauf. Doch sind die Unterschiede größer als die Ähnlichkeiten.

3. Die Leidensnachfolge im Markusevangelium

Der Verfasser des Markusevangeliums dürfte der erste gewesen sein, der die Traditionen über das Wirken Jesu mit der Passionsgeschichte verbunden hat. Beide Teile stehen nicht unverschränkt nebeneinander. Mk nimmt die Passionsthematik in seine Zeichnung der Tätigkeit Jesu vor Beginn der eigentlichen Leidensgeschichte auf und beschreibt den Weg Jesu als einen Weg zum Leiden[1]. Das Kreuz nimmt einen zentralen Platz in der Theologie des Mk ein[2].

a) Jüngerbelehrung

Die markinische Christologie bestimmt das Verständnis der Jüngernachfolge. Es empfiehlt sich, bei der Erhebung dieser Sicht den Abschnitt Mk 8,27—10,52 zugrunde zu legen, weil er vor allem der Jüngerbelehrung gewidmet ist und zum anderen deutliche Züge der markinischen Redaktion aufweist[3]. Ohne auf die genaue Untergliederung dieses Abschnittes einzugehen, wird man sagen können, daß die drei Weissagungen über das Leiden und die Auferstehung Jesu 8,31—33; 9,30—32; 10,32—34 besondere Akzente setzen. In allen drei Fällen folgt auf die Ansage des Leidens und der Auferstehung die Beschreibung des Unverständnisses der Jünger (8,32f.; 9,32—34; 10,35—37) und daran anschließend eine Jüngerunter-

---

[1] K. Kertelge, Die Epiphanie Jesu im Evangelium (Markus) = J. Schreiner — G. Dautzenberg (Hrsg.), Gestalt und Anspruch des Neuen Testaments, 153/72, hier 157.

[2] U. Luz, Theologia crucis als Mitte der Theologie im Neuen Testament = EvTh 34 (1974) 116/41, sieht im Kreuz die Mitte der Theologie des Mk (131ff.). Zu anderen Deutungen vgl. ebd. 131f. Luz vergleicht Mk mit Paulus. — Eine martyrologische Interpretation des Markusevangeliums, die jedoch zu weit geht, bei D. W. Riddle, The Martyr Motif in the Gospel according to Mark.

[3] Die ntl. Exegese ist sich weithin einig, daß Mk 8,27—10,52 eine Einheit darstellt. Vgl. E. Lohmeyer, Das Evangelium des Markus (Göttingen 1963) = Meyer K I,2,160f.; E. Klostermann, Das Markusevangelium[5] (Tübingen 1971) = HNT 3,78; J. Schmid, Das Evangelium nach Markus[4] (Regensburg 1958) = RNT 2,153f.; W. Grundmann, Das Evangelium nach Markus[5] (Berlin 1971) = ThHK 2,166; E. Schweizer, Das Evangelium nach Markus[2] (Göttingen 1968) = NTD 1,93; I. Hermann, Das Markusevangelium II (Düsseldorf 1967) = Die Welt der Bibel. Kleinkommentare 5/2,9.

weisung (8,34—9,1; 9,35—37; 10,38—45)[4]. In diesen Belehrungen
geht es um die Konsequenzen, die das Leiden des Menschensohnes
für die Nachfolge der Jünger und der Gemeinde, für die Mk
schreibt, hat[5]. Der Abschnitt enthält darüber hinaus weitere Belehrungen, die nicht unmittelbar auf das Leiden Jesu bezogen werden. Mk hat dem Text durch die Ortsangaben eine vorwärts-
weisende Richtung gegeben: Der Weg führt von Galiläa auf Jerusalem zu (8,27; 9,30.33; 10,1.32.46.52). Im klaren Wissen um das
ihm bevorstehende Leiden nähert sich Jesus dem Ort seines Todes.

Die erste Leidensansage schließt sich an das Messiasbekenntnis des
Petrus 8,27—30 an und bildet mit diesem eine vom Evangelisten
gewollte Einheit[6]. Petrus spricht als Vertreter der Jüngergruppe
das Messiasbekenntnis, das Jesus akzeptiert und mit dem Schweige-
gebot belegt[7]. Das Gebot Jesu, das gerade gesprochene Bekenntnis
geheim zu halten, gehört in das seit Wrede behandelte Messiasgeheimnis[8]. Die Jünger sind den anderen einen Schritt voraus. Sie
haben Jesu Messianität erkannt, während für die Menge das Geheimnis bestehen bleibt. Die Jünger wissen also um die Messianität
Jesu, »sie müssen jetzt zu verstehen suchen, was es heißt, daß der
Messias ein leidender Messias sein muß«[9]. Doch gegen diese Erkenntnis wehren sie sich (8,32f.). Das Motiv des Jüngerunverständ-
nisses ist ebenso wie das Geheimhaltungsthema ein kennzeichnen-
der Zug der markinischen Theologie. Das Geheimhaltungsmotiv

---

[4] E. Schweizer, Die theologische Leistung des Markus = EvTh 24 (1964) 337/55,
hier 351; H. E. Tödt, Der Menschensohn in der synoptischen Überlieferung
(Gütersloh 1959) 134/8.

[5] K.-G. Reploh, Markus — Lehrer der Gemeinde. Eine redaktionsgeschichtliche
Studie zu den Jüngerperikopen des Markus-Evangeliums (Stuttgart 1969) =
SBM 9,87f. Vgl. auch G. Schmahl, Die Zwölf im Markusevangelium. Eine
redaktionsgeschichtliche Untersuchung (Trier 1974) = TThSt 30,116f.

[6] Redaktionsgeschichtliche Untersuchung und Interpretation von Mk 8,27—9,1
oder von Teilen dieses Abschnittes bei E. Haenchen, Die Komposition von
Mk VIII 27 — IX 1 und Par. = NovT 6 (1963) 81/109 (dieser Aufsatz liegt
einer späteren Arbeit des Verf. zugrunde: Leidensnachfolge. Eine Studie zu
Mk 8,27—9,1 und den kanonischen Parallelen = Die Bibel und wir. Ges.
Aufs. II [Tübingen 1968] 102/34; vgl. auch ders., Der Weg Jesu. Eine Erklärung des Markusevangeliums und der kanonischen Parallelen[2] (Berlin 1968)
293/307); F. Hahn, Christologische Hoheitstitel, 226/30; M. Horstmann,
Studien zur markinischen Christologie. Mk 8,27—9,13 als Zugang zum Christusbild des zweiten Evangeliums (Münster 1969) = NTA N. F. 6,7/69;
K.-G. Reploh, Markus, 89/140.

[7] M. Horstmann, Studien, 16/8.

[8] W. Wrede, Das Messiasgeheimnis in den Evangelien. Zugleich ein Beitrag
zum Verständnis des Markusevangeliums[4] (Göttingen 1969 [1. Aufl. 1901]).

[9] U. Luz, Das Geheimnismotiv und die markinische Christologie = ZNW 56
(1965) 9/30, hier 23.

erklärt den ungenügenden Glauben der Außenstehenden und die Ablehnung Jesu; das Unverständnis der Jünger hebt ab auf den Lernprozeß, den die Jünger und die durch sie angesprochene nachösterliche Gemeinde zu vollziehen haben, um die Bedeutung Jesu nicht unabhängig vom Leiden und Kreuz zu erfassen[10]. Das Jüngerunverständnis, das Petrus 8,32 ausdrückt, bezieht sich nicht auf die folgende Belehrung, sondern ist Antwort auf die Leidensansage in 8,31; trotzdem kann dem Redaktor bewußt gewesen sein, daß der Widerstand des Petrus eine Ablehnung der Leidensnachfolge einschloß[11]. Der Abschnitt 8,34—9,1 zieht nun die Konsequenzen, die Leiden und Tod Jesu für die Jünger beinhalten.

8,34—9,1 ist eine Zusammenstellung ursprünglich selbständiger Sprüche, die z. T. schon vor Mk zusammengewachsen waren. 8,34.35.38 finden sich auch in Q[12]. Mt 10,38f. (Q) zeigt, daß der Spruch vom Kreuztragen schon unabhängig von Mk mit dem Logion von der Rettung der ψυχή verbunden worden ist. Diese Verbindung wird also wohl auch Mk bereits vorgelegen haben. Werk des Mk dürfte dann die Überarbeitung beider Sprüche und die Anfügung von 8,36f. und weiter von 8,38 und 9,1 sein, wobei auch die letzteren Sprüche markinisch überformt worden sein dürften[13].

Jesus ruft seine Jünger und das Volk zu sich (8,34). Der Hinweis auf das Volk markiert den neuen Anfang und macht gleichzeitig deutlich, daß die nun folgenden Forderungen für alle, nicht nur für eine kleine Elite, gelten[14]. Die Einleitung des 1. Spruches: »wenn einer mir nachgehen will« knüpft vielleicht an den Tadel von 8,33 an, in dem Petrus aufgefordert wird, sich wieder an seinen Platz in der Nachfolge Jesu zu stellen. Der Sinn wäre dann hier: wenn einer wirklich mir nachfolgen will, dann soll er... Die Forderung Jesu wird durch drei Imperative ausgedrückt: Der Jünger Jesu soll sich selbst verleugnen, er soll sein Kreuz auf sich nehmen, und er soll Jesus nachfolgen. Die letzte Forderung ist wegen der inhaltsgleichen Wendung im Bedingungssatz wohl als ein die Forderungen zusammenfassender Imperativ zu verstehen: ... und so soll

---

[10] Vgl. D. J. Hawkin, The Incomprehension of the Disciples in the Marcan Redaction = JBL 91 (1972) 491/500, der sich mit J. B. Tyson u. T. J. Weedon auseinandersetzt, die die Ansicht vertreten, Mk habe die Leser gegen die unverständigen Jünger einnehmen wollen.

[11] M. Horstmann, Studien, 26f., verweist auf das ὀπίσω μου in 8,33 und dann wieder in 8,34.

[12] Zu 8,34 vgl. Lk 14,27/Mt 10,38; zu 8,35 vgl. Lk 17,33/Mt 10,39; zu 8,38 vgl. Lk 12,8f./Mt 10,32f.

[13] Vgl. K.-G. Reploh, Markus, 123/40. Siehe auch E. Haenchen, Komposition, 93/6, u. ders., Leidensnachfolge, 116/20.

[14] E. Haenchen, Komposition, 91f.; ders., Leidensnachfolge, 114.

er mir nachfolgen. Die Forderung, das Kreuz auf sich zu nehmen, bezieht sich hier, in unmittelbarer Nachbarschaft zur Leidensansage in 8,31, auf den Tod Jesu am Kreuz, auf den die nachösterliche Gemeinde zurückblickt. Der Jünger trägt nun nicht das Kreuz Jesu, sondern sein eigenes, d. h. er muß bereit sein, in der Nachfolge des leidenden Jesus das ihm etwa drohende Geschick eines gewaltsamen Todes in seiner eigenen Situation auf sich zu nehmen. Von dieser Aufforderung her zeigt sich, daß man den vorausgehenden Imperativ nicht in dem spiritualisierten Sinn einer asketischen Selbstverleugnung auffassen kann. Gemeint ist auch hier das Abrücken vom eigenen Ich, das die Bereitschaft, das Leben hintanzusetzen, in sich enthält.

Im folgenden Spruch vom Retten und Verlieren der ψυχή (8,35) hat Mk wohl, wie ein Blick auf die Q-Fassung zeigt, die vorliegende Form ohne größere Änderungen übernommen. Markinischer Zusatz dürfte die Wendung »um des Evangeliums willen« sein, die sich nur bei Mk findet[15]. Wer um Jesu und um der nachösterlichen Verkündigung willen sein Leben einbüßt, der wird es über den Tod hinaus retten. Wer sich aber vor dem Tod retten will, indem er Jesus und das Evangelium verrät, der wird sein zukünftiges Leben verlieren. Denen, die das irdische Leben einbüßen, wird die zukünftige Rettung verheißen, die Wirkung des im Wort »Evangelium« gemeinten Heilstuns Jesu ist, »der durch Kreuz und Auferstehung der Welt Heil gebracht hat«[16].

Die folgenden zwei Logien 8,36f. finden sich nicht in Q. Wenn man sie aus dem markinischen Zusammenhang herauslöst und für sich interpretiert, zeigt es sich, daß beide Sprüche in den Kontext der Warnung Jesu vor dem Reichtum gehören[17]. Mk wird sie 8,35 angeschlossen haben, um den Wert der zukünftigen Existenz im kommenden Äon zu betonen. 8,36f. führt so den Gedanken von 8,35 weiter. Wer um Jesu und des Evangeliums willen sein Leben verliert, gewinnt ein Leben, das in seinem Wert den Reichtum der Welt übertrifft.

Zum locker angefügten Spruch 8,38 gibt es wieder eine Parallele in Q (Lk 12,8f./Mt 10,32f.). Mk bringt gegenüber dem doppelgliedrigen Spruch in Q, der vom Bekennen und vom Verleugnen handelt, nur die negative Form. Diese Beschränkung, wie auch der

---

[15] ἕνεκεν ἐμοῦ steht auch in Mt 10,39 (Q), nicht dagegen in Lk 17,33 (Q). ἕνεκεν... τοῦ εὐαγγελίου begegnet noch einmal Mk 10,29, auch dort in der Verbindung mit ἕνεκεν ἐμοῦ. Vgl. auch den Hinweis auf die Worte Jesu in Mk 8,38.

[16] K.-G. Reploh, Markus. 134.

[17] G. Dautzenberg, Sein Leben bewahren, 68/82, bes. 74f.

Überschuß, den Mk gegenüber der Q-Fassung hat, läßt sich gut als
Ergebnis der markinischen Redaktion erklären[18]. Mk rechnet mit
der Möglichkeit, daß Jünger Jesu sich Jesu und seiner Worte schämen. Mit dem Hinweis auf die Worte Jesu ist die Verkündigungssituation der nachösterlichen Gemeinde angesprochen. Die Jünger
befinden sich in einer vom Bösen geprägten Umwelt, die in alt-
testamentlich beeinflußter Sprache als sündig und ehebrecherisch
bezeichnet wird. Sie gefährdet die Jünger in ihrem Bekenntnis zu
Jesus und sucht sie vielleicht der christlichen Gemeinde abspenstig
zu machen. Doch wer sich von der Umgebung beeindrucken läßt
und Jesus und seine Worte verleugnet[19] — vielleicht bei einer offi-
ziellen Befragung —, der muß damit rechnen, daß sich im endzeitlichen Gericht der Menschensohn seiner schämt. Der durch Leiden
zur Auferstehung gehende Menschensohn, der die Jünger zur Leidensnachfolge aufruft, ist der endzeitliche Richter, der die Menschen nach ihrer Haltung ihm gegenüber beurteilt.
Das Thema des gewaltsamen Todes der Jünger spielt auch eine Rolle
in der der dritten Leidensansage angeschlossenen Jüngerbelehrung 10,35—45. In der Bitte der Zebedäussöhne, die Plätze zur
Rechten und Linken Jesu einnehmen zu dürfen, wenn er in Herrlichkeit komme (10,37), artikuliert sich das Jüngerunverständnis.
Der Wunsch wird zurückgewiesen (10,38.40). Nachfolge Jesu kann
es nicht am Kreuz vorbei geben. Daher die Frage Jesu: »Könnt ihr
den Becher trinken, den ich trinke, oder die Taufe auf euch nehmen,
mit der ich getauft werde?« (10,38). Im Verständnis der markinischen Redaktion bezeichnen die Worte »Becher« und »Taufe« sicherlich das Todesgeschick Jesu[20]. 10,39 verheißt den beiden Jüngern,
daß sie das gleiche Geschick wie Jesus erleiden werden. Wahrscheinlich blickt Mk schon auf das Martyrium des Jakobus (Apg
12,2) zurück und erwartet das gleiche Schicksal für Johannes. Es
gibt also eine Parallelität zwischen dem Tod Jesu und dem Sterben
einiger Jünger. Innerhalb des Duktus der Jüngerbelehrung, in der
Mk die Bedeutung des Weges Jesu für die Jünger entfaltet, wird
so deutlich gemacht, daß die Nachfolge Jesu zur Teilnahme am
Todesgeschick Jesu führen kann. Wenn man Jesus nachfolgt, muß
man bereit sein, das Martyrium zu erleiden.

---

[18] M. Horstmann, Studien, 41/54; K.-G. Reploh, Markus, 130f. u. 137f.
[19] Der markinische Ausdruck »sich schämen« unterscheidet sich sachlich nicht
  von dem in Q gebrauchten Wort »verleugnen«. Vgl. E. Haenchen, Komposition, 94, u. ders., Leidensnachfolge, 117f.
[20] Zum Becher als Bild des Leidens vgl. Mart. Is. 5,13. Wenn der Spruch auf
  den historischen Jesus zurückgeht, könnte ursprünglich allgemein ein Leidensschicksal gemeint gewesen sein; vgl. K.-G. Reploh, Markus, 158f.

Der Abschnitt 10,41—45 schärft die Verpflichtung zum Dienen ein,
von der schon die Jüngerbelehrung nach der zweiten Leidensansage gesprochen hatte (9,33—37). Die Begründung des Dienstes der
Jünger ist der Dienst des Menschensohnes, der sein Leben als Löse-
geld für viele hingegeben hat (10,45). Der Tod Jesu wird, wohl im
Rückgriff auf das 4. Gottesknechtslied, als ein Dienst für die Men-
schen gedeutet[21].
Vom Leiden Jesu her erklärt sich das Leiden der nachfolgenden
Jünger. Der Leidensweg Jesu bietet Mk auch den Schlüssel zum
Verständnis des Geschicks des Täufers. Wie die Jünger als Nach-
folger Jesu in der Leidensnachfolge stehen, so erleidet Johannes als
Vorläufer das Geschick des gewaltsamen Todes (9,11—13)[22].
»Der Tod des Täufers weist auf den Tod Jesu voraus«[23]. Der
Todesbericht 6,17—29 steht nicht in der Tradition der jüdischen
Martyrien. Er ist eine volkstümliche Erzählung, die die Willkür des
Herrschers darstellen will. Im Mittelpunkt steht nicht der Täufer,
sondern Herodias und Herodes. Ihren Sinn kann man mit Mk 9,13
angeben: ». . . sie machten mit ihm, was sie wollten . . .«[24].

b) Apokalyptische Aussagen

Außer an den bisher besprochenen Stellen begegnet das Leidensthema in dem apokalyptischen Kap. 13. Der Abschnitt ist in seiner jetzigen Gestalt das Ergebnis der markinischen Redaktion,
die eine apokalyptische Vorlage und einzelne Logien benutzt hat[25].

---

[21] J. Jeremias, Das Lösegeld für Viele (Mk. 10,45) = Judaica 3 (1947) 249/64;
E. Lohse, Märtyrer und Gottesknecht, 117/22; H. E. Tödt, Der Menschen-
sohn in der synoptischen Überlieferung, 187/94; F. Hahn, Christologische
Hoheitstitel, 57/9; H. Kessler, Die theol. Bedeutung des Todes Jesu, 282/5.

[22] Zur Deutung der schwierigen Stelle, auf die hier nicht im einzelnen eingegangen werden muß, vgl. M. Horstmann, Studien, 134/6, u. K.-G. Reploh, Markus, 115/9.

[23] J. Gnilka, Das Martyrium Johannes' des Täufers (Mk 6,17—29) = P. Hoffmann — N. Brox — W. Pesch (Hrsg.), Orientierung an Jesus, 78/92, hier 80.

[24] Ebd. Nach Kl. Berger, Die Auferstehung des Propheten, 17f., wird in Mk 6,16
die Rechtfertigung und Legitimation des Täufers im Sinn der von ihm erhobenen Tradition der Auferstehung des endzeitlichen Propheten ausgesagt.
Vgl. auch R. Pesch, Zur Entstehung des Glaubens an die Auferstehung Jesu,
222. Doch s. M. Hengel, Ist der Osterglaube noch zu retten? = ThQ 153
(1973) 252/69, hier 258f., der in Erwägung zieht, daß Mk den Abschnitt
6,14—16 ad hoc gebildet hat, »um die Legende von der Hinrichtung des
Täufers durch Herodes (Antipas), die ja im ganzen Evangelium wie ein
Fremdkörper wirkt, mit Jesus zu verbinden« (S. 258). Im Vordergrund steht
bei Mk jedenfalls nicht die Rechtfertigung des Täufers durch die Auferste-
hungsaussage, sondern die Übereinstimmung zwischen dem Geschick des Täufers und dem Tod Jesu.

[25] Vgl. R. Pesch, Naherwartungen. Tradition und Redaktion in Mk 13 (Düssel-

Die Rede lenkt den Blick auf die Bedrängnisse, die der Parusie des Menschensohnes vorausgehen. Zu ihnen gehört die Verfolgung der Jesusjünger (13,9—13). Sie werden sich vor jüdischen Lokalgerichten und vor heidnischen Behörden verantworten müssen. Sie müssen sogar mit der Geißelung rechnen. All das wird wegen der Zugehörigkeit zu Jesus geschehen (13,9). Der Ausdruck »um meinetwillen« wird ähnlich wie in 8,35 und 10,29 durch eine Ergänzung erweitert[26]. Solche Zusätze können gut auf das Konto der Redaktion gehen. Dann ist zu vermuten, daß auch der Ausdruck »zum Zeugnis für sie« der markinischen Redaktion zuzuschreiben ist[27]. Diese Wendung begegnet auch in Mk 1,44 und 6,11. In 6,11 ist eindeutig ein belastendes Zeugnis gemeint. Die Jünger sollen, wenn man sie an einem Ort nicht aufnimmt, den Staub von ihren Füßen schütteln. Das Zeichen verweist auf die Uneinsichtigkeit der Angesprochenen; es macht ihre Schuld offenbar. Von 6,11 her ist man geneigt, auch in 13,9 an ein die Verfolger belastendes Zeugnis zu denken[28]. Doch muß der Ausdruck »zum Zeugnis für sie« nicht in sich schon einen solchen belastenden Klang haben. 1,44 zumindest ist neutral. Das Reinigungsopfer verweist auf die Gesundung des Kranken und bezeugt sie den Menschen gegenüber[29]. Dann muß man aber auch 13,9 vom Kontext her erklären. Man kann weder die Bedeutung von 1,44 noch die Aussage von 6,11 auf 13,9 übertragen.

13,11 knüpft über 13,10 hinweg an 13,9 an. Der Vers 13,10 ist 13,9 angefügt, er stellt nicht die Verbindung zwischen V. 9 und V. 11 her. Das läßt daran denken, daß der Evangelist mit 13,10 eine Erläuterung zum Vorhergehenden geben wollte. 13,10 spricht nun von der Verkündigung des Evangeliums, die an alle Völker vor der Parusie zu ergehen hat[30]. Es wird nicht gesagt, daß diese Verkündigung bei allen Völkern Erfolg hat. Gemeint ist das Geschehen der Verkündigung, ohne daß eine Reflexion über Annahme oder

dorf 1968) 203/43. Mit einer umfassenderen Tätigkeit des Mk rechnet J. Lambrecht, Die Redaktion der Markus-Apokalypse. Literarische Analyse und Strukturuntersuchung (Rom 1967) = AnBib 28.

[26] Vgl. auch 8,38.

[27] R. Pesch, Naherwartungen, 128f.

[28] E. Lohmeyer, Markus, 272; J. Schmid, Markus, 240; H. v. Campenhausen, Die Idee des Martyriums, 24/6; N. Brox, Zeuge und Märtyrer, 28. Siehe auch J. Beutler, Martyria, 198.

[29] N. Brox, Zeuge und Märtyrer, 26f.

[30] Das πρῶτον kann man nicht gut auf die Verfolgung von 13,9 beziehen. Dann ergäbe sich der Sinn: Bevor es zu Verfolgungen kommt, muß erst allen Völkern das Evangelium verkündet werden. Die Verfolgungen gehören jedoch zum Verkündigungsgeschehen (vgl. 8,35 u. 8,38). Entsprechend dem Duktus der Rede ist mit πρῶτον die der Parusie vorausgehende Zwischenzeit gemeint.

Ablehnung der Botschaft angestellt würde. In dieses Geschehen wird die Situation vor Gericht eingeordnet. Sie ist ein in die Verkündigung des Evangeliums gehörendes Zeugnisgeben vor den Richtern.

Den Jüngern wird in 13,11 für die Gerichtssituation der Beistand des heiligen Geistes verheißen. Der Situation entsprechend wird der Geist nicht versprochen, damit sie vor Gericht eine Verkündigungsrede halten, sondern damit sie Rede und Antwort stehen können. In ihrem situationsgerechten Reden ist dann jedoch Verkündigung und Zeugnis enthalten[31]. Der Geist ist bei Mk »die Gotteskraft, die zu Reden und Taten befähigt, zu denen menschliches Können nicht ausreichte«[32]. Er wird in den entscheidenden Stunden aus den Jüngern sprechen. Sie brauchen sich daher vorher keine Sorge zu machen, was sie reden sollen.

V. 13,12 beschreibt eine verschärfte Verfolgungssituation. Der Riß geht mitten durch die Familien; Familienmitglieder werden den Tod von Brüdern, Kindern oder Eltern verursachen. Der Zusammenhang weist auf eine Verfolgungssituation um des christlichen Bekenntnisses willen. Wenn der Vers jedoch im Anschluß an 13,8 in der alten apokalyptischen Vorlage gestanden hat[33], so ist die ursprüngliche Aussageabsicht die von Mich 7,6 beeinflußte Schilderung der zu den Schrecken der Endzeit gehörenden Zerrüttung der Familien. Mk hätte dann den Vers durch die Vorschaltung von Jesuslogien neu interpretiert und ihn benutzt, um die Härte der Verfolgung zu kennzeichnen[34].

Die folgende Vershälfte 13,13a, die vielleicht der Tradition der Verfolgungssprüche entstammt oder markinische Formulierung ist[35], faßt das Verfolgungsgeschehen zusammen: Um Jesu Namen willen werden die Jünger von allen gehaßt werden. Der Evangelist schließt die Verheißung an: Wer bis zum Ende standhaft bleibt, der wird gerettet (13,13b). In einem apokalyptischen Kontext ohne

---

[31] R. Pesch, Naherwartungen, dem die hier gegebene Deutung verpflichtet ist (vgl. 125/38), meint S. 132 zu 13,11: »Durch V. 9c und V. 10 ist die Situation vor Gericht nun aber eine Verkündigungssituation geworden. Dadurch empfängt der ältere Spruch neues Licht. Das dreimal genannte λαλεῖν der Jünger ist ein Verkündigen der Heilsbotschaft und geschieht durch den Heiligen Geist.« Doch wird man etwas vorsichtiger sein müssen. Die Gerichtsszene wird zwar in das Verkündigungsgeschehen eingeordnet, behält aber ihren Gerichtscharakter. 13,9c erklärt das Gerichtsgeschehen als Zeugnis, nicht aber ist eine spezielle, vor Gericht geäußerte werbende Verkündigung gemeint. Vgl. auch J. Lambrecht, Die Redaktion der Markus-Apokalypse, 124/7.

[32] E. Schweizer, ThWNT VI,401.

[33] Vgl. R. Pesch, Naherwartungen, 133/5 u. 207/23.

[34] Ebd. 134.

[35] Ebd. 135.

Verfolgungsthematik meint diese Verheißung die endzeitliche Rettung. Im Zusammenhang der Verfolgungsthematik hier dürfte jedoch auf den Tod der verfolgten Jünger angespielt werden. Der Trostspruch läßt an das Wort vom Verlust und Gewinn des Lebens in Mk 8,35 denken[36].

Wenn Mk die apokalyptische Vorlage, die vielleicht nur von Krieg und Familienhaß als endzeitlichen Schrecken gesprochen hat (13,8.12), durch die Verfolgungsthematik erweitert und dabei auch dem V. 13,12 einen neuen Sinn verliehen hat, so spricht das einmal für ein besonderes Interesse des Redaktors. Weiter ist zu fragen, ob Mk nicht von der etwa in der Himmelfahrt des Mose Kap. 8—10 faßbaren Sicht beeinflußt ist, nach der eine Verfolgung dem Ende vorausgeht. Doch sind die Unterschiede zwischen der Himmelfahrt des Mose und Mk 13 unübersehbar. Die Verfolgung geht bei Mk nicht dem Ende unmittelbar voraus. Sie gehört in den dem Ende vorausgehenden Zeitraum der Verkündigung des Evangeliums. Weiter wird die Verfolgung anders begründet: sie geschieht wegen der Zugehörigkeit zu Jesus (13,9.13). Die Verfolgung der Jünger Jesu wird von Mk in das Verkündigungsgeschehen der frühen Kirche eingeordnet. Von einem vergleichbaren Bemühen ist in dem jüdischen Text nichts zu bemerken. Diese Differenzen zwischen der Himmelfahrt des Mose 8—10 und Mk 13 können die Unterschiede zwischen der jüdischen Idee des Martyriums und der beginnenden christlichen Theologie des Martyriums deutlich machen.

c) Zusammenfassung

Mk kennt nachösterliche Verfolgungssituationen. Ihm ist bekannt, daß man um des Wortes willen bedrängt und verfolgt werden kann (4,17); er macht die Leidensthematik zu einem Bestandteil seiner Jüngerbelehrung (8,34—9,1; 10,35—45) und weiß, daß Verfolgungen zum Leben des Jüngers gehören (10,30). 10,38f. setzt wohl voraus, daß Mk schon auf den Tod des Jakobus zurückblickt. Das apokalyptische Kap. 13 enthält die Weissagung der Verfolgung für die Zukunft (13,9—13), die für Mk jedoch schon begonnen hat. 13,9 setzt die Heidenmission voraus. Nur wenn es auch dabei zu Verfolgungen gekommen ist, kann von einer Gerichtssituation vor heidnischen Autoritäten gesprochen werden.

Mk hätte die Verfolgungssituation nach Art der Logienquelle im Rückgriff auf die deuteronomistische Prophetenmordtradition, die er, wie das Gleichnis vom Mord im Weinberg 12,1—12 zeigt[37], kennt, deuten können. Doch schlägt er eine andere Richtung ein.

[36] Ebd. 137.
[37] Vgl. O. H. Steck, Israel und das gewaltsame Geschick der Propheten, 269/73.

Durch die Verbindung der Jüngerbelehrung 8,34—9,1 mit der Ankündigung vom Leiden und Auferstehen des Menschensohnes
(8,31—33) macht er deutlich, daß das Leiden der Jünger Konsequenz der Passion und Teilnahme am Geschick Jesu ist. Es gibt
die Pflicht, dem Tod, der die Jünger um Jesu willen trifft, nicht
auszuweichen (8,34). Der Jünger kann sich darauf verlassen, daß
ihm der heilige Geist vor Gericht die rechten Worte eingibt (13,11).
Wer sein Leben um Jesu willen verliert, der rettet es durch den
Tod hindurch (8,35—37 und 13,13b). Wer sich jedoch in der Kon-
fliktsituation von Jesus lossagt, dessen wird sich der Menschensohn im Endgericht schämen (8,38). Wie es eine Relation zwischen
Jesuspassion und Jüngerleiden gibt, so dürfte der Redaktor auch
an eine Beziehung zwischen der Auferstehung Jesu und der jenseits des Todes liegenden Rettung des Lebens gedacht haben. Der
Haß der Menschen trifft die Jünger um Jesu willen (8,35.38;
13,9.13a). Gemeint ist der Glaube an Jesus, aber auch das Bekenntnis zu ihm in der Verkündigungssituation. Die Zugehörigkeit zu
Jesus und die Verkündigung des Evangeliums sind Ursache der
Verfolgung. Die Verkündigung endet jedoch nicht vor den Türen
des Gerichtes. Auch das Geschehen vor Gericht gehört noch in den
Bereich der Verkündigung (13,9f.).
Das Geschick Jesu und das des verfolgten Jüngers weisen gemeinsame Züge auf. Man kann sogar im Blick auf 10,38f. von einer
Parallelität sprechen. Doch wird der Unterschied zwischen Jesus
und seinem Jünger nicht verwischt. Der Menschensohn gibt sein
Leben als Lösegeld für die Vielen (10,45; vgl. 14,24). Er ist der
zum Gericht Kommende, der die Jünger nach Treue oder Untreue
zu ihm behandelt (8,38). Der Tod des Jüngers besitzt keine sühnende Kraft. Das Jüngergeschick ist umfangen von der Heilstat
Jesu in Kreuz und Auferstehung.

4. Prophetengeschick und Leidensnachfolge im Mattäusevangelium

Mattäus übernimmt mit dem Markus- und dem Q-Stoff zwei unterschiedliche Deutungen des Jüngerschicksals, die er jedoch nicht
zusammenhanglos nebeneinander stehen läßt, sondern dem in seiner
Redaktion erkennbaren Gesamtbild einordnet. Aus Q stammt das
Thema des gewaltsamen Geschicks der Propheten in einer der
theologischen Geschichtsschau des Mt entsprechenden Weiterentwicklung. In der Ablehnung der Propheten, in der Ermordung
Jesu und in der Verfolgung der Jünger Jesu zeigt sich nach Mt die
sich steigernde Verstockung Israels, durch die es sich nun endgültig
vom Heil ausgeschlossen hat, das hinfort allen Völkern in der Kirche offensteht (vgl. vor allem 23,29—39). Die markinische Sicht

der Leidensnachfolge wird von Mt ebenfalls modifiziert. Er ist
mehr als Mk an der den Gesandten Jesu in ihrem Verkündigungsdienst begegnenden Verfolgung interessiert (10,16ff.), ohne daß er
die jedem Christen aufgegebene Leidensbereitschaft (16,24—28)
und die dem Ende der Welt vorausgehende Bedrängnis (24,9) unter-
schlägt. Der Jünger leidet in der Nachfolge Jesu. Die ihn treffende
Verfolgung ist, soweit sie auf Juden zurückgeht, Ausdruck der Verhärtung Israels, die die Berufung der Heiden veranlaßt.

Die knapp skizzierte Verfolgungsdeutung des Mattäusevangeliums
soll im folgenden genauer erhoben und belegt werden. Da sich die
Sicht des Mt in seinem Umgang mit vorgegebenen Traditionen
zeigt, ist es ratsam, zwischen der Aufnahme der Q-Tradition und
des Markusstoffes zu unterscheiden. Zunächst werden die Stellen
besprochen, an denen Mt Verfolgungsaussagen aus Q aufgreift; in
einem zweiten Schritt soll dann die Rezeption der markinischen
Leidensthematik behandelt werden[1].

a) Die Rezeption der Verfolgungsdeutung der Logienquelle

Den größten aus Q stammenden Verfolgungstext enthält Kap. 23,
die Rede Jesu gegen die Pharisäer und Schriftgelehrten. Mt nimmt
Mk 12,37b—40 zum Anlaß einer großen Redekomposition, für die
er neben der genannten Mk-Stelle Logien aus Q und seinem Sonder-
gut verwendet, nicht ohne gelegentlich selbst zu formulieren[2].
In den Pharisäern und Schriftgelehrten sieht Mt die Repräsentanten
des Judentums; der scharfe Ton ihnen gegenüber markiert die un-
überbrückbare Trennungslinie zwischen dem Judentum und der
Jesusgemeinde. Der Wehruf 23,13, zu dem Lk 11,52 eine Parallele
darstellt, läßt erkennen, daß die Mission der christlichen Gemeinde
behindert wird. Die Vertreter des Judentums verbieten den Anschluß an die Gemeinde Jesu und verschließen so den Menschen
das Himmelreich[3]. Von einer Steigerung der Feindseligkeiten
spricht der Abschnitt 23,29—39, der auf Q-Logien zurückgeht[4].
Der Wehruf 23,29—31, der Lk 11,47f. entspricht, erhebt den Vorwurf, daß die Angesprochenen nicht besser sind als ihre Väter,

---

[1] Mt 10 ist eine Kombination aus Q und Mk. Die Verfolgungsaussagen stammen
jedoch vor allem aus Mk. Es ist daher gerechtfertigt, Mt 10 unter dem
Gesichtspunkt der Mk-Rezeption zu besprechen.

[2] E. Haenchen, Matthäus 23 = Gott und Mensch. Ges. Aufs. (Tübingen 1965)
29/54.

[3] Ebd. 38. — Dem Wehe über die Behinderung der christlichen Mission entspricht der nur bei Mt belegte Weheruf über die jüdische Gewinnung von
Proselyten (23,15).

[4] Zu den Verfolgungsaussagen des Mt vgl. D. R. A. Hare, The Theme of
Jewish Persecution, 80ff.; zu Mt 23,29—39 s. 80/96.

welche die Propheten ermordet haben. Mt und Lk sagen das gleiche in unterschiedlicher Argumentation. Mt will zeigen, daß die
Söhne, auch wenn sie sich von den Taten ihrer Väter distanzie-
ren, durch das Bauen der Gräber beweisen, Söhne ihrer Väter, d. h.
von gleicher Gesinnung wie jene zu sein. Lk sieht im Errichten der
Prophetengrabmäler eine Zustimmung der Söhne zu den Taten der
Väter. Mt verschärft den Weheruf, indem er die Pharisäer und
Schriftgelehrten als Heuchler bezeichnet[5]. Weiter fügt er zwei polemische Verse an, die redaktionelle Bildungen sein dürften[6]. Die
Angeredeten werden aufgefordert, das Maß der Schuld ihrer Väter
vollzumachen (23,32). Wohl im Rückgriff auf die Täuferpredigt
Mt 3,7 (vgl. auch Mt 12,34) werden die Schriftgelehrten und Pharisäer als Schlangen und Nattern beschimpft (V. 33). Sie werden nicht
dem Strafgericht Gottes entgehen. Die beiden Verse nehmen den
folgenden Abschnitt, der von der Schuld der gegenwärtigen Generation und ihrer Ahndung handelt, vorweg.
Der durch διὰ τοῦτο in 23,34 gebildete Anschluß bezieht sich
auf die 23,29—31 beschriebene Situation: Weil die Lage so ist, deswegen sende ich zu euch Propheten, Weise und Schriftgelehrte. Mt
hat den in Lk 11,49 erkennbaren Q-Text geändert[7]. Nicht die
Weisheit sendet, sondern Jesus selbst[8]. Die lukanische Fassung des
Logions denkt an eine in der Vergangenheit geäußerte Absichts-
erklärung der Weisheit, die auf die in Lk 11,47f. beschriebene Gegenwart bezogen wird. — Die Gesandten Jesu sind nach Mt Propheten, Weise und Schriftgelehrte. Auch wenn Mt die Bezeichnungen aus einem ursprünglich jüdischen Text übernommen hat, so
hat er sie im Rahmen seiner Redaktion doch auf bestimmte christliche Gruppen bezogen. Der Evangelist kannte Gesandte Jesu, Mit-

---

[5] Die Anrede der Pharisäer und Schriftgelehrten als ὑποκριταί in 23,13.15.
23.25.27.29 ist redaktionell. Auch in 15,7 u. 22,18 wählt Mt das Wort als
Anrede bei einer redaktionellen Änderung von Mk 7,6 u. Mk 12,15. Vgl.
D. R. A. Hare, 81f.

[6] E. Haenchen, Mt 23, S. 43.

[7] Zum »Konsensus« bzgl. der Q-Rekonstruktion von Mt 23,34/Lk 11,49 vgl.
G. Klein, Die Verfolgung der Apostel, Luk 11,49 = B. Baltensweiler — B.
Reicke (Hrsg.), Neues Testament und Geschichte. Historisches Geschehen und
Deutung im Neuen Testament. Oscar Cullmann zum 70. Geburtstag (Zürich-
Tübingen 1972) 113/24, hier 113f. Es ist eher denkbar, daß Mt die σοφία τοῦ
θεοῦ durch das ἐγώ Jesu ersetzt hat, als daß Lk aus der Sendung durch Jesus
eine Sendung durch die Weisheit Gottes gemacht hat. Die Frage, ob die
Q-Fassung ein Zitat aus einer jüdischen Weisheitsschrift enthält, braucht
hier nicht erörtert zu werden.

[8] Weil das Subjekt der Sendung für Mt identisch ist mit dem Subjekt der
ganzen Rede, kann er auch die Adressaten persönlich ansprechen: ich sende
zu euch Propheten . . . Die ursprünglichere Lukasfassung sagt: zu ihnen.

glieder der christlichen Gemeinde, die man Propheten, Weise und
Schriftgelehrte nennen konnte. Das den von Jesus Gesandten begegnende Verfolgungsgeschick wird bei Mt ausführlicher beschrieben als bei Lk. Mt wird den von Lk beibehaltenen Q-Text im
Rückgriff auf Mt 10,17.23 erweitert haben. Er spricht vom Töten,
Kreuzigen, Geißeln und von einem Verfolgen, durch das die Betroffenen von Stadt zu Stadt gehetzt werden.

In der Verfolgung und Ermordung der von Jesus Gesandten macht
die gegenwärtige Generation das Maß der Schuld der Väter voll
(23,32.34), d. h. sie fügt der Schuld der Vorfahren das hinzu, was
noch fehlte, damit das Strafgericht beginnen kann. Die durch diese
Tat selbst herbeigeführte Folge ist, daß die Strafe für alles in der
Vergangenheit vergossene gerechte Blut diese Generation trifft
(23,35). In der Himmelfahrt des Mose hat das Selbstopfer des Taxo
und seiner sieben Söhne den Zweck, Gott zu bewegen, diesen Tod
zu rächen und die endzeitliche Rettung Israels zu bewirken[9]. Hier
nun dient die Verfolgung und Ermordung von Gesandten Jesu dem
Zweck, die Wende zuungunsten Israels einzuleiten. Die gegenwärtige Verfolgung macht das Maß der Schuld voll, damit jetzt das
Gericht über das Volk des Alten Bundes ergeht (23,35: ὅπως ...).
Von diesem Volk distanziert sich Mt deutlich, wenn er Jesus sagen
läßt: »eure Synagogen« (23,34).

Lk spricht 11,50 vom Blut der Propheten, Mt in der Parallelstelle
23,35 von jedem gerechten Blut, das auf Erden vergossen worden
ist. Mt hat schon 23,29 neben den Prophetengräbern, von denen
auch in der Parallele Lk 11,47 die Rede ist, die Grabmäler der
Gerechten genannt. Weiter hat er über Lk 11,51 hinaus Abel als
den Gerechten bezeichnet. Die Q-Tradition ist an der Ermordung
der Propheten orientiert. Mt ordnet den Prophetenmord in den
umfassenderen Komplex der Ermordung von Gerechten ein (»alles
gerechte Blut, das auf Erden vergossen worden ist«; 23,35). Er
wird das im Blick auf Abel getan haben, in dem er nicht einen
Propheten sehen konnte, während der Q-Tradition Abel als ein
solcher gegolten zu haben scheint[10]. Der Q-Text bezieht sich für
Abel auf Gen 4,8, für Secharja auf die 2 Chr 24,21 erwähnte Steinigung des Sohnes des Priesters Jojada im Vorhof des Tempels. Mt
spricht nun von Zacharias, dem Sohn des Barachias (23,35). An
welche Person hat Mt gedacht? Flavius Josephus berichtet im

---

[9] Himmelfahrt des Mose 9,7 u. Kap. 10 (11f. Clemen).
[10] Erwägenswert ist auch die Vermutung E. Haenchens, Mt 23, S. 45, der Hinweis auf Abel und Secharja stelle eine Glosse zum ursprünglichen Text der
Q-Tradition dar.

Jüdischen Krieg IV, 334—344[11] von der im Tempelbereich durch Zeloten begangenen Ermordung eines Zacharias, des Sohnes des Bareis. Da nun Mt stärker als Lk auf die Verfolgung von Jesusjüngern abhebt und seine Zeit im Blick hat, meint man, der Evangelist habe Q auf den von Flavius Josephus genannten Zacharias gedeutet[12]. Doch ist diese Interpretation nicht zwingend, da Mt trotz der erwähnten Tendenz zwischen der Verfolgung der Gesandten Jesu und den im Alten Testament genannten Morden unterscheidet. Die Verfolgung der Boten Jesu macht das Maß der Schuld voll, so daß an dieser Generation alles vorher begangene Unrecht geahndet wird. Das Konzept des Mt erlaubt es ihm also wohl, in 23,35 an einen alttestamentlichen Mord zu denken. Dann ist es wahrscheinlicher zu vermuten, daß Mt den 2 Chr 24,20—22 erwähnten Secharja mit dem Propheten Sacharja verwechselt hat, der nach Sach 1,1 Sohn des Berechja war[13]. Wenn Mt die in der Rede Angesprochenen anführt, den Mord begangen zu haben, so betont er dadurch die Schuldkontinuität, in der für ihn seine jüdischen Zeitgenossen stehen[14].

Mt 23,36 lenkt nun den Blick von den alttestamentlichen Beispielen zurück auf die Gegenwart. Die Strafe für alles vergangene Unrecht an den Gerechten und Propheten, das wie ein roter Faden die gesamte Geschichte des jüdischen Volkes durchzieht, wird diese Generation treffen. Die Strafe besteht im Ausschluß vom Heil, das nun allen Völkern in der christlichen Kirche offensteht. Gleichzeitig ist an die Zerstörung Jerusalems zu denken, in der sich nach Mt die Verwerfung des jüdischen Volkes zeigt[15].

Für Mt unterscheidet sich also die jüdische Generation seiner Zeit der Gesinnung nach nicht von den Vätern, die Gerechte und Propheten getötet haben. Die ganze Geschichte des jüdischen Volkes durchzieht diese Feindschaft gegen die Gottesmänner. Die gegenwärtige Generation macht das Maß der Schuld voll, indem sie die Jesusboten verfolgt und tötet. Die Sendung durch Jesus geschieht

---

[11] II,1,55/7 Michel—Bauernfeind.
[12] O. H. Steck, Israel und das gewaltsame Geschick der Propheten, 37/40.
[13] Später wird auch Zacharias, der Vater Johannes' d. Täufers, als Märtyrer angesehen. Vgl. H. v. Campenhausen, Das Martyrium des Zacharias. Seine früheste Bezeugung im zweiten Jahrhundert = Aus der Frühzeit des Christentums. Studien zur Kirchengeschichte des ersten und zweiten Jahrhunderts (Tübingen 1963) 302/7.
[14] Mt spricht die Zuhörer an: ihr habt getötet. Bei Lk 11,51 heißt es: der umgebracht wurde... Mt verschärft den Q-Text in polemischer Weise.
[15] Zur Deutung der Tempelzerstörung bei Mt s. R. Hummel, Die Auseinandersetzung zwischen Kirche und Judentum im Matthäusevangelium (München 1966) = BEvTh 33,82/94.

nach Mt sogar im Blick auf die widerspenstige Gesinnung, die in der Verfolgung der Gesandten offenbar wird, damit so nun schließlich das Gericht ergeht. Es besteht im Ausschluß vom Heil und in der totalen Verwerfung, deren Ausdruck die Ereignisse des Jahres 70 sind. Mt steht mit dieser seiner Sicht, ebenso wie die benutzte Logienquelle, in der Tradition des deuteronomistischen Geschichtsbildes. Q und Mt verchristlichen dieses Bild, indem sie das Gericht abhängig machen vom Verhalten gegenüber Jesus und seinen Boten. Mt geht dabei einen Schritt über Q hinaus. Die Boten der Logienquelle wandten sich in einem letzten Versuch an ihre jüdischen Zeitgenossen. Das angedrohte Gericht betraf nur diejenigen unter diesen, die sich auch jetzt noch der Botschaft verschlossen. Die Trennungslinie verlief also mitten durch das jüdische Volk hindurch. Für Mt ist das jüdische Volk als ganzes vom Heil ausgeschlossen. Die Trennungslinie verläuft für ihn zwischen dem pharisäisch orientierten Judentum seiner Zeit und der christlichen Gemeinde.

An das aus Q übernommene Weisheitswort fügt Mt das in Q unabhängig von diesem überlieferte Jerusalemwort an (Mt 23,37—39/ Lk 13,34f.)[16]. Dieses Wort spricht nun von der Abweisung Jesu, die in der Linie der Ermordung der Propheten und der Steinigung der zu Jerusalem Gesandten gesehen wird. Für Mt sind unter den Propheten und Gesandten auch die 23,34 genannten Gesandten Jesu miteingeschlossen. Die Folge der Abweisung des Wirkens Jesu wird sein, daß Gott sich zurückzieht[17] und die Stadt (oder den Tempel) der Zerstörung überläßt (Mt 23,38). Entsprechend Q sagt auch Mt im apokalyptischen Bild der endzeitlichen Rechtfertigung des Verfolgten, daß diejenigen, die Jesu Werben ausgeschlagen haben, ihn bei der Parusie anerkennen müssen (23,39).

Eine weitere aus Q übernommene Verfolgungsaussage findet sich in den Seligpreisungen der Bergpredigt (Mt 5,10—12)[18]. Mt 5,10 ist ohne lukanische Parallele. Der Vers könnte von Mt gebildet worden sein, um in einer formal den anderen Seligpreisungen entsprechenden Weise auf das aus Q übernommene Logion 5,11f. überzu-

---

[16] Zur ursprünglichen Selbständigkeit beider Worte vgl. E. Haenchen, Mt 23, S. 47f.

[17] Die Verknüpfung zwischen V. 38 u. V. 39 durch γάρ scheint dafür zu sprechen, daß so, wie in V. 39 vom Scheiden Jesu gesprochen wird, auch in V. 38 ein Sich-Zurückziehen Gottes gemeint ist. Das γάρ findet sich nur bei Mt. Der Sinn dürfte sein: Durch den Weggang Jesu wird das Sich-Entfernen Gottes begründet.

[18] Vgl. D. R. A. Hare, The Theme of Jewish Persecution, 114/21; J. Dupont, Les Béatitudes I² (Paris 1958) = ÉtB, 223/50; II² (1969) 281/378, III² (1973) 329/55.

leiten, in dem die Verfolgten in der 2. Person Plural angesprochen werden[19]. Die Verfolgung geschieht wegen der Gerechtigkeit. Man könnte meinen, hier habe die alte Vorstellung vom leidenden Gerechten, der seiner Gerechtigkeit wegen gehaßt und angefeindet wird, Pate gestanden. Doch ist es angebrachter, den Ausdruck vom Kontext her zu erklären. In 5,11 wird von der Verfolgung um Jesu willen gesprochen. Wenn Mt V. 10 gebildet hat, um auf V. 11 überzuleiten, wird er mit dem Ausdruck »um der Gerechtigkeit willen« etwas ähnliches gemeint haben wie mit der Wendung »um meinetwillen«. Die Verfolgten werden als Jünger Jesu, wegen ihrer Lebensführung, in der sie sich von ihren Verfolgern unterscheiden, angegriffen. Die deshalb Bedrängten werden seliggepriesen; ihnen wird, so wie den Armen im Geiste in 5,3, das Himmelreich als Gottes Geschenk zugesprochen. Im Rahmen der jüdischen Leidenstheologie kann das Leiden gepriesen werden, weil in ihm die Möglichkeit der Sühne von Schuld gegeben ist[20]. Hier jedoch werden die Verfolgten in der Art apokalyptischer Zukunftshoffnung wegen der ihnen zufallenden Gabe Gottes und nicht wegen einer im Leiden liegenden Sühnemöglichkeit seliggepriesen.

Mt 5,11f. stammt im wesentlichen aus Q. Mt hat die Verfolgungsaussage, die sich in Q wohl nur auf Schmähungen und Verleumdungen bezog[21], durch die Einfügung des Verbums διώκειν erweitert und verschärft. Gemeint sind feindselige und gewalttätige Aktionen, die nicht genauer bestimmt werden[22]. Die Stelle enthält das der jüdischen Apokalyptik entstammende Motiv der Freude im Leiden[23]. Der Hinweis auf die Verfolgung der Propheten wirkt wie angehängt. Er begründet nicht die Freude, sondern soll die Tatsache der Verfolgung erklären. Die Jünger Jesu stehen in der Tradition der verfolgten Propheten[24].

Einen Hinweis auf Verfolgungen enthält auch die mattäische Fassung des Q-Spruches von der Feindesliebe Mt 5,44/Lk 6,27f. Das Verbum διώκειν dürfte wie in 5,11 auch hier sekundär sein[25].

---

[19] R. Bultmann, Geschichte der synoptischen Tradition, 115; H. Braun, Spätjüdisch-häretischer und frühchristlicher Radikalismus II,103, Anm. 1; J. Dupont, Les Béatitudes I,223/7; D. R. A. Hare, 114.

[20] Vgl. W. Wichmann, Die Leidenstheologie, 48f., 60, 62f.

[21] Vgl. diese Arbeit S. 78, Anm. 6.

[22] D. R. A. Hare, 119.

[23] Vgl. W. Nauck, Freude im Leiden.

[24] Nach A. Sand, Das Gesetz und die Propheten. Untersuchungen zur Theologie des Evangeliums nach Matthäus (Regensburg 1974) = Bibl. Unters. 11,172f., sind die Jünger, indem sie das Schicksal der Propheten erleiden, selbst Propheten. Doch wird eben dies nicht gesagt.

[25] Vgl. D. R. A. Hare, 122f., u. S. Schulz, Q, 128.

Im Verständnis des Mt wird eine Verfolgung aus religiösen Gründen gemeint sein.
Mt hat die aus Q übernommene Verfolgungsthematik im Sinne seiner Theologie weiterentwickelt und seiner heilsgeschichtlichen Sicht der Ablösung Israels durch die Kirche angepaßt. Seine Gesamtschau erhellt aus den drei Gleichnissen 21,28—22,14. Die Parabel von den ungleichen Söhnen (21,28—32), die sich nur bei Mt findet, ist Gerichtspredigt gegen die Repräsentanten des Judentums, die das Tun des Willens des Vaters verweigern[26]. Ihnen werden die umkehrwilligen Zöllner und Dirnen gegenübergestellt[27]. Das zweite Gleichnis der Parabeltrilogie, das Gleichnis vom Mord im Weinberg (21,33—46)[28], stammt aus Mk (12,1—12). Der über Mk hinausgehende Satz 21,43 drückt die Aussageabsicht des Mt aus[29]. An die Adresse des Judentums gewandt heißt es: »Das Reich Gottes wird von euch genommen und einem Volk gegeben werden, das seine Früchte bringt.« Das Gleichnis wie auch die mattäische Sicht der Ablösung Israels durch die Kirche stehen in der Tradition des deuteronomistischen Geschichtsbildes und der dort verankerten Prophetenmordtradition[30]. Israel hat sich in seiner Halsstarrigkeit[31] geweigert, die Früchte abzuliefern, d. h. den Willen Gottes zu tun; es hat die Boten Gottes, die die Früchte in Empfang nehmen sollten, abgelehnt, verfolgt und z. T. ermordet (21,35f.). Zuletzt hat es sich sogar an Jesus, dem Sohn, vergriffen (21,38f.). Israel hat nun sein Heil endgültig verwirkt; es wird bestraft (21,41).

---

[26] Die Angesprochenen sind die »Hohenpriester und Ältesten des Volkes« von Mt 21,23. In 21,45 werden die Hohenpriester und Pharisäer als Zuhörer genannt.

[27] Zur Aussage des Gleichnisses vgl. A. Kretzer, Die Herrschaft der Himmel und die Söhne des Reiches. Eine redaktionsgeschichtliche Untersuchung zum Basileiabegriff und Basileiaverständnis im Matthäusevangelium (Würzburg-Stuttgart 1971) = SBM 10,151/9, der 150/86 die Parabeltrilogie Mt 21,28—22,14 bespricht.

[28] Zu diesem Gleichnis vgl. ebd. 159/72; W. Trilling, Das wahre Israel. Studien zur Theologie des Matthäus-Evangeliums³ (München 1964) = StANT 10,55/, 65; H.-J. Klauck, Das Gleichnis vom Mord im Weinberg.

[29] In der Aussage entspricht 21,43 genau der Theologie der Mt-Redaktion, in der Formulierung unterscheidet sich der Vers jedoch von der üblichen Ausdrucksweise des Mt (βασιλεία τοῦ θεοῦ statt βασιλεία τῶν οὐρανῶν). Doch läßt sich der Ausdruck βασιλεία τοῦ θεοῦ auch von Mt her verstehen. Vgl. A. Kretzer, Die Herrschaft der Himmel, 171. Dann aber spricht nichts dagegen, die Gestaltung des Verses der Mt-Redaktion zuzuschreiben.

[30] O. H. Steck, Israel und das gewaltsame Geschick der Propheten, 297/316.

[31] Zur mattäischen Sicht der Verstockung Israels vgl. J. Gnilka, Die Verstockung Israels. Isaias 6,9—10 in der Theologie der Synoptiker (München 1961) = StANT 3,90/102.

An die Stelle des alten Bundesvolkes tritt das Volk, das seine
Früchte bringt, die Kirche[32].

Das Gleichnis vom königlichen Hochzeitsmahl (Mt 22,1—14), das
letzte der Trilogie, basiert auf einer Q-Vorlage (vgl. Lk 14,16—24),
die Mt überarbeitet und dem Gleichnis vom Mord im Weinberg
angepaßt hat[33]. Aus dem Gastmahl des Lk ist bei Mt das Hochzeitsmahl geworden, das ein König seinem Sohn veranstaltet. Nach
Lk fordert der Gastgeber durch einen Knecht die Eingeladenen zur
Teilnahme auf. Nach dem Mt-Text schickt der König zweimal
mehrere Knechte aus. In beiden Fassungen weigern sich die Eingeladenen, der Einladung Folge zu leisten. Mt verschärft dieses
Motiv sodann: Ein Teil der Geladenen ergreift die Knechte, mißhandelt und tötet sie (22,6). Eine Verschärfung gegenüber Lk findet
sich auch in der Darstellung des Zornes des Gastgebers. Der König
schickt sein Heer aus, läßt die Mörder umbringen und ihre Stadt
in Brand stecken (22,7). Nun werden andere zur Teilnahme am
Mahl aufgefordert. Nach Lk sind es Arme, Krüppel, Blinde und
Lahme und sodann in einer zweiten Aktion Leute von den Straßen
und Zäunen. Der Mt-Text kennt nur eine einmalige Einladung.
Die Knechte sollen an die Straßenkreuzungen gehen und alle, die
sie treffen, zur Hochzeit einladen. Für Lk endet hier das Gleichnis.
Mt führt das Geschehen weiter. Unter den Eingeladenen ist einer,
der kein hochzeitliches Gewand trägt. Er soll auf Geheiß des Kö-
nigs von den Knechten an Füßen und Händen gebunden und in die
Finsternis draußen hinausgeworfen werden.

Die Mißhandlung und Ermordung der Knechte des Königs Mt 22,6
entspricht der Mißhandlung und Ermordung der Knechte im Wein-
berggleichnis Mt 21,35f. Der Herr des Weinbergs schickt zweimal
Knechte und schließlich seinen Sohn zu den Pächtern (Mt 21,34.36.
37). Der König sendet zweimal Knechte aus, um zur Hochzeit zu
rufen (Mt 22,3f.). Die zweifache Sendung von Knechten im Gleichnis vom königlichen Hochzeitsmahl könnte durch das Vorbild der
genannten Szene des Weinberggleichnisses veranlaßt worden sein.
Allerdings scheint sich die Aussage gegenüber 21,34—36 verändert
zu haben. Zur Allegorisierung des Gleichnisses durch Mt würde
es gut passen, wenn man in der ersten Einladung zur Hochzeit die
Tätigkeit der alttestamentlichen Propheten und in der zweiten
Sendung von Knechten des Königs das missionarische Handeln von

---

[32] Vgl. H. Frankemölle, Jahwebund und Kirche Christi. Studien zur Form- und
Traditionsgeschichte des »Evangeliums« nach Matthäus (Münster 1974) =
NTA N. F. 10,247/56.

[33] Vgl. G. Strecker, Der Weg der Gerechtigkeit. Untersuchung zur Theologie des
Matthäus[3] (Göttingen 1971) = FRLANT 82,111.

Mitgliedern der christlichen Gemeinde angedeutet sieht[34]. Eine solche Deutung entspricht der Aussage Mt 23,34, nach der christliche Gesandte des Prophetengeschick erleiden. Die Bestrafung der Schuldigen nach Mt 27,7 berührt sich mit der Mt 21,41 geschilderten Bestrafung der Pächter. Über 21,41 hinaus wird auf die Zerstörung Jerusalems angespielt[35]. Anstelle der unwürdigen Geladenen werden nun andere berufen. Über den Lk-Text und die Aussage des Weinberggleichnisses hinaus fügt Mt eine Passage an, mit der er die Angehörigen der Jesusgemeinde mahnt, ein hochzeitliches Gewand zu tragen, d. h. Frucht zu bringen (vgl. Mt 21,41.43) und den Willen Gottes tatsächlich zu tun (vgl. Mt 21,28—32). Das Gericht gilt nicht nur dem alten Eigentumsvolk Gottes, das seine Einladung ausgeschlagen hat, sondern auch solchen Mitgliedern des neuen Volkes, der Kirche, die der Einladung zwar gefolgt sind, jedoch nicht ihr entsprechend handeln.

Die Aussage der Parabeltrilogie entspricht dem Konzept der Wehrede Kap. 23. Die Schuld Israels zeigt sich in der Abweisung und Ermordung der Boten Gottes und Gesandten Jesu. Das Motiv des Prophetenmordes dient der Gerichtsbegründung. In der deuteronomistischen Geschichtsschau war mit der Gerichtsbegründung die Umkehrpredigt verbunden. Nach Mt hat jedoch das pharisäisch geführte Judentum die letzte Umkehrmöglichkeit vertan. Jesus zieht sich von Jerusalem zurück (Mt 23,39 und 24,1); Gott überläßt es der Zerstörung (22,7; 23,38; 24,2). Israel hat seine Vorrechte verloren; die christliche Gemeinde hat sein Erbe angetreten.

b) Die Aufnahme der markinischen Leidensthematik

Aus Mk stammende Verfolgungsaussagen finden sich in der Aussendungsrede 9,35—11,1. Bei der Komposition dieser Rede hat sich Mt auf die markinische Aussendung der zwölf Jünger Mk 6,7—13 und die Sendungsrede in Q, die aus Lk 10 zu erheben ist, gestützt und darüber hinaus anderen in seinen Zusammenhang passenden Stoff aus Mk und Q benutzt. Die Verfolgungslogien 10,17—22 haben ihre Herkunft in der apokalyptischen Rede Mk 13,9—13. Die Ordnung des Redestoffes nach Themen ist ein Spezifikum des ersten Evangelisten. Nach der Bergpredigt, der Belehrung über die wahre Gerechtigkeit (Kap. 5—7), erfolgt im Kap. 10 die Instruktion über die Jüngerschaft. Im Unterschied zu Mk und Lk berichtet Mt nicht die Rückkehr

---

[34] So D. R. A. Hare, 121f.; E. Schweizer, Das Evangelium nach Matthäus (Göttingen 1973) = NTD 2,272; J. Jeremias, Die Gleichnisse Jesu[5] (Göttingen 1958) 57f.

[35] W. Trilling, Das wahre Israel, 84f.

7*

der ausgesandten Jünger (vgl. Mk 6,30; Lk 10,17). Er spricht auch
nicht wie Mk vom Tun der Jünger (vgl. Mk 6,12f.). Ohne auf die
Aussendung zurückzukommen, schließt Mt den Abschnitt in einer
dem Schluß der Bergpredigt (7,28f.) entsprechenden Weise: »Und
als Jesus die Unterweisung der zwölf Jünger beendet hatte, zog er
von dort weiter, um in ihren Städten zu lehren und zu predigen«
(11,1). Offensichtlich ist Mt nicht am Tun der Jünger interessiert.
Im Mittelpunkt steht der lehrende Herr, der den Jüngern Verhaltensmaßregeln für später an die Hand gibt. Mt zeichnet Jesus als
den Lehrer, der die Jünger und in ihnen die Kirche belehrt[36].
Mt hat das markinische Unverständnis der Jünger getilgt. Die
mattäischen Jünger sind Verstehende oder kommen durch die Belehrung Jesu zum Verstehen[37]. Ihre Schwäche ist nicht eine man-
gelnde Einsicht, sondern ein schwacher Glaube[38] trotz des Ver-
stehens. In den Jüngern erkennt sich die mattäische Gemeinde; in
ihnen sieht sie sich belehrt und ermahnt. Die Aussendungsrede
spiegelt die kirchliche Situation der Zeit des Mt wider, in der es
wie bei Mk schon neben der Verfolgung durch Juden eine solche
durch heidnische Autoritäten gab (vgl. Mt 10,17f.).
Doch schreibt Mt nicht eine Gemeindeordnung in der Art der Didache, sondern ein Evangelium. Er verankert die Belehrung im
Leben Jesu. Im Sinn seiner heilsgeschichtlichen Sicht zeichnet er die
Zeit Jesu als einmalig und unwiederholbar. Obwohl er die Heidenmission voraussetzt, betont er die Exklusivität der Sendung Jesu
und seiner Jünger an Israel (10,5f. und 15,24)[39]. Erst der Aufer-
standene gibt den Auftrag, zu allen Völkern zu gehen und alle
Menschen zu Jüngern zu machen (28,18—20). Mt verbindet also
sein didaktisch-pastorales Anliegen, im Evangelium die Kirche
seiner Zeit anzusprechen, mit seinem heilsgeschichtlichen Interesse
an der Einmaligkeit der Zeit Jesu. Er läßt die Zeit Jesu in ihrer
Andersartigkeit bestehen und macht sie transparent für die Zeit

---

[36] Vgl. Fr. Normann, Christos Didaskalos. Die Vorstellung von Christus als
Lehrer in der christlichen Literatur des ersten und zweiten Jahrhunderts
(Münster 1966) = MBTh 32,23/44.
[37] G. Barth, Das Gesetzesverständnis des Evangelisten Matthäus = G. Born-
kamm — G. Barth — H. J. Held, Überlieferung und Auslegung im Matthäusevangelium[6] (Neukirchen-Vluyn 1970) = WMANT 1,54/154, hier 99/104;
U. Luz, Die Jünger im Matthäusevangelium = ZNW 62 (1971) 141/71, bes.
148/52; M. Sheridan, Disciples and Discipleship in Matthew and Luke =
Biblical Theology Bulletin 3 (1973) 235/55, bes. 244/7.
[38] Zur ὀλιγοπιστία bei Mt vgl. G. Bornkamm, Die Sturmstillung im Matthäus-
Evangelium = G. Bornkamm — G. Barth — H. J. Held, Überlieferung und
Auslegung im Matthäusevangelium, 48/53.
[39] H. Frankemölle, Jahwebund und Kirche Christi, 123/37.

der Kirche. Die Zeichnung der Jünger partizipiert an dieser Transparenz[40]. Sie sind für Mt die einmaligen Gesandten Jesu; gleichzeitig sieht der Evangelist in ihnen seine Gemeinde und speziell die Boten des Evangeliums, die Missionare, belehrt und angesprochen.
Ein Vergleich zwischen der Jüngerbelehrung des Mt und seinen beiden Vorlagen zeigt, wie beherrschend für Mt das Thema der Verfolgung ist[41]. In Mk 6,11 werden die Zwölf aufgefordert, den Staub von ihren Füßen zum Zeugnis gegen einen Ort, der sie nicht aufnimmt, abzuschütteln. Die Botenrede der Logienquelle rechnet ebenfalls mit der Abweisung der Boten (Lk 10,10f.) und läßt darüber hinaus erkennen, daß die Situation für die Gesandten Jesu gefährlich ist (Lk 10,3). Mt geht über beide Vorlagen hinaus, indem er die Verfolgungspassage der apokalyptischen Rede Mk 13,9—13 in den Kontext der Jüngerbelehrung stellt. Der thematisch ordnende erste Evangelist kombiniert in 10,14f. Mk 6,11 mit dem entsprechenden Q-Spruch (Lk 10,10—12), hängt in 10,16 das Q-Logion von den Schafen inmitten der Wölfe an (Lk 10,3), erweitert dieses durch die Aufforderung, klug wie die Schlangen und arglos wie die Tauben zu sein, und leitet so über zu den aus Mk 13 übernommenen Verfolgungssprüchen.
Dadurch daß Mt den Abschnitt Mk 13,9—13 aus dem apokalyptischen Zusammenhang gelöst und in den Kontext der Jüngerbelehrung gestellt hat, wurde die ursprüngliche Aussage geändert. Mk 13 enthält die Voraussagen Jesu über die der Parusie vorausgehenden Bedrängnisse, zu denen auch die Verfolgungen gehören. Die futurische Redeweise muß nicht besagen, daß alle vorausgesagten Wirren auch für den Verfasser des Evangeliums noch ausstehende Zukunft sind. Die Zeichnung der Verfolgungssituation zeigt, daß Mk auf Erfahrungen zurückblicken kann. Doch will Mk nicht zwischen vergangenen oder gegenwärtigen und zukünftigen Verfolgungen unterscheiden. Sie gehören für ihn in die dem Ende zudrängende Zeit, gleich ob sie schon gewesen sind, im Augenblick stattfinden oder noch zu erwarten sind. Sie sind Teil der sich steigernden Unordnung, die der Parusie vorausgeht und ihre Nähe anzeigt. Allerdings erwartet Mk die Parusie nicht für die allernächste Zukunft. Zuvor muß allen Völkern das Evangelium verkündet werden (13,10). Mk rechnet also mit einer der Parusie vorausgehenden längeren Zeit des Wirkens der Kirche. Er verbindet auch die Verfolgungssituation mit dem Verkündigungsgeschehen, indem er in der Gerichtssituation eine Gelegenheit der Zeugnis-

[40] Ebd. 143/58; U. Luz, Die Jünger im Matthäusevangelium, 142/52.
[41] D. R. A. Hare, 96/114.

abgabe sieht (13,9). Doch ist das apokalyptische Vorzeichen der
Verfolgungspassage unverkennbar. Für Mt nun hat die Zeit zwischen dem Auftreten Jesu und der Parusie ein eigenständigeres
Gewicht bekommen. Er beläßt zwar in seiner Parallele zu Mk 13
einen Hinweis auf die dem Ende vorausgehende Verfolgung (Mt
24,9); doch interessiert ihn mehr die der Kirche in ihrer Mission
begegnende Verfolgung, die er nicht mit der endzeitlichen Drangsal
identifiziert. Mt handelt mehr als Mk von der den Verkündern des
Evangeliums drohenden Verfolgung, die sie gerade wegen ihrer
Tätigkeit trifft. Das bei Mk dem apokalyptischen Kontext einge-
ordnete Verkündigungsthema ist bei Mt ins Zentrum gerückt.
Mt hat Mk 13,9—13 in seinen Zusammenhang gestellt; er hat den
Mk-Text darüber hinaus an einigen Stellen verändert. Die Mahnung, sich vorzusehen, wird bei Mt zu einer Warnung vor den
Menschen (Mt 10,17/Mk 13,9). Mt bezeichnet die Synagogen, in
denen die Jünger Jesu die Strafe der Geißelung erleiden werden,
in einer ihm geläufigen Wendung[42] als ihre Synagogen (10,17). Er
betont dadurch die Trennungslinie, die für ihn zwischen Judentum
und Kirche verläuft. 10,18 nennt Verfolgungssituationen vor heidnischen Gerichten. Mt hat den Vers Mk 13,10, den er in seiner
Parallele zur markinischen Apokalypse außerhalb des Mk-Zusam-
menhangs verwendet (Mt 24,14), an dieser Stelle ausgelassen, dafür
aber einen Hinweis auf die Heiden in V. 18 aufgenommen. Der
Grund für die Auslassung wird sein, daß dieser Vers das Konzept
des Mt von einer Sendung der Jünger nur an Israel zu offensichtlich gestört hätte. Mt will zwar die Sendung der Jünger transparent
machen für die spätere Missionssituation der Kirche; deshalb kann
er auch von Verfolgungen durch heidnische Autoritäten sprechen.
Doch kann er nicht expressis verbis dem Verbot von 10,5f., nicht
zu den Heiden zu gehen und keine Stadt der Samariter zu betreten,
widersprechen. Der Auftrag zur Heidenmission erfolgt erst durch
den Auferstandenen.
Das Zeugnis der Jünger in der Gerichtssituation betrifft die Statthalter und Könige und die Heiden. Im Blick des Mt stehen zunächst
die heidnischen Autoritäten und dann die Heiden allgemein[43]. Das
Zeugnis wird man nicht als belastendes Zeugnis, das den Angesprochenen eine Entschuldigung für das Endgericht nimmt, verstehen können. Wie Mk spricht Mt weder von der Ablehnung noch
von der Annahme des Zeugnisses. Er ist an dem Tun der Jünger
Christi interessiert, die Zeugnis ablegen, gleich ob es angenommen

---

[42] Vgl. R. Hummel, Die Auseinandersetzung zwischen Kirche und Judentum, 28f.
[43] Zu dieser Deutung vgl. D. R. A. Hare, 106/8.

oder abgelehnt wird[44]. Gemeint ist wie bei Mk nicht eine besondere
Verkündigung, sondern das durch Gottes Kraft ermöglichte situa-
tionsgerechte Reden und Verhalten vor Gericht (10,19f.). Mt 10,21f.
entspricht der markinischen Vorlage. Mt fügt sodann eine Passage
an, für die es keine Parallele gibt (10,23). Der Vers gibt viele
Fragen auf[45]. In diesem Zusammenhang genügt es, darauf hinzuweisen, daß er in den Kontext der mattäischen Geschichtsschau
gehört, nach der die Jünger zu Lebzeiten Jesu wie dieser selbst nur
zu Israel gesandt waren[46]. Die Jünger werden bis zur Parusie bei
ihrer durch die Feindschaft Israels bewirkten Flucht immer noch
einen neuen Ort finden, an dem sie wirken können[47].
In den folgenden zwei Versen (10,24f.) liefert Mt die Begründung
für das Verfolgungsgeschick der Jünger. Weil die Jünger in der
Nachfolge Jesu stehen, müssen sie das gleiche Geschick wie er
ertragen. Es gibt eine Schicksalsgemeinschaft zwischen Jesus und
seinen Jüngern[48]. Mt 10,24 berührt sich mit Lk 6,40 und mit Joh
13,16 und 15,20. Mt interpretiert den sprichwortartig klingenden
Spruch über das Verhältnis zwischen Herr und Knecht, indem er
auf das ihnen gemeinsame Geschick abhebt. Daß Jesus Beelzebul
genannt wurde, berichtet Mt ausführlicher in 12,24.
Mt hängt der aus Mk 13 übernommenen und von ihm knapp erweiterten Verfolgungspassage eine Reihe von Q-Abschnitten zum
Thema »Jüngerschaft« an, die Lk an verschiedenen Stellen seines
Evangeliums bringt (Mt 10,26—33/Lk 12,2—9; Mt 10,34—36/
Lk 12,51—53; Mt 10,37—39/Lk 14,26f., 17,33). Mt 10,26—33/
Lk 12,2—9 fordert zum furchtlosen Bekenntnis auf. Der Verfasser
des ersten Evangeliums hat die Lk 12,2f. zugrundeliegende Q-Stelle,

---

[44] An ein belastendes Zeugnis denken etwa H. v. Campenhausen, Die Idee des
   Martyriums, 25f.; N. Brox, Zeuge und Märtyrer, 28; W. Marxsen, Der Evan-
   gelist Markus. Studien zur Redaktionsgeschichte des Evangeliums[2] (Göttingen
   1959) = FRLANT 67,137f. (Mk 13,9f.: Verkündigung in missionarischer
   Absicht; Mt 10,18: Zeugnis, um den Gegner schuldig zu machen). Doch s.
   D. R. A. Hare, 107.
[45] Vgl. H. Schürmann, Zur Traditions- und Redaktionsgeschichte von Mt 10,23
   = Traditionsgeschichtliche Untersuchungen zu den synoptischen Evangelien
   (Düsseldorf 1968) 150/6; M. Künzi, Das Naherwartungslogion Matthäus 10,23.
   Geschichte seiner Auslegung (Tübingen 1970) = Beiträge zur Geschichte der
   biblischen Exegese 9; D. R. A. Hare, 110/2; H. Frankemölle, Jahwebund und
   Kirche Christi, 130/5.
[46] Vgl. H. Frankemölle, ebd.
[47] J. Schmid, Das Evangelium nach Matthäus[5] (Regensburg 1965) = RNT 1,181:
   Der Vers sagt nur, »daß es für die Jünger (oder für die Missionare) immer
   wieder eine Zuflucht in der Verfolgung geben wird, und die Städte Palästinas
   sind bloß deshalb genannt, weil diese zunächst im Gesichtskreis der angeredeten Jünger liegen.«
[48] E. Schweizer, Das Ev. nach Mt, 158.

die bei Lk zur Warnung vor der Heuchelei der Pharisäer gehört
(12,1—3), zur folgenden Passage Lk 12,4ff. gezogen. Er hat ihr
eine Aufforderung, keine Angst zu haben, vorausgestellt und das
Lk 12,3 zugrundeliegende Q-Logion zu einer Anweisung umge-
formt. Dadurch daß Mt die Q-Passage seinem Verfolgungsabschnitt
10,17—25 anhängt, bezieht er die Mahnung zur furchtlosen Verkündigung auf die Verfolgungssituation. Es folgt die Aufforderung,
in der Situation der Lebensbedrohung Gott mehr zu fürchten als
die Verfolger (Mt 10,28/Lk 12,4f.). Die dritte Mahnung, Mt
10,29—31/Lk 12,6f., ermutigt zur Furchtlosigkeit mit der Begründung, bei Gott geborgen zu sein. Der Abschnitt schließt mit der
Verheißung, daß Jesus sich beim Gericht zu jedem, der sich zu ihm
bekannt hat, bekennen wird. Die Kehrseite ist die Drohung, daß er
diejenigen, die ihn verleugnet haben, ebenfalls verleugnen wird
(Mt 10,32f./Lk 12,8f.). Mt ersetzt das Wort »Menschensohn« durch
das Ich des lehrenden Herrn. Die folgende Passage, die vom Zwie-
spalt in den Familien handelt (Mt 10,34—36/Lk 12,51—53), könnte
im Verständnis des Mt eine Ergänzung zu Mt 10,21 sein. Der anschließende Abschnitt Mt 10,37—39/Lk 14,26f., 17,33 spricht von
den Bedingungen der Jüngerschaft. Er enthält die Logien vom
Kreuztragen (Mt 10,38/Lk 14,27) und vom Finden und Verlieren
des Lebens (Mt 10,39/Lk 17,33). Mt hat den genannten Q-Passa-
gen, dadurch daß er sie dem aus Mk 13 übernommenen Verfolgungsabschnitt anschließt, einen verstärkt martyriumsbezogenen
Klang gegeben.

Mt hat also Mk 13,9—13 in den Zusammenhang seiner Jüngerbelehrung gestellt. Bei der Verwendung der anderen markinischen
Verfolgungspassagen hat er sich weniger Freiheiten genommen. In
der Deutung des Gleichnisses vom Sämann spricht Mt wie Mk von
dem Fall, daß jemand das Wort mit Freude aufnimmt, dann aber,
wenn Bedrängnis und Verfolgung um des Wortes willen eintreten,
zu Fall kommt. Mt 13,21 unterscheidet sich nur geringfügig, so in
der Verwendung des Singulars statt des Plurals, von Mk 4,17. In
der Aussage spiegelt sich die Erfahrung der Kirche, daß manche
Augenblicksbegeisterte in der Situation der Verfolgung schwach
werden.

Mt bringt 14,3—12 die Geschichte vom Tod Johannes' des Täufers nach Mk 6,17—29 in einer stark verkürzten Fassung. Der
erste Evangelist hat aus der volkstümlichen Erzählung des Mk einen
strafferen Bericht gemacht, in dem er die Rolle der Herodias an der
Ermordung des Täufers zum Teil übergeht, um Herodes stärker als
den Schuldigen erscheinen zu lassen. Der Mt-Bericht wirkt weniger
volkstümlich; doch kann man auch ihn nicht den jüdischen Marty-

rien an die Seite stellen. Johannes wird nicht als Märtyrer, sondern als Opfer der Willkür eines gottlosen Herrschers gezeichnet. Die Deutung des Täufergeschicks bringt Mt nach Mk im Anschluß an die Verklärungsgeschichte Mt 17,10—13/Mk 9,11—13. In einem gegenüber Mk klareren Gedankengang[49] verknüpft er den Tod des Johannes mit dem Leiden des Menschensohnes: Sie haben den Täufer in seiner heilsgeschichtlichen Rolle nicht erkannt und deshalb mit ihm getan, was sie wollten; ebenso muß der Menschensohn durch sie leiden. Über Mk hinaus sagt Mt, daß die Jünger verstanden, daß Jesus mit Elija den Täufer gemeint hatte.

Mt hat weiter die mit dem Messiasbekenntnis des Petrus beginnende Mk-Komposition übernommen (Mt 16,33ff./Mk 8,27ff.). Allerdings hat er die in der Mk-Folge erkennbare Verbindung zwischen dem Petrusbekenntnis (Mt 16,13—20/Mk 8,27—30) und der Leidensansage (Mt 16,21—23/Mk 8,31—33) gelockert. Die Szene in Cäsarea Philippi erhält bei ihm durch die Einführung der Petrus geltenden Verheißung 16,17—19 eine ekklesiale Note[50]. Zudem markiert der Anschluß 16,21 anders als Mk 8,31 einen Neuanfang. Mt wird im Petrusbekenntnis eine eigenständige Einheit und in der Leidensansage mit den Nachfolgeworten einen neuen Abschnitt gesehen haben.

Mt übernimmt die markinischen Logien vom Kreuztragen (Mt 16,24/Mk 8,34) und vom Retten und Verlieren der Seele (Mt 16,25/ Mk 8,35), obwohl er die beiden Sprüche 10,38f. schon in einer allerdings anderen Gestalt nach der Redequelle gebracht hat. Dabei paßt er Mk 8,35 zum Teil der von ihm früher gebrachten Version des Logions (Mt 10,39) an. Er läßt das markinische »um des Evangeliums willen« aus und spricht am Ende vom Finden der ψυχή statt vom Retten. Den Spruch Mk 8,38 läßt er zum großen Teil aus; ihn hat er schon 10,32f. in einer der Logienquelle entlehnten ausführlicheren Form gebracht. Unter Verwendung von Teilen des markinischen Spruches formuliert Mt, daß der Menschensohn einem jeden nach seinem Tun vergelten wird (Mt 16,27; vgl. Ps. 62 [61], 13). Dem Verfasser des ersten Evangeliums war bewußt, daß er in 16,24f. eine Dublette zu 10,38f. brachte. Wenn er 16,25 teilweise 10,39 angepaßt hat, so hat er sich dabei der früheren Verwendung des Spruches in der Jüngerbelehrung des Kap. 10 erinnert. Andererseits hat er an der Stelle 16,27 darauf verzichtet, eine

---

[49] Mt stellt Mk 9,12b hinter 9,13, macht aus der Frage eine Aussage und läßt in 9,13 den Verweis auf die Schrift weg. Sodann fügt er einen Satz über das Verständnis der Jünger an.

[50] Zum Petrusbild des Mt vgl. R. E. Brown — K. P. Donfried — J. Reumann (Hrsg.), Der Petrus der Bibel. Eine ökumenische Untersuchung (Stuttgart 1976) 68/95; H. Frankemölle, Jahwebund und Kirche Christi, 155/8.

Dublette zu schaffen. Offensichtlich waren ihm die Sprüche vom Auf-sich-Nehmen des Kreuzes und von der Rettung und dem Verlust der ψυχή im Anschluß an die Leidensansage Jesu so wichtig, daß er sie nicht fortfallen lassen wollte. Mt wollte wie Mk zeigen, daß zur Nachfolge des gekreuzigten Herrn die Bereitschaft der Jünger gehört, das Kreuz des Verlustes des eigenen Lebens um Jesu willen auf sich zu nehmen. Die Jüngerbelehrung des Kap. 10 richtet sich vor allem an Verkünder des Evangeliums, an Missionare. Hier ist nun von der allen Jüngern Jesu, d. h. allen Christen, abverlangten Bereitschaft zum Martyrium die Rede.

Mt hat aus Mk auch die im Anschluß an die dritte Leidensansage erzählte Geschichte vom Ehrgeiz der Zebedäussöhne übernommen (Mt 20,20—28/Mk 10,35—45). Mt strafft sie zum Teil und entlastet die beiden Jünger, indem er ihre Mutter als Bittstellerin einführt. Jesus kündet Jakobus und Johannes den Märtyrertod an (Mt 20,23/Mk 10,39). Wie Mk spricht Mt vom Kelch, den sie trinken werden. Er tilgt jedoch die bildliche Redeweise von der Taufe, wohl um die Eindeutigkeit seines Taufbegriffs (vgl. 28,19) nicht zu gefährden.

Dann ist noch auf die Endzeitrede Mt 24 hinzuweisen. Mt hat zwar Mk 13,9—13 in seine Jüngerbelehrung Kap. 10 übernommen. Er übergeht jedoch nun nicht das Thema der Verfolgung in seiner Parallele zu Mk 13, sondern bringt an der Mk 13,9—13 entsprechenden Stelle eine redaktionelle Notiz in der Art eines Resümees. Unter Verwendung von Mk 13,9a.13a bildet er 24,9, wobei der Schluß von Mk 13,12 vielleicht das Stichwort »töten« geliefert hat. Die endzeitliche Verfolgung ist Ergebnis des Hasses aller Völker; von einer Verfolgung durch jüdische Autoritäten ist hier keine Rede. Mt 24,10—13 spricht sodann von einer dem Ende vorausgehenden Verwirrung in der christlichen Gemeinde. 24,10 hat Berührungspunkte mit Mk 13,12; gemeint sind jedoch bei Mt innergemeindliche Zerwürfnisse. Vielleicht denkt Mt auch an Christen, die ihrem Glauben untreu geworden sind und ehemalige Glaubensbrüder an die Feinde des Glaubens ausliefern. Wer innerhalb dieser Wirren ausharrt, d. h. treu bleibt, wird gerettet (Mt 24,13/Mk 13,13b). Das Ende steht jedoch nicht nahe bevor. Vorher muß das Evangelium in der ganzen Welt zum Zeugnis für alle Völker verkündet werden (Mt 24,14 unter Verwendung von Mk 13,10).

Mt bringt das Verfolgungsthema in großer Ausführlichkeit. Aus der Art, in der er den vorliegenden Stoff verwendet, läßt sich seine Konzeption erheben. Für ihn hat die Verfolgung der Jünger Christi gewissermaßen eine Außen- und eine Innenseite. Die Außenseite ist die Verfolgungsdeutung in der Tradition des deuteronomisti-

schen Geschichtsbildes. Das halsstarrige Israel hat immer schon die
Boten Gottes abgelehnt und getötet. Die Kreuzigung Jesu und die
Verfolgung der Jünger machen das Maß der Schuld voll. Ein neues
Volk Gottes, die Kirche, tritt das Erbe Israels an. Diese sog. Außen-
seite kann jedoch nur die von Juden ausgehende Verfolgung verständlich machen. Die Innenseite der Verfolgungsdeutung wird vom
Gedanken der Nachfolge Jesu aus gewonnen. Der Jünger, der Jesus
nachfolgt, ist zur Schicksals- und Leidensgemeinschaft mit seinem
Herrn berufen. In besonderer Weise muß der im Dienst der Verkündigung stehende Jünger damit rechnen, verfolgt zu werden.
Diese zweite Sicht kann Verfolgungen sowohl von jüdischer wie
auch von heidnischer Seite erklären. Beide Gedankenkreise können
dem verfolgten Christen das Verfolgungsgeschick verständlich machen. Weil man Jesus verfolgt hat, stellt man auch seinen Jüngern
nach. Die Jünger brauchen sich in solchen Situationen nicht zu
fürchten. Sie sind diesseits und jenseits des Todes bei Gott geborgen.
Im Endgericht bekennt sich Jesus zu ihnen. Die Macht Gottes
reicht weiter als die der Verfolger.

5. Das Verfolgungsmotiv im lukanischen Werk

Lukas geht einen beträchtlichen Schritt über die bei Mt spürbar
werdende Differenzierung zwischen der Zeit Jesu und der Zeit
der Kirche hinaus, indem er seinem Evangelium die Apostelgeschichte folgen läßt und in einem heilsgeschichtlichen Aufriß
die Zeit Israels, die Zeit Jesu und ihre Fortsetzung, die Zeit der
Kirche, unterscheidet[1]. Die gesamte Heilsgeschichte ist nach ihm
vom Widerspruch gegen die Heilsabsicht Gottes und seine Boten
gekennzeichnet[2]. Die Propheten wurden abgelehnt und verfolgt;

[1] H. Conzelmann, Die Mitte der Zeit. Studien zur Theologie des Lukas[3] (Tübingen 1960) = BHTh 17, spricht von den 3 Perioden der Zeit Israels, der Zeit
Jesu als »Mitte der Zeit« und der Zeit der Kirche (vgl. bes. 9/11). Doch
denkt Lukas im Zweier-Schema von Verheißung und Erfüllung; auf die Seite
der Erfüllung gehören sowohl die Zeit Jesu wie auch die der Kirche. Zur
Kritik an Conzelmann vgl. W. Radl, Paulus und Jesus im lukanischen Doppelwerk. Untersuchungen zu Parallelmotiven im Lukasevangelium und in der
Apostelgeschichte (Bern-Frankfurt/M. 1975) = Europäische Hochschulschriften XXIII,49,388/95 (Lit.). Die Frage der Periodisierung muß zusammengesehen werden mit dem lukanischen Motiv der Kontinuität der Heilsgeschichte; dazu vgl. etwa G. Lohfink, Die Sammlung Israels. Eine Untersuchung zur lukanischen Ekklesiologie (München 1975) = StANT 39, bes. 93/9.

[2] G. Braumann, Das Mittel der Zeit. Erwägungen zur Theologie des Lukas-
evangeliums = ZNW 54 (1963) 117/45, sieht in der Verfolgungssituation der
Kirche, in der Lukas lebt, den hermeneutischen Schlüssel zum Verständnis des
Themas und der Intention des Lukasevangeliums (vgl. S. 120f.). Nach Fr.
Schütz, Der leidende Christus. Die angefochtene Gemeinde und das Christus-
kerygma der lukanischen Schriften (Stuttgart 1969) = BWANT 89, bestimmt

Jesus hat man gekreuzigt. Den Jüngern hat Jesus in seinem Erden-
leben Verfolgungen angekündigt. Die Apg zeigt, daß diese Ankün-
digungen sich bewahrheitet haben. Es ist gewissermaßen ein Gesetz
der Heilsgeschichte, daß sich Widerstand gegen die Absichten Gottes erhebt, der sich in der Feindschaft gegen die Boten Gottes zeigt.

a) Die lukanische Verwendung der Prophetenmordtradition

Lukas läßt Jesus in der programmatischen Szene von seinem Auftreten in der Synagoge von Nazaret sagen: »Kein Prophet wird in
seiner Heimat angenommen« (Lk 4,24; vgl. Mk 6,4; Mt 13,57; Joh
4,44). Indem mit dem sentenzenhaft klingenden Satz auf das allgemeine Gesetz der Ablehnung der Propheten in ihrer Heimat rekur-
riert wird, soll die Abweisung Jesu vom Prophetengeschick her erklärt
werden. Die Seligpreisungen der Feldrede nach Lk enthalten ebenso wie die der Bergpredigt des Mt den Hinweis auf die Verfolgung
der Propheten (Lk 6,23; vgl. Mt 5,12). Lk schließt ihnen eine Reihe
von Sprüchen an, in denen das Wehe! über die der seliggepriesenen
Situation entgegengesetzte Lage gesprochen wird. Nach 6,26 ist es
das Kennzeichen des falschen Propheten, daß man ihn lobt, so wie
es Kennzeichen des wahren Propheten ist, daß man ihn ablehnt und
verfolgt. Die lukanische Rede gegen die Pharisäer und Schriftgelehrten enthält ebenso wie die entsprechende, gleichfalls aus Q ge-
schöpfte Passage des Mt den Vorwurf der Schuldkontinuität mit
den Vätern, welche die Propheten getötet haben (Lk 11,47—51;
vgl. Mt 23,29—36). In einem nur bei Lk überlieferten Wort Jesu
heißt es, daß ein Prophet nirgendwo anders als in Jerusalem um-
kommen dürfe (Lk 13,33). Diesem Spruch fügt Lk das aus Q übernommene Jerusalemwort an (Lk 13,34f./Mt 23,37—39). Die Prophetenmordtradition erklärt die Ablehnung des Werbens Jesu um
Jerusalem, die ihre Strafe finden wird[3]. Von der Ablehnung der

die Situation der verfolgten und angefochtenen Gemeinde das spezifische
Christuskerygma des Lukasevangeliums. Sicher spielt das Verfolgungsmotiv
für Lukas eine große Rolle. Doch ist fraglich, ob es das Fundament für die
Gesamtinterpretation seiner Theologie oder speziell seiner Christologie abgeben kann. Gegenüber Mt entschärft er gelegentlich, wie noch deutlich wer-
den wird, die Verfolgungsthematik. Zu anderen Interpretationen der lukanischen Theologie vgl. G. Braumann in der Einleitung zu dem von ihm hrsg.
Band: Das Lukas-Evangelium. Die redaktions- und kompositionsgeschichtliche
Forschung (Darmstadt 1974) = Wege der Forschung 280, VII/XXIV.
[3] Die Zerstörung Jerusalems, die für Mt Zeichen der endgültigen Abwendung
Gottes von seinem Volk ist, gilt Lk als Strafe für die Schuld des jüdischen
Volkes, die es in der Kreuzigung Jesu auf sich geladen hat. Der Ausschluß
des jüdischen Volkes vom Heil geschieht überall dort, wo es sich der christlichen Predigt verschließt. Vgl. G. Braumann, Die lukanische Interpretation
der Zerstörung Jerusalems = NovT 6 (1963) 120/7.

alttestamentlichen Boten Gottes ist auch in der lukanischen Version des aus Mk übernommenen Gleichnisses vom Mord im Weinberg die Rede (Lk 20,9—19/Mk 12,1—12). Doch fällt auf, daß Lk hier das Motiv der Feindschaft gegen die Boten Gottes entschärft. Nach Mk werden die ersten beiden Knechte verprügelt und mißhandelt; der dritte wird ermordet. Lk berichtet statt von der Ermordung des dritten Knechtes von seiner blutigen Abweisung (Lk 20,12/Mk 12,5). Nur der Sohn des Weinbergbesitzers wird nach Lk ermordet. Dem dritten Evangelisten dürfte es darauf angekommen sein, die Ermordung des Sohnes als Gipfel der Bosheit der Weinbergpächter erscheinen zu lassen. Während Mt das Motiv des Prophetenmordes verschärft (vgl. Mt 21,35f.), kann es Lk entschärfen. Das zeigt, daß es für Lk nicht die zentrale Rolle wie für den ersten Evangelisten spielt.

Schließlich begegnet das Motiv vom Prophetenmord am Ende der Stephanusrede der Apg (7,51—53). Im Gesamtkonzept der Apg dient die Stephanusgeschichte der Begründung der Heidenmission. Die wachsende Feindschaft gegen die christliche Botschaft, die in der Ermordung des Stephanus gipfelt, zeigt die Verhärtung führender Kreise des jüdischen Volkes (Sadduzäer, Priester, der Hohe Rat, Diasporajuden; vgl. Apg 4,1—22; 5,17—42; 6,8—8,3) gegen die apostolische Predigt. Die Verfolgung im Anschluß an die Steinigung des Stephanus führt zur Zerstreuung der Jerusalemer Hellenisten und dadurch zur Mission in Samarien und bis nach Antiochia (Apg 8,1.4ff.; 11,19—21). Doch besteht nach Lukas auch jetzt noch die Möglichkeit, daß Juden sich dem Evangelium öffnen[4]. Paulus wendet sich in seiner missionarischen Tätigkeit in der Regel zuerst an die Juden und erst nach der Ablehnung seiner Predigt durch seine Volksgenossen an die Heiden. Noch in seiner römischen Gefangenschaft ruft er die Vertreter der jüdischen Gemeinde zu sich (Apg 28,17). Die Ablehnung der Pauluspredigt durch einen Teil der Gemeinde begründet dann den Satz: »So sollt ihr nun wissen, daß den Heiden dieses Heil Gottes gesandt ist; und sie werden hören« (Apg 28,28). Für Lukas ist also der Selbstausschluß Israels vom Heil ein länger dauernder Prozeß. Die Prophetenmordtradition dient der Begründung dieses Prozesses; sie wird jedoch nicht verwandt, um wie bei Mt eine punktuelle Translation des Heils von den Juden zur heidenchristlichen Kirche zu begründen. Lukas berührt sich in gewisser Weise mit dem Konzept der Logienquelle, nach dem es auch nach der Ablehnung Jesu noch eine zweite Heils-

---

[4] Vgl. Fr. Mußner, Wohnung Gottes und Menschensohn nach der Stephanusperikope (Apg 6,8—8,2) = R. Pesch — R. Schnackenburg (Hrsg.), Jesus und der Menschensohn, 283/99, hier 289/97.

möglichkeit für die an seinem Tod Schuldigen gibt. Nach Lukas widersetzt sich Israel in einer Kette von Entscheidungen diesem zweiten Angebot.

b) Das Leiden Jesu

Mit dem Auftreten Jesu beginnt nach Lk das endgültige und unüberbietbare gnädige Zugehen Gottes auf die Menschen, in dem Israels Heilshoffnung ihre Erfüllung findet. Die gesamte Zeit des Wirkens Jesu wird begleitet von Widerstand und Feindschaft, die in seiner Ermordung gipfeln[5]. Im Handeln der am Tod Jesu Schuldigen erkennt Lk das Wirken Satans. In Judas, der sich zum Verrat Jesu anschickt, fährt der Satan (Lk 22,3)[6]. Der Gruppe, die sich Jesus nähert, um ihn gefangenzunehmen, hält der Gesuchte vor, sich hinterlistig der Dunkelheit zu bedienen (Lk 22,52f.). Nach einem nur bei Lk enthaltenen Satz sagt Jesus: »Aber das ist eure Stunde und die Macht der Finsternis« (Lk 22,53). Die Feinde Jesu handeln als Agenten Satans im Machtbereich der Finsternis.

Die Feindschaft gegen Jesus ist Fortsetzung der alttestamentlichen Verfolgung der Propheten und Werk Satans, der gegen Gottes Heilsplan kämpft. Doch Gottes Plan weist selbst der Sünde ihren Platz zu. Verurteilung und Tod sind nicht das letzte Wort über Jesus. In der Auferweckung des Getöteten antwortet Gott auf die Vernichtungstat der Menschen[7]. Der Auferweckte und Erhöhte sendet den heiligen Geist (Apg 2,33); die Predigt in seinem Namen gewährt eine neue Möglichkeit der Umkehr und der Rettung (Apg 3,26; 5,31). Nach Apg 3,17 wird gar das Handeln des Volkes und seiner Führer als in Unwissenheit geschehen entschuldigt. Da die

---

[5] Die Stellen bei A. George, Le sens de la mort de Jésus pour Luc = RB 80 (1973) 186/217, bes. 188/92. Vgl. auch Fr. Schütz, Der leidende Christus, 42/86. Speziell zur lukanischen Passion s. G. Schneider, Verleugnung, Verspottung und Verhör Jesu nach Lukas 22,54—71. Studien zur lukanischen Darstellung der Passion (München 1969) = StANT 22, bes. 169/210; ders., Die Passion Jesu nach den drei älteren Evangelien, bes. 164/9, u. G. Voss, Die Christologie der lukanischen Schriften in Grundzügen (Paris-Brügge 1965) = Studia Neotestamentica 2,99/130; vgl. auch W. Grundmann, Das Evangelium nach Lukas⁴ (Berlin 1966) = ThHK 3,454/7: Exkurs 6. Kreuz und Auferstehung Jesu in der lukanischen Theologie, u. H. Flender, Heil und Geschichte in der Theologie des Lukas (München 1965) = BEvTh 41,33/7.

[6] Der Hinweis auf den Satan findet sich nicht in der Parallele Mk 14,10, auch nicht an der korrespondierenden Stelle Mt 26,14, wohl aber in der johanneischen Darstellung des Judasverrates, vgl. Joh 13,2.27.

[7] Zum Schema der Missionsreden der Apg, in denen der sündigen Tat der Menschen das auferweckende Handeln Gottes gegenübergestellt wird, s. U. Wilckens, Die Missionsreden der Apostelgeschichte. Form- und traditionsgeschichtliche Untersuchungen² (Neukirchen-Vluyn 1963) = WMANT 5, 109/50.

sündige Tat der Menschen, die den Tod Jesu bewirkt hat, vom Heilsplan Gottes umfangen ist und so in ihn hinein gehört[8], konnten die Propheten das Leiden Jesu und seine Auferweckung vorhersagen und deshalb ist der Weg Jesu durch Leiden zur Herrlichkeit unter das göttliche »Muß« gestellt. In der Emmausgeschichte erklärt Jesus selbst den unverständigen Jüngern den Sinn seines Sterbens (Lk 24,25—27). Das in den Schriften des Alten Testaments angekündigte Leiden des Messias entspricht dem göttlichen Plan. Jesus mußte das Leiden auf sich nehmen; es ist sein Weg zur Herrlichkeit. In der Versuchung Lk 4,1—13 wird Jesus die Möglichkeit angeboten, die Herrlichkeit ohne das Leiden zu gewinnen. Jesus widersteht der Versuchung. Die Wirklichkeit der Welt, der Gottes Heil angeboten wird, ist geprägt vom Widerstand gegen Gottes Absichten. Die Propheten mußten ihn spüren, Jesus selbst geht ihm nicht aus dem Weg. Zur Heilsgeschichte in der Sicht des Lukas gehört die Auflehnung gegen Gott und die Hereinnahme der Widerstände in den göttlichen Heilsplan, der sich durch diese hindurch verwirklicht.

Der Betonung des göttlichen Planes entspricht die lukanische Zeichnung des leidenden Herrn, der in Gehorsam und Vertrauen ja sagt zum göttlichen Willen. In der Ölbergszene 22,39—46 zeigt Lk, wie sich Jesus im Gebet dem Willen Gottes unterwirft. Der Vater ist nicht fern; ein Engel erscheint und stärkt Jesus in seiner Todesangst[9]. Der lukanische Bericht vom Tod Jesu 23,44—49 übergeht bezeichnenderweise den Abschnitt Mk 15,34f., in dem die Gottesverlassenheit des Sterbenden ausgesagt wird. Nach Lk überantwortet sich der Gekreuzigte im Augenblick des Todes der Geborgenheit Gottes (Lk 23,46). Jesus ist der unschuldig Leidende (23,41.47), der an sich das Prophetengeschick erfährt (vgl. Lk 13,33), der duldend und ergeben das Leiden trägt (vgl. Apg 8,30—35) und in der eigenen Passion noch der Heiland ist, der heilt (Lk 22,51) und Schuld vergibt (Lk 23,40—43).

Das lukanische Bild des leidenden Jesus weist Berührungspunkte mit der Märtyrergestalt auf. Man hat deshalb die Lukaspassion als Martyriumsbericht charakterisiert[10]. Doch ist auch nach Lukas der Tod Jesu mehr als das Sterben eines Märtyrers. Die Einzigartigkeit der Sendung Jesu betrifft Wirken, Tod und Auferweckung Jesu.

---

[8] Vgl. H. Flender, Heil und Geschichte, 140/2.

[9] Die Erscheinung des Engels und das inständige Gebet in der Todesnot nur bei Lk 22,43f.

[10] M. Dibelius, Die Formgeschichte des Evangeliums[4] (Tübingen 1961) 202. Vgl. auch A. Stöger, Eigenart und Botschaft der lukanischen Passionsgeschichte = BiKi 24 (1969) 4/8.

Die Bedeutung des Todes Jesu partizipiert nach Lukas an der Heilsbedeutung der ganzen Jesusgeschichte.

Es fällt auf, daß die Interpretation des Todes Jesu als eines stellvertretenden und sühnenden Sterbens für die Menschen im lukanischen Werk fast gänzlich fehlt. Lukas leugnet zwar nicht den Sühnecharakter des Todes Jesu (vgl. Lk 22,19f. und Apg 20,28), doch ist diese Theologie für ihn nicht zentral. Im Mittelpunkt der lukanischen Deutung des Todes Jesu steht die Vorstellung vom Weg Jesu durch Leiden und Tod zur Herrlichkeit[11]. Jesus offenbart in seinem Wirken und in seinem Weg durch den Tod zur Auferweckung die gottgeschenkte endgültige Heilsmöglichkeit, die im Anschluß an ihn gegeben ist (vgl. Apg 4,12). Er ist deshalb der Retter und der Urheber oder Anführer des Lebens, der als erster den Weg ins Leben gegangen ist, der nun allen offensteht, die umkehren und an seinen Namen glauben (vgl. Apg 3,15 und 5,31). Ohne hier die gesamte Frage der Heilsbedeutung Jesu nach Lukas aufzurollen, wird man sagen können, daß Jesus auch nach Lukas nicht der hervorragende Märtyrer ist, sondern derjenige, der Glaube, Nachfolge und Martyrium ermöglicht. Jesus eröffnet einen Weg, den andere in seiner Nachfolge gehen können; das an seine Person geknüpfte Heil ist Voraussetzung des Weges der Christen. Allerdings bleibt unbestritten, daß die lukanische Zeichnung der Gestalt des leidenden Jesus Züge enthält, wie sie auch in der Darstellung von Martyrien begegnen. Zu nennen sind etwa die Ergebung in Gottes Willen, die innere Ruhe und der Eindruck, den der leidende Herr auf seine Umgebung macht[12]. Doch berechtigen diese Züge nicht dazu, die lukanische Passion als Martyrium zu bezeichnen. Sie enthält martyriumhafte Züge, unterscheidet sich jedoch so sehr etwa von den jüdischen Märtyrergeschichten einerseits und von den ältesten christlichen Martyrien wie dem Martyrium des Polykarp, dem Brief der Gemeinden von Lyon und Vienne und auch dem Stephanusmartyrium Apg 6,8ff. andererseits, daß die Verwendung der Bezeichnung »Martyrium« mißverständlich ist. Die martyriumnahe Zeichnung der Gestalt Jesu ist Grund dafür, daß der lukanische Jesus mehr als in den anderen Evangelien Vorbild des Jüngers ist.

c) Die Jüngerbelehrung des Evangeliums

Lukas unterscheidet zwischen der Nachfolge in der Zeit Jesu, die im wörtlich verstandenen Nachgehen der Jünger bestand, und dem

---

[11] Vgl. W. Grundmann, Das Ev. nach Lk, 454/7.
[12] Vgl. H.-W. Surkau, Martyrien, 90/100.

Jüngersein in der Zeit der Kirche, wie sie die Apg beschreibt[13]. Das verbindende Glied zwischen den zwei verschiedenen Situationen sind nach Lukas die zwölf Apostel, die mit Jesus vom Zeitpunkt der Taufe des Johannes an zusammen waren (Apg 1,21f.) und an deren Lehre es festzuhalten gilt (Apg 2,42). Darüber hinaus ist die vorösterliche Nachfolge die Grundlage der nachösterlichen Jüngerschaft. In den im Evangelium enthaltenen Worten Jesu über die Jüngerschaft ergeht die auch für die spätere Zeit der Kirche gültige Weisung über das Jüngersein. Die Redaktionsarbeit des Lukas läßt erkennen, daß auch er wie die anderen Synoptiker die überkommene Tradition auf die Situation der Kirche hin interpretiert.

Lk übernimmt aus der Q-Tradition und aus dem Markusevangelium auf die Verfolgung und Leidensnachfolge der Jünger bezogene Worte Jesu, die hier nun kurz besprochen werden sollen[14]. In den Seligpreisungen, mit denen Lk die Feldrede eröffnet, werden ebenso wie in den Seligpreisungen zu Beginn der mattäischen Bergpredigt verfolgte Jünger Jesu seliggepriesen (Lk 6,22f./Mt 5,11f.). Lk spricht davon, daß man die Jünger um des Menschensohnes willen haßt, aus der Synagogengemeinschaft ausschließt, schmäht und in übler Nachrede verleumdet. Dem Preis der Verfolgungssituation entspricht das Wehe! über diejenigen, denen die Menschen schmeicheln (Lk 6,26). In der lukanischen Ordnung schließt sich an diesen Wehespruch die Aufforderung zur Feindesliebe an (Lk 6,27ff.), die in der Bergpredigt nach Mt durch einen großen Abschnitt der Jüngerbelehrung von den Seligpreisungen getrennt ist (Mt 5,43ff.). Da in den Weherufen andere Adressaten als in den Seligpreisungen und in der Aufforderung zur Feindesliebe angesprochen werden, greift Lk 6,27 auf 6,22f. zurück. »Die Verfolgten werden zur Feindesliebe aufgerufen«[15]. Diese zeigt sich in der guten Tat denen gegenüber, die hassen, im Segenswunsch angesichts der Verfluchung und in der Fürbitte für diejenigen, die die Angeredeten schmähen oder mißhandeln (6,27f.)[16]. Mt hat die Aufforderung zur Feindesliebe auf die Verfolgungssituation bezogen, indem er das Wort διώκω verwendet (Mt 5,44);

---

[13] Vgl. die Skizze bei M. Sheridan, Disciples and Discipleship in Matthew and Luke, 252/4.

[14] Die meisten Stellen bei Fr. Schütz, Der leidende Christus, 11/20. Vgl. auch D. W. Riddle, Die Verfolgungslogien in formgeschichtlicher und soziologischer Beleuchtung, 273/5, u. G. Braumann, Das Mittel der Zeit.

[15] W. Grundmann, Das Ev. nach Lk, 146.

[16] ἐπηρεάζω kann sowohl »bedrohen«, »beschimpfen«, wie auch »(mit der Tat) mißhandeln« heißen. Vgl. W. Bauer, Griechisch-Deutsches Wörterbuch zu den Schriften des Neuen Testaments und der übrigen urchristlichen Literatur[5] (Berlin 1958) 565.

bei Lk zeigt der Kontext, daß wegen des Glaubens verfolgte Jünger Jesu zur Feindesliebe aufgefordert werden[17].
Die Deutung des Sämannsgleichnisses Mk 4,13—20 enthält in 4,16f. eine Bezugnahme auf die Verfolgungssituation, die Mt 13,20f. fast wörtlich übernommen hat. Lk verändert die Stelle; statt von θλῖψις und διωγμός spricht er von der Situation des πειρασμός, in der diejenigen, die das Wort zunächst mit Freude aufnehmen, abtrünnig werden, da ihr Glaube nicht genügend verwurzelt ist (Lk 8,13). Nach S. Brown benutzt Lk hier das Wort πειρασμός, weil es sich an dieser Stelle um »Apostaten« handelt, θλῖψις sich aber in seinem Sprachgebrauch auf die schwierige Situation bezieht, in der sich die Glaubenden bewähren[18]. In der Ausdeutung des auf guten Boden gefallenen Samens spricht Lk von solchen, die Frucht bringen ἐν ὑπομονῇ (Lk 8,15). Diese Wendung, die sich nicht bei Mk und Mt findet, bezeichnet nicht in einem allgemein neutestamentlichen Sinn[19] die beharrende Geduld, sondern das »Dabei-Bleiben«, das Beharren im Glauben[20]. Denen, die nach Lk 8,13 in der Situation der Versuchung und Erprobung vom Glauben abfallen, werden in 8,15 diejenigen gegenübergestellt, die Frucht bringen im Beharren und am Glauben festhalten. Bei Lk ist also nicht mehr direkt von einer Verfolgungssituation die Rede. Die Verfolgung kann im Begriff πειρασμός mitgemeint sein, sie wird aber nicht explizit genannt. Die Stelle kann man also nicht als Beleg für ein besonderes Interesse des Lukas an der Verfolgungsthematik in Anspruch nehmen[21].
Lk hat sowohl den markinischen Aussendungsbericht (Lk 9,1—6.10a/Mk 6,7—13.30) wie auch die Q-Tradition von der Jüngeraussendung (Lk 10,1ff.) übernommen. Anders als Mt, der beide Vorlagen bei der Komposition seiner großen Aussendungsrede (Mt 9,35ff.) verwandt hat, hat sich Lk dazu anregen lassen, zwei Aussendungen, nämlich zunächst die Sendung der Zwölf und dann die Entsendung von (zweiund-)siebzig Jüngern, zu berichten. An

---

[17] Lk 6,29f. macht an einigen Beispielen deutlich, was mit dem Gebot der Feindesliebe gemeint ist. Die Beispiele müssen nicht mehr auf die Verfolgungssituation bezogen werden. Vgl. W. Grundmann, Das Ev. nach Lk, 148. Es folgt in 6,31 die goldene Regel in positiver Fassung, der in 6,32—34 Beispiele menschlichen Verhaltens angeschlossen werden, dessen Überbietung die Feindesliebe darstellt (6,35).
[18] S. Brown, Apostasy and Perseverance in the Theology of Luke (Rom 1969) = AnBib 36,13/5.
[19] Dazu s. C. Spicq, ΥΠΟΜΟΝΗ, Patientia = RSPhTh 19 (1930) 95/106.
[20] S. Brown, 48/50.
[21] Anders Fr. Schütz, Der leidende Christus, 13f.

beiden Stellen spricht Lk den Vorlagen entsprechend von der Abweisung der Jünger (Lk 9,5 und 10,10f., vgl. auch 10,3).

Im Anschluß an die Mk-Ordnung folgt auch im Lukasevangelium auf das Petrusbekenntnis (Lk 9,18—21/Mk 8,27—30) und die erste Leidensansage (Lk 9,22/Mk 8,31), die Lk um den Widerspruch des Petrus und dessen Zurückweisung durch Jesus (Mk 8,32f.) kürzt, die Aufforderung zur Leidensnachfolge (Lk 9,23—27/Mk 8,34—9,1). Der betonte Anfang in 9,23: »Er sprach aber zu allen...« macht deutlich, daß die Aufforderung Jesu nicht nur einige, sondern alle Christen betrifft[22]. Der Inhalt der Aufforderung hat nun bei Lk durch die Einfügung eines kleinen Wortes eine Verschiebung gegenüber der markinischen Aussage erfahren. Nach Lk 9,23 soll derjenige, der Jesus nachfolgen will, sich selbst verleugnen, καθ' ἡμέραν = täglich sein Kreuz auf sich nehmen und so Jesus nachfolgen. Das Wörtchen »täglich« zeigt, daß nicht wie bei Mk und Mt die Bereitschaft zur Aufgabe des Lebens in der Nachfolge des Gekreuzigten gemeint ist, sondern das jeden Tag neu zu leistende Bemühen, die täglichen Lasten und die Leiden des Tages in der Absage an die Wünsche des eigenen Ichs zu tragen[23]. Das Wort »täglich« ist der Schlüssel zum lukanischen Verständnis des ganzen Abschnitts. In der um Jesu willen geübten Absage an die Selbstsicherung gewinnt der Christ sein Leben (Lk 9,24), das mehr wert ist als der Besitz der ganzen Welt (Lk 9,25). Auch der Weg der Christen ist ein Weg durch Leiden zur Herrlichkeit.

Lk bringt das Logion vom Kreuztragen ein zweites Mal, dieses Mal ohne den Zusatz »täglich« (Lk 14,27/Mt 10,38). In der Spruchfolge Lk 14,26f., der Mt 10,37f. innerhalb der Aussendungsrede entspricht, geht es um den Ernst der Jüngerschaft. In scharfer Weise wird die Hintansetzung der familiären Beziehungen und des eigenen Ichs zugunsten des Anschlusses an Jesus gefordert (Lk 14,26). In diesem Zusammenhang enthält das Wort vom Kreuztragen Lk 14,27 die Aufforderung, in der Nachfolge des Gekreuzigten zur Preisgabe des eigenen Lebens bereit zu sein. Nach Lk 14,25 richtet Jesus diese Worte an die großen Volksscharen, die mit ihm gehen. Wie in Lk 9,23 sind nicht einige wenige, sondern alle Begleiter Jesu und in ihnen alle Christen angesprochen. Ein »Bild des Christen, der seinem Herrn nachfolgt als Träger des Kreuzes« hat

---

[22] Lk hat mit dieser Wendung das Anliegen von Mk 8,34 aufgegriffen. Nach Mt 16,24 werden die Jünger angeredet, durch die hindurch jedoch die ganze Kirche angesprochen ist.

[23] Vgl. A. Schulz, Nachfolgen und Nachahmen, 267, u. ders., Wer mein Jünger sein will, der nehme *täglich* sein Kreuz auf sich! = BiKi 24 (1969) 9.

Lk in dem Jesus das Kreuz nachtragenden Simon aus Zyrene (Lk
23,26) gezeichnet[24].
Strittig ist es, ob Lk 11,49—51 hier zu nennen ist. Nach O. H. Steck
folgt Lk, indem er von der Sendung von Propheten und ἀπόστολοι
spricht, dem Q-Text[25]. Mit den ἀπόστολοι seien Gestalten der alttestamentlichen Zeit gemeint[26]. Dem widerspricht G. Klein, der dafür plädiert, die Erwähnung der Apostel in 11,49 auf das Konto
des Schriftstellers Lukas zu setzen und sie strikt im lukanischen
Sinne zu verstehen[27]. Es ist in der Tat unwahrscheinlich, daß Lk
die ἀπόστολοι, selbst wenn er das Wort in seiner Quelle vorgefunden haben sollte, anders als im Sinn seines Apostelbegriffs verstanden hat. Dann entspricht die lukanische Argumentation der des Mt.
In der Ermordung und Verfolgung von Aposteln (bei Mt: von
durch Jesus gesandten Propheten, Weisen und Schriftgelehrten)
ratifizieren die Angeredeten die Schuld der Väter, welche die Propheten getötet und verfolgt haben.
Der Rede gegen die Pharisäer und Schriftgelehrten, zu der
11,49—51 gehört (11,37—54), schließt Lk nach dem Übergang in
12,1 die Q-Passage Lk 12,2—9/Mt 10,26—33 an, die Mt seiner
Aussendungsrede eingefügt hat. Der erste Evangelist hat das Lk
12,2f. und Mt 10,26f. zugrundeliegende Q-Stück zu einem Teil
seiner Aufforderung zum furchtlosen Bekenntnis gemacht. Für Lk
stellt es den Übergang von der Rede gegen die Pharisäer und
Schriftgelehrten zur Jüngerbelehrung Lk 12,4ff. dar. Die Jünger
werden aufgefordert, sich vor dem Sauerteig, d. h. der Heuchelei,
der Pharisäer zu hüten (Lk 12,1; vgl. Mk 8,15 und Mt 16,6). Der
Vorwurf der Heuchelei besagt, daß die wahrnehmbare Haltung
äußerer Schein ist, von dem sich die innere Gesinnung unterscheidet. Doch diese kann nicht immer verborgen bleiben. Die wahren
Gedanken der Pharisäer werden schließlich bekannt, so wie auch
das im kleinsten Kreis der Jünger Gesagte in die Öffentlichkeit
drängt (Lk 12,2f.; vgl. Mk 4,22 und Lk 8,17). Das auf die Jünger
bezogene Wort Lk 12,3 stellt den Übergang zum folgenden dar.
Die Jünger, für die der Prozeß, in dem ihr Wort in die große
Öffentlichkeit drängt, gefährliche Situationen mit sich bringen
kann, werden aufgefordert, keine Angst zu haben. Der Vergleich
zwischen Lk 12,4—9 und Mt 10,28—33 zeigt, daß Lk an einigen

---

[24] W. Grundmann, Das Ev. nach Lk, 429. — Über Mk 15,21 (und Mt 27,32)
   hinaus sagt Lk, daß man Simon das Kreuz auflud, damit er es trage ὄπισθεν
   τοῦ Ἰησοῦ. Die Wendung läßt den Gedanken der Nachfolge anklingen.
[25] O. H. Steck, Israel und das gewaltsame Geschick der Propheten, 29/31.
[26] Ebd. 30, Anm. 2.
[27] G. Klein, Die Verfolgung der Apostel, 113/24, vgl. 117.

Stellen einen leicht erweiterten und für griechisches Empfinden stilistisch und inhaltlich geglätteten Text hat, an anderen Stellen wohl besser als Mt den ursprünglichen Wortlaut bewahrt hat[28]. Die Aussage gleicht jedoch im wesentlichen der des Mt.

Das folgende Logion über die Sünde wider den heiligen Geist (Lk 12,10), zu dem sich Mk 3,28—30 und Mt 12,31f. Parallelen finden, fügt sich nicht bruch- und nahtlos dem Kontext ein[29]. Der von Lk intendierte Sinn dürfte sein: In der apostolischen Zeit gibt es auch für diejenigen, die sich gegen Jesus gestellt haben, eine neue Möglichkeit der Umkehr; »ihre Ablehnung aber führt in das Verderben, weil sie dem Zeugnis des Heiligen Geistes widersteht«[30]. Die Stelle Lk 12,10 will also nicht die Jünger selbst, die in 12,4—9 angesprochen sind, davor warnen, eine Sünde gegen den heiligen Geist zu begehen, sondern soll ihnen deutlich machen, daß es eine sich gegen den durch sie wirkenden heiligen Geist richtende Sünde gibt, die keine Vergebung finden wird.

Das Stichwort »heiliger Geist« hat vielleicht die Anfügung des folgenden Verses Lk 12,11 angeregt. Der Spruch vom Beistand des heiligen Geistes vor Gericht steht in der markinischen Apokalypse Mk 13,11. Mt hat den Abschnitt, zu dem er gehört, bekanntlich in seiner Aussendungsrede verwandt (Mt 10,17—22/Mk 13,9—13). Lk bringt das Logion einmal an dieser Stelle hier, ein anderes Mal in seiner Parallele zur Mk-Apokalypse Lk 21,14f. Die Veränderungen, die Lk in 21,12—19 an Mk 13,9—13 vorgenommen hat, geben Auskunft über das lukanische Verständnis der Verfolgungen. Nach Mk gehören diese zu den Zeichen des hereinbrechenden Endes. Lk dagegen trennt sie von den Endzeitzeichen. Vor den Kriegen, Erdbeben, Hungersnöten etc., die das Ende anzeigen (Lk 21,10f.), wird man Hand an die Christen legen (Lk 21,12)[31]. Die Verfolgungen gehören zu der sich dehnenden Zeit der Kirche, deren Ende die für die Zukunft erwarteten Zeichen ankündigen werden. Mk hatte die Gerichtssituation in das Verkündigungsgeschehen eingeordnet. Er spricht vom Zeugnis gegenüber den Richtern, ohne zu sagen, ob es angenommen oder abgelehnt wird. Lk hat nun den markinischen Ausdruck geändert (Lk 21,13). Nach ihm bietet die Situation vor Gericht den Angeklagten eine Gelegenheit, Zeugnis abzulegen. Lk

---

[28] Lk 12,8 hat z. B. die ursprüngliche Menschensohnaussage beibehalten, die Mt 10,32 geändert hat.

[29] Lk 12,9 sagt, daß derjenige, der Jesus vor den Menschen verleugnet, vor den Engeln Gottes verleugnet werden wird. Nach Lk 12,10 aber kann einem solchen, der ein Wort gegen den Menschensohn = Jesus sagt, vergeben werden.

[30] W. Grundmann, Das Ev. nach Lk, 255.

[31] Lk 21,12: πρὸ δὲ τούτων πάντων ... (Zusatz gegenüber Mk 13,9).

hebt also ab auf den Standpunkt des vor Gericht gestellten Christen, ohne daß er den Bezug auf die Verfolger, der ja schon im Wort »Zeugnis« steckt, leugnet[32]. Der dritte Evangelist übergeht sodann den Vers Mk 13,10, wahrscheinlich weil er von dem Lk 21,13 genannten Zeugnis gleich zu der 21,14f. angesprochenen Verteidigung der Angeklagten überleiten will[33]. Anders als an der früheren Stelle Lk 12,11f. ist es nun nicht wie in Mk 13,11 der heilige Geist, der den Angeklagten beisteht, sondern Jesus selbst. Im entscheidenden Augenblick gibt ihnen der erhöhte Herr die Worte und die Weisheit, der kein Gegner gewachsen sein wird (Lk 21,14f.). Lk 21,15 ist von einem triumphalen Klang geprägt, der in Mk 13,11 nicht enthalten ist. Dieser Satz, in dem sich hellenistische Freude am Sieg des der Wahrheit verpflichteten Angeklagten äußert[34], steht den Reden der Märtyrer des 4. Makkabäerbuches gar nicht so fern. Er wartet gleichsam darauf, daß ihn eine spätere, legendenfreundliche Zeit zu einer Szene, wie sie die Martyrien der Märtyrer Katharina und Pansophius schildern[35], entfaltet.

Im folgenden Vers Lk 21,16/Mk 13,12 entschärft Lk die markinische Aussage, die generell von der Auslieferung zum Tod und vom Töten selbst spricht. Nach Lk werden die Christen von den eigenen Familienangehörigen ausgeliefert, und *einige* von ihnen wird man töten. Der Vers Lk 21,17 entspricht wörtlich dem Satz Mk 13,13. Lk fügt ein Trostwort an, das schon Lk 12,7 in einer etwas anderen Gestalt im Kontext einer Verfolgungsaussage erscheint[36]. Für sich genommen sagt der Satz, daß den Gefährdeten nichts geschehen wird; kein Haar wird von ihrem Haupt verlorengehen. Nun hat aber Lk unmittelbar vorher in 21,16 davon gesprochen, daß man einige töten wird. Wenn man nicht annehmen will, daß das Schutzversprechen nur den nicht Getöteten gilt, darf man den Vers nicht wörtlich verstehen. Lk wird sagen wollen, daß die Jünger inmitten des Hasses und auch im Moment des Sterbens in Gottes Schutz geborgen sind[37]. Lk schließt den auf die Verfolgung bezogenen Teil seiner apokalyptischen Rede mit einer Umformung von Mk 13,13b (Lk 21,19). Im standhaften »Dabeiblei-

---

[32] Vgl. N. Brox, Zeuge und Märtyrer, 28/30, u. J. Beutler, Martyria, 198.

[33] Lk kann auf den Mk 13,10 ausgesagten Gedanken hier verzichten, da er schon in 21,12 deutlich gemacht hat, daß das Ende nicht nahe bevorsteht. Ihm geht die Zeit der Kirche, d. h. die Zeit, die von der Verkündigung (Apg) und von Verfolgungen (Lk 21,12—19) geprägt ist, voraus.

[34] Vgl. A. Alföldi, Der Philosoph als Zeuge der Wahrheit.

[35] Th. Baumeister, Martyr Invictus, 151.

[36] Mk 13,9—13/Lk 21,12—19 hat auf Lk 12,4—12 eingewirkt; vgl. Lk 12,11f. Umgekehrt hat Lk 12,4—12 die Passage Lk 21,12—19 beeinflußt; vgl. Lk 21,18.

[37] Das ist auch die Aussageabsicht von Lk 12,4—7.

ben«, d. h. in der Treue zur christlichen Gemeinde trotz Gerichtssituation, Lebensgefahr und Haß, werden die Jünger ihre Seelen gewinnen, d. h. das gottgeschenkte Heil erlangen (vgl. Lk 9,24)[38]. Der Überblick hat gezeigt, daß Lk an einigen Stellen die Verfolgungsaussage seiner Vorlagen abgemildert hat (Lk 8,13; 9,23; 21,16). Man kann also nicht sagen, daß das Lukasevangelium im besonderen Maß der Verfolgungsthematik verpflichtet ist. Für Mt dürfte sie wichtiger sein als für Lk. Allerdings darf man das Gewicht, das sie für Lk besitzt, auch nicht unterschätzen. Die Verfolgungen gehören zum Leben der Jünger Jesu. Jesus fordert die Leidensnachfolge, er sagt Verfolgungen voraus und gibt den Jüngern Verhaltensmaßregeln für diesen Fall an die Hand. Lukas hat in der Apg gezeigt, wie sich die Worte Jesu in der Geschichte der frühen Kirche bewahrheitet haben. Ein volles Bild der lukanischen Verfolgungsthematik läßt sich daher erst nach einem Blick auf die Apg gewinnen.

d) Die Verfolgungsdeutung der Apostelgeschichte

Im Anschluß an den Bericht von der Gefangennahme und Befragung der Apostel Petrus und Johannes bringt Lukas ein Gebet, das ihm zu einem Teil vorgelegen haben mag, das er aber der von ihm beschriebenen Situation angepaßt hat (Apg 4,24—30)[39]. Dieses Gebet der Gemeinde zieht eine Linie von der Feindschaft gegen Jesus zu den Drohungen, denen die Apostel ausgesetzt sind. Das ihnen bereitete Geschick ist eine Fortsetzung der gegen Jesus gerichteten Aktion, am gleichen Schauplatz und mit Akteuren, die schon an seiner Ermordung beteiligt waren. In der Stephanusgeschichte läßt Lukas erkennen, daß die Tötung des Stephanus auf der Linie der Prophetenmorde und der Kreuzigung Jesu liegt (vgl. 7,51—53). Das Gesetz, nach dem die Boten Gottes auf Widerstand und Verfolgungen stoßen, gilt auch für die Kirche in ihrer Verkündigungstätigkeit.

Der Grund für die in der Apg berichteten Verfolgungen ist im letzten das öffentliche und werbende Eintreten der christlichen Verkündiger für den Glauben an Jesus. Die von Lukas im einzelnen angegebenen Gründe lassen sich alle auf diesen Hauptgrund zurückführen. In der Zielrichtung auf diesen Glauben richtet sich die Verfolgertätigkeit gegen Jesus selbst. An allen drei Stellen, an denen Lukas von der Berufung des Paulus spricht, berichtet er als Wort des erhöhten Herrn: »Saul, Saul, was verfolgst du mich?« Auf die Frage, wer er sei, antwortet Jesus: »Ich bin Jesus (der

---

[38] Vgl. S. Brown, Apostasy and Perseverance, 49, bes. Anm. 183.
[39] Vgl. E. Haenchen, Die Apostelgeschichte⁶ (Göttingen 1968) = Meyer K 3,186f.

Nazoräer), den du verfolgst«[40]. In Jesus wiederum ist Gott betroffen. Im Zusammenhang mit der in Kap. 5 berichteten Gefangennahme und Befragung der Apostel erzählt Lukas, der Gesetzeslehrer Gamaliel habe dem Hohen Rat, der schon beschlossen hatte, sie zu töten, geraten, abzuwarten. Zur Begründung seines Rates sagt Gamaliel: »Denn wenn dieses Vorhaben oder dieses Werk von Menschen stammt, wird es zugrunde gehen; wenn es aber von Gott stammt, werdet ihr sie nicht zugrunde richten können, sonst könntet ihr als Kämpfer gegen Gott dastehen« (5,38f.). Mit einem im griechischen Kulturbereich beheimateten Wort warnt Gamaliel davor, gegen Gott zu kämpfen[41]. Für den Schreiber und den Leser der Apg ist klar, daß die christliche Verkündigung aus Gott stammt und daß die Verfolgung der Verkündigung daher auch tatsächlich ein Kampf gegen Gott ist.

Die Gamalielrede macht deutlich, daß es nach lukanischem Verständnis unmöglich ist, durch Verfolgungen die aus Gott stammende christliche Botschaft zu unterdrücken. Die Kraft der christlichen Verkündigung, die von Jerusalem aus Judäa, Samarien und die Grenze der Erde erreichen soll (Apg 1,8), ist stärker als jeder sich ihr entgegenstellende menschliche Widerstand. Gegen den Willen der Verfolger können die Verfolgungen nach Lukas sogar der Ausbreitung des Glaubens dienen. Die Apostel reagieren auf die gegen sie gerichteten Drohungen mit einem verstärkten missionarischen Einsatz (5,40—42). Die Verfolgung nach der Ermordung des Stephanus führt dazu, daß die Kirche sich durch das Wirken der Versprengten außerhalb Jerusalems, in Samarien und weiter bis nach Antiochia ausbreitet (8,1.4ff.; 11,19—21). Die Ablehnung und die Verfolgungen, die Paulus in seiner Tätigkeit von seiten der Juden erfährt, bewegen ihn, sich an die Heiden zu wenden (13,44—49; 18,4—8; 19,8—10). Seine Gefangenschaft in Cäsarea ist schließlich Grund für seine Berufung an den Kaiser, die ihn nach Rom führt, wo er ungehindert für das Evangelium wirken kann (25,11f.; 26,30—32; 28,16—31). Die Verfolgungen sind Versuche, sich Gott, dem erhöhten Herrn und der Verkündigung der Kirche entgegenzustellen[42]. Die Widerstände werden in der Kraft

---

[40] Apg 9,4f.; 22,7f.; 26,14f.

[41] Das Wort θεομάχος begegnet zum ersten Mal in den Bakchen des Euripides, später in der Popularphilosophie des Hellenismus, aus der es dem Verf. der Apg bekannt gewesen sein dürfte. Eine Abhängigkeit von den Bakchen ist unwahrscheinlich. Vgl. A. Vögeli, Lukas und Euripides = ThZ 9 (1953) 415/38. — Apg 5,39 berührt sich mit 2 Makk 7,19.

[42] Nach Apg 13,10 steht hinter dem Versuch des Zauberers Elymas, den Prokonsul Sergius Paulus von der Annahme des Glaubens abzuhalten, der Teufel. Das Bemühen des jüdischen Zauberers berührt sich mit den Verfolgungen,

des gegenwärtigen Herrn und des heiligen Geistes überwunden. In der Kirche gilt ebenso wie für Jesus, daß der Weg durch Leiden zur Herrlichkeit führt. Dieses Gesetz hat Geltung für die Kirche in ihrer zeitlichen und räumlichen Ausbreitung; in Verfolgungen wächst sie und breitet sich aus. Es gilt auch für die Glieder der Kirche auf ihrem Lebensweg. Nach den Anfeindungen der ersten Missionsreise belehren Paulus und Barnabas die neu zum Glauben Gekommenen: »Durch viele Drangsale müssen wir in das Reich Gottes eingehen« (14,22)[43]. Indem die Christen in Verfolgungen nicht von der Kirche abfallen, sondern treu im Glauben verharren und so die ihnen bereitete schwierige Situation durchstehen, erreichen sie das Ziel.

Die bisher erhobene Verfolgungsdeutung der Apg ist gewissermaßen die für die Verfolgungen allgemein geltende Grundlinie; weitere Aspekte der lukanischen Sicht lassen sich erkennen, wenn im folgenden die wichtigeren Abschnitte zu den Verfolgungssituationen der Apostel, des Stephanus und des Paulus einzeln untersucht werden.

Die Apostel

Das mutige Verhalten der Apostel Petrus und Johannes wird Apg 4,13 durch ein Wort ausgedrückt, das einen guten Klang in der hellenistischen Welt hatte. Παρρησία, ursprünglich die politische Redefreiheit in der attischen Demokratie, bezeichnet in der hellenistischen Popularphilosophie den Freimut des Wahrheitsfreundes, der auch in gefährlichen Situationen offen und frei, ohne Rücksicht auf sich selbst, das sagt, was er aus Wahrheitsliebe nicht verschweigen oder anders sagen kann[44]. In einem solchen Sinn findet sich das Wort auch im jüdisch-hellenistischen Bereich bei Philon[45], Flavius Josephus[46] und in 4 Makk[47]. Lukas, der auch an anderen

insofern ja auch in ihnen versucht wird, Menschen vom Anschluß an die christliche Gemeinde abzuhalten und die geraden Wege des Herrn zu durchkreuzen.

[43] In lukanischer Art wird in Apg 14,22 zum Beharren im Glauben aufgefordert. Dem Kontext nach sind mit den θλίψεις Anfeindungen und Verfolgungen gemeint. Vgl. S. Brown, Apostasy and Perseverance, 114/6, der auf den ekklesialen Charakter der Stelle aufmerksam macht.

[44] E. Peterson, Zur Bedeutungsgeschichte von Παρρησία, 283 u. 287/9.

[45] Vgl. diese Arbeit S. 51, Anm. 49. Philon verbindet allerdings mit der Hochschätzung der παρρησία die Warnung vor dem zu unpassender Zeit geäußerten Freimut, durch den sich jemand nur schade, ohne etwas zu erreichen.

[46] H. Schlier, ThWNT V,875. — Im Unterschied zum vorhergehenden griechischen Sprachgebrauch wenden Philon und Josephus das Wort auch auf das Verhältnis des Menschen zu Gott an; vgl. ebd. 875f., u. E. Peterson, 289/92.

[47] Vgl. 10,5 (Rahlfs I,1172).

Stellen zeigt, daß er die Sprache der hellenistischen Popularphilosophie kennt[48], verwendet den in seinen Zusammenhang passenden
Begriff griechischer Herkunft, nicht ohne ihn jedoch seinem christlichen Denken dienstbar zu machen. In dem Satz, in dem er von
dem Freimut der beiden Apostel spricht, sagt er, daß der Hohe Rat
sich angesichts ihrer Haltung wundert, da sie ungelernte und ein-
fache Männer seien (4,13). Die παρρησία der Apostel ist nicht der
in wohlgesetzter Rede geäußerter Freimut eines hellenistischen Gebildeten, dessen Charakterstärke Ausdruck seiner philosophischen
Überzeugung und menschliche Leistung ist, sondern göttliches Geschenk und Ergebnis des Wirkens des heiligen Geistes. Von Petrus,
der anhebt, zum Hohen Rat zu sprechen, heißt es Apg 4,8, daß er
erfüllt ist vom heiligen Geist. In dem schon zitierten Gebet 4,24—30
betet die Gemeinde, daß Gott seinen Knechten schenke, daß sie
inmitten der Drohungen der Gegner mit allem Freimut sein Wort
verkünden (4,29). Die freimütige Predigt möge, so heißt es im Gebet weiter, begleitet sein von Heilungen, Zeichen und Wundern, die
von Gott kommen und im Namen seines Sohnes Jesus geschehen
(4,30). Das Erbeben des Ortes zeigt, daß das Gebet erhört wird[49].
Abschließend wird konstatiert: »... alle wurden mit dem heiligen
Geist erfüllt, und sie verkündeten das Wort Gottes mit Freimut«
(4,31). Die gottgeschenkte, im heiligen Geist gewirkte παρρησία zeigt
sich in der mutigen Verkündigung und im standhaften Bekenntnis.
Man muß Gott mehr gehorchen als den Menschen (5,29; vgl. 4,19).
Die Apostel können unmöglich schweigen über das, was sie gesehen
und gehört haben (4,20). Bekenntnis und Verkündigung der Apostel
werden unterstützt durch im Namen Jesu gewirkte Wunder. Dem
können die Gegner nichts entgegenstellen (4,14.16).
In dem gottgeschenkten, durch den heiligen Geist ermöglichten
Freimut der Apostel erfüllt sich die im Evangelium gegebene Verheißung Lk 12,11f. und 21,12—15. Eine weitere Entsprechung
könnte zwischen Apg 4,19; 5,29 und Lk 12,4f. bestehen. Die Freude
der Apostel, gewürdigt worden zu sein, für den Namen Jesu
Schmach zu erleiden (Apg 5,41), bezieht sich wohl auf die Seligpreisung Lk 6,22f. — Lukas gibt also dem παρρησία-Begriff einen
christlichen Inhalt. In den den Aposteln bereiteten Gerichtsszenen
sieht er die Verwirklichung von Vorhersagen und Verheißungen
Jesu. Das Verhalten der Apostel entspricht Forderungen Jesu für
die Verfolgungssituation.

---

[48] Vgl. Apg 5,39.
[49] H. Conzelmann, Die Apostelgeschichte (Tübingen 1963) = HNT 7,38.

Stephanus

Den Höhepunkt der Verfolgung der Jerusalemer Kirche beschreibt die Geschichte von der Ermordung des Stephanus (6,8—8,3)[50]. Deutlicher noch als die Apostelprozesse zeigt sie das lukanische Anliegen, die Verfolgungssituation der Kirche mit Aussagen des Evangeliums in Beziehung zu bringen. Lukas hat einer älteren Tradition vom Martyrium des Stephanus deutlich seine Handschrift aufgeprägt[51] und dem Märtyrer eine Rede in den Mund gelegt, für die er vielleicht eine Erzählung der Geschichte Israels benutzt hat[52]. Von den hellenistischen Diasporajuden, den Gegnern des Stephanus, heißt es, daß sie seiner Weisheit und dem Geist, mit dem er sprach, nicht zu widerstehen vermochten (6,10). Lukas hat mit diesem Satz sicher eine Beziehung zu Lk 12,11f. und 21,15 herstellen wollen. Stephanus, der schon Apg 6,5 als geisterfüllter Mann vorgestellt wird, der nach Apg 6,8 Wunder und große Zeichen unter

---

[50] Die Feindseligkeiten steigern sich: Gefangennahme und Drohungen (Apg 4,3.18.21.29), Gefangennahme, Todesdrohung und Geißelung (Apg 5,18.33.40), Mord, Verfolgung und Zerstreuung der Gemeinde (Apg 7,57f.; 8,1.3).

[51] Zur Frage von Tradition und Redaktion in der Stephanusgeschichte und zum Ort der Geschichte in der Konzeption der Apg vgl. H.-W. Surkau, Martyrien, 105/19; J. Bihler, Der Stephanusbericht (Apg 6,8—15 und 7,54—8,2) = BZ N. F. 3 (1959) 252/70; ders., Die Stephanusgeschichte im Zusammenhang der Apostelgeschichte (München 1963) = Münchener Theologische Studien. I. Hist. Abt. 30 (9/29 entspricht dem zuvor genannten Aufsatz); E. Haenchen, Die Apg, 225/7, 238/41, 246/50. In dem Bericht, der überwiegend lukanisches Gepräge trägt, passen die Züge des juristischen Prozesses und des tumultuarischen Vorgehens gegen Stephanus nicht ganz zusammen. Die Verhandlung vor dem Hohen Rat entspricht den Apostelprozessen und stimmt mit dem lukanischen Interesse daran, den Auseinandersetzungen um den christlichen Glauben das Forum der Öffentlichkeit zu sichern, überein. Die Verhandlung vor dem Hohen Rat dürfte daher auf das Konto des Lukas gehen. Zur alten Tradition gehören dann die Züge, die zum tumultuarischen Vorgehen gegen Stephanus im Stil der Lynchjustiz passen: Disputation mit den Diasporajuden, Ermordung und Bestattung.

[52] Nach E. Haenchen, 239f., hat Lukas »eine ›Geschichtspredigt‹ en bloc übernommen und durch Zusätze (vielleicht auch durch Kürzungen) passend gemacht« (240). 7,51—53 stamme von der Hand des Lukas. J. Bihler, Stephanusgeschichte, 31/86, bestimmt die Rede als Komposition des Lukas, denn »die Grundgedanken stimmen völlig mit typisch lukanischen Motiven und Vorstellungen überein« (249). W. Mundle, Die Stephanusrede Apg 7: eine Märtyrerapologie = ZNW 20 (1921) 133/47, sieht in ihr eine vom Verf. der Apg gegen seine jüdischen Zeitgenossen gerichtete Märtyrerapologie mit polemischen Zügen. Doch beachtet Mundle nicht genügend, daß die Reden der Apg ihren jeweiligen Platz im Aufbau der Apg haben. Wenig überzeugend ist der Versuch von M. H. Scharlemann, Stephan: A Singular Saint (Rom 1968) = AnBib 34, aus der Rede die theologische Position des historischen Stephanus zu ermitteln, den er mit samaritischen Traditionen in Verbindung bringt (vgl. 11).

dem Volk wirkt, erhält den für die Gerichtssituation verheißenen göttlichen Beistand, dessen Präsenz sich nach Lukas sogar sinnlich wahrnehmen läßt. Dem Hohen Rat erscheint sein Gesicht wie das eines Engels (6,15). Mit dieser, jüdischen[53] und hellenistischen[54] Anschauungen entsprechenden Vorstellung kündet sich ein im Christentum bald gern in der Darstellung des Märtyrers und des heiligen Menschen überhaupt[55] verwandter Topos an. Das veränderte Aussehen des Stephanus ist Zeichen seiner Geisterfülltheit, die ihn zu der großen Rede vor dem Hohen Rat befähigt[56].

In der Angabe der gegen Stephanus erhobenen Anklage verwendet Lukas das sog. Tempelwort (6,14), das Mk und Mt in ihren Passionsgeschichten innerhalb ihrer Darstellungen des Verhörs Jesu vor dem Hohen Rat bringen (Mk 14,58/Mt 26,61; vgl. auch Joh 2,19). Die Verhörszene des dritten Evangeliums (Lk 22,66—71) könnte zu Beginn gut auf einer nicht-markinischen Vorlage ohne Zeugenbefragung basieren und erst von Lk 22,69 an Mk folgen[57]. Doch selbst wenn Lk einer Quelle ohne Zeugenverhör verpflichtet ist, so ist ihm dieses nicht unbekannt gewesen. Man kann nicht davon ausgehen, daß die von Lk benutzte Mk-Vorlage diese Szene nicht enthalten habe, da sich Lk 22,71a mit Mk 14,63b berührt, die

---

[53] Die jüdische Apokalyptik kennt die Vorstellung eines glänzenden Aussehens der Gerechten in der postmortalen Gerichtsszene, vgl. Dan 12,3 (s. Mt 13,43), äth. Henoch 38,4 (G. Beer bei E. Kautzsch AP II,258); weitere Stellen bei Billerbeck I,752. Das Antlitz des Mose leuchtet, nachdem Gott mit ihm gesprochen hat; Ex 34,29f. Vgl. auch die Verklärung Jesu nach Mt und Lk (Mt 17,2 u. Lk 9,29). In rabbinischen Texten heißt es, daß Mose und andere Männer Gottes wie Engel aussehen und daß ihr Antlitz wie das von Engeln erscheint; vgl. Billerbeck II,665f., auch G. Stählin, Die Apostelgeschichte (Göttingen 1962) = NTD 5,103. Zur Vorstellung des Engelantlitzes vgl. Josef und Asenat 14,9 (P. Rießler, Altjüdisches Schrifttum, 514).

[54] Hervorragende Menschen erwecken in ihrer Schönheit den Eindruck, Götter zu sein. L. Bieler, ΘΕΙΟΣ ΑΝΗΡ. Das Bild des »göttlichen Menschen« in Spätantike und Frühchristentum (Nachdruck Darmstadt 1967) 50/4.

[55] Von der am Gesicht des Märtyrers ablesbaren besonderen Geistesverfassung spricht schon das Martyrium Polycarpi 12,1. Die Märtyrer sind sogar im Tod schon nicht mehr Menschen, sondern Engel (ebd. 2,3). In den Acta Pauli et Theclae 3 (Acta Apostolorum Apocrypha I,237,8f. Lipsius—Bonnet) heißt es von Paulus, daß er bald wie ein Mensch erschien, bald das Angesicht eines Engels hatte. Vgl. S. Frank, ΑΓΓΕΛΙΚΟΣ ΒΙΟΣ. Begriffsanalytische und begriffsgeschichtliche Untersuchung zum »engelgleichen Leben« im frühen Mönchtum (Münster 1964) = Beiträge zur Geschichte des Alten Mönchtums und des Benediktinerordens 26, bes. 177/82.

[56] Apg 6,15 unterbricht den Erzählfaden, der von 6,14 zu 7,1 geht. Vgl. H.-W. Surkau, Martyrien, 108f., u. H. Conzelmann, Die Apg, 45. V. 15 ist eingeschoben, um die Rede als geistgewirktes Wort erscheinen zu lassen, er bezieht sich nicht auf die 7,55f. genannte Vision.

[57] G. Schneider, Verleugnung, Verspottung und Verhör Jesu, 105/29.

Mk-Stelle aber doch voraussetzt, daß vorher von Zeugen die Rede war. Für Lk bedeutet der Satz 22,71a dagegen, daß nach dem Selbstbekenntnis Jesu kein Zeugnis eines anderen mehr notwendig ist[58]. Lk hat also in seinem Mk-Text das Zeugenverhör vorgefunden. Wenn er nun zunächst einem nicht-markinischen Text ohne diese Szene gefolgt ist, andererseits aber die Szene aus seiner Mk-Vorlage kannte, muß man feststellen, daß Lk sich nicht veranlaßt sah, das Verhör in seine Passionsgeschichte aufzunehmen. Man kann vermuten, daß der dritte Evangelist in dem Selbstbekenntnis Jesu (Lk 22,67—70) den einzigen Grund für seine Verurteilung hat sehen wollen[59]. Das im Evangelium nicht berücksichtigte Mk-Stück hat aber nun die Gestaltung des Stephanusmartyriums beeinflußt. Einmal berührt sich das Tempelwort Apg 6,14 mit Mk 14,58; zum anderen findet sich sowohl in der Apg wie auch bei Mk im Umkreis dieses Wortes der Hinweis auf das falsche Zeugnis[60]. Lukas hatte also in der Gestaltung des Stephanusprozesses den Prozeß Jesu vor Augen[61].

Das Tempelwort hat seinen Platz in der gegen Stephanus erhobenen Anklage. Ihm wird vorgeworfen, er habe Lästerworte gegen Mose und Gott gesagt (6,11), er rede unaufhörlich gegen »diesen heiligen Ort«, d. h. den Tempel[62], und das Gesetz und er habe gesagt, daß Jesus von Nazaret den Tempel zerstören und die Bräuche ändern werde, die Mose überliefert hat (6,13f.). Diese Aussagen sind nach Lukas böswillige Verzeichnungen dessen, was Stephanus tatsächlich gelehrt hat. Die Rede des Stephanus soll zeigen, daß die Vorwürfe auf die, die sie erheben, selbst zurückfallen. Denn die jüdischen Gegner des Stephanus unterscheiden sich nach Apg 7,51 in nichts von ihren Vätern, die sich schon dem heiligen Geist widersetzt haben, besonders indem sie, statt die durch Mose an sie ergangenen »lebendigen Worte« (7,38) anzunehmen, zum Götzendienst abfielen und die ursprüngliche gottgewollte Gottesverehrung durch den Bau des salomonischen Tempels verdinglichten (7,35—

[58] Ebd. 129.
[59] Vgl. ebd. 187. Das 187 Gesagte ist eine bessere Begründung für das Fehlen des Zeugenverhörs als die 130 u. 157 angegebene.
[60] Mk 14,56f: ψευδομαρτυρεῖν, Apg 6,13: μάρτυρες ψευδεῖς.
[61] Vgl. E. Haenchen, Die Apg, 227. Zur Beziehung zwischen dem Stephanusmartyrium und der Passion Jesu vgl. R. Pesch, Der Christ als Nachahmer Christi. Der Tod des Stephanus (Apg 7) im Vergleich mit dem Tod Christi = BiKi 24 (1969) 10f.
[62] Die Verwandtschaft von Apg 6,14 mit Mk 14,57f. und die auf den Tempel bezogene Passage der Stephanusrede Apg 7,44—50 zeigen, daß hier der Tempel gemeint ist. — Vgl. auch die Anklage gegen Paulus Apg 21,28, auf die A. Wikenhauser, Die Apostelgeschichte[4] (Regensburg 1961) = RNT 5,83, aufmerksam macht.

50). Der situationsfremd anmutende Anfang der Rede 7,2—19 soll auf die mit 7,20 einsetzende Mosegeschichte hinführen, die offensichtlich im Mittelpunkt steht. Diese zunächst erzählerisch und berichtend wirkende Geschichte erhält von 7,35 an eine polemische Zuspitzung, deren Höhepunkt der Schluß der Rede 7,51—53 ist. Die Rede muß vom Schluß her interpretiert werden; sie ist situationsgemäß in der auf das Ende hinführenden Argumentation, nicht aber in jedem ihrer Teile. Sie mutet an wie ein außerhalb der Erzähllinie angesetzter Pfeil, der in einer immer engeren Annäherung an die Gerade des Erzählfadens diese schließlich trifft und ein Stückchen in der Richtung der Geschichte verlängert. Lukas könnte eine Erzählung der alttestamentlichen Geschichte seiner Absicht dienstbar gemacht haben. Er könnte aber auch die ganze Rede gebildet haben, um von der Basis einer Juden und Christen gemeinsamen Geschichte aus seinen Angriff gegen die jüdischen Gegner des Stephanus zu führen. Gleichzeitig sichert er so dem christlichen Glauben die alttestamentliche Vergangenheit als seine Vorgeschichte.

In einer dem Christuskerygma der Reden der Apg entsprechenden Weise[63] heißt es 7,35, daß Gott Mose, den das Volk verleugnet hat, als Führer und Retter ausgesandt hat. Mose wird mit Christus in Verbindung gebracht; nach Dtn 18,15 hat er vorhergesagt, daß Gott einen Propheten wie ihn erwecken wird (7,37). Er hat auf dem Sinai die Worte Gottes empfangen und dem Volk weitergegeben. Doch dieses verweigerte die Annahme und verfiel dem Götzendienst (7,38—43). Er hat weiter den Befehl Gottes empfangen, nach dem Vorbild, das er geschaut hat, das Bundeszelt zu errichten. Doch Salomo hat es durch ein von Menschenhänden gemachtes Haus abgelöst. Gott aber wohnt nicht in einem von Menschen gebauten Haus (7,44—50). Die Ablehnung des Gotteswillens ist nun nicht ein einmaliges Faktum einer fernen Vergangenheit. Seit Mose zieht sich durch die Geschichte Israels eine Linie des Abfalls und des Aufstandes gegen Gott, dessen Gipfelpunkt die Ermordung Jesu ist. Die Feindschaft gegen Stephanus hat also eine Vorgeschichte, der sie sich bruchlos anfügt.

Implizit steckt in der ganzen Polemik der christliche Anspruch, dem Willen Gottes zu entsprechen. Der Vorwurf, der gegen Stephanus erhoben wird, trifft in Wirklichkeit diejenigen, die ihn äußern, selbst. Denn sie, und nicht die Christen, haben das Gesetz, das sie empfangen haben, nicht gehalten (7,53), sie haben die ur-

---

[63] Gemeint ist die Argumentationsfigur: Ihr habt ihn getötet — Gott aber hat ihn auferweckt. Vgl. Apg 2,22—24; 3,13—15; 4,8—12; 5,30—32 u. U. Wilckens, Die Missionsreden der Apg, 109ff. u. 137ff.

sprünglich gute Gottesverehrung durch den Tempelkult verdorben und sich so gegen Mose und Gott gestellt. Die christliche Gemeinde aber greift die ursprünglich guten Ansätze der alttestamentlichen Geschichte wieder auf. In bezug auf das Gesetz führt die Rede nicht aus, wie die christliche Haltung aussieht[64], wohl aber läßt sie das christliche Verständnis der wahren Gottesverehrung erkennen (7,48—50). Sie zeigt die christliche Identifizierung mit der alttestamentlichen Geschichte und die gleichzeitige Distanzierung von dem, was man der jüdischen Vorgeschichte zuweist. Ihre Aussage muß zusammengesehen werden mit dem, was zur lukanischen Verwendung der Prophetenmordtradition und zum Konzept der Apg gesagt wurde.

Der Schluß der Rede des Stephanus weist über sich hinaus. Ihr eigentlicher Schlußpunkt ist die Ermordung des Stephanus. Wie im Evangelium wird die Prophetenmordtradition auf die zur Debatte stehende Situation bezogen. Besonders berührt sich der in Apg 7,51—53 und der anschließend erzählten Steinigung des Stephanus erkennbare Zusammenhang mit Lk 13,34 und 11,47—51 (vgl. auch Lk 6,23). Noch in einem weiteren Punkt weist die Rede über sich hinaus. Es wurde schon gesagt, daß die Moseaussage Apg 7,35 Berührungen mit dem Christuskerygma der Reden der Apg aufweist. Lukas setzt gern der Ermordung Jesu als menschlicher Tat das Handeln Gottes in der Auferweckung und Erhöhung Jesu gegenüber. Am Ende der Stephanusrede findet sich nun aber nur ein Hinweis auf die Ermordung Jesu. Von den Gegnern des Stephanus wird gesagt, daß sie Verräter und Mörder Jesu geworden sind (7,52). Die hier fehlende andere Hälfte der kerygmatischen Einheit vertritt die Vision des Stephanus (7,55f.).

Die Vision läßt an das im Martyrium Isaiae 5,7 erwähnte Gesicht des Märtyrers denken[65]. Doch kann nicht entschieden werden, ob das von Lukas benutzte ältere Martyrium des Stephanus oder ob Lukas selbst das Martyrium des Jesaja gekannt haben. Das Gesicht des Stephanus hat den Menschensohn zum Gegenstand. Im Verhör Jesu findet sich das Menschensohnlogion Lk 22,69/Mk 14,62 (vgl. Mt 26,64). Mk und Mt denken an das Kommen des Menschensohnes zum Weltgericht, Lk dagegen dürfte die Erhöhung des Menschensohnes meinen[66]. Der erhöhte Menschensohn gibt sich nun dem

---

[64] Es sei denn, man sieht in der Ausdrucksweise λόγια ζῶντα von Apg 7,38 einen Hinweis auf die christliche Hermeneutik der atl. Gesetzgebung.

[65] Vgl. J. Bihler, Stephanusgeschichte, 20f.

[66] Lk 22,69 hat nicht die aus Dan 7,13 entnommene Wendung vom Kommen des Menschensohnes mit (Mt 26,64: auf) den Wolken des Himmels. Vgl. auch H. Conzelmann, Die Mitte der Zeit, 77f., Anm. 2.

Märtyrer zu sehen. Wenn Lukas bei der Gestaltung des Stephanus-
verhörs den Prozeß Jesu vor Augen hatte, ist es nicht unwahrscheinlich, daß Lk 22,69 auf Apg 7,55f. eingewirkt hat[67]. Weiter
ist an Lk 12,8 zu denken. Von hier aus läßt sich eine Entscheidung
in einem bis heute diskutierten Problem treffen. Lk 22,69 spricht
vom Sitzen des Menschensohnes, Apg 7,55f. aber von seinem Stehen[68]. Vision (7,55) und Bericht des Visionärs (7,56) sind beides
zugleich: Bekenntnis des verfolgten Jüngers zum Menschensohn
und Bekenntnis des erhöhten Menschensohnes zu seinem Jünger
vor Gott. Der Menschensohn sitzt deshalb nicht wie ein Herrscher
oder ein Richter, sondern steht als jemand, der vor einem anderen
ein Bekenntnis ablegt, so wie ein Zeuge oder Rechtsanwalt vor
Gericht[69]. Die Vision des Stephanus vertritt also das Auferwek-
kungs- und Erhöhungskerygma; gleichzeitig hat sie einen individuellen Bezug zum verfolgten Jünger Jesu, der weiß, daß Jesus
sich zu dem bekennt, der sich vor den Menschen zu ihm bekennt.
Sie nimmt im Prozeß gegen Stephanus die Stelle ein, die das Selbstbekenntnis Jesu in seinem Verhör vor dem Hohen Rat innehat
(Lk 22,67—70).

[67] Lukas kann sich in Apg 7,56 eines Traditionsstückes bedient haben. Dafür
spricht der Plural »die Himmel« statt des Singulars in Apg 7,55, der lukanischem Sprachgebrauch entspricht. Der Verfasser der Apg hat jedoch, wenn
er eine Vorlage benutzt hat, diese seiner Aussageintention dienstbar gemacht.
Apg 7,55f. paßt gut zu Lk 22,69. Vgl. H. E. Tödt, Der Menschensohn in der
synoptischen Überlieferung, 274/6, hier 276.

[68] Referat über die bisherigen Deutungen des Stehens des Menschensohnes und
neuer Auslegungsvorschlag bei R. Pesch, Die Vision des Stephanus. Apg
7,55—56 im Rahmen der Apostelgeschichte (Stuttgart 1966) = SBS 12. Nach
Pesch (58) hat sich der Menschensohn in Apg 7,55f. erhoben, »um auf die
Anklage des Stephanus hin das Urteil wider ›sein Volk‹ zu sprechen«. Jedoch
hat eine solche Verurteilung doch erst nach der Steinigung des Stephanus
ihren Sinn. Nach V. Stolle, Der Zeuge als Angeklagter. Untersuchungen zum
Paulus-Bild des Lukas (Stuttgart 1973) = BWANT 102,230/3, weist die
Vision über den Martyriumsbericht hinaus auf die Erscheinung Jesu, die Pau-
lus vor Damaskus erlebt, hin. »Jesus steht bereit, um einzugreifen« (231).
Doch ist fraglich, ob die Erwähnung des Saulus-Paulus Apg 7,58 u. 8,1—3
diese Deutung begründen kann. Vgl. auch Fr. Mußner, Wohnung Gottes und
Menschensohn, 290f.

[69] Die Deutung berührt sich mit den Interpretationen von Th. Preiss, O. Cull-
mann, C. F. D. Moule, F. F. Bruce u. A. J. B. Higgins; vgl. C. K. Barret,
Stephen and the Son of Man = Apophoreta. Festschrift für E. Haenchen.
Beihefte ZNW 30 (Berlin 1964) 32/8, hier 33f., u. R. Pesch, Die Vision des
Stephanus, 18f. Die Deutung der Vision durch C. K. Barret selbst als eines
Stücks lukanischer Eschatologie (eine auf den einzelnen Christen bezogene
»private and personal parusia of the Son of Man«; 35f.) wird nicht der
Tatsache gerecht, daß sie das Auferstehungs- und Erhöhungskerygma vertritt
und daß das Bekenntnis des Stephanus in 7,56 ja erst seine Ermordung ver-

So wie das Bekenntnis Jesu Grund seiner Verurteilung ist, löst das Bekenntnis des Stephanus zu dem, was er in der Vision sieht, seine Ermordung aus. Aus der Wut über die in der Rede erhobene Anklage (7,54) wird nun die mörderische Tat (7,57ff.). Wie Jesus wird Stephanus außerhalb der Stadt getötet (vgl. Lk 20,14f; 23,26.33); doch muß mit diesem Zug nicht eine Parallele zwischen Jesus und Stephanus gemeint sein[70]. Der sterbende Stephanus empfiehlt sich in einer teilweise dem Wortlaut von Lk 23,46 entsprechenden Weise dem Herrn Jesus (Apg 7,59). Die Unterschiede zwischen Apg 7,59 und Lk 23,46 sind natürlich unverkennbar. Jesus übergibt sich seinem Vater; Stephanus bittet um die Aufnahme bei seinem Herrn Jesus. Doch äußert sich im Gebet des sterbenden Stephanus ein Vertrauen, das sehr wohl mit dem Vertrauen des Gekreuzigten verglichen werden kann, auch wenn die Adressaten der Gebete verschieden sind. Der sterbende Märtyrer kann sich im Moment des Todes seinem Herrn Jesus überlassen, so wie Jesus selbst sich am Kreuz seinem Vater anvertraut hat. Der gekreuzigte Herr, der seit Auferweckung und Erhöhung in der Herrlichkeit Gottes ist (Apg 7,55f.), wird im Gebet angerufen, seinen Jünger im Tod aufzunehmen. In diesem Satz, nicht in der zuvor genannten Vision, kündet sich die Überzeugung der Kirche an, daß der Märtyrer im Moment des Todes sogleich zu Gott gelangt (vgl. auch Lk 23,39—43).

Der zweite Ausruf des Stephanus (7,60) ist zunächst als Ausdruck der vom Jünger verlangten Feindesliebe zu verstehen (Lk 6,27—36). In einem weiteren Schritt muß dann nach der Beziehung zwischen Apg 7,60 und der Lukaspassion gefragt werden. Stephanus ruft mit lauter Stimme. Der Ausdruck läßt an die gerade genannte Stelle Lk 23,46 denken, an der eine fast gleichlautende Formulierung begegnet. Für den Inhalt des Rufes ist auf Lk 23,34 zu verweisen. Nun ist gerade der in Frage kommende Satz textkritisch unsicher, zumal p[75] (P. Bodm. XIV. XV) vom Anfang des 3. Jh.s ihn nicht enthält[71]. Man muß also mit der Möglichkeit rechnen, daß Lk 23,34a nach dem Vorbild von Apg 7,60 ins Evangelium eingefügt

---

anläßt. Aus dem genannten Grund kann in der Stelle auch nicht ein frühes Zeugnis der christlichen Überzeugung, daß der Märtyrer im Moment des Todes zu Gott gelangt, gesehen werden.

[70] Hier kann der alte Bericht von einem tumultuarischen Vorgehen gegen Stephanus durchscheinen. Nach Lk 4,28—30 drängt man auch Jesus aus der Stadt, um ihn zu ermorden.

[71] Vgl. K. Aland, Kurzgefaßte Liste der griechischen Handschriften des Neuen Testaments. I. Gesamtübersicht (Berlin 1963) = Arbeiten zur ntl. Textforschung 1,33, u. ders., Studien zur Überlieferung des Neuen Testaments und seines Textes (Berlin 1967) = Arbeiten zur ntl. Textforschung 2,135 u. 155/72.

worden ist, um das Wort des Jüngers auf ein Wort Jesu zurück-
zuführen, wodurch dann Stephanus über die bisher genannten
Züge hinaus als Nachahmer Jesu erscheint[72]. Andererseits unterscheiden sich Lk 23,34a und Apg 7,60 voneinander. Hätte man sich
nicht, wenn man Lk 23,34a nach dem Vorbild von Apg 7,60 gebildet hat, stärker an die Vorlage gehalten? Immerhin, hat ein
späterer Überarbeiter den Satz von der Verzeihung in die Passionsgeschichte eingefügt, so hat er die im Stephanusbericht schon enthaltene Verknüpfung zwischen dem Leiden Jesu und dem Martyrium seines Jüngers im Sinn des Nachahmungsgedankens verstärkt. Geht Lk 23,34a wie Apg 7,60 auf den Verfasser des Doppel-
werkes zurück, so hat Lukas selbst der bei ihm feststellbaren Tendenz, Nachfolgeworte des Evangeliums und Stephanusmartyrium
und darüber hinaus die Passion Jesu und das Leiden des Jüngers
miteinander in Beziehung zu setzen, den I-Punkt aufgesetzt. Lukas
zeichnet Stephanus als geistbegabten, vollendeten Jünger, in dessen
Verfolgungssituation die entsprechenden Verheißungen Jesu Wirklichkeit werden und der sich gemäß den Weisungen seines Meisters
verhält, und er stellt, wenigstens andeutungsweise, eine Parallelität dar zwischen dem leidenden Herrn und seinem Jünger, in dessen
Nachfolge auch Nachahmung enthalten ist. Die Parallelität zwischen Jesus und dem Märtyrer bleibt jedoch nicht unbeeinflußt von
der lukanischen Soteriologie. Jesus hat als Auferwecker und Erhöhter einen Weg geöffnet, auf dem sich seine Jünger im Moment
des Todes ihm als dem Anführer des Lebens (Apg 3,15) in dem
Vertrauen, in dem er sich im Tod Gott anvertraut hat, überantwor-
ten können. In der Aufnahme durch ihn erreicht der Sterbende
sein Ziel bei Gott. Während des Prozesses erfährt der Jünger den
Beistand des heiligen Geistes. Der Jesus nachfolgende und ihn
nachahmende Jünger befindet sich also auch nach Lukas in dem
durch den Weg seines Herrn erschlossenen Heilsbereich.
Der Vertrauenshaltung des Stephanus entspricht es, wenn Lukas
auch angesichts der grausamen Ermordung von einem Entschlafen
spricht (7,60). Für den auf seinen auferweckten und erhöhten Herrn
vertrauenden Christen ist der Tod ein Schlaf. Trotzdem bleibt nach
Apg 8,2 die Klage, bei der aber wohl der Akzent mehr auf »groß«
als auf »Klage« liegt. Durch die große Klage soll die Stephanus
entgegengebrachte Verehrung ausgedrückt werden. Die Erwähnung
des Paulus (7,58; 8,1.3) soll die Geschichte im Sinn der lukanischen
Konzeption mit dem folgenden verbinden.
Die Stephanusgeschichte verweist also auf die Paulusgeschichte,

[72] Die textkritische Lage mahnt zur Vorsicht gegenüber R. Pesch, Die Vision des
Stephanus, 46.

die selbst wieder durch einen Rückverweis mit dem Martyrium des Stephanus verbunden ist. In seiner Rede im Tempelvorhof unmittelbar nach seiner Gefangennahme durch die römischen Soldaten erwähnt Paulus in einem Rückblick auf seine Bekehrung und Beauftragung durch Gott die Rolle, die er bei der Steinigung des Stephanus gespielt hat (22,20). Die Formulierung vom Vergießen des Blutes erinnert an Lk 11,50[73]. Lukas hat wohl die Steinigung des Stephanus in die Reihe der Lk 11,49f. genannten Ermordungen von Propheten und Aposteln eingeordnet. Auffällig ist nun, daß Lukas Stephanus als μάρτυς des Herrn bezeichnet[74]. Die Stelle ist einzig: Nur hier wird Stephanus so genannt. Zum anderen hat Lukas einen besonders geprägten μάρτυς-Begriff, zu dem die Bezeichnung des Stephanus als eines μάρτυς auf den ersten Blick nicht zu passen scheint[75].

Nun könnte man aus dem engeren Kontext des Satzes Apg 22,20, in dem vom Blut des Stephanus gesprochen wird, folgern, Lukas habe hier das Wort bereits in der Bedeutung »Blutzeuge« verwendet[76]. Eine solche Deutung stützt sich auf den Wortgebrauch, wie

---

[73] Vielleicht gibt es auch eine Beziehung zwischen dem συνευδοκεῖν des Paulus (Apg 22,20) und dem συνευδοκεῖν in Lk 11,48. Vgl. U. Borse, Der Rahmentext im Umkreis der Stephanusgeschichte (Apg 6,1—11,26) = BiLe 14 (1973) 187/204, hier 199/201. Die These, daß Lukas durch Apg 22,20 veranlaßt worden ist, Nachträge in den vorher geschriebenen Acta-Text einzufügen, wirkt in der hier vorgetragenen Art allerdings konstruiert.

[74] Die Wendung τὸ αἷμα Στεφάνου τοῦ μάρτυρός σου steht in einer Anrede an den κύριος Jesus (Apg 22,19f.), den Paulus im Tempel zu Jerusalem in einer Vision sieht.

[75] Zum lukanischen Zeugen-Begriff vgl. E. Nellessen, Zeugnis für Jesus und das Wort; N. Brox, Zeuge und Märtyrer, 43/69; R. P. Casey, Note V. Μάρτυς = F. J. Foakes Jackson — Kirsopp Lake, The Beginnings of Christianity, I, 5 (London 1933) 30/7; Chr. Burchard, Der dreizehnte Zeuge. Traditions- und kompositionsgeschichtliche Untersuchungen zu Lukas' Darstellung der Frühzeit des Paulus (Göttingen 1970) = FRLANT 103,130/6; J. Beutler, Martyria, 194/6.

[76] So E. Haenchen, Die Apg, 557. H. Conzelmann, Die Apg, 127: »Das Wort μάρτυς entwickelt sich in Richtung auf ›Blutzeuge‹, wenn auch die technische Bedeutung noch nicht erreicht ist...« Vgl. auch H.-W. Surkau, Martyrien, 105f.; K. Holl, Die Vorstellung vom Märtyrer, 70f. K. Holl entwickelt vom Stephanusmartyrium her seine These, daß in der urchristlichen Gemeinde die Überzeugung bestand, »daß dem Märtyrer in der entscheidenden Stunde die Gabe verliehen werde, die überirdische Welt und den Herrn, zu dem er sich bekannte, mit Augen zu sehen« (ebd. 71), und daß der technische Gebrauch des Wortes μάρτυς im Sinn von »Blutzeuge« in dieser Überzeugung wurzelt. Doch läßt sich nicht zeigen, daß die Vision im Moment des gewaltsamen Todes um Christi willen konstitutiv für die christliche Märtyreridee ist. Eine solche Vision ist nicht so häufig, wie Holl will. Vgl. die Darstellung der Position Holls und der zwischen ihm und P. Corssen, R. Reitzenstein u. a. geführten Diskussion bei N. Brox, Zeuge und Märtyrer, 132/9.

er sich später allgemein im Christentum durchgesetzt hat. Apg 22,20 wäre also ein ganz früher, wenn nicht der älteste Beleg für den technischen Gebrauch des Wortes in der Bedeutung »Märtyrer« oder markierte den Weg, der zum Märtyrertitel führte. Zu bedenken bleibt jedoch, ob nicht Lukas, angenommen er hätte Stephanus als Blutzeugen bezeichnen wollen, angesichts seines sonstigen Umgangs mit dem Wort, der keine Hinweise auf ein Blutzeugnis enthält, gezwungen gewesen wäre, die vom übrigen Sprachgebrauch abweichende Bedeutung durch eine mitgelieferte Deutung zu erklären. Es empfiehlt sich, Apg 22,20 von der sonst im lukanischen Werk feststellbaren Bedeutung der vom Stamm μαρτ- gebildeten Wörter aus zu interpretieren. Nach Lukas ist die Gerichtssituation eine Gelegenheit für die Jünger Jesu, Zeugnis abzulegen (Lk 21,13). Er hat wahrscheinlich in den von ihm benutzten Stephanusbericht, der von einem tumultuarischen Vorgehen sprach, die Verhandlung vor dem Hohen Rat eingetragen. Dieses Gericht ist, von Stephanus und von christlicher Seite aus gesehen, das Forum für das Zeugnis des Angeklagten, der eine große Rede hält und im Anschluß daran von seiner Vision spricht. Der Satz, in dem Stephanus sein Gesicht beschreibt, enthält das christliche Bekenntnis der Auferweckung und Erhöhung Jesu. Man kann nun vermuten, daß Lukas, nachdem er Paulus, dessen Gefangennahme und Prozeß er vom Kap. 21 an beschreibt, in Apg 22,15 gerade einen Zeugen genannt hat, diesen Begriff auf Stephanus angewandt hat, weil Stephanus wie Paulus Zeugnis abgelegt hat. Das Gemeinsame zwischen Paulus und Stephanus besteht darin, daß beide vor Gericht Zeugnis abgelegt haben für das, was sie gesehen haben, nämlich den erhöhten Herrn, Paulus in seiner Berufungsvision, Stephanus in einem Gesicht während der Verhandlung. Die Konsequenz dieser Deutung ist, daß man als Mitte des auf Paulus angewandten Martysbegriffs nicht seine Beauftragung durch den erhöhten Herrn ansieht, sondern die durch die Vision gegebene Möglichkeit, von dem zu künden, was er gesehen hat. In diesem Punkt berührt sich Paulus mit Stephanus. Für Paulus kommt dann noch das Spezifikum hinzu, das ihn über Stephanus erhebt: Er ist vom erhöhten Herrn als Zeuge berufen worden. Wenn Lukas Paulus einen Zeugen nennt, obwohl seine Zeugenschaft nicht deckungsgleich ist mit der der Apostel (vgl. Apg 1,21f.), braucht es nicht zu verwundern, daß auch Stephanus Zeuge genannt wird, obwohl er nicht in völlig gleicher Weise Zeuge ist wie Paulus[77].

---

[77] Wenn, wie gesagt wurde, in der Formulierung von Apg 22,20 die Stelle Lk 11,49—51 anklingt, könnte man vermuten, daß die Propheten und Apostel von

Paulus

Lukas zeichnet Paulus in der Abschiedsrede von Milet als jemanden, der den Tod vor Augen hat. Paulus, der dem Herrn in den Prüfungen, die ihm durch die Nachstellungen der Juden widerfuhren, gedient hat (20,19), weiß, daß Fesseln und Drangsal auf ihn warten (20,23). Wörtlich heißt es Apg 20,24: »Aber ich achte mein Leben für mich nicht der Rede wert, wenn ich nur meinen Lauf vollende und den Dienst, den ich vom Herrn empfing, das Evangelium von der Gnade Gottes zu bezeugen«[78]. Paulus weiß, daß seine Zuhörer und alle, bei denen er umhergezogen ist und gewirkt hat, ihn nicht mehr sehen werden (20,25). Der Satz spricht von einem endgültigen Abschied vom Missionsgebiet (vgl. auch 20,38). Die Christen in Tyrus geben Paulus den Rat, nicht nach Jerusalem zu gehen (21,4), ohne ihn jedoch an der Weiterreise hindern zu können. In Cäsarea weist der Prophet Agabus in einer prophetischen Zeichenhandlung auf das hin, was Paulus in Jerusalem erwartet. Die Juden werden ihn fesseln und den Heiden ausliefern (21,10f.). Die Reisebegleiter und die Christen von Cäsarea reden Paulus zu, nicht nach Jerusalem zu ziehen. Doch Paulus antwortet: »Was weint ihr und brecht mir das Herz? Denn ich bin nicht nur bereit, mich binden zu lassen, sondern auch in Jerusalem zu sterben für den Namen des Herrn Jesus.« Da sich Paulus nicht überzeugen läßt, geben sie nach und sagen: »Des Herrn Wille geschehe« (21,14; vgl. Lk 22,42).

Paulus geht also unbeirrt, in Freiheit und in vollem Wissen um die Gefährlichkeit seines Tuns, seinen Weg. Er ist bereit, den Tod für den Namen des Herrn Jesus zu erleiden. Es liegt nahe, an die Leidensweissagungen Jesu und an den Weg des lukanischen Jesus nach Jerusalem zu denken[79]. Auch Jesus geht frei, im Wissen um das, was ihm bevorsteht, nach Jerusalem (Lk 9,51; 13,22.31—35; 17,11; 19,11.28.47f.). Jesus unterwirft sich dem Willen Gottes (Lk 22,39—46); angesichts der Unbeirrbarkeit des Paulus unterstellen die Reisebegleiter des Paulus ihn und sich dem Willen Gottes (Apg 21,14). Doch reichen die genannten Parallelen nicht aus, um das Paulusbild des Lukas vollständig zu erklären. Lukas bedient sich, wenigstens andeutungsweise, auch der Farben, wie sie ihm die Popularphilosophie seiner Zeit darbot, um die Charakterstärke dessen zu zeichnen, der von der Wahrheit seines Denkens und der

---

Lk 11,49 Lukas angeregt haben, für Stephanus einen Titel zu suchen. Er ist nicht Prophet und Apostel, wohl aber konnte man in ihm einen μάρτυς sehen.

[78] Vgl. 2 Tim 4,6f.

[79] Vgl. G. Stählin, Die Apg, 268; W. Radl, Paulus und Jesus im lukanischen Doppelwerk, 103/68.

Richtigkeit seines Tuns überzeugt ist und der sich durch keine Rücksichten auf sich selbst in der Treue zu seiner Aufgabe wankend machen läßt. Zu denken ist an Sokrates[80] und das in kynischen und stoischen Philosophenkreisen gerühmte und auch verwirklichte Idealbild des Weisen, der ohne Furcht vor Verfolgung und Tod der Wahrheit dient[81]. Vom Einwirken solcher Züge auf 2 und 4 Makk, auf Philon und Flavius Josephus war schon die Rede. Lukas hat jedoch, wie schon zur lukanischen Verwendung des παρρησία-Begriffes gesagt wurde, die hellenistischen Vorstellungen nicht unverändert übernommen, sondern seinen christlichen Intentionen dienstbar gemacht. Paulus ist in seiner Entscheidung, nach Jerusalem zu gehen, nicht seinem Entschluß verpflichtet, sondern dem heiligen Geist. Gebunden durch den heiligen Geist zieht er nach Jerusalem (20,22); dieser bezeugt ihm, daß Fesseln und Drangsal auf ihn warten (20,23). Auch wenn Lukas in der Zeichnung des zum Tod bereiten Paulus vorliegende hellenistische Farben verwandt hat, so ist Paulus doch nicht der hellenistische Wahrheitsfreund, der für die Wahrheit Gefahren bis hin zur Lebensbedrohung auf sich nimmt, sondern der Jünger und Zeuge Jesu Christi, der bereit ist, für den Namen des Herrn Jesus sich fesseln zu lassen und zu sterben (21,13; vgl. auch 9,16).

Den Prozeß selbst hat Lukas vom Zeugnisgedanken her dargestellt. An einigen Stellen wird eine Parallelität zwischen den Prozessen Jesu und des Paulus deutlich[82], doch im Vordergrund der lukanischen Intention steht nicht die Angleichung der Verhandlung gegen Paulus an die gegen Jesus, sondern die Zeichnung des sich verteidi-

---

[80] Vgl. etwa E. Lindenbaur, Der Tod des Sokrates und das Sterben Jesu (Stuttgart 1971) = Calwer Hefte 113,15/28. Zum Sokratesbild der alten Kirche s. E. Benz, Christus und Sokrates in der alten Kirche (Ein Beitrag zum altkirchlichen Verständnis des Märtyrers und des Martyriums) = ZNW 43 (1950/51) 195/224; J. Geffcken, Sokrates und das alte Christentum (Heidelberg 1908); A. Harnack, Sokrates und die alte Kirche (Berlin 1900).

[81] E. Benz, Das Todesproblem in der stoischen Philosophie (Stuttgart 1929) = Tübinger Beiträge zur Altertumswissenschaft 7,48ff., bes. 111/9; K. Deißner, Das Idealbild des stoischen Weisen (Greifswald 1930) = Greifswalder Universitätsreden 24; E. Hoffmann, Leben und Tod in der stoischen Philosophie (Heidelberg 1946); A. Alföldi, Der Philosoph als Zeuge der Wahrheit; J. S. Lasso de la Vega, Heroe griego y Santo cristiano (Madrid 1962) 37/68; A. Ardizzoni, Il saggio felice tra i tormenti (Studio sull'eudemonologia classica) = Rivista di Filologia e d'Istruzione Classica N. S. 20 (1942) 81/102; R.-A. Gauthier, Magnanimité. L'idéal de la grandeur dans la philosophie païenne et dans la théologie chrétienne (Paris 1951) = Bibliothèque Thomiste 28,15/176.

[82] V. Stolle, Der Zeuge als Angeklagter, 215/20; W. Radl, Paulus und Jesus, 169/221.

genden und Zeugnis ablegenden Zeugen Jesu Christi[83]. Paulus, der
für die am Prozeß Beteiligten der Angeklagte ist, erscheint in der
Blickrichtung des Lukas als Zeuge, der die Gerichtssituation dazu
benutzt, seine Verkündigung in den Raum der durch die jüdischen
und römischen Amtsträger gebildeten Öffentlichkeit zu stellen. Die
Verkündigung vor Gericht ist Teil des Auftrags des Paulus, wie
er Apg 9,15 formuliert ist: Er soll den Namen Jesu vor Völker und
Könige und die Söhne Israels tragen. Lukas läßt anklingen, daß
das Zeugnis des Paulus nicht nur auf Ablehnung stößt. König
Agrippa sagt nach der Rede des Paulus: »Es fehlt nicht viel und du
überredest mich, als Christ aufzutreten« (26,28). Paulus antwortet,
daß das tatsächlich sein Wunsch für Agrippa und alle Anwesenden
ist. Mit dem Prozeß des Paulus verwirklicht sich so die Weissagung
Jesu Lk 12,11f. und 21,12—15.
Lukas will in der Apg zeigen, wie das Evangelium die Weltöffentlichkeit erreicht. Durch die Appellation des Paulus an den Kaiser
wird das Zentrum der Ökumene Forum der Verkündigung. Dadurch ist dem Programm von Lk 24,47 und Apg 1,8 Genüge getan[84]. Eine Beschreibung des weiteren Geschicks des Paulus ist
von dem Thema der Apg her, die an der Person des Paulus nicht
aus biographischen Gründen, sondern wegen seiner heilsgeschichtlichen Funktion als Werkzeug des erhöhten Herrn interessiert ist,
nicht erforderlich.

Der dritte Evangelist steht in jüdisch-christlicher Tradition, er
kann sich jedoch einem hellenistischen Leserkreis verständlich
machen. Das gilt nicht nur von Einzelheiten, sondern auch von der
Gesamtsicht seiner Verfolgungsdeutung. Daß der Gerechte leidet,
ist nicht nur ein jüdisches, sondern auch ein griechisch-römisches
Thema. Platon läßt im Staat durch den Gesprächspartner Glaukon
die extreme Situation zeichnen, daß der Gerechte wie ein Verbre-
cher gefoltert und gekreuzigt wird[85]. Das Thema der Charakterstärke des Philosophen angesichts der Bedrohung setzt voraus, daß

[83] V. Stolle, 140/54: »Der Angeklagte als Zeuge«.
[84] Apg 1,8 muß auf dem Hintergrund der prophetischen Erwartung gesehen werden, daß alle Enden der Erde das Heil Gottes sehen werden; vgl. Jes 49,6;
52,10; 62,11. Lukas zitiert Jes 49,6 in Apg 13,47. Der Ausdruck »bis an die
Grenze der Erde« in Apg 1,8 ist aus Jes 49,6 übernommen. In der Verkündigung des Paulus an die Heiden beginnt die prophetische Verheißung, Wirklichkeit zu werden.
[85] 361e/362a. Vgl. J. Paulus, Le thème du juste souffrant dans la pensée
grecque et hébraique = RHR 121 (1940) 18/66, hier 43ff.; E. Benz, Der gekreuzigte Gerechte bei Plato, im Neuen Testament und in der alten Kirche
(Mainz 1950) = AAMz 1950,12; E. des Places, Un thème platonicien dans la
tradition patristique: Le juste crucifié (Platon, République, 361e4—362a2)
= Studia Patristica IX. TU 94 (Berlin 1966) 30/40.

man wußte, wie sehr der Wahrheitsfreund durch Feinde der Wahrheit gefährdet ist. Die von Lukas betonte Ergebung in Gottes Willen läßt an den stoischen Vorsehungsglauben denken[86]. Die Nachahmung hatte einen festen Platz in der griechisch-römischen Pädagogik[87]. Leiden und Tod konnten auch in der griechisch-römischen Antike als Durchgang zu einem Zustand der Erhöhung beschrieben werden. Die Idee, den Tod als Befreiung und Anbruch der Seligkeit anzusehen, war weit verbreitet[88]. Mit besonderer Verehrung schauten Griechen und Römer auf Herakles, der durch übermenschliche Mühen und durch Leiden die Unsterblichkeit errungen hat und zum Gott geworden ist[89].

Lukas ist sicherlich nicht von all den hier angeführten Ideen abhängig. Die Unterschiede sind meist beträchtlich. Doch können die Hinweise zeigen, daß es Berührungspunkte zwischen der lukanischen Verfolgungsdeutung und Gedanken der hellenistischen Umwelt gibt. Lukas ist in der jüdisch-christlichen Tradition verwurzelt. Aber er akzentuiert die Überlieferung so, daß sie, zumindest was den hier behandelten Themenkomplex angeht, von hellenistisch gebildeten Menschen verstanden werden konnte. Wahrscheinlich hat er aus seinem hellenistischen Vorverständnis heraus der Deutung des Todes Jesu als eines Weges durch Leid zur gottgeschenkten Herrlichkeit den Vorzug gegenüber der Sühnetheologie gegeben, die er kennt und auch nicht leugnet, die jedoch von keiner besonderen Bedeutung für ihn ist.

Für Lukas gehören Verfolgungen zum Leben der Kirche. Jedoch schaut er nicht ausschließlich auf die Verfolgungssituation. Das Wort vom Kreuztragen (Lk 9,23) bezieht er auf das alltägliche

---

[86] Die Unterschiede zwischen der Vorstellung einer Fürsorge durch den persönlichen Gott und der stoischen Vorsehungsidee sind natürlich unübersehbar. Vgl. M. Pohlenz, Die Stoa. Geschichte einer geistigen Bewegung I[4] (Göttingen 1970) 98/101.

[87] Vgl. H.-I. Marrou, Geschichte der Erziehung im klassischen Altertum (Freiburg-München 1957) 397. Zur antiken Mimesisvorstellung allg. s. H. D. Betz, Nachfolge und Nachahmung, 48/136.

[88] Vgl. den Überblick über die griechisch-hellenistischen Jenseitsvorstellungen bei P. Hoffmann, Die Toten in Christus, 26/57.

[89] Vgl. Fr. Pfister, Herakles und Christus = Archiv für Religionswissenschaft 34 (1937) 42/60; Fr. Brommer, Herakles. Die zwölf Taten des Helden in antiker Kunst und Literatur[2] (Darmstadt 1972) u. M. Simon, Hercule et le Christianisme (Paris 1955). Zur griechischen Leidensdeutung allg. s. W. Nestle, Die Überwindung des Leids in der Antike = Griechische Weltanschauung in ihrer Bedeutung für die Gegenwart. Vorträge und Abhandlungen (Stuttgart 1946) 414/40; J. Coste, Notion Grecque et notion biblique de la »souffrance éducatrice« (A propos d'Hébreux, V,8) = RSR 43 (1955) 481/523; H. H. Jansen, Gedachten over het lijden in klassieke oudheid en Christendom (Nijmegen-Utrecht 1949).

Leben der Christen. Er wird daher nicht im Blick auf eine spezielle Verfolgung geschrieben haben. Verfolgungen sind für ihn selbstverständliche Bestandteile der kirchlichen Wirklichkeit, doch nicht Anlaß seines Werkes.

6. Der Haß der Welt und die Nachfolge Jesu nach dem Johannesevangelium und dem 1. Johannesbrief

Nach den Synoptikern werden die Jünger zu einer Nachfolge berufen, zu der auch die Teilnahme am Geschick Jesu gehört. Der Jünger muß bereit sein, in der Nachfolge Jesu sein Kreuz zu tragen. Diese in vorösterlicher Zeit an die Jünger gerichtete Forderung hat auch Gültigkeit für die Kirche. Joh macht nun deutlich, daß erst die nachösterliche Situation den Jüngern die Gelegenheit der Leidensnachfolge geboten hat. Petrus will Jesus, dessen Leiden unmittelbar bevorsteht, folgen und sein Leben für ihn einsetzen (13,37). Doch kündet ihm Jesus an, daß er ihn verleugnen wird; später wird er ihm folgen (13,36.38; vgl. auch 13,33). Der Vorhersage der Petrusverleugnung korrespondiert in Joh 16,32 die Ankündigung, daß die Jünger Jesus verlassen werden. Joh greift eine auch von den Synoptikern verwandte Tradition auf (Mk 14,26—31; Mt 26,30—35; Lk 22,31—34) und interpretiert sie im Sinn seiner Theologie.

a) Die Einzigartigkeit des Leidens Jesu

Für den vierten Evangelisten ist der Leidensweg Jesu der Weg der Erhöhung und Verherrlichung des göttlichen Offenbarers, der im Tod sein Leben hingibt für das Heil der Menschen und der als Sieger über die Macht des Todes zu seinem himmlischen Vater heimkehrt. Dort bereitet er denen, die an ihn glauben, einen Platz (14,1—3). Er nimmt sie in die Welt Gottes, in die er im Tod heimgekehrt ist, auf[1]. Dieser Weg der Heimkehr des Gottessohnes zum Vater unterscheidet sich von jeder Lebenshingabe der Jünger. Das Motiv der Verleugnung des Petrus und der Vorhersage der Jüngerflucht soll die Einzigartigkeit des Leidens Jesu und den Abstand zwischen dem Offenbarer und seinen Jüngern deutlich machen. Im Leiden ist Jesus mit seinem Vater allein (16,32). Später, d. h. nachdem Jesus den Jüngern einen Platz bei Gott bereitet hat, kann Petrus Jesus nachfolgen. Gemeint ist das Nachgehen hinter dem ins Leiden gehenden Jesus, d. h. das Erleiden des Todesgeschicks[2]. Dabei gelangt der Jünger dorthin, wohin Jesus gegangen ist.

---

[1] Vgl. G. Fischer, Die himmlischen Wohnungen. Untersuchungen zu Joh 14,2f. (Bern-Frankfurt/M. 1975) = Europäische Hochschulschriften XXIII,38,348.
[2] Vgl. A. Schulz, Nachfolgen und Nachahmen, 168.

Von der Bereitschaft des Petrus her, sein Leben für Jesus einzusetzen, läßt sich der an die Jünger gerichtete Satz des Tomas in der
Lazarusperikope verstehen: »Gehen auch wir, um mit ihm zu sterben« (11,16). Unmittelbar vor seinem Leiden offenbart der johanneische Christus in der Auferweckung des Lazarus seine lebenspendende Macht[3]. Die Jünger verstehen, wie so oft im Johannesevangelium, die Absicht Jesu nicht[4] und machen darauf aufmerksam, daß man ihn in Judäa, wohin ihn der Weg führen muß, wenn
er zu Lazarus geht, gerade eben habe steinigen wollen (11,7f.; vgl.
8,59). Sie warnen also vor der Reise nach Betanien. Jesus weist ihre
Vorhaltung zurück und kündigt an, daß er den schlafenden Lazarus
aufwecken will (11,9—11). Wieder stößt das Wort Jesu auf das
Unverständnis der Jünger, die an einen Schlaf der Heilung denken,
aus dem Lazarus gesund aufwachen wird (11,12f.). Lazarus ist jedoch, wie 11,14f. sagt, gestorben, und Jesus will ihn auferwecken,
damit die Jünger an ihn als Lebensspender glauben. Die Aufforderung Jesu, zu Lazarus zu gehen, greift Tomas auf (11,16). Gegenüber 11,8 und 11,12 bedeutet der Satz des Tomas einen Fortschritt:
Die Jünger, die Jesus warnten, in die Gefahrenzone Judäa zu gehen,
schließen sich nun der Absicht Jesu an. Doch in ihrer Bereitschaft,
mit Jesus zu sterben, haben sie das Vorhaben Jesu immer noch
nicht begriffen. Jesus geht noch nicht in sein Leiden. Vorher zeigt
er in der Totenerweckung, daß er der Lebensspender ist. Die Jünger, die mit Jesus sterben wollen, werden auf den Spender des
Lebens verwiesen. Nicht ihre Lebenshingabe ist gefordert, sondern
der Glaube, in dem sie die Gabe des Lebens haben. Der Tod dessen,
der Lazarus auferweckt, ist nicht mit der Lebenshingabe, von der
Tomas spricht, zu vergleichen.
In der Szene der Gefangennahme stellt sich Jesus denen, die ihn
suchen, und gebietet ihnen, die Jünger gehen zu lassen (18,8). Das
Wort Jesu ist in der Sicht des vierten Evangeliums ein autoritativer
Befehl. Jesus tritt frei sein Leiden an und bewahrt die Jünger vor
dem Leidensgeschick. Diese Tat Jesu wird 18,9 gedeutet. Der Sinn
dürfte sein: »Der gute Hirt geht für die Seinen in den Tod, um sie

---

[3] Zum joh. Begriff des Lebens vgl. Fr. Mußner, ΖΩΗ. Die Anschauung vom
»Leben« im vierten Evangelium unter Berücksichtigung der Johannesbriefe
(München 1952) = Münchener Theologische Studien. I. Historische Abteilung 5; R. Schnackenburg, Das Johannesevangelium II (Freiburg-Basel-Wien
1971) = HThK 4,434/45.

[4] Das Mißverständnis der Jünger markiert bei Joh die Überlegenheit des Offenbarers gegenüber der Welt der Menschen. Es dient der Präzisierung der
Offenbarung.

vor dem ewigen Verderben zu bewahren«[5]. Hier ist also keine Rede
von der Flucht der Jünger. Joh verwendet unterschiedliche Motive,
um Jesus von der Welt der Menschen abzusetzen: die Ansage der
Verleugnung des Petrus und der Jüngerflucht, die Verleugnungs-
szene selbst und hier das autoritative Wort Jesu. Der Ansage der
Jüngerflucht widerspricht das Eingreifen Jesu, das dazu führt, daß
die Jünger frei gehen können. Zudem steht nach 19,25—27 eine
Gruppe von Getreuen, zu der der Jünger, den Jesus liebte, gehört,
unter dem Kreuz. Das vierte Evangelium hat die unterschiedlichen
Motive nicht genau in Einklang miteinander gebracht. Die Grund-
tendenz dürfte sein, den Jüngern gegenüber die totale Andersartigkeit des Offenbarers herauszustellen, ohne die Nähe der Glaubenden bei Jesus zu leugnen.

b) Die johanneische Deutung des Todes Jesu

Die Einzigartigkeit Jesu in seinem Wirken und in seinem Tod ist
das Thema des ganzen Evangeliums. Hier kann nicht eine Gesamt-
darstellung dieser Frage geboten werden. Jedoch sollen einige
Aspekte der johanneischen Deutung des Todes Jesu im Blick auf
die nachösterliche Leidenssituation der Jünger kurz genannt werden[6]. Zum Teil sind sie schon in den vorausgehenden Darlegungen
angeklungen. Joh wendet die Prophetenmordtradition weder auf
den Tod Jesu noch auf die Verfolgung der Jünger an. In einem
auch bei den Synoptikern überlieferten, sprichwortähnlichen Satz
(Joh 4,44; vgl. Mk 6,4; Mt 13,57; Lk 4,24) heißt es nur einmal, daß
ein Prophet in seiner Heimat keine Ehre genießt. In den Gegnern
Jesu, die seine Kreuzigung betreiben, sieht Joh Repräsentanten der
gottwidrigen Welt[7]. Sie ist der Machtbereich der Mächte der Finsternis, zu dem auch der Verräter Judas gehört, in den nach Joh
13,27 der Satan fährt (vgl. auch 13,2). Die Welt schließt sich selbst
aus von dem Heil, das in der Offenbarung Gottes in Jesus Christus
angeboten wird, und spricht dadurch das Urteil über sich. Sie ist

---

[5] A. Dauer, Die Passionsgeschichte im Johannesevangelium. Eine traditionsgeschichtliche und theologische Untersuchung zu Joh 18,1—19,30 (München
1972) = StANT 30,40.
[6] Vgl. W. Thüsing, Die Erhöhung und Verherrlichung Jesu im Johannesevangelium[2] (Münster 1970) = NTA 21,1/2; E. Schweizer, Erniedrigung und Erhöhung bei Jesus und seinen Nachfolgern[2] (Zürich 1962) 117/9; A. Wikenhauser, Das Evangelium nach Johannes[3] (Regensburg 1961) 236f., 303f.;
R. Schnackenburg, Das Joh.-ev. II,498/512; S. Schulz, Das Evangelium nach
Johannes (Göttingen 1972) = NTD 4,236/8; J. Blank, Krisis. Untersuchungen
zur johanneischen Christologie und Eschatologie (Freiburg i. Br. 1964) 264/96;
G. Delling, Der Kreuzestod Jesu, 98/110; A. Dauer, Passionsgeschichte.
[7] Vgl. Fr. Mußner, ZΩH, 59f., u. J. Blank, Krisis, 246/51.

so schon gerichtet und wendet sich mit Haß gegen den, der ihre
Schuld offenbar macht (15,18—25). An der Auferweckung des Lazarus hätte erkannt werden können, daß Jesus der Lebenspender
ist. Statt ihn als solchen anzunehmen, verschließt sich jedoch der
Hohe Rat und beschließt, ihn zu töten (11,45—53).
Pilatus hätte keine Macht über Jesus, wenn sie ihm nicht gegeben
wäre (19,11). Die Passion ist Teil des Offenbarungsgeschehens und
deshalb von Gott gewollt und von Jesus in Freiheit übernommen.
Der Haß der Welt ist die Außenseite der johanneischen Deutung
des Todes Jesu; viel wichtiger ist jedoch die Innenseite: das Leiden
als Tat des im Einklang mit dem Vater wirkenden Offenbarers, der
im Tod die gottwidrige Welt besiegt und in den göttlichen Bereich
heimkehrt. Das Geschehen der Aufrichtung des Kreuzes ist für Joh
das Zeichen der Erhöhung Jesu, der im Tod zum Vater geht
(3,13—16). Die Erhöhung ist also nach Joh nicht ein dem Tod Jesu
folgendes Geschehen, sondern ein Ereignis des Todes selbst. Vom
Erhöhungsgedanken her verbindet Joh den Tod Jesu mit der Vorstellung der Verherrlichung. Die Herrlichkeit ist der Glanz und die
Macht der Welt Gottes, in der Jesus lebte, bevor die Welt war
(17,5) und in die er im Tod heimkehrt. Während seines irdischen
Lebens leuchtet die göttliche Herrlichkeit, dem Glaubenden erkennbar, in seinen Zeichen auf; in dem als Erhöhung und Heimkehr
begriffenen Tod zeigt sie sich in ihrer Eigentlichkeit.
Das Werk Jesu auf Erden, sein Tod und das Sein des Erhöhten in
der Welt Gottes sind auf das Heil der Menschheit bezogen. Im Tod
Jesu sieht Joh den Ausdruck einer Liebe, die das Leben hingibt für
die Freunde (15,13). Der Tod Jesu hat also Heilsbedeutung, die jedoch nicht losgelöst von der Bedeutung des gesamten Offenbarungsgeschehens für das Heil der Menschen gesehen werden darf. Die
Erhöhung am Kreuz und die Heimkehr zum Vater ermöglichen die
Ausspendung des Heils, das der irdische Jesus, den Joh in seiner
Identität mit dem Erhöhten sieht, schon den an ihn Glaubenden
schenkt. Dort, wo Menschen die göttliche Gabe annehmen und
Frucht bringen, wird Gott verherrlicht (15,8). Wer die Gabe ab-
weist, spricht das Gericht über sich und überläßt sich dem Einfluß-
bereich der gottwidrigen Welt. Die Glaubenden sind im Bereich des
göttlichen Lebens, auch wenn sie sterben (11,25f.). Die zur gottwidrigen Welt Gehörenden haben sich von diesem Leben ausgeschlossen und gehören zum Bereich der Finsternis und des Todes
(vgl. 1 Joh 3,14f.).
Die johanneische Theologie prägt die Passionsgeschichte, in der ein
Ton des Sieges und des Triumphes vorherrschend ist. Bei der Ge-

fangennahme zeigt Jesus seine Macht in einem Epiphaniewunder:
Die Häscher stürzen auf sein Wort zu Boden (18,6). Voller Hoheit
bekennt Jesus vor Pilatus, ein König zu sein. Er ist in die Welt gekommen, um als Offenbarer Zeugnis für die Wahrheit abzulegen
(18,37). Am Kreuz wird die Königswürde Jesu proklamiert; der
Gekreuzigte ist in Wahrheit der König (19,19—22). Der Leidensweg Jesu ist dem gläubigen Betrachter ein Weg, auf den der Oster-
glanz der Erhöhung und Verherrlichung fällt[8].
In der Deutung des Todes Jesu als eines Heilsgeschehens für die
Menschen, das denen zugute kommt, die glauben, wird die Tradition des auch in 4 Makk begegnenden Sühnegedankens aufgegriffen; zugleich ist diese Theologie durch das 4. Gottesknechtslied
beeinflußt. In manchen Punkten berührt sich Joh mit Lukas. Auch
Lukas spricht von der Macht der Finsternis (Lk 22,53) und davon,
daß der Satan von Judas Besitz ergreift (Lk 22,3). Nach Lk 24,26
mußte der Messias leiden und so in seine Herrlichkeit eingehen.
Doch setzt Lukas dem Tod Jesu die Auferweckungs- und Erhö-
hungstat Gottes entgegen, während Joh beides zusammen sieht.
Aufs ganze gesehen ist die johanneische Deutung des Todes Jesu
ein sehr eigenständiger Gedankenkomplex.
Das Johannesevangelium unterscheidet sehr deutlich zwischen dem
Tod Jesu und der Verfolgung der Jünger. Das Wirken des Offenbarers, sein Tod und seine Heimkehr zu Gott, die in der Sendung
des Parakleten den Jüngern zugute kommt, sind die Voraussetzung
der christlichen Existenz; sie bewirken das Heil, das Fundament
des Lebens der Christen ist[9]. Im Glauben an Jesus gewinnen die
Jünger Anteil am göttlichen Leben und werden in die Welt der
göttlichen Liebe einbezogen. Sichtbarer Ausdruck des Lebens im
Heilsbereich Gottes ist die Bruderliebe. Dieses christliche Leben
vollzieht sich in der gleichen gottfeindlichen Welt, die sich schon
dem Offenbarer widersetzt hat. Die Zugehörigkeit der Jünger zu
Jesus und durch ihn zu Gott führt dazu, daß der Haß der gottfeindlichen Welt auch den Jüngern Jesu gilt. Diese leiden so in der
Nachfolge Jesu, der vor ihnen den Haß der Welt erfahren hat.
Auf einer zweiten Stufe bringt also Joh das Leiden Jesu und die
Verfolgung der Jünger miteinander in Verbindung. Wenn geklärt
ist, daß der Passionsweg Jesu von einzigartiger Dignität ist und die
Jünger Jesus auf diesem Weg nicht begleiten können, dann kann
der Evangelist auch in einem zweiten Schritt die Vorstellung der

---

[8] Vgl. die Zusammenfassung bei A. Dauer, Passionsgeschichte, 336/8.

[9] Vgl. Ph. Seidensticker, Frucht des Lebens. Die sittlichen Wirkungen des Lebens
nach Johannes = Studii Biblici Franciscani Liber Annuus 6 (1955/6) 5/84.

Schicksalsgemeinschaft und der Leidensnachfolge als Bestimmung der Kirche einführen[10].

c) Schicksalsgemeinschaft

Von der Bruderliebe und dem Haß der Welt handelt Kap. 15. Die Aufforderung zur Bruderliebe wird 15,12f. im Blick auf die Liebe Jesu begründet, der sein Leben für seine Freunde hingegeben hat[11]. Der allgemein und sprichwortähnlich formulierte Satz 15,13 läßt sich auf die Liebe Jesu und auf die Bruderliebe der Jünger beziehen. Gemeint ist wohl beides: Die Liebe Jesu, die sich darin gezeigt hat, daß er für seine Freunde, d. h. für die Jünger, wie 15,14 zeigt, sein Leben hingegeben hat, ist Fundament und Maßstab der Bruderliebe der Glaubenden, die in der letzten Konsequenz dieser Liebe auch dazu bereit sein müssen, ihr Leben für die Brüder einzusetzen[12]. Daß ein solcher Gedanke der johanneischen Gedankenwelt nicht fernsteht, zeigt 1 Joh 3,16. Joh begreift das durch Jesus erschlossene Heil als universale und allen offenstehende Möglichkeit, die jedoch nur dort realisiert wird, wo man sich im Glauben öffnet. Der Tod Jesu ist so ein Sterben für die Freunde. Die Außenstehenden haben sich der Heilsgabe gegenüber verschlossen. Die Bruderliebe der Christen soll nun Reflex der Liebe sein, die Jesus als vom Vater Geliebter (15,9) ihnen erwiesen hat. Gott liebt seinen Sohn, dieser liebt die an ihn Glaubenden, und diese sollen einander lieben. Die Totalität der Liebe Jesu hat sich in seinem Tod gezeigt. Der Gipfel der Bruderliebe ist die Tat der Hingabe des Lebens zugunsten der Brüder. Es ist nicht daran zu denken, daß Joh einem solchen Sterben aus Bruderliebe einen Heilswert zugesprochen hat. Das christliche Heil wurzelt allein in dem Geschehen des Wirkens und der Erhöhung des Offenbarers. Doch kennt Joh ein Sterben, das ein Dienst an der Brudergemeinschaft ist. Allerdings ist es schwer festzustellen, an welche konkrete Situation der Verfasser gedacht haben mag. Es gibt keine Hinweise dafür, daß er das Martyrium als einen Dienst an den Brüdern verstanden hat. Eher ist daran zu denken, daß ein Christ in einer gefährlichen Situation unter Lebensgefahr einen Dienst leistet und dabei sein Leben verliert. Eine solche Situation wäre etwa eine Hilfeleistung an Chri-

---

[10] Zum folgenden vgl. E. G. Gulin, Die Freude im N. T. II. Teil: Das Johannesevangelium (Helsinki 1936) = Annales Academiae Scientiarum Fennicae B XXXVII,3,53/66, der jedoch bei manchen Texten vorschnell ans Martyrium denkt, u. W. Thüsing, Erhöhung und Verherrlichung, 123/41.

[11] Vgl. den Begründungszusammenhang in Mk 10,43—45 und Mt 20,26—28.

[12] Vgl. R. E. Brown, The Gospel according to John (XIII—XXI) (New York 1970) = The Anchor Bible 29A,682.

sten, die man töten will (vgl. 16,2), wodurch man in die Gefahr gerät, ebenfalls getötet zu werden. Die auf die Bruderliebe verpflichtete Gemeinde der Glaubenden lebt in einer feindlichen Umwelt, von der sie gehaßt wird. Von diesem Haß der gottfeindlichen Welt handelt der Abschnitt 15,18—16,4a[13], der Form nach eine Vorhersage Jesu für die nachösterliche Zeit. Der Charakter der Passage als Vorhersage und einige inhaltliche Berührungspunkte[14] lassen an die synoptische Verfolgungsvorhersage Mk 13,9—13parr denken. In der synoptischen Tradition wie bei Joh geht es um den Haß, der den Christen entgegengebracht wird (vgl. Mk 13,13 und Joh 15,18f.), und um die sie um Jesu willen treffende Verfolgung (Mk 13,9; Mt 10,18: um meinetwillen; Mt 10,22; 24,9; Lk 21,12 und Joh 15,21: um meines Namens willen). In beiden Fällen begegnen die Zeugnisthematik (Mk 13,9; Joh 15,26f.) und der Hinweis auf die feindliche Haltung der Synagoge (Mk 13,9; Joh 16,2).

Die Form der Vorhersage hat wie bei den Synoptikern die Aufgabe, der Verfolgung der Christen den Charakter des Überraschenden und Anstößigen zu nehmen (vgl. Joh 16,1). Jesus hat die Verfolgungen vorausgesagt; man muß mit ihnen rechnen. Dem Ziel, das Verfolgungsgeschick verständlich zu machen, dienen sodann die inhaltlichen Aussagen. Der Haß der Welt gegen die Jünger hat einen Vorgänger, nämlich den Haß der Welt gegen Jesus (15,18). Dieser Haß gegen Jesus begründet das Geschick der Jünger: Sie gehören zu Jesus, er hat sie aus der Welt erwählt; deshalb haßt die Welt sie, wie sie Jesus gehaßt hat (15,19). Die Welt liebt das ihr Angepaßte, sie haßt das ihr Fremde (vgl. 7,7). Joh 15,20 lenkt zurück auf 13,16: Das Geschick des Knechtes ist nicht besser als das seines Herrn. Der Spruch steht bei Mt in unmittelbarer Nähe zu der aus Mk 13,9—13 entlehnten und in den Kontext der Aussendungsrede gestellten Verfolgungspassage (Mt 10,24). Auch Joh wendet ihn auf das Verfolgungsgeschick an: Wenn man Jesus verfolgt hat, so wird man auch die Jünger verfolgen. Die folgende positive Form des Gedankens stellt eine Beziehung zwischen dem Befolgen des Wortes Jesu und dem Befolgen des Wortes der Jünger her. Vom Zusammenhang her legt es sich nahe, hinter der positiven Formulierung einen negativen Hintersinn zu vermuten. Die gottwidrige Welt befolgt in der Weise das Wort der Jünger, wie sie das Wort Jesu

---

[13] Vgl. B. Schwank, Exemplum dedi vobis (VII). Das Christusbild im zweiten Teil des Johannes-Evangeliums. »Da sie mich verfolgt haben, werden sie auch euch verfolgen«: Jo 15,18—16,4a = Sein und Sendung 28 (1963) 292/301.
[14] Eine Zusammenstellung aller Berührungspunkte in der Tabelle bei R. E. Brown, The Gospel according to John II,694.

befolgt hat, nämlich gar nicht. Die Verfolgungsaussage des ersten Teils des Parallelismus wird so präzisiert und auf die missionarische Verkündigung der Jünger bezogen. Der folgende Vers 15,21 faßt die einzelnen vorher gemachten Aussagen zur Jüngerverfolgung zusammen und gibt noch einmal den Grund an. Der Ausdruck »um meines Namens willen« hat einen festen Sitz in der christlichen Verfolgungsthematik. Das johanneische Verständnis des Ausdrucks läßt sich aus der Fortführung des Satzes erheben: »denn sie kennen den nicht, der mich gesandt hat.« Die Verfolgung der Jünger zeigt, daß die Verfolger nicht zur Erkenntnis des Offenbarers und damit auch des ihn sendenden Vaters gelangt sind. Der Name Jesu ist der von Gott verliehene Name, seine Würde als Offenbarer (vgl. 17,11f.)[15]. Die zweite Vershälfte von 15,21 leitet über zur folgenden Gedankeneinheit, deren Thema die Sünde der feindlichen Welt ist.

Joh 15,22—25 spricht zunächst von den Worten, dann von den Werken Jesu. Seit Jesu Wort und Werk ist die Haltung der Welt nicht mehr ein zu entschuldigendes, aus Unwissenheit stammendes Verhalten, sondern bewußter Widerspruch gegen das, was sie gehört und gesehen hat. Die Welt hätte zum Glauben an Jesus gelangen können, sie hat sich aber gegen den Offenbarer gestellt und damit gegen Gott. Der Vorwurf betrifft die jüdischen Zeitgenossen Jesu, die als Repräsentanten der gottfeindlichen Welt gezeichnet werden. Sie haben in unbegründetem, boshaftem Haß den Offenbarer und damit Gott abgelehnt (15,25 mit einem Zitat aus Ps 35,19 und 69,5). Der folgende Parakletspruch 15,26f. lenkt zurück zur Situation der Kirche[16]. Der Erhöhte und zu Gott Heimgekehrte sendet vom Vater her den Parakleten als Geist der Wahrheit. Jesus, dem von den Juden der Prozeß gemacht wird, führt in Wirklichkeit selbst einen Prozeß gegen die im Unglauben verschlossenen Vertreter der Welt, die er in Wort und Werk der Sünde überführt[17]. Der als Erhöhung und Verherrlichung begriffene Tod Jesu ist sein Sieg über die Welt (12,31; 16,33). Der Paraklet vergegenwärtigt als Fürsprecher und Helfer Person und Werk Jesu in der nachösterlichen Zeit, während Jesus beim Vater und im Parakleten gleichzeitig der Gemeinde nahe ist. Insofern der Paraklet den Sieg Jesu über die Welt präsent macht, überführt und richtet

---

[15] Vgl. ebd. 696f.

[16] Zu Joh 15,26f. vgl. N. Brox, Zeuge und Märtyrer, 78/80; J. Beutler, Martyria, 273/6, 298/305.

[17] Zum Prozeßcharakter der Auseinandersetzung Jesu mit den Gegnern vgl. R. Bultmann, Das Evangelium des Johannes (Göttingen 1941, 8. Nachdruck 1964) = Meyer K 2,426, Anm. 5, u. J. Beutler, Martyria, 275, Anm. 312.

er die Welt, deren Verschlossenheit gegenüber dem Heil er deutlich macht (vgl. bes. 16,8—11). Wo Licht ist, wird die Dunkelheit als Finsternis erkennbar. Er führt die von Jesus erschlossene göttliche Wahrheit als Zeugnis gegen die Welt vor. Das Zeugnis des Parakleten liegt innerweltlich vor im Zeugnis der Jünger, die in ihrem Wort die Schuld der Welt, die sich ihrer Predigt verschließt, offenbar machen. Nach 15,27 sind die Jünger Zeugen, weil sie von Anfang an bei Jesus waren. Die Formulierung läßt an Apg 1,21f. und an den lukanischen Zeugenbegriff denken[18]. Joh berührt sich mit Lukas in der Verwurzelung des christlichen Zeugnisses in der Gemeinschaft der Jünger mit dem irdischen Jesus. Doch gehen Joh und Lukas, aufs ganze gesehen, getrennte Wege[19]. Der Inhalt des Zeugnisses der Jünger ist nach Joh die johanneische Christologie. Die Tätigkeit des Parakleten wurzelt im Offenbarungsereignis; er verdeutlicht das, was da ist, und fügt nichts Neues hinzu (14,26; 16,12—15). Ebenso wurzelt die nachösterliche Verkündigung in dem, was die Jünger in der Gemeinschaft mit Jesus gesehen und gehört und im Glauben erkannt haben. Die Verkündigung der Kirche beruht auf dem Glauben der Begleiter Jesu und auf dem Wirken des Parakleten, der die volle Bedeutung des Offenbarungsereignisses in nachösterlicher Zeit erschließt.

Die Sünde der Welt liegt also darin, daß sie trotz der Worte und Werke Jesu nicht zum Glauben gelangt ist. Die nachösterliche Verkündigung, in der das Zeugnis des Parakleten innergeschichtlich vorliegt, legt diese Schuld offen. Die Verschlossenheit der Welt gegenüber Jesus und der nachösterlichen Verkündigung ist die Ursache der Verfolgung der Jünger. Die Verfolgung der Christen richtet sich daher gegen Jesus und im letzten gegen Gott. Diese johanneische Aussage läßt sich mit der lukanischen Sicht vergleichen, wonach die Verfolgung von Jüngern Jesu ein Kampf gegen Gott (vgl. Apg 5,39) und eine Verfolgung Jesu ist (Apg 9,4f.; 22,7f.; 26,14f.).

Joh 16,1 blickt auf 15,18—25 zurück und faßt die Aussage zusammen. Jesus hat den Jüngern das Verfolgungsgeschick erklärt, damit sie in Momenten der Verfolgung nicht abtrünnig werden. Die Verfolgungsansage wird sodann in der Art einer Steigerung wiederholt (16,2). Der Satz zeigt, daß an Feindseligkeiten von seiten des Judentums gedacht ist. Der Ausschluß aus der Synagoge scheint zur Zeit der Abfassung des Evangeliums aktuell gewesen zu sein. Von ihm ist auch im Zusammenhang der Heilung des Blindgeborenen die

---

[18] Vgl. J. Beutler, 304.
[19] Der gesamte Komplex der joh. Zeugnisvorstellung ebd. 207/366, u. bei N. Brox, Zeuge und Märtyrer, 70/105.

Rede (9,22.34f.; vgl. auch 12,42). Über die Synagogenexkommuni-
kation hinaus wird es nach der Vorhersage Jesu zur Ermordung
von Jüngern Jesu kommen, und man wird sogar meinen, Gott dadurch einen Kultdienst darzubringen. Man kann hier an Paulus
denken, der nach der Apg aus religiösen Gründen die Christen verfolgte. Auch durch die Ermordung des Stephanus glaubte man,
Gott einen Dienst zu erweisen. Die Tragik, die in einer solchen
Ermordung aus religiösen Gründen liegt, macht 16,3 deutlich.
Diese Menschen, die meinen, in der Tötung von Menschen Gott zu
ehren, kennen in Wirklichkeit Gott nicht. In dem vermeintlichen
Gottesdienst stellen sie sich gegen Gott und seinen Offenbarer. Was
Gottesdienst sein soll, ist in Wirklichkeit Sünde. 16,4a greift 16,1
auf. Die Tatsache der Vorhersage der Verfolgung und die Erklä-
rung dieses Geschehens als einer Sünde gegen Gott sollen den
Jüngern eine Hilfe in solchen Situationen sein. Mit 16,4a schließt
der Abschnitt über den Haß der Welt und die Verfolgung der
Jünger. Der folgende Abschnitt spricht von dem Kommen des Parakleten und seiner Gerichtsfunktion. Er knüpft an 15,26 an.
Vom Haß der Welt handelt noch einmal Joh 17,14. In der literarischen Form der Rückschau wird eine Aussage über die bleibende
Situation der Christen in der Welt gemacht. Jesus hat ihnen Gott
erschlossen, die Welt aber haßt sie, weil sie nicht zu ihr gehören
und auf der Seite des Offenbarers stehen.
In den Zusammenhang gehört auch 1 Joh 3,11—18. Der Abschnitt
berührt sich mit Kap. 15 des Johannesevangeliums, insofern an beiden Stellen das Thema des Hasses der Welt mit dem Thema der
Bruderliebe verbunden ist. Dem Geltungsbereich der Bruderliebe
wird die Welt des Hasses gegenübergestellt, deren Verhalten an
Kain deutlich gemacht wird. Die Formulierung in 1 Joh 3,12 läßt
an die Tradition vom Leiden des Gerechten denken, nach der es
ein Charakteristikum des Gerechten ist, wegen seiner Gerechtigkeit
dem Haß und den Angriffen der Frevler ausgesetzt zu sein. Jedoch
ist die Leidensdeutung der johanneischen Theologie von anderer
Art als die der genannten Tradition. Im johanneischen Verständnis
ist die Sünde, in der sich der Mensch in freier und deshalb schuld-
hafter Weise gegenüber Gott verschließt, die Ursache des Hasses,
in dem er sich gegen Gott und die auf der Seite Gottes Stehenden
wendet. Die zu Gott Gehörenden sollen sich daher nicht wundern,
daß sie gehaßt werden (1 Joh 3,13). Der gottfeindlichen Welt ist
der Tod zugeordnet. Sie hat sich selbst vom göttlichen Leben ausgeschlossen, das denen geschenkt ist, die sich im Bereich der göttlichen
Liebe befinden und deshalb die Brüder lieben. Nach johanneischem
Verständnis geschieht im Glauben an Jesus als Offenbarung Gottes

der Überschritt vom Tod zum Leben. Der physische Tod ist schon vorweg entkräftet[20]. Die im Glauben zum Leben Gekommenen gelangen im Tod zu Gott, dorthin, wo ihnen Jesus die Wohnungen bereitet hat (vgl. Joh 14,1—3). Das ewige Leben beginnt dort, wo der Mensch zum Glauben kommt (Joh 11,25f.). Kennzeichen eines Lebens im Heilsbereich Gottes ist die Bruderliebe, von der deshalb gesagt werden kann, daß man an ihr den Überschritt vom Tod zum Leben erkennen kann (1 Joh 3,14). Urbild der Bruderliebe ist die Liebe, in der Jesus sein Leben zugunsten derer, die sich dem Heil nicht verschließen, hingegeben hat (1 Joh 3,16). Daraus leitet der Verfasser die Forderung ab, daß auch die Christen zur Hingabe des Lebens für die Brüder bereit sein müssen. Wie der Hassende (Kain) das Leben anderer raubt, so gibt es der Liebende für die anderen hin[21].

Die Lage der Jünger inmitten einer feindlichen Umwelt wird Joh 16,20—22 und 16,32f. als Trauer und Drangsal beschrieben. Joh 16,16—22 macht die Zeitspanne zwischen Tod und Auferstehung Jesu durchsichtig für die nachösterliche Existenz der Christen. Die Jünger trauern über den Tod Jesu und freuen sich bei der Begegnung mit dem Auferstandenen (vgl. 20,11.13.15 und 20,20). Während die Jünger trauern, freut sich die Welt, wohl weil sie glaubt, einen Sieg über Jesus errungen zu haben (16,20). Die Trauer der Jünger wandelt sich aber in Freude. Sie ist Durchgangsstation auf dem Weg zur Freude, vergleichbar den Wehen und der Freude einer Gebärenden (16,21f.). Diese Situation der Jünger zwischen Karfreitag und Ostern ist die Situation der Christen in der Welt. Während die Welt sich, ohne ihren wahren Zustand zu kennen, wohl fühlt, erfahren die Christen die Trauer eines bedrückten Daseins. Vielleicht soll sogar gesagt werden, daß die feindliche Umwelt sich über die Lage der Christen freut. Doch aus der Trauer der Christen wird die Freude, im Glauben dem gegenwärtigen Herrn zu begegnen. Joh 16,32f. deutet das Motiv der Ankündigung der Jüngerflucht auf die Situation des Glaubenden in der Welt. Im Zustand der Zerstreuung und der Drangsal können die an Jesus Glaubenden Mut haben, denn Jesus hat die Welt besiegt.

Der Haß der gottfeindlichen Welt schafft für die Christen Situationen, die dem Geschick Jesu entsprechen. Das Johannesevangelium erklärt, warum es dazu kommt. Diese Erklärung ist gewissermaßen die äußere Seite der Verfolgungsdeutung. Die innere Seite

---

[20] Zur joh. Todesdeutung vgl. Ph. Seidensticker, Frucht des Lebens, 43/8.
[21] R. Schnackenburg, Die Johannesbriefe[2] (Freiburg-Basel-Wien 1963) = HThK 13,3,199.

wird vom Gedanken der Nachfolge her gewonnen[22]. In Verfolgungssituationen kann der Jünger Jesus nachfolgen. In diesen
Zusammenhang gehört, selbst wenn das Wort »nachfolgen« hier
nicht fällt, die schon genannte Aufforderung, wie Jesus das Leben
für die Brüder hinzugeben. Weiter ist auf 12,24—26 und 13,36—38
hinzuweisen.

d) Leidensnachfolge

Joh 12,20f. spricht davon, daß einige Griechen, die unter den Fest-
pilgern waren, Jesus sehen wollten. Sie wenden sich an Philippus,
der Andreas zu Rate zieht. Doch wird nicht berichtet, daß sich der
Wunsch der Griechen erfüllt. Stattdessen richtet Jesus das Wort an
die beiden Jünger (12,23—28), auf das nach einem Intermezzo, in
dem das dabeistehende Volk eingeführt wird (12,28f.), an das Volk
gerichtete Worte Jesu folgen (12,30—36). Die Worte Jesu an die
beiden Jünger antworten nicht direkt auf die durch Philippus und
Andreas an Jesus herangetragene Bitte, doch enthalten sie die Antwort. Das Kommen der Griechen zum Glauben ist die Frucht des
Todes Jesu (12,24; vgl. auch 10,15f.)[23]. Jesus vollendet sein Heils-
werk im Tod und ermöglicht so die Mission, die Sammlung der zer-
streuten Gotteskinder (11,52), in der er als Erhöhter alle an sich
zieht (12,32) und allen, die Gott ihm gegeben hat, ewiges Leben
schenkt (17,2).
Das Johannesevangelium berichtet nicht wie die Synoptiker von
einer Aussendung der Jünger zur Zeit des irdischen Wirkens Jesu.
Was schon zur Bereitschaft der Jünger, mit Jesus zu sterben, gesagt
wurde, gilt auch für die Teilnahme der Jünger am Werk Jesu. Die
Einzigartigkeit Jesu steht so sehr im Vordergrund, daß ein Mitsterben der Jünger wie auch eine Teilnahme am Wirken Jesu
während der Zeit, in der das Heil durch ihn grundgelegt wird,
nicht in Frage kommen. Die Jünger sind Gesandte für die nachösterliche Zeit (4,38; 17,18.20; 20,21). Als Gesandte Jesu und als
Missionare für die Griechen, die Jesus erst infolge der nachösterlichen Mission »sehen«, sind Philippus und Andreas angesprochen.
12,27f. schließt an 12,23 an. Man kann deshalb in 12,23.27f. eine

---

[22] Auch die »äußere« Seite der Verfolgungsdeutung argumentiert mit der Vorstellung der Jüngerschaft, jedoch nicht um die Jünger zur Nachfolge aufzurufen, sondern um die Schicksalsgemeinschaft zwischen Jesus und den Seinen
zu erklären. Vgl. Joh 15,20.

[23] Die »Stunde«, von der 12,23 spricht, ist der von Jesus frei gewählte Zeitpunkt
seines als Verherrlichung begriffenen Leidens und Todes, der nun beginnt.
Zum joh. Begriff der »Stunde« vgl. W. Thüsing, Erhöhung und Verherrlichung, 75/100.

ursprüngliche Einheit sehen[24]. In der jetzigen Form hat der Abschnitt 12,23—28 jedoch den guten Sinn, daß den angesprochenen Jüngern, ausgehend von der Interpretation des Todes Jesu in 12,23f. etwas gesagt wird, das sie betrifft. Joh 12,25 ist die johanneische Fassung des Spruches vom Verlust und Gewinn des Lebens (Mk 8,35parr und Mt 10,39/Lk 17,33); 12,26 läßt an das Logion vom Kreuztragen denken (Mk 8,34parr und Mt 10,38/Lk 14,27). Joh hat die beiden Sprüche entsprechend seiner Theologie interpretiert.

Das johanneische Verständnis des ersten Logions läßt sich gut gewinnen, wenn man von der zweiten Hälfte ausgeht, die, wie ein Vergleich mit den synoptischen Vergleichsstellen zeigt, deutlich das Kolorit des vierten Evangeliums trägt. Wer sein Leben in dieser Welt haßt, wird es bewahren bis ins ewige Leben (12,25b). Joh unterscheidet zwischen ψυχή und ζωή. Ψυχή ist das physische Leben, ζωή das im Glauben an Jesus gewonnene göttliche Leben, das der Tod nicht zerstören kann (11,26). Dieses Leben überdauert den Tod und ist ewig. Das physische Leben wird genauer bestimmt als ein Leben in dieser Welt. Es unterliegt den Gesetzmäßigkeiten der Weltordnung und ist sterblich. Wie 15,18—16,4a zeigt, ist die Welt, insofern sie sich gegenüber Gott und Jesus verschließt, vom Haß gegen die Jünger Jesu geprägt. Allerdings ist in 12,25 keine Rede von diesem Haß; es läßt sich daher nicht ermitteln, ob mit dem Wort »Welt« auf die feindliche Haltung der gottwidrigen Welt angespielt werden soll. In paradoxer Weise wird gesagt, daß der Haß des physischen Lebens dazu führt, daß man es für das ewige, göttliche Leben bewahrt. Das Wort »hassen« bezeichnet eine dauernde Haltung, nicht ein punktuelles Geringschätzen des eigenen Lebens. Diese Wortwahl liegt auf der Linie der lukanischen Aktualisierung des Kreuztragens für das tägliche Leben (vgl. Lk 9,23). Allerdings gilt es, den Kontext zu beachten. In Joh 12,24 heißt es, daß das Weizenkorn, wenn es stirbt, reiche Frucht bringt. Dem Sterben Jesu entspricht der Haß des physischen Lebens auf der Seite der Jünger. Von hier aus wird man sagen können, daß innerhalb des weiteren Bedeutungsgehaltes von Hassen der besondere Fall gemeint ist, daß der Haß des Lebens sich in der Bereitschaft zeigt, sein Leben hinzugeben. Dem Fruchtbringen des Sterbens Jesu entspricht beim Jünger das Bewahren des Lebens für das ewige, göttliche Leben. Dem Tod des Jüngers wird also keine Heilsbedeutung zugeschrieben. Vom physischen Leben wird nicht gesagt,

[24] R. E. Brown, The Gospel according to John I,470f. Die Verse stellen die joh. Verwendung der Getsemanitradition dar.

daß es durch das ewige Leben abgelöst wird. Es wird vielmehr bewahrt für das ewige Leben, d. h. es wird hineingenommen in das von Gott herkommende Leben. Joh 12,25a enthält die 12,25b entgegengesetzte Aussage. Wer sein Leben so sehr liebt, daß er es festhalten möchte, verliert es. Ein solcher bleibt im Tod. Er gleicht denjenigen, die zur gottfeindlichen Welt gehören (vgl. 1 Joh 3,14f.). Eine so scharfe Aussage erklärt sich vielleicht, wenn man an den Fall denkt, daß jemand vom Glauben abfällt, um sein irdisches Leben zu retten. Joh 12,25 berührt sich, worauf G. Dautzenberg aufmerksam gemacht hat[25], mit 4 Makk 15,2f.: Die Mutter, die die Wahl hatte zwischen der Frömmigkeit, d. h. der Gottes Willen und seinem Gesetz entsprechenden Haltung, und der zeitlichen Rettung ihrer sieben Söhne, liebte die Frömmigkeit mehr, die ins ewige Leben rettet gemäß Gott, d. h. seiner Verheißung[26]. Für Joh ist allerdings das ewige Leben an den Glauben gebunden; es beginnt schon dort, wo Menschen zum Glauben an den Offenbarer Gottes gelangen.

Der folgende Vers 12,26 spricht in johanneischer Weise vom Nachfolgen Jesu[27]. Im einleitenden Bedingungssatz ist von einem Dienen der Jünger die Rede. Die Sprechweise vom Dienst gegenüber Jesus, die nicht synoptisch ist, könnte darauf zurückgehen, daß der vierte Evangelist das Verhältnis zwischen Jesus und seinem Jünger gern als die Beziehung zwischen Herr und Knecht ansieht (vgl. 13,13—16; 15,20), die Jesus kurz vor seinem Tod nach 15,15 in den Rang der Freundschaft erhoben hat. Vielleicht aber hat das Wort eine Beziehung zu dem in diesem Abschnitt enthaltenen Missionsgedanken. Mit dem Dienst an Jesus könnte die nachösterliche Missionsarbeit gemeint sein, durch die Menschen zum Glauben an Jesus gelangen (vgl. auch 4,38). Für denjenigen, der zum Dienst an Jesus bereit ist, gilt: ἐμοὶ ἀκολουθείτω. Es folgt die Verheißung: »Wo ich bin, dort wird auch mein Diener sein.« Die Verheißung wird sodann variiert: »Wenn einer mir dient, so wird ihn der Vater ehren.« Im Tod kehrt Jesus heim zu seinem Vater, um dort den Platz wieder einzunehmen, den er vor der Menschwerdung innehatte. Dort bereitet er den Seinen einen Platz (14,1—3). Den Jüngern wird also verheißen, daß sie dorthin gelangen, wo Jesus seit seiner Erhöhung ist. Der Vater wird sie dort ehren. Eine solche Verheißung setzt voraus, daß an den Tod des Jüngers gedacht ist. Nachfolgen ist so ein Geschehen, in dem der Jünger den Schritt Jesu in den Tod und vom Tod zum Sein beim Vater nachvollzieht. Insofern im Begriff »Nachfolgen« das Sterben des Jüngers gemeint

---

[25] G. Dautzenberg, Sein Leben bewahren, 66, Anm. 70.
[26] Rahlfs I,1178.
[27] Zur Exegese des Spruches vgl. A. Schulz, Nachfolgen und Nachahmen, 162/7.

ist, bedeutet ἐμοὶ ἀκολουθείτω eine Aufforderung; insofern auch
schon das Nachgehen als Gehen zum Vater anklingt, hat der Imperativ eher den Charakter der Verheißung[28]. Dieses Nachfolgen
setzt nicht die Gemeinschaft des Jüngers mit dem irdischen Jesus
voraus. Joh denkt an die Zeit der Kirche, in der Diener Jesu, Missionare, wenn die hier vorgetragene Vermutung richtig ist, in die
Situation der Lebensgefahr kommen. Sie werden aufgefordert, in
ihrem Dienst zur Aufgabe des Lebens bereit zu sein. Gleichzeitig
wird ihnen verheißen, daß sie in ihrem Tod das Ziel erreichen, an
das Jesus in seinem Tod gelangt ist: das Sein bei Gott. Von einer
Ehrung durch Gott spricht auch 4 Makk 17,17—20: Die Märtyrer
stehen wegen ihrer Ausdauer dem göttlichen Thron nahe, sie leben
in seliger Ewigkeit und sind geehrt, nicht nur mit himmlischer Ehre,
sondern auch dadurch, daß ihretwegen die Feinde keine Macht
mehr über das jüdische Volk haben[29]. Man wird jedoch nicht entscheiden können, ob nach Joh die Ehrung durch Gott eine besondere Auszeichnung derer bedeutet, die Jesus im Tod nachgefolgt
sind, oder ob sie allgemein allen Christen nach dem Tode gilt.
Von der zweiten Stelle, an der der Nachfolgebegriff mit dem Sterben des Jüngers verbunden wird, war schon kurz die Rede (13,36—
38). Petrus kann Jesus nicht unmittelbar auf seinem Weg des Sterbens und der Heimkehr in die himmlische Herrlichkeit folgen (vgl.
auch 13,33). Der gottgesandte Offenbarer geht seinen Weg ohne
menschliche Begleitung, jedoch in der Verbindung mit seinem
Vater (16,32). Statt sein Leben für Jesus hinzugeben, wird Petrus
seinen Herrn verleugnen. Später aber wird er Jesus nachfolgen in
einem Sterben, das dem Tod Jesu entspricht, und im Hinüberschreiten in die göttliche Welt. Voraussetzung eines solchen Sterbens ist
der Tod Jesu als Sieg über die Welt. Der Tod des Jüngers ist nicht
eine auf menschlichem Heroismus beruhende mutige Tat, sondern
»Teilhabe am Schicksal Jesu und damit an seinem Siege über die
Welt«[30]. Vorgeordnet ist das Sterben Jesu zugunsten derer, die im
Glauben das Heil annehmen. Nicht der Jünger setzt sein Leben für
Jesus ein, sondern Jesus gibt es hin zugunsten der Jünger.
Der Evangelist dürfte in 13,36—38 an den gewaltsamen Tod des
Petrus gedacht haben. Davon ist auch im Nachtragskapitel 21
die Rede. Petrus wird mit der Gemeindeleitung beauftragt
(21,15—17)[31]. Die dreifache Frage, die Petrus mit einem Bekennt-

---

[28] Vgl. ebd. 163, Anm. 55 u. 166f.; R. Bultmann, Das Ev. des Joh., 326.
[29] Rahlfs I,1182. Vgl. A. Schulz, Nachfolgen und Nachahmen, 166, Anm. 60.
[30] R. Bultmann, Das Ev. des Joh., 461, Anm. 4.
[31] Nach R. E. Brown u. a., Der Petrus der Bibel, 126, impliziert die Aufgabe,
Hirte zu sein, die Bereitschaft, das Leben für die Schafe hinzugeben (Joh

nis seiner Liebe zu Jesus beantwortet, dürfte sich auf die dreifache
Verleugnung (13,38; 18,17.25—27) beziehen. Petrus hat Gelegenheit, dreimal seine Liebe zu Jesus zu bekennen, nachdem er ihn
dreimal verleugnet hat. Es folgt ein Satz, der vielleicht auf ein
Sprichwort zurückgeht[32]; 21,19 interpretiert ihn als Vorhersage des
gewaltsamen Todes. Ob sich das Ausstrecken der Hände auf die
Kreuzigung bezieht[33], läßt sich nur schwer entscheiden. Die Vorhersage von V. 18 ist nach V. 19 gesagt, um anzudeuten, durch
welchen Tod Petrus Gott verherrlichen werde. Diese Aussage, daß
der Jünger durch seinen gewaltsamen Tod Gott verherrlicht, ist
eine dem Nachtragskapitel eigentümliche Weiterentwicklung der
johanneischen Verherrlichungsbegrifflichkeit[34]. Im übrigen Evangelium wird das Verherrlichen nie vom Tod der Jünger ausgesagt.
Nach 15,8 ist etwa das Fruchtbringen der Jünger, das sich nach
15,9—17 auf das Gebot der Bruderliebe bezieht, eine Verherrlichung des Vaters Jesu. Weiter wird hier »als Subjekt dieses Verherrlichens der Jünger genannt, während im Ev der Vater, Jesus
oder der Paraklet Subjekt des δοξάζειν sind«[35]. Jedoch ist die Vorstellung in 21,19 nicht unjohanneisch; sie ist möglich im Rahmen
des johanneischen Verherrlichungsgedankens. Verherrlichen bedeutet hier, daß durch den Tod des Jüngers die Herrlichkeit Gottes
offenbar wird; er macht sie deutlich, so wie das Handeln in der
Gemeinschaft mit Jesus und in der Bruderliebe den Glanz der
Herrlichkeit Gottes sichtbar werden läßt[36]. Natürlich will der Ver-

---

10,11). Insofern schließe sich an die Beauftragung, die Schafe zu weiden, die
Vorhersage des Märtyrertodes des Petrus an. Doch fehlt jeder Hinweis darauf,
daß der Verfasser des Nachtragskapitels in 21,15—17 an Joh 10,11 gedacht
hat. Auch wird in 21,18f. nicht gesagt, daß der Tod des Petrus für die Gemeinde geschieht (im Sinn von Joh 15,13 und 1 Joh 3,16).

[32] Nach R. Bultmann, Das Ev. des Joh., 552, besagt es: »In der Jugend geht man
frei, wohin man will; im Alter muß man sich führen lassen, wohin man nicht
will.« Vgl. auch O. Cullmann, Petrus. Jünger — Apostel — Märtyrer. Das
historische und das theologische Petrusproblem[2] (Zürich-Stuttgart 1960) 98.

[33] So etwa E. C. Hoskyns — F. N. Davey, The Fourth Gospel[7] (London 1961)
558. Vgl. O. Cullmann, Petrus, 98, u. R. E. Brown, The Gospel according to
John II,1107f.

[34] Vgl. W. Thüsing, Erhöhung und Verherrlichung, 127.

[35] Ebd. Das Passiv in 15,8 setzt »wohl nicht die Jünger als die Verherrlichenden
voraus, sondern Jesus bzw. den Parakleten«.

[36] Vom Kontext des übrigen Evangeliums her wird man also in 21,19 mehr als
ein Preisen Gottes durch den Tod ausgesagt sehen. Vgl. E. G. Gulin, Die
Freude im N. T., II,57, Anm. 2: Diese Aussage (vom δοξάζειν in 21,19)
»kann nur nach 12,23; 13,31f.; 17,1ff. dahin gedeutet werden, dass im Tode
des Petrus die göttliche Herrlichkeit (Macht und Ehre) sich geltend machen
wird. Gleich wie Jesus gerade in seinem Kreuzestode die Macht Gottes zur
Auswirkung bringt, sodass er darin die Anerkennung Gottes als des einzigen

fasser, wenn er in Petrus das Subjekt des Verherrlichens sieht, nicht sagen, daß der Jünger aus eigener Kraft handelt. Die Aussage vom Bleiben der Jünger in Jesus (15,1—8) wird im Nachtragskapitel nicht zurückgenommen. Zudem steht der Jünger in der Nachfolge Jesu. Das »Folge mir« bezieht sich auf den Tod des Petrus, der in seinem Geschick Jesus nachgeht (21,19.22). Wie in 12,26 und 13,36 ist hier die Schicksalsgemeinschaft des Jüngers mit Jesus im gewaltsamen Tod gemeint. Anders als 12,26 und 13,36 enthält 21,19.22 jedoch keinen Hinweis auf das in diesem Nachgehen zu erreichende Ziel, nämlich das Eingehen in den göttlichen Bereich in der Nachfolge des zum Vater heimgekehrten Jesus[37]. Das Geschick des gewaltsamen Todes wird nur Petrus vorhergesagt. Der Jünger, den Jesus liebte, folgt Jesus im physischen Sinn (21,20), nicht jedoch in einem gewaltsamen Sterben. 21,22f. setzt wohl voraus, daß dieser Jünger im hohen Alter eines natürlichen Todes gestorben ist. Das Zeugnis dieses Jüngers ist nach 21,24 im Johannesevangelium enthalten. Nicht aber wird die Zeugnisterminologie mit dem gewaltsamen Tod des Petrus in Verbindung gebracht.

Die theologische Deutung des Todes Jesu vom Erhöhungs- und Verherrlichungsgedanken her hat in der Passionsgeschichte des vierten Evangeliums ihren erzählerischen Ausdruck gewonnen. Das Nachtragskapitel deutet den gewaltsamen Tod des Petrus ebenfalls von der Verherrlichungsidee her. Der Tod selbst wird jedoch nicht berichtet. Man kann nun darüber spekulieren, wie ein solcher Bericht, wäre er verfaßt worden, aussehen würde. Wahrscheinlich würde er Ähnlichkeiten mit der johanneischen Passionsgeschichte aufweisen, möglicherweise würde er ebenfalls im Leiden den Glanz des Sieges aufscheinen lassen. Ein früher Bericht dieser Art ist das Polykarpmartyrium, das johanneische Züge trägt.

Abschließend ist noch die Frage nach der religionsgeschichtlichen Einordnung der johanneischen Verfolgungsdeutung zu stellen. Das Motiv des Hasses der Welt berührt sich mit jüdischen Gedanken,

---

Herrschers durchsetzt 13,31f., so wird dies auch die Folge des Todes des Jüngers sein«. — Man kann 21,19 mit 16,2 in Verbindung bringen. Nach 16,2 meinen Christengegner, durch die Ermordung von Christen Gott einen Kultdienst darzubringen. Nach 21,19 wird vom gewaltsamen Tod eines Christen gesagt, daß der Betroffene durch seinen Tod Gott verherrlicht.

[37] Implizit steckt eine solche Aussage in dem δοξάζειν von 21,19.

wie sie uns aus den Qumranschriften bekannt sind[38]; es hat aber auch Affinitäten zum Gnostizismus[39]. Die Überzeugung, daß sich an der Haltung gegenüber Jesus Heil und Unheil der Welt entscheiden, läßt an den Lehrer der Gerechtigkeit denken, der an dem Verhalten gegenüber ihm selbst das Verhältnis der Menschen zu Gott ablas. Die Deutung des Todes Jesu als eines Sterbens für die Menschen steht in der Tradition des Sühnegedankens. Wenn aus dem Tod Jesu gefolgert wird, daß auch die Christen bereit sein müssen, das Leben für die Brüder hinzugeben, kann man an griechische Beispiele von freiwilligem Opfertod denken[40]. Die bei Joh feststellbare Entschärfung des physischen Todes, die dadurch gegeben ist, daß der Glaubende schon Anteil am göttlichen Leben hat, berührt sich mit der gnostischen Betonung der Gnosisgewinnung, in der schon vor dem Tod der Stand im Heil gegeben ist. Der johanneische Nachfolgegedanke wurzelt in der synoptischen Tradition; er enthält jedoch eine Zuspitzung auf das im Anschluß an Jesus geschehende Hinüberschreiten vom Tod in den göttlichen Bereich, die die synoptische Vorstellung durchbricht und eine Nähe zum Hinaufzug der Gnostiker im Gefolge des Offenbarers aufweist. Doch dürfen die Unterschiede nicht übersehen werden. Joh spricht nicht von einer Konsubstanzialität zwischen dem Offenbarer und seinen Jüngern; er bindet die Nachfolge an den historischen Jesus. »Die johanneischen Intentionen weisen in antignostische Richtung«[41]. Hinzuweisen ist auch auf die zu Joh 12,25 und 12,26 notierten Beziehungen zu Gedanken des 4. Makkabäerbuches, die eine Nähe johanneischer Vorstellungen zum jüdisch-hellenistischen Gedankenkreis bezeugen. Aufs ganze gesehen ist die johanneische Position eigenständig; sie kann weder aus Qumran noch aus dem Gnostizismus noch aus dem hellenistischen Judentum abgeleitet werden.

Die Verfolgungsdeutung des Johannesevangeliums erlaubt Rückschlüsse auf die Situation der Kirche zur betreffenden Zeit. Die christlichen Brudergemeinden schließen sich von der Umwelt, die

---

[38] Vgl. O. Böcher, Der johanneische Dualismus im Zusammenhang des nachbiblischen Judentums (Gütersloh 1965) 76f.; H. Braun, Qumran und das Neue Testament II (Tübingen 1966) 120f.

[39] Vgl. L. Schottroff, Der Glaubende und die feindliche Welt. Beobachtungen zum gnostischen Dualismus und seiner Bedeutung für Paulus und das Johannesevangelium (Neukirchen-Vluyn 1970) = WMANT 37,228/96.

[40] Vgl. etwa J. Schmitt, Freiwilliger Opfertod bei Euripides. Ein Beitrag zu seiner dramatischen Technik (Gießen 1921) = RVV 17,2 (s. etwa 1f. mit dem Hinweis auf den Heldentod des Leonidas), u. S. K. Williams, Jesus' Death as Saving Event, 137/63, bes. 153/61.

[41] H. D. Betz, Nachfolge und Nachahmung Jesu Christi, 37.

ihnen gegenüber feindlich eingestellt ist, ab und sind nicht überrascht, wenn es zu Verfolgungen kommt. Der Synagogenausschluß
scheint noch aktuell zu sein. Die Ermordung von Christen gilt als
möglich. Der vorherrschende Zug ist der Haß der Umwelt, der
theologisch gedeutet wird[42].

[42] Vgl. C. Andresen, Die Kirchen der alten Christenheit (Stuttgart 1971) = Die
Religionen der Menschheit 29,1/2, 24/40, der auf die Rückwirkung aufmerksam macht, die die christl. Gemeindesituation als »ausgesprochene Verloren-
heit im Raum« auf das christl. Selbstverständnis hatte.

III. Kapitel

DIE NEUTESTAMENTLICHEN BRIEFE
UND DIE OFFENBARUNG DES JOHANNES

Das Verfolgungs- und Leidensthema begegnet nicht nur in der Evangelientradition, sondern nimmt auch einen beträchtlichen Platz in der neutestamentlichen Briefliteratur und natürlich in der Offenbarung des Johannes ein. Die Briefe lassen vielfach deutlicher als die Evangelientradition die Verfolgungssituationen der frühen Kirche erkennen. In der Evangelientradition werden Verfolgungslogien überliefert, die auf bestimmte Verfolgungsverhältnisse zugespitzt werden, die man zwar erkennen, jedoch oft genug nicht genau bestimmen kann. Die Briefe setzen meist bei der Situation an, die man theologisch interpretiert, um sie ertragen zu können. Allerdings kann das Verfolgungsthema auch unabhängig von aktuellen Erfahrungen behandelt werden.

1. Verfolgung und Leiden in der Sicht des Paulus

Am Anfang der in den neutestamentlichen Briefen feststellbaren Verfolgungs- und Leidensdeutung steht Paulus. Am genauesten spricht er in 2 Kor 11,23—33 von seinen Leiden. Er war oft im Gefängnis, wurde häufig geschlagen, war oft in Todesgefahr. Fünfmal erhielt er von Juden die neununddreißig Hiebe; dreimal wurde er ausgepeitscht, einmal gesteinigt. Dreimal hat er Schiffbruch erlitten. Auf seinen weiten Wegen war er gefährdet durch Räuber, durch das eigene Volk und durch Heiden. Hinzu kam die Mühsal in der Ausübung seines apostolischen Berufes. Zum Schluß der Aufzählung berichtet der Apostel davon, daß der Statthalter des Königs Aretas Damaskus bewachen ließ, um ihn gefangenzunehmen. Doch Paulus wurde in einem Korb die Mauer hinuntergelassen und entkam so. Weitere Auskünfte über seine Leiden lassen sich gewinnen, wenn man die anderen entsprechenden Stellen seiner Briefe untersucht. Da die Fragestellung dieser Arbeit an der paulinischen Verfolgungsdeutung und nicht an einer historischen Nachzeichnung der Leiden des Apostels orientiert ist, kann hier auf eine solche Untersuchung verzichtet werden.

Die Paulusbriefe lassen erkennen, daß Verfolgungen und Leiden nicht nur dem Apostel, sondern auch seinen Gemeinden zuteil wurden. Die Thessalonicher sind den Gemeinden in Judäa gleich geworden und haben von ihren Mitbürgern das gleiche erlitten, wie jene von den Juden (1 Thess 2,14). Den Philippern wurde es geschenkt, nicht nur an Christus zu glauben, sondern auch für ihn zu leiden; sie haben so den gleichen Kampf zu bestehen, den sie an Paulus sehen (Phil 1,29f.). Die Erfahrung des eigenen und des Leidens seiner Gemeinden veranlaßte den Apostel zu einer theologischen Deutung des Verfolgungs- und Leidensgeschicks[1]. Da Paulus stets neu über die Erfahrungen eines längeren Zeitraums reflektiert und seine theologische Deutung des Leidens im Widerspruch gegen unterschiedliche Gegner akzentuiert, empfiehlt es sich, zunächst die einzelnen Briefe für sich zu besprechen und erst danach ein Gesamtbild zu skizzieren. Ein solches Vorgehen führt zwar zu einigen Wiederholungen, verhindert jedoch, der Gefahr einer voreiligen Harmonisierung der paulinischen Aussagen zu erliegen. Die Leidensdeutung des Apostels hat eine Entwicklung durchgemacht.

a) Der 1. Thessalonicherbrief

In 1 Thess bezieht sich Paulus auf eine Verfolgung der Thessalonicher, die sie von seiten ihrer Mitbürger erlitten haben (2,14). Worin die Leiden der Gemeinde bestanden, wird nicht gesagt. Immerhin wird man nicht an eine blutige Verfolgung denken, da Paulus kaum über ein solches Faktum mit Schweigen hinweggegangen wäre. Wahrscheinlich handelte es sich um öffentliche Anfeindungen, Drohungen und Boykottmaßnahmen, vielleicht auch um Tätlichkeiten wie Schläge. Die Erwähnung der Mitbürger verweist eher auf ungeordnete Feindseligkeiten der Bevölkerung als auf ein geordnetes Vorgehen der örtlichen Autoritäten.

In der Verkündigung des Evangeliums bei den Thessalonichern ist, wie Paulus 1,5 sagt, die Kraft Gottes am Werk gewesen. Die von Gott herkommende Wirksamkeit des Evangeliums zeigt sich darin, daß die Thessalonicher Nachahmer der Verkündiger und des Herrn geworden sind, indem sie das Wort inmitten großer Bedrängnis

---

[1] Zu dieser Frage vgl. A. Steubing, Der paulinische Begriff »Christusleiden« (Darmstadt 1905); J. Schneider, Die Passionsmystik des Paulus. Ihr Wesen, ihr Hintergrund und ihre Nachwirkungen (Leipzig 1929) = Untersuchungen zum Neuen Testament 15; A. Schweitzer, Die Mystik des Apostels Paulus (Tübingen 1930) 141/58; O. Michel, Prophet und Märtyrer, 30/6; H. von Campenhausen, Die Idee des Martyriums, 10/20; W. Hillmann, Die Leidensmystik des hl. Paulus in ihrem Zusammenhang mit dem Gedanken des mystischen Leibes Christi = ThGl 31 (1939) 597/605; A. Kirchgäßner, Der Christ im Leiden. Sinndeutung des Leidens nach dem Apostel Paulus = TThZ 57 (1948) 278/86; K. H. Schelkle, Die Passion Jesu in der Verkündigung des Neuen Testaments. Ein Beitrag zur Formgeschichte und zur Theologie des

mit der Freude des heiligen Geistes aufgenommen haben (1,6)[2]. In 2,2 berichtet Paulus, daß die Verkündiger in Philippi, vor ihrer Tätigkeit in Thessalonich, viel zu leiden hatten. Sie haben sich jedoch nicht entmutigen lassen, sondern haben den Thessalonichern im gottgeschenkten Freimut[3] das Evangelium Gottes verkündet. Die Prüfung, von der 2,4 spricht, wird man auf die in 2,2 genannten Leiden in Philippi beziehen können: In den Leiden wurden die Verkündiger durch Gott geprüft; sie haben sich bewährt; denn sie verkünden nicht, um den Menschen, sondern um Gott zu gefallen. Sie haben sich also in der Verfolgung nicht von Gott entfernt. Im Freimut der Verkündigung inmitten der Leiden ist Gott am Werk, so wie sich die im Evangelium enthaltene Kraft Gottes bei den Thessalonichern in der Freude des heiligen Geistes inmitten der Bedrängnisse zeigt. Die Thessalonicher sind so Nachahmer der Verkündiger geworden. Die Nachahmung meint hier nicht ein bewußtes Nachgestalten. Einmal haben die Thessalonicher die Verfolgung nicht gesucht, sie trifft sie von außen her; zum anderen ist die Freude im heiligen Geist nicht ihr Werk, sondern Ergebnis der Mächtigkeit des Evangeliums. Die Nachahmung meint deshalb hier eine Entsprechung der Situationen in einem Nacheinander. Im Vordergrund steht die Entsprechung zwischen den Situationen der Verkündiger und der Thessalonicher; in einem knappen Hinweis

Neuen Testaments (Heidelberg 1949) 245/75, bes. 262ff.; Ph. Seidensticker, Lebendiges Opfer (Röm 12,1). Ein Beitrag zur Theologie des Apostels Paulus (Münster 1954) = NTA 20,1/3, 245/51; ders., Paulus, der verfolgte Apostel Jesu Christi (Stuttgart 1965) = SBS 8; A. Wikenhauser, Die Christusmystik des Apostels Paulus[2] (Freiburg 1956) 103/9; ders., Die Kirche als der mystische Leib Christi nach dem Apostel Paulus[2] (Münster 1940) 192/7; B. M. Ahern, The Fellowship of His Sufferings (Phil 3,10). A Study of St. Paul's Doctrine on Christian Suffering = CBQ 22 (1960) 1/32; A. Schulz, Leidenstheologie und Vorbildethik in den paulinischen Hauptbriefen = J. Blinzler — O. Kuss — F. Mußner (Hrsg.), Neutestamentliche Aufsätze. Festschrift für J. Schmid (Regensburg 1963) 265/9; E. Kamlah, Wie beurteilt Paulus sein Leiden? Ein Beitrag zur Untersuchung seiner Denkstruktur = ZNW 54 (1963) 217/32; E. Güttgemanns, Der leidende Apostel und sein Herr. Studien zur paulinischen Christologie (Göttingen 1966) = FRLANT 90; R. C. Tannehill, Dying and Rising with Christ. A Study in Pauline Theology (Berlin 1967) = Beihefte ZNW 32,84/129; J. Kremer, »Die Gemeinschaft seiner Leiden« (Phil 3,10). Meditation über den Sinn des Leidens im Leben der Christen nach den Aussagen des Apostels Paulus = BiKi 23 (1968) 13/6; W. Schrage, Leid, Kreuz und Eschaton. Die Peristasenkataloge als Merkmale paulinischer theologia crucis und Eschatologie = EvTh 34 (1974) 141/75.

[2] Zu dieser Interpretation vgl. R. C. Tannehill, Dying and Rising, 100/4. Vgl. auch B. M. Ahern, The Fellowship of His Sufferings, 2/6.

[3] Die παρρησία inmitten von Drohungen und Gefahren ist ein Merkmal des hellenistischen Weisen. Wie in Apg 4 wird sie hier auf Gottes Wirken zurückgeführt.

lenkt Paulus auf Jesus selbst zurück. Der Hinweis wird in 1,6 nicht entfaltet; innerhalb der zweiten Danksagung 2,13ff., die teilweise den Gedankengang von 1,2ff. wiederholt, spricht Paulus an der 1,6 entsprechenden Stelle davon, daß die Juden den Herrn Jesus getötet haben (2,15). Nach E. Kamlah hat Paulus in 1,6 die urchristliche Tradition von der Freude im Leiden verwandt und in seinem Sinn gestaltet[4]. In der Tat gilt es, den Unterschied zwischen dieser Tradition und dem Gedanken des Paulus zu sehen. Die jüdische Apokalyptik fordert zur Freude im Leiden auf, weil nach dem großen, von Gott erwarteten Umschwung die Situation der Bedrängung durch die gottgeschenkte Herrlichkeit abgelöst wird. In den von Nauck genannten Stellen wie Mt 5,11f.; Lk 6,22f.; 1 Petr 1,6—8; 4,13 ist ebenfalls der Zukunftsbezug enthalten. Paulus spricht hier jedoch von der Freude des heiligen Geistes, ohne auf einen zukünftigen Lohn zu verweisen. Er denkt an die in der Verfolgung erfahrbare Gegenwart des christlichen Heils.

Der Abschnitt 2,13—16 wiederholt und variiert z. T. das in 1,2ff. Gesagte. Das Wort der Verkündigung ist nicht Menschenwort, sondern kraftvolles Wort Gottes, das unter den Gläubigen wirksam ist (2,13). Seine Wirksamkeit zeigt sich darin, daß die Thessalonicher Nachahmer der Gemeinden in Judäa geworden sind, weil sie dasselbe von ihren Mitbürgern erleiden, was jene von den Juden erleiden (2,14). Hier spricht Paulus nicht von der Freude im Leiden. Die Tatsache des Leidens selbst, durch das die Thessalonicher Nachahmer der Gemeinden in Judäa geworden sind, ist Ergebnis der Wirksamkeit des Wortes der Verkündigung. Paulus will sicher nicht sagen, daß das kraftvolle Wort Gottes die Verfolgung schafft. Hinter der Verfolgung steht der Versucher Satan (3,5; vgl. 2,18). Vielmehr ist daran zu denken, daß die Wirksamkeit des Wortes Gottes sich darin zeigt, daß die Thessalonicher Gott gefallen und nicht den Menschen (vgl. 2,4). Die Verfolgung macht deutlich, daß sie auf der Seite Gottes und nicht auf der Seite der Menschen stehen. In der Verfolgungssituation gleicht die Gemeinde in Thessalonich den Gemeinden in Judäa, die vor ihr Leiden erdulden mußten. Von den palästinensischen Gemeinden lenkt Paulus zurück auf Jesus und auf die Propheten (2,15f.). Es ist deutlich, daß der Apostel hier die christlich erweiterte Prophetenmordtradition verwendet[5]. Zu dieser Tradition gehört der Hinweis auf das Gericht

---

[4] E. Kamlah, Wie beurteilt Paulus sein Leiden? 223f. Zur Tradition selbst vgl. W. Nauck, Freude im Leiden.

[5] Vgl. O. H. Steck, Israel und das gewaltsame Geschick der Propheten, 274/9. Steck verweist auf die Berührungspunkte mit dem Gleichnis vom Mord im Weinberg Mk 12,1—11.

Gottes über das jüdische Volk. Man muß deshalb in der Aussage, daß der Zorn über die Juden gekommen ist (2,16), nicht eine Anspielung auf ein zeitgeschichtliches Ereignis sehen[6]. Gemeint ist wohl der Ausschluß vom gottgeschenkten Heil, der die Juden jetzt trifft, da sie durch die Behinderung der Heidenmission das Maß ihrer Sünden vollmachen[7].

Die Verfolgungen sind für Paulus Bestandteil der der Parusie vorausgehenden Zeit; insofern sind sie nicht zufällige Ereignisse, von denen die Christen überrascht werden, sondern Bedrängnisse, mit denen man zu rechnen hat. Deswegen hat Paulus, als er noch bei den Thessalonichern war, vorausgesagt, »daß wir in Bedrängnis geraten werden...« (3,4). In dem »wir« schließt sich Paulus mit den Thessalonichern zusammen[8]. Leiden ist in der dem Ende zulaufenden Zeit Christengeschick (3,3)[9]. Die Vorhersage der Verfolgungen durch Paulus erfüllt ebenso wie die synoptische Verfolgungsvorhersage Mk 13,9—13parr und wie Joh 15,18—16,4a die Aufgabe, den Verfolgungen den Charakter des Anstößigen zu nehmen. Sie sind vorhergesagt und fester Bestandteil der apokalyptisch gedeuteten Zeit nach Jesus. Die der Parusie vorausgehende Zeit ist von solcher Art, daß es in ihr zu Verfolgungen der Christen kommen muß.

Der endzeitliche Charakter der Bedrängnisse schwingt im Wort θλῖψις mit[10]. In der Bedrängnis kann man ins Wanken geraten (3,3). Durch sie versucht der Versucher[11] die Betroffenen; dabei gibt es die Möglichkeit, daß die Mühe der Verkündiger umsonst war (3,5). Paulus rechnet also damit, daß Christen in der Verfolgung schwach werden und vom Glauben abfallen können. Das positive Bestehen der Bedrängnis bezeichnet Paulus mit dem Wort ὑπομονή. In der Ausdauer zeigt sich die Hoffnung auf den Herrn Jesus Christus (1,3). Inmitten der Bedrängnis gilt es, standhaft zu bleiben und voll Hoffnung auf den Tag zu warten, an dem der

---

[6] So E. Bammel, Judenverfolgung und Naherwartung. Zur Eschatologie des Ersten Thessalonicherbriefs = ZThK 56 (1959) 294/315, der an die Vertreibung der römischen Juden unter Claudius denkt.

[7] Vgl. Mt 23,32.

[8] Vgl. B. Rigaux, Les Epitres aux Thessaloniciens (Paris-Gembloux 1956) = ÉtB, 472.

[9] B. M. Ahern, The Fellowship of His Sufferings, 2, verweist auf das δεῖ in Apg 14,22.

[10] H. Schlier, Art. θλίβω, θλῖψις = ThWNT III, 139/48, hier 144/6. — θλῖψις oder θλίβω begegnen an den Stellen 1,6; 3,3.4.7.

[11] Vgl. auch 2,18. Der Versucher und Satan sind identisch. Es handelt sich um den Feind derer, die auf der Seite Gottes stehen. Die Zeit bis zur Parusie ist davon geprägt, daß einmal das Evangelium in der Kraft Gottes machtvoll ist und zum anderen auch der Gegenspieler Gottes Macht ausübt.

Herr Jesus mit all seinen Heiligen kommt (vgl. 3,13)[12]. Paulus kann in der Verfolgung auch eine Prüfung durch Gott sehen. In 2,4 sagt er von den Verkündigern, daß Gott sie geprüft hat[13]. Die Thessalonicher sind in der Bedrängnis nicht schwach geworden. Timotheus, den Paulus zu ihnen geschickt hat, ist mit guten Nachrichten zu Paulus zurückgekehrt (3,5f.). Die Nachricht des Timotheus führt dazu, daß die Verkündiger inmitten ihrer Not und Bedrängnis getröstet sind (3,7). »Denn jetzt leben wir, wenn ihr feststeht im Herrn« (3,8). Das Aufleben, von dem Paulus hier spricht, wird man mit der Freude des heiligen Geistes von 1,6 vergleichen können. Im Trost, den die Glaubensfestigkeit der Thessalonicher Paulus bereitet, ist inmitten der zur Endzeit gehörenden Drangsale die Gegenwart des christlichen Heils erfahrbar. In dieser Gegenwart des Heils und in der Bindung der Christen an Jesus unterscheidet sich die apokalyptisch geprägte Leidensdeutung, wie sie hier vorliegt, von vergleichbaren Aussagen der jüdischen Apokalyptik.

b) Der Galaterbrief

Die Verfolgungen, von denen 1 Thess spricht, gehen auf Juden und auf heidnische Mitbürger der Christen zurück[14]. Im Galaterbrief nun handelt es sich um innerchristliche Auseinandersetzungen. Paulus polemisiert gegen Leute, die ein anderes Evangelium verkünden, als er es den Galatern gepredigt hat (1,6—9). Diese von außen in die Gemeinden eingedrungenen Agitatoren fordern zur Beschneidung auf (5,1—12; 6,12) und propagieren so die Befolgung des jüdischen Gesetzes (3,2; 5,4). Es handelt sich sehr wahrscheinlich um extreme Judenchristen, die sich dem gesetzesfreien Evangelium des Paulus entgegenstellten und dabei eine heftige Agitation gegen den Apostel entfachten, durch die sich dieser verfolgt sah. Er, der früher selbst als gesetzestreuer Jude die Christen verfolgt hatte (1,13.23), hat auf die Offenbarung Jesu Christi hin (1,11f. 15f.) einen fundamentalen Wandel vollzogen. Er erwartet das Heil nicht mehr von der Befolgung des Gesetzes, sondern weiß, daß es den Menschen im Glauben an Jesus Christus, den Gekreuzigten, von Gott geschenkt ist (vgl. 2,15f.; 3,1f.). Im Angriff der

---

[12] ὑπομονή meint also hier nicht ein lokales Dabei-Bleiben wie bei Lukas, sondern die innere Haltung der Ausdauer. Vgl. S. Brown, Apostasy and Perseverance, 48/50. Zum Unterschied zwischen der paulinischen und lukanischen Verwendung von θλῖψις (θλίβω) und πειρασμός (πειράζω) vgl. ebd. 13/5.

[13] Zu δοκιμάζω vgl. ebd. 33f. — Der Gedanke der Prüfung durch Leiden ist atl. und jüdisch; vgl. N. Peters, Die Leidensfrage im Alten Testament, 47/52.

[14] Vgl. 1 Thess 2,14. Für die Verfolgung in Philippi (2,2) fehlen nähere Hinweise.

judaistischen Gegner ist der Kern der paulinischen Predigt betroffen. Wenn man die Beschneidung fordert, verdunkelt man die Tat Gottes und setzt an die Stelle der Annahme des göttlichen Tuns im Glauben erneut die menschliche Anstrengung.

Vor diesem Hintergrund ist 5,11 zu verstehen. Paulus geht von dem Fall aus, daß er zum Evangelium hinzu auch die Beschneidung verkünden würde. Wenn er das täte, würde der Grund für eine Verfolgung durch die Judaisten entfallen. Dann wäre aber auch das Ärgernis des Kreuzes beseitigt. Das Wort »Kreuz« ist ein Schlüsselbegriff der paulinischen Verkündigung. Mit ihm soll gesagt werden, »daß das eschatologische Heil ausschließlich vom gekreuzigten und auferweckten Christus kommt, den Paulus den Galatern nach 3,1 in seiner Predigt vor Augen ›geschrieben‹ hat«[15]. Dieses Wort vom Kreuz, in dem die jüdische Gesetzlichkeit als Heilsmöglichkeit abgelehnt wird, ist denen, die das Heil weiterhin von der Erfüllung des Gesetzes abhängig machen, ein Skandalon. Paulus wird so wegen der Ablehnung der Beschneidung, die in seiner Kreuzespredigt wurzelt, und somit wegen des Ärgernisses des Kreuzes verfolgt. Die gegenwärtige Verfolgung durch die Judaisten hat ein alttestamentliches Vorbild. Nach 4,29 hat Ismael den Isaak als den aufgrund der Verheißung (4,23) und kraft des Geistes geborenen (4,29) Abrahamssohn verfolgt. Dementsprechend gibt es jetzt eine Verfolgung des Paulus und der auf seiner Seite Stehenden durch die Judaisten. Ihnen macht Paulus in 6,12 den Vorwurf, sie nötigten die Galater nur deshalb zur Beschneidung, damit sie nicht wegen des Kreuzes Christi verfolgt werden. Kreuzespredigt und Verfolgung durch die dem Gesetz ergebenen jüdischen Kreise gehören für Paulus zusammen. Er unterstellt seinen Gegnern, daß sie die Beschneidung fordern, um den Konsequenzen zu entgehen, die die Kreuzespredigt mit sich bringt. Der Satz ist Polemik und sicher keine nüchterne Analyse der wahren Absichten der judaistischen Gegner. Er zeigt, welch enger Zusammenhang für Paulus zwischen der Kreuzespredigt und dem Verfolgungsgeschick besteht.

Nach 6,17 trägt Paulus die Stigmata Jesu an seinem Leib[16]. Im Blick auf 2 Kor 1,5 und 4,10 (vgl. auch Kol 1,24) muß man auch Gal 6,17 von der Leidenserfahrung des Paulus her interpretieren[17]. Der Apostel trägt die Zeichen von Mißhandlungen an seinem Körper. Wer ihm diese zugefügt hat, ob Juden oder Heiden, wird

---

[15] Fr. Mußner, Der Galaterbrief (Freiburg-Basel-Wien 1974) = HThK 9,360.
[16] Zu dieser Stelle vgl. E. Güttgemanns, Der leidende Apostel und sein Herr, 126/35; U. Borse, Die Wundmale und der Todesbescheid = BZ N.F. 14 (1970) 88/111; Fr. Mußner, 417/20.
[17] U. Borse, 93f.

hier nicht gesagt. Diese Zeichen des Leidens bezeichnet er als Stigmata Jesu. Er stellt also wie in 2 Kor 1,5 und 4,10 eine sehr enge Beziehung her zwischen seinem Leiden und der Passion des Gekreuzigten. Diese Beziehung kann nicht die einer Identität sein. Paulus trägt die Zeichen von Mißhandlungen, die zu seinem Leben gehören. Worin aber gründet dann die enge Beziehung zwischen dem Leiden Jesu und dem des Paulus? Paulus leidet wegen des Glaubens an Jesus, und weil er vom Gekreuzigten als sein Apostel in Dienst genommen ist. Er erfährt so ein Geschick, das dem Geschick Jesu entspricht. Diese Schicksalsgemeinschaft ist für Paulus nicht im Nachfolgegedanken der Synoptiker begründet. Auch denkt er nicht an eine abbildliche Nachahmung des Gekreuzigten. Er spricht zwar von der Nachahmung im Leiden (1 Thess 1,6; 2,14); doch meint diese nicht ein bewußtes und abbildliches Nachgestalten des Leidens Jesu. Die Schicksalsgemeinschaft zwischen Jesus und den Christen beruht nach Paulus vielmehr darauf, daß die Konstituierung des christlichen Heils durch den Tod und die Auferweckung Jesu unter den Bedingungen dieser von Leid und Tod geprägten Welt erfolgt ist und daß diese Bedingungen weiter gelten für die Heilserfahrung der Christen. Bis zur Parusie gibt es das neue Leben nur inmitten einer Welt, die durch Leid und Verfolgung gekennzeichnet ist, so wie Kreuz und Auferweckung Jesu zusammengehören. Die Christen und der Apostel als Gesandter des Gekreuzigten sind auf das Gesetz festgelegt, das an Kreuz und Auferweckung ablesbar ist.

Weiterhin ist darauf hinzuweisen, daß nach Paulus das Wort vom Kreuz eine Kraft ist (1 Kor 1,18; vgl. auch 1 Thess 1,5; 2,13). Es wirkt sich so aus, daß das menschliche Leid dem Leid Jesu gleichgestaltet und so aufgebrochen wird für die Erfahrung des christlichen Heils, in dem das Auferweckungsleben Jesu wirksam ist. Die Dynamik von Tod und Auferweckung Jesu zeigt sich beim Christen in einem beständigen Hinüberschreiten von der Leiderfahrung zur Heilserfahrung. Sowohl Kreuz wie auch Auferweckung Jesu prägen dem Christen ihr Zeichen auf. Im Leiden gibt es so eine Gemeinschaft zwischen Jesus und seinen Gläubigen (vgl. Phil 3,10), ohne daß der Zeitabstand übersprungen würde. Paulus drückt diese Gemeinsamkeit in Gal 6,17 dadurch aus, daß er seine Leidenszeichen als Stigmata Jesu bezeichnet[18]. Der Ausdruck steht hier in

---

[18] In unserer Sprache gibt es Analogien zum paulinischen Ausdruck. Wir können z. B. sagen, daß jemand die Leiden des Ijob trägt oder von der Freude des hl. Franziskus erfüllt ist. In solchen Fällen will man nicht eine mystische Beziehung zwischen Ijob und Franziskus auf der einen Seite und einem Zeitgenossen auf der anderen Seite herstellen, sondern das Geschick eines Leiden-

einem polemischen Kontext, in dem Paulus seine Autorität als Apostel zur Geltung bringt. An den Stigmata ist ersichtlich, wo Paulus steht, nämlich auf der Seite Jesu, des Gekreuzigten, im Sinn der paulinischen Kreuzespredigt. Vom Gekreuzigten ist er als Apostel in Dienst genommen; auf dieser Tatsache beruht seine Autorität, die von den Gegnern bestritten wird. Unter Hinweis auf die Leidenszeichen, die zeigen, daß er im Dienst des Gekreuzigten steht, verlangt er von den Galatern die Zustimmung zu dem, was er ihnen schreibt, womit dann auch die Auseinandersetzungen zwischen ihm und ihnen beendet sind. In Zukunft soll ihm keiner mehr solche Schwierigkeiten machen (6,17a). Die Gegner verlangen die Beschneidung als äußeres Zeichen der jüdischen Gesetzesbeobachtung; Paulus verweist auf seine Leidenszeichen als Beweis der Zugehörigkeit zum Gekreuzigten.

c) Der 1. Korintherbrief

Der Galaterbrief zeigt, wie Paulus die Verfolgung und sein Leiden, die ihn in seinem Dienst als Apostel treffen, deutet und bewältigt. Das Leiden im apostolischen Dienst ist weiterhin ein Thema des 1., vor allem aber des 2. Korintherbriefes. In 1 Kor 2,6—16 wendet sich Paulus gegen ein religiöses Bewußtsein, in dem man das zukünftige Heil schon vollständig in der Gegenwart zu erfahren glaubt. Aus den ironischen Bemerkungen des Apostels[19], in denen er wohl Selbstaussagen der Korinther aufgreift, läßt sich erheben, daß diese glaubten, schon vollendet zu sein. Sie sind schon gesättigt, reich geworden und zur Herrschaft gelangt (4,8). Sie stehen da als kluge Leute in Christus, sind stark und angesehen (4,10). Gegen diese »realized eschatology« macht Paulus den eschatologischen Vorbehalt geltend, indem er die bedrängten und leidenden Apostel als »Exempel der christlichen Existenz«[20] in der Zeitspanne zwischen dem Kreuz Jesu und der endgültigen Vollendung vorstellt. Die Korinther haben das, was sie besitzen, empfangen; es ist Gnade (4,7). Sie sollen sich noch nicht als Vollendete fühlen, da die Vollendung noch aussteht; vielmehr sollen sie Nachahmer des Paulus werden (4,16), dessen Leben im Dienst als Apostel von Mühsal, Verachtung und Leiden geprägt ist.

den mit dem Geschick des Ijob und die Charaktereigentümlichkeit eines freudigen Menschen mit der Eigentümlichkeit des Franziskus vergleichen und ineinssetzen. Natürlich erklären die angeführten Analogien den paulinischen Ausdruck nicht vollständig. Die paulinische Ineinssetzung muß auf dem Hintergrund der oben skizzierten Kreuzestheologie des Apostels gesehen werden.

[19] H. Conzelmann, Der erste Brief an die Korinther (Göttingen 1969) = Meyer K 5,106.

[20] Ebd. 104.

Paulus spricht 4,9—13 allgemein von den Aposteln, wobei er sich, indem er die 1. Person Plural benutzt, selbst einschließt. Er vergleicht sie mit solchen, die dem Tod geweiht sind. Gott hat sie als die Letzten hingestellt (4,9); sie stehen da als Toren um Christi willen; sie sind schwach und verachtet (4,10). 4,11—13 ist ein Peristasenkatalog, in dem die Bedrängnisse katalogartig aufgezählt werden; 4,12b—13a formuliert in Antithesen, wie sich die Apostel inmitten der Bedrängnisse verhalten. In einem Schlußsatz faßt Paulus das Geschick der Apostel mit starken Worten zusammen: »Wie der Unrat der Welt sind wir geworden, der Dreck von allen bis heute« (4,13b).

In 4,9 vergleicht Paulus die Apostel mit Menschen, die aufgrund eines Urteils oder etwa als Gladiatoren dem Tod nahe sind. Weiter heißt es: »Denn wir sind zum Schauspiel geworden für die Welt, für Engel und für Menschen.« Der Satz läßt an eine stoische Redeweise denken, nach der der weise Mensch inmitten der Widrigkeiten des Lebens ein Schauspiel für Gott oder die Menschen abgibt[21]. Gern hat man auch in Philosophenkreisen den Gladiator, der es versteht, würdig zu sterben, als Vorbild der dem Weisen empfohlenen Todesverachtung hingestellt[22]. Doch stimmen die entsprechenden Äußerungen antiker Schriftsteller nicht genau mit der paulinischen Stelle überein. Der stoische Philosoph gebraucht das Bild vom Schauspiel, um seine Bewunderung des weisen Menschen auszudrücken. Der Weise, der die Widerwärtigkeiten des Lebens als Kraftproben ansieht, der inmitten der Bedrängnisse unbeirrt, ruhig und gelassen bleibt, ist ein würdiges Schauspiel. Die Apostel aber bieten gerade nicht ein großartiges, sondern ein armseliges Schauspiel[23]. Als Todgeweihte sind sie nicht Vorbilder einer heroischen Todesverachtung, sondern Beispiele der christlichen Existenz in der Zeit zwischen dem Kreuz Jesu und der Parusie. Die Apostel,

---

[21] Vgl. Seneca, De providentia II,9; Epiktet, Diss. II,19,24f.; III,22,59. Siehe auch 4 Makk 17,11—16.

[22] Cicero, Tusc. II,41; Plinius Minor, Panegyricus 33; Seneca, De constantia sapientis XVI,2; Seneca, De tranquillitate animi XI,4f.; Seneca, Ep. 30,8. Vgl. J. Vogt, Lo schiavo morente immagine di compiuta umanità = Studi Romani 20 (1972) 317/28, hier 321/4.

[23] Insofern das Schauspiel in 1 Kor 4,9 negativ gemeint ist, berührt sich Paulus hier mit Philon, Legatio ad Gaium 368 (145 Smallwood), der die Verhandlung vor dem Kaiser als eine Mischung von Theater und Gefängnis kennzeichnet. Zur Frage der Unterschiede zwischen 1 Kor 4,9 und den entsprechenden stoischen Äußerungen vgl. auch A. Bonhöffer, Epiktet und das Neue Testament (Gießen 1911) = RVV 10,170; J. N. Sevenster, Paul and Seneca (Leiden 1961) = NovT.Suppl. 4,115/7; V. C. Pfitzner, Paul and the Agon Motif. Traditional Athletic Imagery in the Pauline Literature (Leiden 1967) = NovT.Suppl. 16,189.

wie die Christen allgemein, unterstehen dem Gesetz des Kreuzes. In der menschlichen Schwachheit aber erweist die Gnade Gottes ihre Kraft (2 Kor 12,9). Paulus könnte durch die Popularphilosophie seiner Zeit dazu angeregt worden sein, vom Schauspiel zu sprechen, das die Apostel bieten. Er könnte auch vom Buch Ijob beeinflußt gewesen sein[24]. Das übernommene Bild macht er jedoch zum Ausdruck seiner ureigensten Gedanken.

Der Abschnitt 1 Kor 4,11—13 gehört zur Gruppe der paulinischen Peristasenkataloge (vgl. noch 2 Kor 4,8—18; 6,4—10; 11,23—33; 12,9f. und Röm 8,35—39). In diesen Aufzählungen der Leiden berührt sich Paulus mit stoisch und kynisch geprägten Aussagen, in denen beschrieben wird, wie der Weise inmitten einer Vielzahl von Bedrängnissen die innere Freiheit verwirklicht. Als Beispiel eines kurzen stoischen Peristasenkatalogs sei Epiktet, Diss. II,19,24 genannt. Epiktet wünscht, einen wahren Stoiker, der auch nach den Grundsätzen der Stoa lebt, zu sehen: »Zeiget mir einen, der krank und glückselig, der in Gefahr und glückselig, der stirbt und glückselig, der des Landes verwiesen und glückselig, der aller Ehren entsetzt und glückselig ist«[25]. Es ist zu fragen, ob Paulus von solchen stoischen Aufzählungen zu seinen Peristasenkatalogen angeregt worden ist. Die Frage wird zumeist bejaht. Nun hat jedoch W. Schrage nachdrücklich auf Parallelen in der Apokalyptik aufmerksam gemacht[26]. Speziell zu 1 Kor 4,11f. verweist er[27] auf äth. Henoch 103,9—15 in der griechischen Fassung, nach der die Gerechten in der 1. Pers. Plural ihre Leiden aufzählen, ähnlich wie

---

[24] Vgl. G. Kittel, Art. θέατρον, θεατρίζομαι = ThWNT III,42f., hier 43 (auf das Leiden Ijobs schauen Engel und Menschen).

[25] Epiktet, Diss. II,19,24 (193,14/7 Schenkl²); Übers. nach R. Mücke, Epiktet (Heidelberg 1926) 146. Weitere Beispiele stoisch-kynischer Peristasenreihen bei R. Bultmann, Der Stil der paulinischen Predigt und die kynisch-stoische Diatribe (Göttingen 1910) = FRLANT 13,19 u. 71f.; H. Windisch, Der zweite Korintherbrief. Neudruck der Aufl. 1924, hrsg. von G. Strecker (Göttingen 1970) = Meyer K 6,143, 207/9, 357; R. Höistad, Eine hellenistische Parallele zu 2 Kor. 6,3ff. = Coniectanea Neotestamentica 9 (1944) 22/7; A. Fridrichsen, Zum Thema »Paulus und die Stoa«. Eine stoische Stilparallele zu 2 Kor. 4,8f. = ebd. 27/31. Nach A. Fridrichsen, Zum Stil des paulinischen Peristasenkatalogs 2 Cor. 11,23ff. = Symbolae Osloenses 7 (1928) 25/9, u. ders., Peristasenkatalog und Res Gestae. Nachtrag zu 2 Cor. 11,23ff. = ebd. 8 (1929) 78/82, schließt sich Paulus in 2 Kor 11,23—33 dem Stil der Ruhmeschronik an, wie sie etwa im Monumentum Ancyranum vorliegt. Dagegen denkt D. Georgi, Die Gegner des Paulus im 2. Korintherbrief. Studien zur religiösen Propaganda in der Spätantike (Neukirchen-Vluyn 1964) = WMANT 11,245, Anm. 1, an eine ironische Imitation der Selbstdarstellung der Gegner von 2 Kor.

[26] W. Schrage, Leid, Kreuz und Eschaton, 142/50.

[27] Ebd. 144f.

Paulus an dieser Stelle in der 1. Pers. Plural von den Nöten der Apostel redet[28]. Äth. Henoch 103,9—15 bezieht sich auf eine Verfolgung, bei der die Gerechten aufgerieben wurden und wenige geworden sind. Sie hatten schon die Hoffnung auf Rettung aufgegeben. Sie wollten fliehen, fanden aber keinen Platz, wohin sie sich retten konnten. Die Herrschenden, an die sie sich in ihrer Not wandten, stellten sich nicht auf ihre Seite, sondern unterstützten noch jene, die sie verfolgten. Der knappe Überblick zeigt, daß sich der Gesamtduktus der Stelle doch beträchtlich von 1 Kor 4,11f. unterscheidet. W. Schrage macht darauf aufmerksam, daß an allen von ihm genannten Stellen der Apokalyptik die Antithese fehlt[29]. Für die Antithesenform der paulinischen Peristasenkataloge rechnet er daher mit einem Einfluß des Stiles der Diatribe[30]. Schrage will denn auch nicht eine Alternative: Stoa — Apokalyptik aufstellen, sondern zeigen, daß die Grundlage der Peristasenkataloge nicht einfach eine stoische ist und »ein erheblicher Einfluß der Apokalyptik auf Form, Sache und Funktion der Peristasenkataloge in Anschlag zu bringen ist«[31]. Allerdings stellt sich die Frage, ob man, wenn man schon einen Einfluß der Diatribe auf die paulinischen Antithesen annimmt, nicht auch in den Aufzählungen der im apostolischen Dienst erlittenen Leiden und Mühen eher popularphilosophische als apokalyptische Einwirkungen vermuten sollte. Der paulinische Gedanke selbst unterscheidet sich sowohl von der apokalyptischen wie auch von der stoischen Leidensdeutung. Die Apokalyptik wartet auf den zukünftigen Ausgleich, bei dem die gerechten Leidenden ihren Lohn erhalten werden. Paulus kennt zwar auch die Hoffnung auf die zukünftige Herrlichkeit, jedoch ist für ihn das Heil schon in der Gegenwart erfahrbar, auch wenn es in seiner Fülle erst in der Zukunft offenbar werden wird. Im Unterschied zur Stoa propagiert er nicht die stolze Autonomie des Weisen, dem die Leiden und Nöte nichts anhaben können, sondern erwartet alles von Gott, der in den Schwachen und durch sie wirkt[32]. Die Antithesen in 1 Kor 4,12 wird man mit 1 Thess 1,6 vergleichen können, wo von der Freude

---

[28] Der griech. Text und eine engl. Übers. des griech. und des äth. Textes bei L. Ruppert, Der leidende Gerechte, 146/8, der 140/52 die Stelle bespricht.
[29] W. Schrage, 145.
[30] Ebd. 147.
[31] Ebd. 147, Anm. 16.
[32] Vgl. R. Liechtenhan, Die Überwindung des Leides bei Paulus und in der zeitgenössischen Stoa = ZThK N. F. 3 (1922) 368/99, der im 1. Teil der Studie Paulus und die Stoa sehr nahe zusammenrückt, dann aber im 2. Teil auf die fundamentalen Unterschiede aufmerksam macht.

des heiligen Geistes inmitten der Bedrängnisse die Rede ist. Gottes
Kraft ist am Werk, so daß die Geschmähten segnen, die Verfolgten
standhalten und die Beschimpften trösten. Die Antithesen machen
weiter deutlich, wie sich der Christ, der Gottes Kraft erfährt, in
der Situation der Verfolgung verhalten soll. Er segnet, statt zu
fluchen, hält aus, statt den Mut zu verlieren, und tröstet, statt
andere zu beschimpfen (vgl. Mt 5,44/Lk 6,27f.).
Vom apostolischen Leiden ist noch einmal gegen Ende des Briefes
die Rede. Paulus verweist auf die apostolische Existenz als Argument gegen die Leugnung der Auferstehung der Toten (15,30—32).
Welchen Sinn hat es, daß Paulus sich im apostolischen Dienst stünd-
lich der Gefahr aussetzt und dabei täglich stirbt, d. h. dem Tode
nahe ist, wenn es keine Auferstehung der Toten gibt? Dann wäre
es doch besser, man würde das Leben genießen. Der Abschnitt zeigt,
daß Paulus angesichts der Gefahren und der Todesnähe, in die ihn
der apostolische Dienst brachte, Kraft im Glauben an die Auferstehung der Toten gefunden hat. Die Aussage vom Tierkampf in
Ephesus (15,32) versteht man am besten in übertragener Bedeutung[33]. In der Aufzählung der Leiden von 2 Kor 11,23—33 findet
sich kein Hinweis auf einen Tierkampf. Weiter ist es nicht gut
denkbar, daß Paulus als römischer Bürger zum Tierkampf in der
Arena hätte verurteilt werden können.
Schließlich sei noch kurz auf 13,3 und 11,29—32 eingegangen. Im
Hohenlied der Liebe nennt Paulus in 13,3 zwei Fälle von menschlichem Heroismus, die, wenn sie ohne Liebe geschehen, keinen Wert
haben. Es handelt sich um das Verschenken der gesamten Habe und
um die Hingabe des Leibes zum Verbrennen[34]. Nach K. L. Schmidt
könne Paulus in 13,3 sowohl an das Feuermartyrium wie auch an
die in der griechisch-römischen Welt gerühmte Tat der Selbstverbrennung gedacht haben[35]. Da der paulinische Ausdruck jedoch
eine freiwillige Hingabe des Leibes zum Verbrennen meinen dürfte,
die jüdischen Märtyrer aber den Tod nicht freiwillig gesucht, sondern nur in der Konsequenz ihres Glaubensgehorsams frei bejaht

---

[33] Vgl. H. Lietzmann, An die Korinther I.II (Tübingen 1949) = HNT 9,83.
[34] καυθήσομαι dürfte gegenüber der Lesart καυχήσωμαι vorzuziehen sein. Vgl.
Fr. J. Dölger, Der Feuertod ohne die Liebe. Antike Selbstverbrennung und
christlicher Martyrium-Enthusiasmus. Ein Beitrag zu I Korinther 13,3 =
AuC I (1929) 254/70, hier 254; K. L. Schmidt, Art. καίω = ThWNT III,
466/9, hier 466, Anm. 4; H. Lietzmann, An die Korinther I.II,65; H. Conzelmann, Der erste Brief an die Korinther, 256, Anm. 1.
[35] K. L. Schmidt, 469. Schmidt verweist 466f. auf Dan 3; 2 Makk 7; 4 Makk und
auf Zeugnisse der rabbinischen Literatur. Jedoch ist zu beachten, daß 2 Makk 7
u. 4 Makk sehr grausame Martern berichten, bei denen das Feuer nicht die
zentrale Rolle spielt.

haben[36], ist es angebrachter zu vermuten, daß Paulus sich allein auf die freiwillige Tat der Selbstverbrennung beziehen wollte[37]. Als hochgerühmtes Exemplum der Todesverachtung galt der hellenistischen Antike der freiwillige Feuertod des Inders Kalanos. Philon bringt den Brief des Kalanos an Alexander d. Gr., in dem der indische Philosoph sagt, daß die indischen Weisen über das Feuer erhaben seien und sich lebendig verbrennen ließen[38]. Der Stoa galt die Selbstverbrennung als bewundertes Beispiel des Gleichmutes[39]. Paulus teilt die der damaligen Zeit geläufige Bewunderung der freiwilligen Selbstverbrennung nicht. Ohne die Liebe ist eine solche Tat ohne Wert vor Gott[40].

Auf die Stelle 11,29—32 soll kurz aufmerksam gemacht werden, weil Paulus hier im Sinn der jüdischen Leidenstheologie von einer Strafe spricht, durch die Gott die Menschen züchtigt und erzieht (vgl. 11,32). Allerdings ist hier nicht vom Verfolgungsleiden, sondern von Krankheiten und Todesfällen die Rede. Paulus kennt also diese Art der Leidensdeutung; er läßt sie auch in der Deutung des Verfolgungsleidens eben anklingen[41], jedoch spielt sie im Gefüge der paulinischen Deutung des Verfolgungsgeschicks eine nur untergeordnete Rolle.

d) Der 2. Korintherbrief

Mehr als in den anderen Briefen spricht Paulus in 2 Kor von sich selbst und in diesem Zusammenhang von seinen Leiden. Zu 1 Kor 4,6—16 wurde bemerkt, daß Paulus sich gegen das religiöse Bewußtsein der Gemeinde ausspricht, in der Gegenwart schon die vollständige Vollendung zu erfahren. In 2 Kor[42] wendet sich der

[36] Die Freiwilligkeit, von der K. L. Schmidt, 467, spricht, ist die Freiheit, zwischen dem Abfall vom jüdischen Glauben und der Treue zu ihm zu entscheiden. Die Entscheidung für die Treue zur jüdischen Religion ist gleichzeitig eine Entscheidung für den Märtyrertod. Jedoch strebt der Märtyrer den Tod nicht an. Er nimmt ihn aus Treue zur Religion in Kauf, weicht ihm nicht aus und bejaht ihn so. Dagegen spricht der paulinische Ausdruck von einer freiwilligen Hingabe des Leibes.

[37] So Fr. J. Dölger, 257ff. Zur Widerlegung der Ansicht Preuschens, es sei die Brandmarkung des Sklaven gemeint, vgl. ebd. 255/7, u. K. L. Schmidt, 469.

[38] Probus 96; vgl. diese Arbeit S. 52, Anm. 52.

[39] Fr. J. Dölger, 269.

[40] Aus 13,3 kann man folgern, daß christliche Lebenshingabe in der Liebe zu Gott und den Menschen geschehen soll. Vgl. 1 Joh 3,16. Ein Martyrium als heroische Tat ohne Gottesliebe ist ohne Wert.

[41] W. Schrage, Leid, Kreuz und Eschaton, 167, verweist auf die Antithese in 2 Kor 6,9 »gezüchtigt und nicht getötet«. — Zum Gedanken der Züchtigung durch Verfolgung vgl. 2 Makk 6,12—17.

[42] Auf die literarkritischen Fragen zu 2 Kor braucht hier nicht eingegangen zu werden. Es genügt, darauf hinzuweisen, daß 10—13 einen stark polemischen

Apostel gegen eine Gruppe von zugewanderten Gegnern, die in der Gemeinde eine Agitation gegen Paulus entfachten und dabei waren, diese auf ihre Seite zu ziehen[43]. Diese Gegner, die man wohl mit den aus Phil 3 zu erschließenden Paulusfeinden in Verbindung bringen muß[44], haben offenbar die Leiden des Paulus für ihre Polemik verwandt. »Sie dienten ihnen vor der Gemeinde als Beweismittel, die gegen die Autorität des Apostels sprechen sollten«[45]. Der Verachtung des Leides entsprach ein gehobenes religiöses Selbstbewußtsein, in dem sich die Teilnahme am Göttlichen in einem eindrucksvollen Auftreten manifestierte. Für Paulus war diese Position, ebenso wie die Haltung der galatischen Judaisten, ein Angriff auf den zentralen Punkt seiner Theologie, nämlich das Kreuz Jesu und dessen Bedeutung für den apostolischen Dienst und die Existenz der Christen.

Zu Anfang des Briefes spricht Paulus von einer Situation der Lebensgefahr, in der er schon mit dem Tod gerechnet hat (1,8). Er sieht in ihr den Sinn, daß sie dazu geführt hat, nicht das Vertrauen auf sich selbst zu setzen, sondern auf Gott, der die Toten erweckt (1,9). Damit klingt das Thema der paulinischen Rechtfertigungslehre an, nach der das Vertrauen auf die eigene Kraft den Menschen in die Irre führt und das Heil allein im Handeln Gottes liegt. Die Rettung vor dem Tod, die Paulus erfahren hat, ist ebenso wie alles Heil Werk und Gnadengeschenk Gottes (1,10f.). Die Polarität zwischen dem menschlichen Leid und dem in ihm erfahrbaren göttlichen Wirken durchzieht auch den vorausgehenden Abschnitt 1,3—7, der sicherlich von der 1,8—11 berichteten Erfahrung des Paulus inspiriert worden ist. In ihm zieht der Apostel eine Verbindungslinie zwischen seiner Situation und der Gemeinde, an die er schreibt. Die Punkte, die seine Reflexion dabei berührt, sind Gott, Christus, er selbst und die Gemeinde.

Den Trost, den Paulus in der Bedrängnis erfährt, führt er zurück auf Gott, den Vater des Erbarmens und Gott allen Trostes (1,3). Das göttliche Geschenk befähigt ihn, in der Ausübung seines Dien-

---

und apologetischen Klang hat. Doch auch 1—7 wirkt apologetisch. Vgl. A. Wikenhauser — J. Schmid, Einleitung in das Neue Testament[6] (Freiburg-Basel-Wien 1973) 439/48; P. Feine — J. Behm — W. G. Kümmel, Einleitung in das Neue Testament[14] (Heidelberg 1965) 212/7; B. Rigaux, Paulus und seine Briefe. Der Stand der Forschung (München 1964) = Bibl. Handbibliothek 2,156/9.

[43] Vgl. D. Georgi, Die Gegner des Paulus, 301/5.

[44] Vgl. J. Gnilka, Die antipaulinische Mission in Philippi = BZ N. F. 9 (1965) 258/76, u. ders., Der Philipperbrief (Freiburg-Basel-Wien 1968) = HThK 10,3,211/8.

[45] J. Gnilka, Die antipaulinische Mission, 268f.

stes alle, die in Not leben, zu trösten. Er gibt dabei nicht aus Eigenem, sondern teilt von dem aus, was er selbst empfangen hat (1,4). Dieser von Gott, dem »Vater unseres Herrn Jesus Christus« (vgl. 1,3), stammende Trost wird dem Apostel durch Christus zuteil (1,5). Das christliche Heil gründet im Tod und in der Auferweckung Jesu.

Paulus bezeichnet nun seine Leiden als Leiden Christi (1,5), ähnlich wie er in Gal 6,17 von den Stigmata Jesu spricht, die er an seinem Leibe trägt. Beide Ausdrücke meinen die Schicksalsgemeinschaft im Sinn der paulinischen Kreuzestheologie. Im Glauben erfährt der Christ, daß sein Leiden die Gestalt des Leidens Jesu erhält, d. h. daß es aufgebrochen und geöffnet ist für die Erfahrung des göttlichen Trostes. Paulus erleidet in der Verfolgung das Geschick Jesu; mit seinem Leiden liegt er auf der Linie der Passion des Herrn; so kann er auch Anteil gewinnen am Leben Jesu[46]. Dieses Geschehen bezieht Paulus in 1,6 erneut auf die Korinther. 1,6a könnte für sich genommen im Sinn eines stellvertretenden Sühneleidens durch Paulus interpretiert werden[47]. Doch würde Paulus dann einen neuen Gedanken einführen, den er nicht weiter ausführt. Eher ist daran zu denken, daß der Blick auf den bedrängten und getrösteten Apostel den Korinthern eine Hilfe in ihrer Situation ist. Diese Hilfe, in der Gottes Trost und Heil am Werk sind, befähigt sie dazu, ihre Leiden geduldig zu ertragen. Diese Leiden sind die gleichen, die Paulus erduldet; sie sind also auch Christusleiden (vgl. 1,5).

Die Korinther sind mit Paulus verbunden in den Leiden und im Trost. Das Wissen darum ist ihm Grund einer festen Hoffnung für sie (1,7). Diese Hoffnung bezieht sich wahrscheinlich darauf, daß die Korinther auch in Zukunft die Leiden geduldig ertragen werden. Es könnte aber auch die eschatologische Zukunft gemeint sein. Der Blick auf die jetzige Situation der Gemeinde berechtigt Paulus zu der festen Hoffnung, daß die Korinther der Heilserfahrung, die sie jetzt unter den Bedingungen dieser vom Leiden geprägten Zeit machen, einmal in ihrer vollen Offenheit teilhaftig werden[48]. — Der Trost Gottes, das in der Gegenwart schon wirksame eschatologische Heil, befähigt die Korinther zum geduldigen Ertragen der Leiden. Das Handeln Gottes ermöglicht ein menschliches Verhalten. Im Leiden gibt es also ein Ineinander von gött-

---

[46] Vgl. R. C. Tannehill, Dying and Rising, 90/3, der zeigt, daß die Polarität »Leiden — Trost« der paulinischen Vorstellung vom Sterben und Auferstehen mit Christus entspricht.

[47] Vgl. H. Windisch, Der zweite Korintherbrief, 42.

[48] Vgl. R. C. Tannehill, 92.

licher Hilfe und menschlichem Tun. Das Leiden ist so auch die Stunde der Bewährung. Es hängt zwar alles von Gott ab, aber der Mensch muß in seinem Verhalten dem göttlichen Geschenk entsprechen[49].

Der Briefeingang 1,3—11 läßt keine Polemik erkennen. Dagegen ist der Abschnitt 4,7—5,10, in dem der Apostel erneut von seinem Leiden spricht, gegen die korinthischen Gegner gerichtet. 4,5 dürfte gegen ihr gehobenes Selbstgefühl geschrieben sein[50]. Für die Gegner gab es eine Entsprechung zwischen dem Schatz ihrer Predigt und dem Gefäß, in dem er gezeigt wurde. Die Persönlichkeit des Missionars und das Gewicht seiner Verkündigung mußten nach ihnen einander entsprechen. Dagegen schreibt Paulus: »Diesen Schatz tragen wir in tönernen Gefäßen, damit das Übermaß der Kraft von Gott sei und nicht von uns« (4,7). So wie die äußerste Lebensgefahr dazu geführt hat, daß Paulus nicht das Vertrauen auf sich, sondern auf Gott gesetzt hat (1,9), so hat das unansehnliche Auftreten des Apostels den Sinn, deutlich zu machen, daß er nicht aus eigener Kraft wirkt, sondern Instrument Gottes ist, der sich seiner bedient. Im Mittelpunkt muß immer die in Jesus Christus geschehene Zuwendung Gottes zur Welt stehen, die sich in der Verkündigung erschließt.

Die in 4,7 mit dem Bild von den tönernen Gefäßen angedeutete Wirklichkeit beschreibt Paulus in 4,8f. in der Art eines Peristasenkatalogs, der jedoch nicht die einzelnen Gefährdungen, denen der Apostel begegnet ist, genau aufzählt (vgl. 11,23—33), sondern ebenfalls einem Bild verpflichtet ist. Dem Leser wird das Bild von Gehetzten und Gejagten vor Augen gestellt[51]. In antithetischer Weise setzt Paulus der jeweiligen Verfolgungsaussage einen Hinweis auf die Rettung entgegen, die jedoch nicht als spektakuläre Aktion erscheint, durch die die Verfolgung außer Kraft gesetzt würde, sondern als eine eher unscheinbare Hilfe in letzter Minute und ein Bewahren vor dem Äußersten. Die die Rettung andeutende Aussagereihe gehört auf die Seite des in 4,7 genannten Übermaßes der von Gott kommenden Kraft. In der Rettung aus höchster Gefahr zeigt sich die Wirkung der Kraft Gottes.

Die Polarität von Verfolgung und göttlicher Rettung verknüpft Paulus sodann mit der Polarität von Tod und Auferweckung Jesu (4,10—12)[52]. Das von Gott stammende Heil ist die Macht, in der

---

[49] Vgl. W. Schrage, Leid, Kreuz und Eschaton, 154/60.

[50] D. Georgi, Die Gegner des Paulus, 285f.

[51] Vgl. H. Windisch, Der zweite Korintherbrief, 143.

[52] Vgl. R. C. Tannehill, 84/90; auch E. Güttgemanns, Der leidende Apostel und sein Herr, 94/126, bes. 112/24.

Jesus zum Leben erweckt wurde. Der Tod Jesu gibt den Modus an, in dem es in der Zeit bis zu seinem endgültigen Offenbarwerden in dieser Welt, zu der Leid und Tod gehören, präsent ist, nämlich als Heil inmitten von Leid und Tod oder, auf die hier zur Debatte stehende Situation des Paulus bezogen, als Rettung inmitten von Verfolgungen. Das Leiden des Paulus und seine Rettungserfahrungen machen die Eigentümlichkeit des christlichen Heils, so wie es in dem Geschehen von Tod und Auferweckung Jesu konstituiert wurde, sichtbar. Paulus trägt im apostolischen Dienst um Jesu willen Leiden, in denen er dem Tod nahe ist. Er erfährt das Geschick Jesu. In seinen Leiden macht er das Sterben Jesu ansichtig mit dem von Gott ermöglichten Ziel, in seinen Rettungserfahrungen das Leben Jesu offenbar zu machen.

In überraschender Formulierung verknüpft Paulus in 4,12 die Apostel mit dem Tod und die Gemeinde mit dem Leben, so als wenn er nicht kurz vorher davon gesprochen hätte, daß das Leben Jesu am sterblichen Fleisch der Apostel offenbar wird. Nach H. Windisch macht der Apostel hier aus seinem Hinsterben ein stellvertretendes Sterben[53], doch ist eine andere Interpretation wahrscheinlicher. Im Vordergrund des apostolischen Dienstes steht das Leiden. Die Rettung, von der 4,8f. spricht, ist eher Bewahrung vor dem Schlimmsten als Beendigung der Verfolgungssituation. Der Präponderanz des Todes auf der Seite der Apostel steht auf der Seite der Gemeinde ein Übergewicht an pneumatischem Leben gegenüber. Doch dieses Leben wirkt, wie 4,13—15 zeigen soll, auch in den Aposteln. Sie haben den gleichen Geist des Vertrauens wie die Korinther, da sie wissen, daß die Lebensmacht Gottes, die in der Auferweckung Jesu am Werk war, auch an ihnen wirksam wird und Gott sie so in den Zustand versetzt, in dem sich die korinthische Gemeinde ihrer eigenen Überzeugung nach befindet[54]. Dann wird die Gnadengabe des Paulus, in der er als Missionar durch die Ausbreitung des Glaubens die Gott dargebrachte Danksagung vermehrt hat, infolge eben dieser Danksagung[55] an ihm im Übermaß deutlich werden als Gottes Kraft.

Paulus verzagt so nicht, weil die Erfahrung der Präsenz des göttlichen Heils im Leben des Apostels jeden Tag als Erneuerung spürbar ist, mögen auch die Leiden zunehmen (4,16). Der Blick auf die Herrlichkeit des inmitten der Not erfahrbaren ewigen Heils

---

[53] H. Windisch, Der zweite Korintherbrief, 147.

[54] Zur »präsentischen« Deutung von 4,14 vgl. N. Baumert, Täglich Sterben und Auferstehen. Der Literalsinn von 2 Kor 4,12—5,10 (München 1973) = StANT 39,88/99. — Die folgende Interpretation ist N. Baumert verpflichtet.

[55] δι᾽ ὑμᾶς: infolge von euch (4,15); vgl. ebd. 100/4.

läßt die Last der Leiden gar gering erscheinen. Sie haben den
Sinn, das Wirksamwerden dieses Heils zu ermöglichen (4,17f.).
Die im gegenwärtigen Leben erfahrbare Erneuerung wird volle
Wirklichkeit im Moment des Todes. Der Christ weiß, daß er dann
eine gottgeschenkte neue Existenz erhält (5,1). Im folgenden Abschnitt 5,2—10, der dem Interpreten eine Fülle von Problemen
aufgibt, lenkt Paulus zurück auf die Situation des Menschen vor
dem Tod. Ausgehend von seiner Leidens- und Heilserfahrung stellt
der Apostel eine Reflexion an über die Lage des Menschen in
der Spannung zwischen irdischer Wirklichkeit und göttlichem Heil.
5,2—10 gehört zwar zu dem Vorhergehenden. Da hier jedoch die
Frage des Leidens allgemeiner als zuvor besprochen wird, kann,
um den Rahmen dieser Arbeit nicht zu sprengen, darauf verzichtet werden, den Gedankengang im einzelnen nachzuzeichnen.
In 6,4—10 zeigt Paulus, wie er sich als Diener Gottes sieht. Der
Text könnte sich gut gegen die Art richten, in der sich die korinthischen Gegner als Diener Gottes verstanden haben, nämlich in
einem von der Gewichtigkeit ihres Dienstes abgeleiteten Selbstbewußtsein[56]. Paulus kombiniert einen Peristasenkatalog mit einer
Aufzählung von inneren Haltungen und Gnadengaben, die im apostolischen Dienst wirksam werden. Mit dem ersten Wort der gesamten Reihe ist die Haltung genannt, in der alle Leiden zu ertragen
sind: die ὑπομονή. Die Aufzählung der Drangsale reicht bis 6,5.
Mit den Nachtwachen und dem Fasten sind keine Tugenden
gemeint, sondern durch den apostolischen Dienst erzwungene
Mühen. Die von 6,6 bis 6,7 reichende Liste ist nicht ein einfacher
Tugendkatalog, sondern eine Aufzählung, die zumindest an zwei
Stellen deutlich werden läßt, wo die Wurzel der in einzelne Teil-
aspekte zerlegten apostolischen Haltung zu suchen ist. Die Zuwen-
dung des Apostels zur Gemeinde geschieht in heiligem Geist und
in der Kraft Gottes. Kurz fließt das Bild vom Kriegsdienst ein.
Die Apostel kämpfen mit den Waffen der Gerechtigkeit in der
Rechten und in der Linken (6,7; vgl. 10,3—5; Röm 6,13; 13,12).
Seit Platon hat die antike Philosophie, besonders die Stoa, die sitt-
liche Anstrengung gern mit dem Kriegsdienst verglichen oder im
Bild der militia beschrieben[57]. Das hellenistische Judentum kannte

---

[56] D. Georgi, Die Gegner des Paulus, 244f.
[57] Vgl. H. Emonds, Geistlicher Kriegsdienst. Der Topos der militia spiritualis in
der antiken Philosophie = O. Casel (Hrsg.), Heilige Überlieferung. I. Herwegen zum silbernen Abtsjubiläum (Münster 1938) = Beiträge zur Geschichte
des Alten Mönchtums und des Benediktinerordens. Supplementband, 21/50,
u. V. C. Pfitzner, Paul and the Agon Motif, 23/37.

den Topos[58]. Paulus könnte er von dorther zugewachsen sein[59]. Doch könnte Paulus auch direkt von der Popularphilosophie seiner Zeit beeinflußt sein. Allerdings gilt, was von der Verwendung des Bildes vom Schauspiel in 1 Kor 4,9 gesagt wurde, auch hier: Paulus macht die von ihm aufgegriffenen fremden Motive zum Ausdruck seines eigenen Denkens. Unter den Waffen der Gerechtigkeit ist nicht die kämpferische Seite einer Gerechtigkeit zu verstehen, die der sittlich ringende Mensch kraft eigener Anstrengung erreicht, sondern die Dynamik, die die gerecht machende Kraft Gottes in den Aposteln bewirkt.

Mit 6,8 beginnt eine Reihe von Antithesen, die bis 6,10 reicht. Die ersten zwei Antithesen lassen an die stoische Indifferenz gegenüber Lob und Tadel denken, wenn auch nicht ausdrücklich von dieser Haltung die Rede ist. Die folgenden gleichen denen von 1 Kor 4,12b.13a und 2 Kor 4,8f. Paulus stellt die äußere Lage der Apostel, zu der Verkennung, Ablehnung, Leid und Verfolgung gehören, ihrem Verhalten und der von ihnen erfahrenen Hilfe Gottes gegenüber. Diese Hilfe und das Verhalten der Apostel gehören zusammen. Ihr Dienst beruht auf dem Wirken Gottes.

Die Gegner des Paulus haben die Korinther mit ihrem Selbstverständnis beeindrucken können. Sie konnten sich darauf stützen, daß hellenistische Religiosität göttliche Botschaften gern aus den Händen von Menschen annahm, an denen der Glanz des Göttlichen in außergewöhnlichen Zeichen und in der Kraft der Persönlichkeit aufleuchtete. Paulus setzt dieser Sicht sein Selbstverständnis entgegen. Dabei stützt auch er sich auf ein Vorverständnis seiner Zeitgenossen, nämlich auf die durch die Popularphilosophie verbreitete Bewunderung des bedürfnislosen Weisen, dem Bedrängnisse und Not nichts ausmachen. Vor einem solchen Denkhorizont legt er sein Verständnis des apostolischen Dienstes dar. Er kann so damit rechnen, daß er verstanden wird, auch wenn er die Vorstellung, an die er anknüpft, in seinem Sinn verändert.

Von der Polarität von Not und göttlicher Hilfe, die inmitten der schwierigen Situation erfahrbar ist, ist auch in 7,4—7[60] und in 8,1f.

---

[58] Ebd. 38/72 (Pfitzner untersucht Philon, die LXX, 4 Makk, Josephus).

[59] Ebd. 190f. — Zusammenstellung der paulin. Stellen auch bei S. Zedda, Le metafore sportive di S. Paolo = Rivista Biblica Italiana 6 (1958) 248/51. — Zur späteren christlichen Topik der militia spiritualis vgl. V. C. Pfitzner, 196/204, u. A. v. Harnack, Militia Christi. Die christliche Religion und der Soldatenstand in den ersten drei Jahrhunderten (Nachdruck Darmstadt 1963).

[60] Die Teilungshypothesen, die einen Schnitt zwischen 7,4 und 7,5 machen, müssen erklären, warum sich der Gedankengang von 7,4 so sehr mit dem von 7,5ff. berührt. Zu 7,3 vgl. R. C. Tannehill, Dying and Rising, 93/8. Es geht um die gemeinsame Teilnahme des Paulus und der Korinther am Auferste-

die Rede. Inmitten der Nöte in Mazedonien hat Gott Paulus durch die guten Nachrichten des Titus aufgerichtet. 8,1f. spricht von der Bedrängnis der mazedonischen Gemeinden. In der Not sind sie von der gottgeschenkten Freude erfüllt; diese wirkt sich darin aus, daß sie in ihrer großen Armut zu der für Jerusalem veranstalteten Sammlung übermäßig beitragen.

Von dem polemischen Abschnitt 11,23—33 war schon kurz die Rede. Er enthält die genaueste Zusammenstellung der Leiden des Apostels und dürfte gegen Aufzählungen gerichtet sein, mit denen die korinthischen Gegner ihre Vorzüge, pneumatischen Erfahrungen und außergewöhnlichen Taten »als Beweise für die Echtheit und Lebendigkeit ihrer Christusrepräsentation«[61] anführten. Paulus rühmt sich stattdessen seiner Schwachheit (11,30). Seine Position ist von der seiner Gegner total verschieden. Er knüpft an ein popularphilosophisches Vorverständnis der Korinther an und führt auf dieser Ebene aus, warum er mehr als seine Gegner ein Diener Christi ist. Paulus will nicht sagen, daß er mehr leidet als seine Gegner. Vielmehr setzt er ihrem Selbstverständnis seine Aufzählung der Leiden gegenüber, durch die er dann denen, die er auf dieser Ebene ansprechen kann, zeigt, daß er mehr als seine Gegner Diener Christi ist, der sich im apostolischen Dienst aufreibt. Im Hintergrund steht, ohne daß der Gedanke hier geäußert würde, die paulinische Überzeugung, daß die menschliche Schwäche die Kraft Gottes erkennen läßt (vgl. 12,10)[62].

e) Der Philipperbrief

In 2 Kor 1,8—11 blickt Paulus zurück auf eine Situation der Lebensgefahr, der er gerade erst entronnen ist. In der Rettung sieht er Gottes Werk. Im Philipperbrief spricht Paulus aus unmittelbarem Erleben von seiner Gefangenschaft, die ihn an die Möglichkeit eines gewaltsamen Todes denken läßt[63]. Der Brief zeigt, wie er

hungsleben. Dieses wirkt sich bei Paulus aus in dem Trost und in der Freude in der Bedrängnis (7,4). Man kann die Linie weiter ziehen bis 7,5ff.: Die Freude ist Ergebnis der Nachrichten des Titus, durch die Gott Paulus inmitten aller Not aufrichtet.

[61] D. Georgi, Die Gegner des Paulus, 295.

[62] 12,7—9 kann unberücksichtigt bleiben, da hier nicht von einem Verfolgungsleiden die Rede ist.

[63] Zur Frage nach dem Ort der Gefangenschaft vgl. Wikenhauser — Schmid, Einleitung, 503/7; Feine — Behm — Kümmel, Einleitung, 232/9, u. J. Gnilka, Der Philipperbrief, 18/25. Die Hypothese einer ephesinischen Gefangenschaft, in der der Brief verfaßt worden wäre, wird den Angaben des Briefes, wie es scheint, am ehesten gerecht. — Kap. 3 unterscheidet sich im ganzen Ton vom übrigen Brief. Nach der Argumentation von J. Gnilka, 5/18, könnte 3,1b—4,1.8f. gut ein ursprünglich selbständiger Paulusbrief an die Philipper

diese Situation im Glauben deutet und bewältigt[64]. Paulus verzichtet darauf, genau zu berichten, was geschehen ist. Ihm ist daran gelegen, den Philippern seine Deutung des Geschehens mitzuteilen. Das macht es sehr schwer, das Faktum, auf das er sich in 1,12f. bezieht, zu erheben. Mit J. Gnilka kann man vermuten, daß Paulus in der Gefahr war, totgeschwiegen zu werden. »Diese Gefahr war jetzt vorbei durch die Aufnahme seines Prozesses und seinen Auftritt vor den Schranken des Gerichts«[65]. Seine Gefangenschaft, die durch die Verhandlung einer breiten Öffentlichkeit bekannt geworden ist, hat wider Erwarten einen Fortschritt des Evangeliums bewirkt. Paulus dürfte ihn darin gesehen haben, daß mit ihm die Sache, die er in seinem apostolischen Dienst vertrat, bekannt geworden ist. Der Apostel wird in der Verhandlung auf die ihm gestellten Fragen geantwortet haben. Man wird nicht an eine werbende Verkündigung denken können, durch die er der Ausbreitung des Glaubens gedient hätte.

Das Geschehen, von dem Paulus in 1,12f. spricht, hat dazu geführt, daß viele Brüder seinetwegen neue Zuversicht gewonnen haben und nun immer mehr wagen, furchtlos das Evangelium zu verkünden (1,14). Sein mutiges Verhalten in der Verhandlung läßt viele Verkünder der Ortsgemeinde Mut gewinnen. Offensichtlich war die Verkündigung mit Gefahr verbunden. Das weist darauf hin, daß sich die Ortsgemeinde parallel zur Gefangenschaft des Paulus in einer gefahrvollen Situation befand.

Das Verhalten der Verkündiger Paulus gegenüber ist geteilt (1,15—17). Wahrscheinlich ist gemeint, daß die einen in der Gefangenschaft des Paulus keinen Sinn sehen, ihren Wert bestreiten und dadurch zur Last der Fesseln noch eine neue Bedrängnis, die den Apostel an der Sinnhaftigkeit seines Leidens irre machen kann, hinzufügen. Die anderen wissen, daß seine Gefangenschaft der Verteidigung des Evangeliums dient und darin ihren Sinn hat. Die

sein, den der Apostel nach der Gefangenschaft geschrieben hat. Vgl. auch G. Friedrich, in: H. W. Beyer — P. Althaus — H. Conzelmann — G. Friedrich — A. Oepke, Die kleineren Briefe des Apostels Paulus (Göttingen 1968) = NTD 8,95.

[64] E. Lohmeyer, Die Briefe an die Philipper, an die Kolosser und an Philemon[6] (Göttingen 1964) = Meyer K 9, hat von dieser »Situation des Martyriums« (5) aus den gesamten Brief gedeutet; vgl. vor allem 4/7. Sicher ist das persönliche Geschick des Paulus ein wichtiges Thema des Briefes und sicher ist auch von einer Leidenssituation der philippischen Gemeinde die Rede (1,29f.). Doch berechtigt diese Tatsache nicht dazu, das Martyrium zum Leitprinzip der Exegese des gesamten Briefes zu machen. Eine zusammenfassende Darstellung des Leidensmotivs in Phil bei J. Ernst, Die Briefe an die Philipper, an Philemon, an die Kolosser, an die Epheser (Regensburg 1974) = RNT, 22f.

[65] J. Gnilka, Der Philipperbrief, 57.

Verkündigung der einen geschieht nach Paulus in selbstsüchtiger Haltung, die der anderen in der rechten Gesinnung der Solidarität[66]. Doch ist das Verhalten der beiden Gruppen Paulus gegenüber unwichtig angesichts der Hauptsache, daß Christus verkündigt wird (1,18).

Die in 1,12f. angedeutete Lage des Paulus zieht man am besten heran, um 1,7 zu verstehen. In der Gefangenschaft hat die Prozeßsituation zu einer Verteidigung des Evangeliums geführt. Es steht nun da in seiner Kraft[67]. In diesem Geschehen ist Gnade enthalten, die Paulus geschenkt ist. Die Philipper, die Paulus in seiner Zuneigung ihnen gegenüber im Herzen trägt, sind Teilhaber dieser seiner Gnade, die ihm als wirksame Kraft im Geschehen der Gefangenschaft, Verteidigung und Befestigung des Evangeliums geschenkt ist. Man kann nun fragen, wie das geschieht. Kommt die Gnade den Philippern als eine allem Sichtbaren enthobene übernatürliche Gabe zu? Wahrscheinlicher ist es, daran zu denken, daß das Geschehen bei Paulus Wirkungen bei den Philippern hervorruft, ähnlich wie nach 1,14 der Mut des Paulus die unerschrockene Verkündigung vieler Verkündiger der Ortsgemeinde anregt. In dieser Wirkung, die sich etwa in größerer Geduld und Hoffnung zeigt, beschenkt Gott die Philipper auf dem Weg über die Paulus gegebene Gnade. Es wäre verfehlt, hier an irgendeine Form des Sühneleidens zu denken.

Mit 1,18b lenkt Paulus den Blick in die Zukunft. Er freut sich darüber, daß Christus verkündigt wird, und er wird sich auch in Zukunft freuen. Mit einem Zitat aus Ijob 13,16 (LXX) sagt er, daß das, was geschehen wird, ihm zur Rettung ausgehen wird (1,19). Gemeint ist nicht wie bei Ijob die Errettung aus der Not, sondern das die beiden im folgenden genannten Möglichkeiten des Lebens und des Todes umgreifende Heil. Ob Paulus in nächster Zukunft stirbt oder vor dem Tod bewahrt wird, in jedem Fall wird ihm das, was geschieht, zum Heil sein, und zwar durch das Gebet der Philipper und die Unterstützung des Geistes Jesu Christi. Das Fürbittgebet der Gemeinde erreicht Gott, der die Soteria schenkt; der erhöhte Herr ist in seiner Kraft am Werk. E. Lohmeyer bringt die paulinische Aussage in Verbindung mit Mk 13,11 und meint, auch hier sei die dem vor Gericht Gestellten, dem Märtyrer, verheißene besondere Hilfe des heiligen Geistes gemeint[68]. Sicher gilt die Hilfe des Geistes Jesu Christi hier dem Apostel in seiner Situation, doch ist nicht erkennbar, daß es sich um einen einer solchen Lage

---

[66] Ebd. 61/3.
[67] Vgl. E. Lohmeyer, Der Brief an die Philipper, 25.
[68] Ebd. 52.

vorbehaltenen besonderen Beistand handelt. Der Geist wirkt vielmehr immer und hilft in einer dem jeweiligen Zustand des Christen angepaßten Weise.

Das auf die Zukunft bezogene Wissen des Paulus ist ein Wissen aus Hoffnung (1,20). Der Inhalt der Hoffnung ist doppelt ausgesagt. Paulus möchte in nichts zuschanden werden; vielmehr soll Christus in aller Öffentlichkeit in der leiblichen Existenz des Paulus verherrlicht werden, wie früher immer so auch jetzt, da es um die beiden Möglichkeiten einer Verurteilung zum Tod oder der Freilassung geht. Das Zuschandenwerden meint »das Ausbleiben der göttlichen Hilfe, die sich dann freilich auch in Angst und Verzagtheit äußert«[69]. Das Verherrlichen Jesu geschieht dadurch, daß Paulus in der zukünftigen Situation, an die er denkt, Christus als den beherrschenden Inhalt seines Lebens sichtbar werden läßt. Entweder wird er freigelassen, dann kann er weiterhin im apostolischen Dienst wirken, oder er muß in der Konsequenz seines Christus geweihten Dienstes sterben. In beiden Fällen kann Paulus vor der Öffentlichkeit, die er als Missionar immer sucht, zeigen, daß er nichts für sich, aber alles für Christus will[70].

Die Indifferenz gegenüber Tod und Leben ist nicht die Überlegenheit des stoischen Weisen. Paulus denkt christozentrisch. Christus ist für ihn das Leben (1,21)[71]. Von diesem Zentrum her gewinnt Paulus seine Maßstäbe. Weil er im Tod einen Aufbruch zum Sein mit Christus sieht (1,23), kann er das Sterben in 1,21b als Gewinn bezeichnen. Der Ausdruck selbst klingt griechisch[72]. Doch liegt für Paulus der Gewinn nicht darin, ein mühevolles Leben mit einem Zustand des Friedens zu vertauschen oder aus der Bindung an den Körper zum wahren Sein der Seele zu gelangen, sondern darin, vom Moment des Todes an noch mehr als im irdischen Leben Christus als das Leben zu erfahren.

Neben der Möglichkeit, verurteilt zu werden, steht die andere, daß er freigesprochen wird (1,22). Paulus wägt beide Fälle in dem Gewicht, das sie für ihn und die Gemeinde besitzen, gegeneinander ab. Er sehnt sich danach, im Tod aufzubrechen und bei Christus zu sein. Das ist die für ihn bessere Möglichkeit (1,23). Aber wichtiger als die Frage, was für ihn besser ist, ist die andere: Was ist

---

[69] J. Gnilka, Der Philipperbrief, 68.

[70] Das μεγαλυνθήσεται von Phil 1,20 berührt sich, insofern es von Paulus auch auf seinen Tod bezogen wird, mit dem vom Tod des Petrus ausgesagten δοξάσει in Joh 21,19.

[71] Zur hier vorgetragenen Interpretation vgl. P. Hoffmann, Die Toten in Christus, 286/320; J. Gnilka, Der Philipperbrief, 69/95. Siehe auch J. Ernst, Die Briefe an die Philipper..., 52/60.

[72] Vgl. die Parallelen bei J. Gnilka, Der Philipperbrief, 71.

notwendiger für die Gemeinde? Für sie ist es dringlicher, daß er weiterlebt und seinen Dienst versieht (1,24). Diese Überlegung des Paulus sieht davon ab, daß es gar nicht in seiner Macht liegt, Tod oder Leben zu wählen. Doch erblickt er hinter allem das Wirken Gottes. Er rechnet so damit, daß das, was zum Vorteil der Gemeinde ist, in der Absicht Gottes liegt. So weiß er im Glauben, daß er weiterleben wird zum Fortschritt der Philipper und zur Freude des Glaubens (1,25). Diese Gewißheit ist so stark, daß er sogar schon von einem Besuch in der Gemeinde spricht (1,26).

Paulus denkt in 1,23 sicher nicht an einen Vorzug, durch den er sich von den Philippern unterscheidet. Das, was er für den Moment des Todes erwartet, gilt auch für die Philipper. Paulus hat sich nach 1,24—26 nicht für den Tod im Dienst am Evangelium entschieden. Doch wird deutlich, wie er einen solchen Tod deutete: In ihm wird Christus groß gemacht. Weiter ist er, wie jeder Tod eines Christen, der Aufbruch zu einem Mit-Christus-Sein, das die im irdischen Leben mögliche Gemeinschaft mit ihm übersteigt. Insofern ist er ein Gewinn; man kann sich danach sehnen.

Einen weiteren Aspekt zur Todesdeutung trägt 2,17 bei. Paulus kommt, obwohl er in 1,25f. von der sicheren Erwartung gesprochen hatte, am Leben zu bleiben, wieder auf die Möglichkeit zurück, daß man ihm das Leben nehmen könnte. Die Lage ist trotz der im Glauben angestellten Überlegung weiterhin gefährlich. Den möglichen Tod bezeichnet Paulus mit einem Terminus der Opfersprache als ein Ausgegossenwerden[73]. In der jüdischen, wie auch in der griechisch-römischen Welt gab es den Brauch, Gaben als Opfer an die Gottheit auszugießen[74]. Auf diesen Brauch bezieht sich Paulus; er deutet so seinen Tod als ein Opfer[75].

Schwierig ist die Abgrenzung des Vordersatzes. J. Gnilka läßt ihn mit σπένδομαι enden und bezieht das folgende auf χαίρω und συγχαίρω, weil er meint, daß es schwer einzusehen ist, warum sich die Gemeinde über den Tod des Paulus freuen sollte[76]. Doch muß, auch wenn man den Vordersatz weiter faßt, nicht gemeint sein,

---

[73] Die passivische Form σπένδομαι zeigt, daß an einen gewaltsamen Tod gedacht ist.

[74] O. Michel, Art. σπένδομαι = ThWNT VII,529/37.

[75] Opferterminologie in Verbindung mit dem gewaltsamen Tod begegnet auch in 4 Makk, jedoch in der Kombination mit dem Sühnegedanken. Vgl. 4 Makk 6,29: das Blut des Eleasar als καθάρσιον = Reinigungsmittel oder Reinigungsopfer; 17,22: der Tod der Märtyrer ist ιλαστήριον = Sühnemittel oder Sühneopfer. Siehe auch Weish 3,6.

[76] J. Gnilka, Der Philipperbrief, 154. Der Satz würde dann besagen, daß sich Paulus, auch wenn er eines gewaltsamen Todes sterben muß, freut und sich mit den Philippern freut über ihren Glauben.

daß sich die Philipper über den Tod des Paulus freuen. Das Thema der Freude durchzieht den ganzen Brief[77] und meint vor allem die in der Gegenwart mögliche Heilserfahrung, die sich in der Haltung oder einem Akt der Freude manifestiert. Die menschliche Freude ist nicht ausgeschlossen, jedoch in den größeren Rahmen der Heilserfahrung gestellt. Paulus spricht in 2,17 von seiner Freude, die er mit der Freude der Philipper verbindet. Seine Freude ist eine Freude angesichts des gewaltsamen Todes. Die Freude der Philipper ist in Verbindung zu bringen mit dem, was über ihren Glauben gesagt wird. Ihr Glaube ist ein Opfer und Gottesdienst[78]. Einem so gekennzeichneten Zustand der Philipper entspricht ihre Freude. Wenn man die den Glauben der Philipper betreffende Wortfolge zum Vordersatz zieht, ergibt sich ein schöner Parallelismus. Paulus spricht im Vordersatz von sich und anschließend von den Philippern und wiederholt diese Gedankenbewegung im Hauptsatz. Der kultischen Interpretation des Todes entspricht die Redeweise vom Opfer und Gottesdienst des Glaubens. Gemeint sein dürfte, daß Paulus sein Trankopfer mit dem Opfer der Philipper verbindet. Man kann daran denken, daß es den Brauch gab, ein Trankopfer während eines anderen Opfers darzubringen[79]. Dementsprechend sagt Paulus: Auch wenn ich als Trankopfer ausgegossen werde zum Opfer und Gottesdienst eures Glaubens hinzu, so freue ich mich und verbinde ich meine Freude mit der euren. In 2,18 fordert Paulus dann die Philipper auf, sich mit seiner speziellen Freude angesichts des gewaltsamen Todes zu verbinden.

Der Apostel verknüpft also den Ausblick auf seinen möglichen Tod mit dem Motiv der Freude. Auch angesichts des Todes gibt es die in dieser Weltzeit schon mögliche Erfahrung des Heils, die Freude schafft, wo Trauer und Klage normal zu sein scheinen. Eine solche Umwertung spricht auch aus 1,29. Das Leiden der Philipper ist nicht ein finsteres Geschick, sondern ein Geschenk. In 1,28 ist von Widersachern die Rede, in denen man wahrscheinlich Heiden oder vielleicht auch Juden außerhalb der christlichen Gemeinde sehen muß. Paulus fordert dazu auf, einmütig für den Glauben zu kämpfen (1,27) und sich in nichts von den Widersachern einschüchtern zu lassen (1,28). Die Unbeirrtheit im Glauben hat zeichenhafte Bedeutung. Die Sicherheit kommt von Gott.

---

[77] Vgl. noch 1,4.18.25; 2,28f.; 3,1a; 4,1.4.10. Siehe J. Ernst, Die Briefe an die Philipper..., 23, u. E. Lohmeyer, Der Brief an die Philipper, 124.

[78] Eine andere Deutung, Paulus das Opfer des Glaubens der Philipper darbringen zu lassen, ist sehr gekünstelt und nicht notwendig. Zu den verschiedenen vorgeschlagenen Deutungen vgl. O. Michel, Art. σπένδομαι, 536, Anm. 47.

[79] Vgl. ebd. 530 u. 533.

An ihr sollen die Gegner das Heil der Gemeinde und ihr eigenes ewiges Verderben erkennen. Sie stellen sich ja gegen Gott, der in der Gemeinde wirkt. Die Aktion der Gegner schafft den Anlaß für eine Haltung der Gemeinde, in der sie das ihr zugefügte Leid als Leiden um Christi willen versteht und annimmt, und das ist Geschenk Gottes, Gnade (1,29). Die Verfolgung wird als Kampf bezeichnet[80], in dem die Philipper und Paulus vereint sind (1,30). Die Situation, in der sich die Gemeinde befindet, war früher und ist jetzt wieder das Geschick des Paulus. Über die Schwere des Kampfes, den die Philipper zu bestehen haben, ist allerdings mit 1,30 nichts gesagt. Es geht um die Tatsache der Verfolgung, die für Paulus, der mit dem Tod rechnet, und für die Gemeinde sicherlich von unterschiedlicher Härte war. Der Hinweis auf das eigene Leiden des Paulus soll den Philippern zeigen, daß sie das, was ihnen begegnet, mit dem Apostel verbindet. Verfolgungen sind nichts Außergewöhnliches, sie kommen häufiger vor und gehören zum Leben des Christen. Vielleicht will der Apostel auch auf sein Beispiel verweisen[81].

f) Der Philemonbrief

Im Philemonbrief bezeichnet sich Paulus als Gefangenen Christi Jesu (1 und 9), der sich in den Fesseln des Evangeliums befindet (13). Diese Redeweise ist doppeldeutig. Einmal wird Paulus dadurch andeuten wollen, daß er von Christus und dem Evangelium total in Dienst genommen ist. Er ist als Diener Christi (Phil 1,1; Röm 1,1) von ihm gefangengenommen worden für die Predigt des Evangeliums, das ihn gefesselt hält. Zum anderen zeigen die Ausdrücke, wie Paulus seine Gefangenschaft deutet. Das ihm von

---

[80] Vgl. 4 Makk 11,20; 15,29; 16,16; 17,11.
[81] Auf zwei Stellen soll nicht mehr eigens eingegangen, aber doch aufmerksam gemacht werden. 4,11f. klingt sehr stoisch. Paulus hat es gelernt, αὐτάρκης zu sein inmitten gegensätzlicher Erfahrungen. 4,13 zeigt die paulinische Interpretation des stoischen Gedankens: »Alles vermag ich durch den, der mich stark macht.« — In 3,10f. spricht Paulus von der Gemeinschaft mit den Leiden Christi. Es ist schon gesagt worden, daß die Gegner, gegen die sich Paulus in Phil 3 wendet, mit den Gegnern von 2 Kor in Verbindung zu bringen sind. 3,10f. dürfte sich gegen ein Überspringen der Leidenserfahrung und des Kreuzes Christi zugunsten einer reinen »Auferstehungsmentalität« richten. Vgl. J. Gnilka, Der Philipperbrief, 195/7 u. 211/8; anders R. C. Tannehill, Dying and Rising, 114/23, der aus 3,2f. eine Verfolgung durch Juden herausliest (vgl. 114). Zur auf Lohmeyer zurückgehenden sog. Judenthese vgl. J. Gnilka, 211. — In 2,30 ist nicht von einer der Situation des Paulus vergleichbaren Lage des Epaphroditus die Rede. 2,26f. zeigt, daß es sich um eine lebensgefährliche Erkrankung des Epaphroditus handelt, die er sich im Dienst für Paulus zugezogen hat.

außen durch Gegner seiner Predigt zugefügte Geschick ist von Paulus aus gesehen eine Konsequenz dessen, daß er im Dienst Christi und des Evangeliums steht. Sein Dienst hat ihm die Gefangenschaft eingebracht. Er ist deshalb nicht Gefangener der Menschen, sondern Christi, dessentwegen er im Gefängnis ist. Das Evangelium, dem er dient, hält ihn gefesselt. Hinter allem steht Gott, der den Adressaten Paulus aufgrund ihrer Gebete schenken kann (22). Paulus denkt an eine spätere Reise zu Philemon. Im Schlußgruß nennt Paulus Epaphras seinen Mitgefangenen in Christus Jesus (23). In Christus sein heißt bei Paulus: »im Kraftfeld des erhöhten Pneuma-Christus leben..., der die ihm angehörenden Glieder der neuen Menschheit in sein Leben einbezieht«[82]. Dieses Leben im Kraftfeld des erhöhten Christus gilt für den Christen immer, auch in der Gefangenschaft. Alles, was Christen geschieht, vollzieht sich im Bereich der durch Christus bestimmten Wirklichkeit[83]. Im Gesamtduktus des Briefes hat der Hinweis des Paulus auf seine Gefangenschaft wohl auch die Bedeutung, seiner Bitte zusätzliches Gewicht zu verleihen.

g) Der Römerbrief

In der an die römische Gemeinde gerichteten Darlegung seiner Predigt bezieht sich Paulus nicht auf eine aktuelle Verfolgungssituation. Das Leidensthema steht weiterhin nicht in einem polemischen Kontext. Das Aufgreifen dieses Themas ist also nicht durch die Auseinandersetzung mit Gegnern und auch nicht durch aktuelle Erfahrungen veranlaßt. Wenn es trotzdem begegnet, so zeigt sich darin, daß es einen festen Stellenwert im paulinischen Evangelium einnimmt. Das Leiden kennzeichnet die Situation des Christen, der in Hoffnung die Vollendung erwartet und schon inmitten der Bedrängnisse der Gegenwart die Anwesenheit des Heils erfährt.
In 5,3f. spricht Paulus von der Beziehung zwischen der Hoffnung und der Situation der Bedrängnis. Die Bedrängnis ist eine Herausforderung an den Christen, auf die er mit der Haltung des geduldigen und starken Ausharrens antwortet (vgl. auch 12,12). Diejenigen, die sich nicht verwirren lassen und ausharren, bewähren sich in der Prüfung. Die Bewährung aber führt zur Hoffnung.

[82] W. Thüsing, Per Christum in Deum. Studien zum Verhältnis von Christozentrik und Theozentrik in den paulinischen Hauptbriefen (Münster 1965) = NTA N. F. 1,66. Vgl. den ganzen Abschnitt 62/6.

[83] J. Ernst, Die Briefe an die Philipper..., 138f., meint, die Bezeichnung »Mitgefangener« könnte im übertragenen Sinn gebraucht sein, um Epaphras Anteil an dem Ruhmestitel des Paulus zu geben. Doch warum wird dann nur Epaphras mit einem solchen Ehrentitel bedacht? Die anderen in 24 Genannten werden συνεργοί genannt.

Paulus will nicht sagen, daß die christliche Hoffnung, in der man das zukünftige eschatologische Heil erwartet, Ergebnis der Bewältigung einer Leidenssituation ist. Gemeint ist vielmehr, daß die Aktualisierung dieser Haltung durch das positive Bestehen der Leidenssituation angeregt wird. Die Hoffnung steht am Ende der Reihe. Sie gibt es nach Paulus nicht in einer inneren Flucht vor der Bedrängnis, in einem Überspringen der von dieser Situation verlangten Haltung. Der Christ nimmt die Herausforderung der Leidenssituation an, antwortet auf sie ohne Haß (12,14) mit einer Haltung der Stärke, die bei Paulus immer auf Gottes Wirken beruht, und blickt so in die Zukunft, die ihm das Ende jeden Leides verspricht. Nach 1 Thess 1,3 zeigt sich die Hoffnung in der Ausdauer; die Ausdauer erscheint als Wirkung der Hoffnung. In Röm 5,3f. beschreitet Paulus dagegen den umgekehrten Weg, indem er die Hoffnung als Wirkung der Ausdauer beschreibt (vgl. auch 15,4). Doch ist diese nur möglich im Horizont der christlichen Hoffnung (vgl. 5,2). Insofern widersprechen sich 1 Thess 1,3 und Röm 5,3f. nicht. Die durch die Hoffnung ermöglichte Ausdauer führt zu einer neuen Aktualisierung der Hoffnung[84]. Weil die Bedrängnisse in dem beschriebenen Verhältnis zur Hoffnung stehen, sind sie Gegenstand des Rühmens der Glaubenden[85]. Sie werden nicht beklagt, sondern als Gelegenheiten für das ihnen entsprechende christliche Verhalten gepriesen. Die Sicherheit der Hoffnung beruht auf der schon in der Gegenwart erfahrbaren Präsenz des göttlichen Heils, das durch das Heilshandeln Gottes im Tod Jesu Christi gewirkt worden ist (5,5—11). Was jetzt schon erfahrbar ist, wird in der Zukunft in seiner ganzen Fülle offenbar werden (5,1f.).

Ein weiteres Mal spricht Paulus im Kap. 8 vom Leiden. 8,17 schließt den vorausgehenden Abschnitt ab und leitet über zu 8,18—39. Auf der Beschreibung des Heilszustandes basiert der Imperativ, ihm entsprechend zu leben. Denen, die dem Geist Gewalt über ihr sittliches Leben einräumen[86], gilt die Verheißung des Lebens (8,12f.). Der Begründung dieser Verheißung dient 8,14—17. Den Glaubenden ist der Geist Gottes geschenkt, durch den sie Kinder Gottes sind (8,14—16). Als Kinder aber sind sie, so folgert 8,17[87], auch Erben Gottes. Die Erbschaft besteht in dem Leben von 8,13, das hier mit Christus in Verbindung gebracht wird. Die Glaubenden sind Miterben Christi, sie werden das Erbe erhalten, das Christus

---

[84] Vgl. S. Brown, Apostasy and Perseverance, 51.
[85] Vgl. O. Kuss, Der Römerbrief² (Regensburg 1963) 204.
[86] Zur Formulierung vgl. ebd. 596.
[87] Zu diesem Vers vgl. R. C. Tannehill, Dying and Rising, 112/4.

schon empfangen hat, nämlich die Herrlichkeit des Auferstehungslebens. Der Weg dazu führt über das Mit-Leiden mit Christus.
O. Kuss möchte aus der Bedingung: εἴπεϱ συμπάσχομεν eine paränetische Note heraushören[88]. Doch scheint es in 8,14—17 eher um
die Gewißheit der in 8,13 genannten Verheißung zu gehen. Dann
denkt man besser daran, daß die Bedingung erfüllt ist[89]. Es wird
vorausgesetzt, daß Leiden zum Leben des Glaubenden in der der
Vollendung vorausgehenden Zeit gehören. In diesen Leiden teilen
die Christen das Geschick Jesu. Sie lassen sich dabei von Christus
bestimmen, dessen Leiden auf die Verherrlichung hingeordnet war.
Indem sie mit Christus leiden, verstehen sie auch ihr Geschick als
ein Leiden, das offen ist für die Verherrlichung. So werden sie
zusammen mit Christus, der schon verherrlicht ist, die zukünftige
Verherrlichung erfahren. In anderen vergleichbaren Aussagen vom
Sterben und Auferstehen mit Christus wird die Auferstehungswirklichkeit auf das gegenwärtige Leben der Glaubenden bezogen. Hier
geht es um die totale Vollendung in der Zukunft. Das jetzige Mit-
Leiden mit Christus ist eine »Bürgschaft ... für die Zukunft« und
»Unterpfand der zukünftigen Herrlichkeit«[90]. Es ist möglich, daß
Paulus an jedwedes den Glaubenden begegnende Leiden gedacht hat.
Wahrscheinlicher ist es jedoch wegen des Bezuges zum Leiden Jesu,
daß das von außen zugefügte Verfolgungsleiden gemeint ist.
8,18 gibt das Thema der folgenden Ausführungen des Paulus an[91].
Von der Vollendungsaussage, mit der er den vorhergehenden Abschnitt abgeschlossen hat, blickt Paulus zurück auf die Leiden, die
gegenüber der zukünftigen Herrlichkeit ein Nichts sind. In 2 Kor
4,17f. vergleicht Paulus ebenfalls das Gewicht der Leiden mit dem
Gewicht der Herrlichkeit. Doch ist dort das inmitten des Leidens
erfahrbare präsentische Heil gemeint, das mit der zukünftigen Herrlichkeit zusammengefaßt wird, während hier zunächst allein
von der futurischen Vollendung die Rede ist.
Der Begründung der Gewißheit der Zukunftshoffnung dienen die
Ausführungen 8,19—27. Die Argumentation umfaßt drei Gedan-
kengänge. Paulus spricht von der Sehnsucht der Schöpfung nach
Vollendung (8,19—22), von der Hoffnung der Christen auf die
zukünftige Erlösung des Leibes (8,23—25) und von dem Geist, »der
den Glaubenden als Anfangsgabe gegeben ist und zugleich für sie

[88] O. Kuss, 607. Vgl. auch E. Käsemann, An die Römer (Tübingen 1973) =
HNT 8a,219.
[89] So O. Michel, Der Brief an die Römer⁴ (Göttingen 1966) = Meyer K 4,199.
[90] Ebd.
[91] Zum folgenden vgl. H. R. Balz, Heilsvertrauen und Welterfahrung. Strukturen
der paulinischen Eschatologie nach Röm 8,18—39 (München 1971) = BEvTh
59, bes. 93/123.

bei Gott eintritt«[92]. Die Erfahrung der Christen zeigt, daß die im
Glauben gedeutete Wirklichkeit noch unfertig ist, den Charakter
des Hinweises und der Erwartung trägt. Der zukünftigen Herrlichkeit entspricht ein Warten auf die Vollendung, das für die Gewißheit der christlichen Hoffnung spricht.

8,28—30 lenkt nun zurück auf den gegenwärtigen Heilszustand.
Die Zukunft bringt die Vollendung; aber auch die Gegenwart der
Glaubenden ist schon von der Präsenz des Heils geprägt. Gott
lenkt bei denen, die ihn lieben, alles zum Guten (8,28). Ihr Heilszustand beruht auf dem vorausgehenden Heilswillen Gottes, der sie
zu einer von Christus bestimmten Existenz beruft (8,29)[93]. Die Herrlichkeit, die nach 8,17f. in der Zukunft liegt, ist in einer anderen,
durch die Bedingungen dieser Zeit bestimmten Gestalt auch schon
Gegenwart.

Im folgenden hymnischen Schlußteil 8,31—39 konfrontiert Paulus
die 8,28—30 gemachte Aussage von der Gegenwart des Heils mit
der Erfahrung von Leid und Verfolgung. Er greift damit das Leidensthema von 8,17f. wieder auf. Jetzt verweist er aber nicht auf
die eschatologische Zukunft, sondern zeigt, daß alles Leid und alle
Verfolgung nicht die gegenwärtige Heilserfahrung beeinträchti-
gen können. In beiden Gedankengängen relativiert er das Leid,
indem er es einmal mit dem zukünftigen und dann mit dem gegenwärtigen Heil vergleicht. Gott steht unbedingt zu den Glaubenden
(8,31). In der Hingabe seines Sohnes beschenkt er sie mit dem vollen Heil (8,32)[94]. Der Heilszustand der Christen wird weder von
einer menschlichen Anklage und Verurteilung (8,33f.), noch von
den in einem kurzen Peristasenkatalog und dem Zitat aus Ps 44,23
aufgezählten Leiden beeinträchtigt. Gott macht die Glaubenden
gerecht; Christus tritt vor dem himmlischen Gericht für sie ein.
Kein Leid und keine Verfolgung können sie von der Liebe Christi
scheiden. In allen Bedrängnissen siegen sie durch den, der sie
geliebt hat (8,37). Vom Sieg im Leiden spricht auch 4 Makk. Die
Märtyrer siegen in ihrer Charakterstärke, die Ausdruck ihres Gesetzesgehorsams ist, über die Leiden und die Verfolger[95]. Die Vorstel-

---

[92] Ebd. 34.

[93] Es ist daran zu denken, daß das göttliche Heil die Gestalt Christi hat, d. h. als
Leben in einer von Leid und Tod geprägten Welt präsent ist. Den Glaubenden, die sich von Christus bestimmen lassen, teilt sich das Heil in seiner Chri-
stusgestalt mit. Sie sind so σύμμορφοι τῆς εἰκόνος τοῦ υἱοῦ αὐτοῦ. Als Brüder
sind sie mit dem Erstgeborenen verwandt.

[94] Vgl. W. Popkes, Christus Traditus. Eine Untersuchung zum Begriff der
Dahingabe im Neuen Testament (Zürich-Stuttgart 1967) = AThANT 49,195f.
u. 276f.

[95] Vgl. 4 Makk 1,11; 6,10; 7,4; 8,1; 9,6.30; 11,20; 16,14.

lung geht auf die Topik der militia spiritualis zurück. Paulus greift diesen Sprachgebrauch auf, verbindet aber mit ihm einen neuen Sinn. Der Sieg kommt durch die Hilfe Christi, der die Glaubenden geliebt hat, zustande. Er besteht nicht in einer stoischen Unerschütterlichkeit gegenüber den Leiden, sondern darin, daß die Liebe Christi und die in ihr geschenkte Teilhabe am Heil Gottes viel stärker sind als die Angriffe auf die irdische Existenz, auch wenn diese geschädigt oder zerstört wird[96]. Die Heilssicherheit kann sich dann natürlich auch in einer Haltung der Unerschrokkenheit zeigen. Die Märtyrer von 4 Makk wissen, daß sie im Tod die Unsterblichkeit gewinnen. Paulus denkt nicht an die Unsterblichkeit, sondern wie in Phil 1,21 an das in Christus erschlossene Heil Gottes, das den Glaubenden im Leben und jenseits des Todes zuteil wird. Der Tod kann den Christen nicht von der Liebe Gottes, die ihn durch Christus erreicht, trennen (8,38f., vgl. auch 14,7—9).

h) Zusammenfassung

Paulus ist in seiner Deutung des Verfolgungs- und Leidensgeschicks einer Reihe traditioneller Motive verpflichtet. Er spricht von der Freude im Leiden (1 Thess 1,6 u. ö.), kennt die Tradition vom gewaltsamen Geschick der Propheten (1 Thess 2,15f.) und sieht in der Bedrängnis eine Versuchung durch Satan (1 Thess 3,5; vgl. 2,18) oder eine Prüfung durch Gott (1 Thess 2,4). Das der jüdischen Leidenstheologie entstammende Motiv der Züchtigung durch Gott wendet er auf Krankheiten und Todesfälle in Korinth an (1 Kor 11,29—32); im Zusammenhang der Verfolgungsdeutung begegnet es nur ansatzweise (2 Kor 6,9; vgl. Ps 118,18). Außer jüdischen Motiven lassen sich auch hellenistische Beeinflussungen nennen. Paulus kennt die Gestalt des bedrängten Weisen der Popularphilosophie. Die Peristasenkataloge dürften eher popularphilosophischem als apokalyptischem Denken entsprechen. Der Apostel spricht die Sprache der militia spiritualis (2 Kor 6,7; Phil 1,30).
Doch ist mit solchen traditionsgeschichtlichen Feststellungen erst sehr wenig über die theologische Verfolgungs- und Leidensdeutung des Paulus gesagt. Manche übernommene Motive sind nur peripher; mit anderen geht der Apostel sehr frei um. Das Thema der Freude im Leiden verliert den Charakter apokalyptischer Lohnverheißung; es wird auf die gegenwärtige Heilserfahrung bezogen (1 Thess 1,6; vgl. 2 Kor 8,2; Phil 2,17f.). Der Gedanke der Bewährung in der Bedrängnis wird mit konkreter Erfahrung gefüllt

---

[96] Vgl. P. Fiedler, Röm 8,31—39 als Brennpunkt paulinischer Frohbotschaft = ZNW 68 (1977) 23/34, hier 34.

(Röm 5,3—5). Die Zukunftshoffnung und die Erfahrung des gegenwärtigen Heils ermöglichen das rechte christliche Verhalten in der
Verfolgung (1 Thess 1,3; 1 Kor 4,12f.; 2 Kor 6,4—10; Röm 12,12.14).
Die Prophetenmordtradition begegnet nur einmal. Sie steht in
1 Thess in dem größeren Gedankenkomplex, in dem Paulus nach-
weisen will, daß Verfolgungen notwendigerweise zum Leben in der
Zeit bis zur Parusie gehören und daß man ihretwegen nicht in Verwirrung geraten soll (1 Thess 1,6; 2,2; 2,13—16; 3,3f.). Das popularphilosophische Bild des Weisen inmitten der Leiden und die Thematik der militia spiritualis werden in tiefgreifender Weise verändert. Paulus ersetzt die Idee der heroischen Leidensüberwindung
durch den Gedanken der Angewiesenheit des Menschen auf das
Geschenk der göttlichen Hilfe.
Schon die Verfolgungsdeutung des 1 Thess, die mehr als die der
anderen Briefe durch jüdische Tradition geprägt ist, läßt die paulinischen Eigentümlichkeiten erkennen, die dann in den Auseinandersetzungen mit den Gegnern des Gal und der beiden Korintherbriefe schärfere Konturen erhalten. Im Widerspruch gegen die
Judaisten deutet Paulus die Verfolgung von seiner Kreuzespredigt her. Er hat die Erfahrung gemacht, daß er angegriffen wird,
weil er die Beschneidungspflicht ablehnt. Diese Haltung gegenüber
dem jüdischen Gesetz wurzelt in seinem Verständnis des Todes
und der Auferweckung Jesu als des alleinigen Ursprungs des Heils.
Er folgert deshalb, daß er wegen des Ärgernisses des Kreuzes
verfolgt wird (Gal 5,11). Seine Leidenszeichen sind Konsequenz
dessen, daß er im Dienst des Gekreuzigten steht (Gal 6,17). Die
Verknüpfung von Kreuz Jesu und Verfolgung ist eine Fortführung
des in 1 Thess begegnenden Gedankens, daß Bedrängnisse keine
Zufälle, sondern fester Bestandteil des christlichen Lebens sind. In
1 Thess wird die Aussage phänomenologisch begründet, indem die
Reihe der aufeinanderfolgenden Verfolgungen genannt wird. Im
Gal argumentiert Paulus theologisch von seiner Rechtfertigungslehre und Kreuzespredigt her. Die Gemeinde von Thessalonich wird
durch die eigenen Mitbürger bedrängt (1 Thess 2,14); im Gal geht
es um Verfolgungen von seiten des Judentums und der christlichen
Judaisten.
In den beiden Korintherbriefen setzt sich Paulus mit dem Voll-
kommenheitsenthusiasmus auseinander, in dem man das menschliche Leid außer acht läßt. Am Beispiel der apostolischen Leiden
macht er die Struktur christlicher Heilserfahrung deutlich. In der
Zeit vor der endgültigen Vollendung ist das Heil erfahrbar als
Hilfe in der Not. Das apostolische Leiden ist Schicksalsgemeinschaft mit dem leidenden Herrn, mit dem Ziel, Anteil am Auf-

erweckungsleben Jesu zu gewinnen. In der menschlichen Schwachheit wirkt die Kraft Gottes. Paulus bezieht sich auf das hellenistische Bild des bedürfnislosen Weisen und verändert es im Sinn
seiner Theologie. Das Leiden wird nicht in heroischer menschlicher
Anstrengung und Unempfindlichkeit bewältigt, sondern in der
Angewiesenheit auf Gott ertragen. Es wird ganz ernst genommen
und gleichzeitig in eine neue Beziehung zum Leben Gottes gestellt.
Die Leidenstheologie der beiden Korintherbriefe verbindet die
schon in 1 Thess enthaltene Aussage von der Heilserfahrung in
der Verfolgung (1 Thess 1,6) mit der Kreuzestheologie des Gal.

In der Auseinandersetzung mit den Gegnern beruft sich Paulus
auf die eigenen Erfahrungen. Seine Verfolgungsdeutung ist keine
abstrakte Theorie, sondern theologisches Durchdenken der eigenen
Situation, in der er die Polarität von Leid und Rettung erkennt,
die er vom Kreuz und von der Auferweckung Jesu her deutet. Das
menschliche Geschehen wird ihm durchsichtig für das in ihm auf-
scheinende göttliche Handeln. In der Lebensgefahr von 2 Kor 1,8
erkennt er etwa den Sinn, daß sie dazu geführt hat, daß er das
Vertrauen nicht auf sich selbst, sondern auf Gott gesetzt hat, der
die Toten erweckt (1,9). In das theologische Bedenken seines Lebens
nimmt er das Geschehen in den Gemeinden mit hinein. Das, was
Gott in ihm wirkt, kommt den Gemeinden zugute (2 Kor 1,4—7;
Phil 1,7), wie ihn umgekehrt auch Gottes Gnade von den Gemeinden her erreicht (1 Thess 3,7—9; 2 Kor 7,6f.). Das beste Beispiel
für das theologische Durchdenken der eigenen Verfolgungssituation
und für die gleichzeitige Bezugnahme auf die Gemeinde bietet der
Brief an die Philipper.

Paulus verweist auf seine Leiden, um seine Autorität als Apostel
zur Geltung zu bringen (Gal 6,17; 2 Kor 11,23—33; vgl. auch Phlm
9f.). Die Verfolgungen, die er erfährt, erleidet er infolge seines
apostolischen Dienstes. Die theologische Deutung seines Geschicks
ist Teil seines Selbstverständnisses. Doch kann man nicht sagen,
daß es bei ihm zwei verschiedene Deutungen des Leidensgeschicks
gibt, je nachdem ob es sich um ihn selbst oder um die Gemeinden
handelt. Die vom Leiden geprägte apostolische Existenz ist Beispiel
für das christliche Leben in der Zeit bis zur Parusie. Die Korinther
können in die gleiche Leidenssituation kommen wie Paulus. Sie
tragen dann auch Christusleiden (2 Kor 1,5f.). Am Apostel ist das
von Kreuz und Auferweckung Jesu her bestimmte Gesetz christlichen Lebens ablesbar. Die Deutung seiner Leiden kann übertragen werden auf das Verfolgungsgeschick der Gemeinden. Röm 8
spricht allgemein vom Leiden der Christen. Es ist wie das des Apostels ein Mitleiden mit Christus (8,17), das auf die zukünftige volle

Erlösung und auf das in der Gegenwart bereits erfahrbare Heil bezogen wird.

Innerhalb der paulinischen Verfolgungsdeutung gibt es eine Reihe von Aussagen zum Todesgeschick. Einem heroischen Tod als menschlicher Leistung schreibt Paulus keinen Wert zu (1 Kor 13,3). Nur was in der durch Christus ermöglichten Liebe geschieht, hat Bestand vor Gott. Im apostolischen Dienst ist Paulus oft dem Tod nahe gekommen. In solchen Situationen hat er Kraft gewonnen im Glauben an die Auferweckung der Toten (1 Kor 15,30—32). Er setzt sein Vertrauen nicht auf sich selbst, sondern auf Gott, der die Toten erweckt (2 Kor 1,9). Den Philipperbrief schreibt Paulus in der Gefangenschaft, während er mit der Möglichkeit des gewaltsamen Todes rechnet. Die Aussagen über die Verteidigung, Kräftigung und über den Fortschritt des Evangeliums (1,7.12) dürften sich auf eine Gerichtsverhandlung beziehen, in der der Apostel Auskunft geben konnte über seinen Glauben und sein Tun. Im Gedanken an den vielleicht bevorstehenden Tod hofft er, daß Christus auch in diesem Moment, so wie während seines ganzen Wirkens, groß gemacht werden möge (1,20). Paulus will nichts für sich und alles für Christus. Er kommt so von seiner Christozentrik her zu einer Aussage, die sich mit Joh 21,19 berührt. Er sehnt sich danach, im Aufbruch aus diesem Leben bei Christus zu sein, wenngleich er sich dann doch für die Fortführung des apostolischen Dienstes entscheidet (1,21—26). Den spiritualisierten Opferbegriff bezieht er sowohl auf den Glauben der Philipper wie auf seinen Tod (2,17). Er freut sich angesichts des möglichen Todesgeschicks und fordert die Gemeinde dazu auf, sich mit seiner Freude zu verbinden (2,18). In Röm 8,35 schließlich heißt es, daß keine Verfolgung, auch nicht der Tod durch das Schwert, den Christen trennen kann von der Liebe Christi (vgl. auch 8,38f.). Diese Aussagen sind Elemente einer Theologie des Martyriums, die bei Paulus jedoch keine Eigenständigkeit besitzt, sondern Bestandteil des größeren Komplexes seiner Verfolgungsdeutung ist.

In der Verfolgungsdeutung des Paulus spielt die Vorstellung der Nachfolge keine Rolle. Er ist nicht abhängig von der Nachfolgeidee der Evangelientradition. Doch kommt er in seiner Theologie zu einer Verfolgungsaussage, die der der Evangelien entspricht: Die Zugehörigkeit zum Gekreuzigten führt in Verfolgungen, die zu ertragen man bereit sein muß. Paulus deutet die irdische Zeit in apokalyptischer Weise als Endzeit, die auf die Vollendung zuläuft. Unter den Bedingungen dieser Zeit ist in Kreuz und Auferweckung Jesu das Heil gestiftet worden, das jetzt schon als göttliches Leben im Leiden anwesend ist, um einmal voll und ganz offenbar zu werden. Von der Kreuzestheologie aus gewinnt Paulus die Maßstäbe für seine Deutung des Verfolgungsgeschicks, in der er sich gegen ein enthusiastisches Überspielen des Leides, gegen eine stoische Unerschütterlichkeit und ein apokalyptisches Lohndenken und bloßes Vertrösten wendet. Das Leiden ist bedrückende Realität; doch in der menschlichen Schwachheit wirkt die Kraft Gottes als Anfang zukünftiger Herrlichkeit.

2. Verfolgung und Leiden in den nach- und nichtpaulinischen Briefen

Die nachpaulinische Zeit nimmt das Thema der Leiden des Apostels in ihre Zeichnung der Paulusgestalt auf. Von der Apg war bereits die Rede. Innerhalb der Deuteropaulinen und Pastoralbriefe bestimmen Kol und Eph den Wert der Paulusleiden für die Kirche, während 2 Tim den leidenden Apostel vor allem als Vorbild des kirchlichen Amtsträgers zeichnet. Von anderer Art ist das Leidensthema in 2 Thess. Dieser Brief handelt entsprechend 1 Thess vom Verfolgungsleiden der Gemeinde. Von den anderen späten neutestamentlichen Briefen geht vor allem 1 Petr auf das Thema der Verfolgung der Christen ein. Der Hebräerbrief muß besprochen werden, weil zu prüfen ist, ob sich 12,1—13 auf ein Verfolgungsleiden bezieht. Darüber hinaus enthält der Brief eine Reihe von Aussagen, die das Thema dieser Arbeit betreffen. Auf 1 Joh wird hier nicht mehr verwiesen, weil der Brief bereits im Zusammenhang des Johannesevangeliums genannt wurde.

a) Die Deuteropaulinen und die Pastoralbriefe

Die Verfolgungsthematik des 2. *Thessalonicherbriefs*[1] unterscheidet sich von der des 1. Briefs an die Thessalonicher. Der 1. Brief spricht von der in der Verfolgungssituation erfahrbaren Gegenwart des Heiles[2]; ein Ausblick auf die eschatologische Wende als Umkehrung der Verfolgungssituation fehlt[3]. Der 2. Brief dagegen enthält das Thema der Heilsgegenwart inmitten der Verfolgung höchstens andeutungsweise, wohl aber lenkt er hin auf die eschatologische Wende, bei der die Verfolgten belohnt, die Verfolger aber

---

[1] Zum Problem der Verfasserschaft bei 2 Thess, Kol u. Eph vgl. G. Dautzenberg, Theologie und Seelsorge aus paulinischer Tradition. Einführung in 2 Thess, Kol, Eph = J. Schreiner — G. Dautzenberg (Hrsg.), Gestalt und Anspruch des Neuen Testaments, 96/119; Lit. zur Frage 96, Anm. 1.

[2] Vgl. 1 Thess 1,6; 2,2; 3,7—9.

[3] In 1 Thess ist der Parusiegedanke nicht mit dem Verfolgungsthema verknüpft. Vgl. 3,13; 4,6; 4,13—5,11; 5,23f.

bestraft werden (vgl. 2 Thess 1,3—10)[4]. Paulus kennt den Ausblick auf die eschatologische Zukunft im Zusammenhang mit dem Verfolgungsthema. In Röm 8,18 vergleicht er die Leiden dieser Zeit mit der zukünftigen Herrlichkeit. Doch spricht er kurz danach auch von der zur gegenwärtigen Leidenssituation gehörenden Heilserfahrung (Röm 8,31—39). Ein solcher, Paulus sehr wichtiger Gedanke fehlt in der Verfolgungsthematik von 2 Thess.

Der Abschnitt 2 Thess 1,3—10 paßt zur Verfolgungsdeutung der jüdischen Apokalyptik; christlich wirkt er dadurch, daß die Verfolgten wegen ihres christlichen Glaubens leiden müssen und das apokalyptische Gericht mit der Parusie Jesu verbunden ist. Die Standhaftigkeit im Glauben inmitten der Verfolgungssituation wird im zukünftigen gerechten Gericht ihren Lohn erfahren[5]. Es entspricht der Gerechtigkeit Gottes, daß die Bedränger mit Bedrängnis bestraft werden, die Bedrängten aber die Ruhe erfahren, die sie jetzt entbehren müssen. Diese Vergeltung liegt in den Händen Jesu. Dem Triumph der Glaubenden wird die Verwerfung derer, die Gott und das Evangelium Jesu nicht kennen, gegenübergestellt. — Der Glaube der Thessalonicher, der bei der Parusie Jesu belohnt wird, beruht auf dem Zeugnis, der Verkündigung, des Apostels (1,10)[6]. Dieser vom Zusammenhang nicht geforderte Hinweis könnte Zeichen einer nach Paulus anhebenden Glorifizierung des Apostels sein.

Der *Kolosserbrief* spricht in 1,24 von den Leiden des Paulus. Die Stelle hat im Verlauf der Geschichte vielfache Deutungen erfahren[7]. Es ist klar, daß die hier vorgetragenen Gedanken auch nur einen Versuch darstellen können. Paulus dient mit seiner Existenz dem apostolischen Werk. Die Leiden, in denen er sich freut, zieht er sich wegen dieser Tätigkeit zu. Das ὑπὲρ ὑμῶν von 1,24a macht so zuerst einmal deutlich, daß es sich um Leiden im Dienst an den Angesprochenen handelt. Darin haben sie ihren Sinn[8]. Darüber

---

[4] Von 1,3f. aus hätte es nahe gelegen, die in der Verfolgung mögliche christliche Heilserfahrung zu thematisieren. Doch 1,5 lenkt den Blick auf das zukünftige Gericht, das den gerechten Ausgleich bringt.

[5] Zu 2 Thess 1,5 vgl. die paraphrasierende Deutung bei B. Rigaux, Les Epitres aux Thessaloniciens, 620.

[6] Vgl. J. Aduriz, El Martyrion Apostolico en las Epistolas Paulinas = Ciencia y Fe 14 (1958) 267f.

[7] Vgl. J. Kremer, Was an den Leiden Christi noch mangelt. Eine interpretationsgeschichtliche und exegetische Untersuchung zu Kol 1,24b (Bonn 1956) = BBB 12. Siehe auch E. Lohse, Die Briefe an die Kolosser und an Philemon (Göttingen 1968) = Meyer K 9,2,112/7, u. J. Ernst, Die Briefe an die Philipper..., 183/7.

[8] Vgl. auch Kol 4,3: Paulus ist wegen des Mysteriums Christi in Gefangenschaft. Von der Gefangenschaft spricht auch 4,18.

hinaus dürfte aber auch gemeint sein, daß die Leiden selbst einen Dienst darstellen. In 2 Kor 1,6 und Phil 1,7 bezieht Paulus seine Leiden auf die jeweils angesprochene Gemeinde. Beide Stellen stehen in einem größeren Kontext, der zeigt, daß weder an eine Stellvertretung und Sühne noch an eine rein übernatürliche Gnadenzuteilung an die Gemeinde gedacht ist. Die Kräfte des göttlichen Heils überspringen nicht das menschliche Geschehen, sondern wirken sich gerade in ihm aus. Hier nun ist nur in 1,24 vom Leiden des Apostels die Rede. Es fehlt ein größerer Zusammenhang zum Leidensthema. Daher muß versucht werden, von 1,24b aus zu erheben, worin der in 1,24a ausgesagte Dienst des Leidens besteht. Ergänzend können dann ähnliche Aussagen in Eph 3,1.13 und in 2 Tim 2,10 herangezogen werden.

Die θλίψεις τοῦ Χριστοῦ können im zweifachen Sinn verstanden werden. Einmal können die Bedrängnisse gemeint sein, die Christus zu erleiden hatte. Zum anderen könnte der Ausdruck ein Oberbegriff sein, der sowohl die Bedrängnisse Christi wie auch die des Paulus bezeichnet. Bevor genauer auf die Interpretation eingegangen wird, muß jedoch betont werden, daß der Verfasser des Kol, so wie die anderen neutestamentlichen Schriftsteller, der Überzeugung ist, daß das Heil vollständig durch den Tod und die Auferstehung Jesu verwirklicht worden ist und deshalb keiner Ergänzung durch irgendein hinzukommendes menschliches Handeln bedarf (vgl. Kol 1,22; 2,13f.). 1,24b darf daher nicht so interpretiert werden, »als bestünde an dem stellvertretenden Leiden Christi noch ein Mangel, der erst durch den Apostel behoben werden müßte«[9]. Wenn man die Wendung θλίψεις τοῦ Χριστοῦ auf die von Christus getragenen Bedrängnisse bezieht, muß man davon ausgehen, daß Christus dem Apostel einen Teil seiner Leiden überlassen hat. Paulus wird im Kol als derjenige gezeichnet, der durch seinen Dienst als Heidenmissionar gemäß dem göttlichen Heilsplan das Wort Gottes vollendet (1,25). Er ist die große Vermittlergestalt zwischen dem Ursprung des christlichen Glaubens in Jesus Christus und der späteren Heidenkirche. In dieser seiner Funktion muß Paulus leiden, so wie Jesus gelitten hat. Inmitten von Widerständen verwirklicht Christus das Heil und verbreitet Paulus das Evangelium unter den Völkern. Das Wirken und das Leiden des Paulus dienen der Auferbauung der Völkerkirche. Wenn man fragt, wie sein Leiden zum Wohl des Leibes Christi, der Kirche, geschehen kann, wird man daran denken, daß Gott, der Paulus mit seinem Amt betraut hat (vgl. 1,25), vermittels seines Leidens den Glauben

---

[9] E. Lohse, Die Briefe an die Kolosser und an Philemon, 112f.

der Heidenkirche wachsen läßt, so wie er es ist, der im Wirken des Apostels am Werk ist (vgl. 1,29). Gott macht seine Tätigkeit und sein Leiden fruchtbar.

Möglich ist auch eine andere Interpretation, die davon ausgeht, daß die Bedrängnisse Christi Oberbegriff sowohl für die Leiden Christi wie auch für die des Paulus sind. Seit Christus gibt es die θλίψεις τοῦ Χριστοῦ, die Bedrängnisse, die sich gegen ihn und sein Evangelium richten. Jesus hat seinen Teil an diesen Bedrängnissen getragen. Paulus erfüllt an seinem Leib, was an ihnen noch aussteht, zum Segen für die Kirche. Allerdings ergibt sich die Frage, wie es mit den Bedrängnissen nach Paulus bestellt ist. 1,24b scheint zu sagen, daß Paulus alle noch ausstehenden Bedrängnisse erträgt. Dann müßte die nachpaulinische Kirche eigentlich frei sein vom Widerspruch gegen das Evangelium. — Der Gesamtduktus der Stelle unterscheidet sich von den paulinischen Aussagen in Gal 6,17; 2 Kor 1,5; 4,10 und Phil 3,10. Doch kann die Formulierung θλίψεις τοῦ Χριστοῦ gut durch die angegebenen Paulusstellen angeregt worden sein[10].

Inhaltlich berührt sich Kol 1,24 mit zwei Aussagen des *Epheserbriefs* (3,1.13) und mit 2 Tim 2,10. Nach Eph 3,1 ist Paulus »der Gefangene Christi Jesu für euch, die Heiden«. Der bestimmte Artikel vor δέσμιος betont die Würde des Paulus (vgl. auch 4,1). Im Philemonbrief nennt sich Paulus einen Gefangenen Christi Jesu (1 und 9). Eph 3,1 geht über diese Aussage hinaus; Paulus ist der Gefangene Christi schlechthin. Im übrigen gilt, was zu Phlm 1 und 9 gesagt worden ist. Die Gefangenschaft ist Konsequenz des Wirkens des Apostels, in dem er im Dienst Christi für die Völkerkirche tätig ist. Darin liegt der Sinn seines Leidens. Weiter ist daran zu denken, daß wie nach Kol 1,24 das Leiden des Paulus selbst einen Dienst darstellt. Die Gnade Gottes hat ihm das Amt des Völkerapostels gegeben (vgl. Eph 3,2.7f.); sie kann auch bewirken, daß nicht nur seine Tätigkeit, sondern auch sein Leiden der Völkerkirche Segen bringt. Paulus ist dabei ganz Diener Christi, dessen Gefangener er ist. Was an Segen von ihm ausgeht, kommt von Gott durch Christus.

Am Ende des Abschnittes, in dem es um den Dienst des Paulus an der Heidenkirche geht, kommt der Verfasser noch einmal auf die Leiden des Apostels zu sprechen (3,13)[11]. 3,2—12 handelt von dem

---

[10] Auf Kol 1,29—2,1 braucht hier nicht eingegangen zu werden, weil der Kampf dort nicht das Leiden des Apostels, sondern sein mühevoller apostolischer Dienst ist. Vgl. E. Lohse, ebd. 125/7.

[11] J. Gnilka, Der Epheserbrief (Freiburg-Basel-Wien 1971) = HThK 10,2,179f., zieht den Vers zum folgenden, macht aber auch deutlich, daß man in ihm den Abschluß des vorausgehenden Abschnittes sehen kann. H. Schlier, Der Brief an

hohen Auftrag des Paulus; 3,13 will zeigen, daß seine Leiden nicht
dem gerade gezeichneten Bild widersprechen[12]. Gerade wegen
seines apostolischen Auftrags sollen die Adressaten angesichts der
Drangsale des Apostels nicht verzagen. Sie sind nicht Unglücksfäl-
le, derer man sich schämt, sondern, wie der gesamte Dienst des
Paulus, ein Geschehen, das ihnen Segen bringt. Doxa ist hier mehr
als Ruhm. H. Schlier spricht von dem »Vorgeschmack der eschatologischen Herrlichkeit«[13]. Die Leiden des Paulus dienen dem Heilszustand der Kirche, den Gott durch Christus wirkt.
Die Stelle 2 Tim 2,10 soll im Kontext des ganzen Briefes besprochen werden. In Kol und Eph ist festzustellen, wie man aus einer
größeren Distanz voll Bewunderung auf Paulus zurückschaut und
ihm einen zentralen Platz im Heilsplan Gottes zuweist. Die Pastoralbriefe setzen diese Linie fort. Der Apostel gilt als Vorbild der
Amtsträger und als Autorität für Ordnung und Lehre der Kirche
schlechthin[14]. Der 2. *Timotheusbrief* verbindet das Motiv der Vorbildlichkeit des Apostels mit dem Thema der Verfolgung[15]. Timotheus wird aufgefordert, sich nicht des »Zeugnisses für unseren
Herrn« zu schämen (1,8). Das bezeugende Bekenntnis zu Christus
war offensichtlich mit einem Risiko verbunden. Man konnte untreu
werden, sich des Bekenntnisses schämen[16] und es unterlassen. Mit
der genannten Aufforderung wird die Ermahnung verknüpft, sich
auch des gefangenen Apostels nicht zu schämen. Er ist Gefangener
des Herrn (vgl. Phlm 1 und 9; Eph 3,1; 4,1). Die positive Seite der
Ermahnung lautet: »Leide mit für das Evangelium gemäß der Kraft
Gottes.« Die Treue zum leidenden Apostel garantiert die rechte
Haltung des Gemeindeleiters. Zum Dienst am Evangelium gehört
die Bereitschaft zum Leiden. Diesem Leiden gilt die Verheißung
der göttlichen Hilfe. Nach 1,12 vertraut Paulus im Leiden auf
Gott, der mächtig genug ist, »auch dann die gesunde Lehre (und
mit ihr die Kirche) überdauern und ihren Weg nehmen zu lassen,

die Epheser[6] (Düsseldorf 1968) 166f., sieht in 3,13 den Abschluß des der Aufgabe des Apostels gewidmeten Teiles; so auch J. Ernst, Die Briefe an die
Philipper..., 334f.

[12] J. Ernst, 335, macht auf die apologetische Note im Satz aufmerksam.

[13] H. Schlier, Der Brief an die Epheser, 166.

[14] Vgl. N. Brox, Amt, Kirche und Theologie in der nachapostolischen Epoche =
J. Schreiner — G. Dautzenberg (Hrsg.), Gestalt und Anspruch des Neuen
Testaments, 120/33, hier 122.

[15] Zum Charakter des Briefes als eines Testaments vgl. O. Knoch, Die »Testa-
mente« des Petrus und Paulus. Die Sicherung der apostolischen Überlieferung
in der spätneutestamentlichen Zeit (Stuttgart 1973) = SBS 62,33.

[16] Vgl. auch Mk 8,38 u. Lk 9,26.

wenn selbst der Apostel (und wenn der spätere Prediger) dem Augenschein nach in Fesseln und Tod scheitert«[17].

Als Vorbild des rechten Verhaltens wird in 1,16 Onesiphorus gezeichnet, der sich der Ketten des Paulus nicht geschämt hat, während andere sich von ihm abgewandt haben (1,15). Die Treue zum leidenden Paulus bewährt sich in der Bereitschaft, mit ihm zu leiden. Dieses Leiden wird in 2,3 in der Sprache der militia spiritualis als aktiver Einsatz eines guten Soldaten Christi Jesu bezeichnet. Die folgenden drei Bilder (2,4—6), zu denen der Verfasser vielleicht durch 1 Kor 9,7.24—27 angeregt worden ist[18], sind ein Appell zur Kompromißlosigkeit und Anstrengung, die erforderlich sind, um das Ziel zu erreichen. Der Soldat muß sich vollständig seinem Dienst widmen; der Wettkämpfer darf nicht die Regeln außer acht lassen, um sich den Kampf zu erleichtern[19]; der Bauer muß sich abmühen, um dann die Ernte zu genießen. N. Brox sieht in den drei Bildern eine erweiternde Interpretation zu 2,3, durch die die Aufforderung zum Martyrium auf die tägliche Mühe bezogen wird[20]. Man kann jedoch auch in 2,3 die interpretierende Überschrift zu den drei Bildern sehen. Das Leiden des guten Soldaten Christi soll in Kompromißlosigkeit, Anstrengung und Mühe geschehen. Was zum Aufgreifen der Vorstellung der militia spiritualis in den Paulusbriefen gesagt wurde, gilt auch hier: Das Motiv wird nicht unbesehen übernommen, sondern einem neuen Inhalt dienstbar gemacht. Soldat sein heißt hier: Im Einsatz für das Evangelium Leiden ertragen.

In 2,8 wird in einer altertümlichen Formulierung der Inhalt des paulinischen Evangeliums angegeben. Der anschließende Kontext (vor allem 2,11f.) legt es nahe, hier den »Zusammenhang zwischen Leiden und Verherrlichung« ausgesagt zu sehen[21]. Der Dienst an diesem Evangelium ist die Ursache der Gefangenschaft des Apostels (2,9). Sein Geschick beeinträchtigt jedoch nicht die Wirkung des Wortes Gottes, das nicht durch menschlichen Widerstand gefesselt werden kann. Darüber hinaus leidet der Apostel sogar um der Auserwählten willen (2,10). Diese Aussage von 2,10 gehört nun in den Zusammenhang der schon besprochenen Stellen Kol 1,24 und Eph 3,1.13. Das πάντα dürfte sich nicht nur auf die Gefangenschaft des Paulus (vgl. 1,8.16; 2,9), sondern allgemein auf sein ge-

---

[17] N. Brox, Die Pastoralbriefe (Regensburg 1969) = RNT 7,2,235.
[18] V. C. Pfitzner, Paul and the Agon Motif, 171.
[19] Ebd. 170.
[20] N. Brox, Die Pastoralbriefe, 241. — Vgl. etwa das tägliche Kreuztragen von Lk 9,23.
[21] Ebd. 242.

samtes Leiden im Verkündigungsdienst beziehen. Wie das Wirken des Apostels auf das gottgewirkte Heil der Menschen bezogen ist, so dient auch das in dieser Tätigkeit erlittene Leiden diesem Ziel. Wenn das Evangelium nicht gefesselt werden kann, so kann Gott auch bewirken, daß das Leiden des Apostels die Folge hat, daß diejenigen, für die er bestellt ist, so wie er die zukünftige Vollendung erlangen.

Der folgende hymnische Teil 2,11—13 dürfte dem Verfasser vorgelegen haben. Durch die Einfügung in seinen Zusammenhang bezieht er ihn auf den Amtsträger, obwohl der Hymnus ursprünglich wohl allgemein vom Glaubenden sprach. Vom Kontext her ist daran zu denken, daß 2,11 das Martyrium meint. Der Vers knüpft an 2,8 an und entfaltet, welche Bedeutung der den Inhalt des Evangeliums ausmachende Zusammenhang von Leiden und Auferweckung Jesu für die Martyriumssituation hat. Wer mit Christus stirbt, wird mit ihm leben. Dem Standhaften gilt die Verheißung des Mitherrschens, dem, der Christus leugnet, die Drohung, daß Christus ihn verleugnen wird (2,12). 2,12b läßt an das synoptische Logion Mt 10,33/Lk 12,9 (vgl. auch Mk 8,38/Lk 9,26) denken. Den Abschluß des Liedes bildet ein Wort des Trostes: Auch wenn der Mensch untreu ist, so bleibt Christus doch treu (2,13). Das Wort vom Mitsterben und Mitleben mit Christus entspricht paulinischer Theologie. Inhaltlich berührt es sich auch, insofern das Martyrium und der Übergang vom Tod zum Leben gemeint sind, mit dem synoptischen Spruch vom Verlieren und Retten des Lebens (Mk 8,35parr; Mt 10,39/Lk 17,33) und der johanneischen Nachfolgevorstellung (vgl. Joh 12,26; 13,36; 21,19.22). Von 2,11 her fällt neues Licht auf 2,10. Dem Leidenden gilt die Verheißung des Heils. Wenn dieses Leid im Dienst am Heil der anderen getragen wird, kann Gott auch aufgrund dieses Leidens den anderen sein Heil schenken.

In 3,10f. wird Timotheus als Vorbild hingestellt. Er ist Paulus nachgefolgt in den Verfolgungen und Leiden, die er in Antiochia, Ikonium und Lystra zu erdulden hatte. 3,12 zieht die Folgerung aus dem Vorhergehenden: Alle, die in Christus Jesus fromm leben wollen, d. h. alle Glaubenden, werden in Verfolgung geraten. Verfolgungen gehören nicht nur zum Leben des Apostels und der Amtsträger, sondern der Christen allgemein. Gott rettet aus ihnen, sei es, daß er den Verfolgten im physischen Sinn aus der Gefahr befreit (3,11), sei es, daß er im Sinn der Verheißung von 2,11 dem Getöteten das Leben schenkt.

Vom Tod des Paulus spricht 4,6—8. Wahrscheinlich greift der Verfasser die Terminologie von Phil 2,17 und 1,23 auf. Der Märtyrertod des Apostels ist ein Hingeopfertwerden und ein Aufbrechen (4,6)[22]. 4,7 charakterisiert den apostolischen Dienst des Paulus. Die zwei Bilder des Kampfes (vgl. 1 Thess 2,2; Phil 1,30; Kol 2,1) und des Laufes (vgl. 1 Kor 9,24; Phil 2,16; 3,14) erhalten ihre Deutung durch das dritte Glied der Kette: Paulus ist treu gewesen, er hat die ihm von Gott übertragene Aufgabe treu erfüllt[23]. Deswegen ist der Kampf, den er geführt hat, der gute Kampf[24]. Auf den Blick in die Vergangenheit folgt mit 4,8 der Ausblick in die Zukunft. Für den getreuen Apostel liegt als Lohn und Siegespreis der Kranz bereit, der für die Gerechtigkeit verliehen wird[25]. Dieser Kranz wird ihm vom Herrn, dem gerechten Richter, am zukünftigen Tag seiner Epiphanie übergeben. Es handelt sich dabei nicht um eine spezielle Belohnung des Paulus; vielmehr ist der Kranz allen verheißen, die in Liebe auf das Erscheinen des Herrn warten. Hier ist also noch nicht die Rede von einem dem Märtyrer vorbehaltenen Kranz der Vollendung. Im Bild fließen agonistische und apokalyptische Elemente ineinander. Der Kranz ist Siegespreis, er wird aber erst als Lohn im Moment der Epiphanie des Herrn verliehen[26]. Das Paulusbild dieser Stelle leuchtet in goldenen Farben. »Paulus ist hier der siegreiche Kämpfer, der glorreiche Held ... Hinter ihm liegt die erledigte Arbeit, der erfolgreich vollendete Lauf, vor ihm aber der Opfertod und die Krönung«[27]. 4,1—5 ist, deutlicher noch als der ganze Brief, sein Testament an die Amtsträger. In diesem ergeht inmitten der Ermahnungen erneut die Aufforderung zum Leiden (4,5).

Zum Schluß des Briefes ist von der ersten Verteidigung des Paulus die Rede (4,16—18). Am besten denkt man an eine erste Gerichtsverhandlung, die ohne Verurteilung endete. Dem Verhalten derer, die Paulus im Stich gelassen haben (vgl. Phil 1,17), wird die Hilfe des Herrn gegenübergestellt. Das Gericht gilt als Forum der Verkündigung. Der Herr stärkte Paulus, damit durch ihn die Botschaft

---

[22] Vgl. σπένδομαι in 2 Tim 4,6 u. Phil 2,17 sowie ὁ καιρὸς τῆς ἀναλύσεώς μου in 2 Tim 4,6 mit τὴν ἐπιθυμίαν ἔχων εἰς τὸ ἀναλῦσαι... in Phil 1,23.

[23] Vgl. V. C. Pfitzner, Paul and the Agon Motif, 183.

[24] Ebd. 185.

[25] Nach A. J. Brekelmans, Martyrerkranz, 49, ist der Kranz »eine Gabe und sein Inhalt ist die Gerechtigkeit. Das gerechte Urteil des Herrn ist nämlich ein rechtfertigendes Urteil, das den treuen Kämpfer in den Gerechtigkeitsstand des himmlischen Lebens einführt.« Doch bleibt zu fragen, ob der Verf., um den Inhalt der himmlischen Gabe zu bezeichnen, nicht eher zu Begriffen wie σωτηρία oder δόξα gegriffen hätte (vgl. 2,10). Zur hier vorgetragenen Deutung s. N. Brox, Die Pastoralbriefe, 266.

[26] Vgl. A. J. Brekelmans, 48f.

[27] N. Brox, Die Pastoralbriefe, 266f. — Zur ganzen Stelle vgl. auch Apg 20,23f.

voll und ganz ausgerichtet wurde und alle Heiden sie hörten (4,17). Die durch das Gericht gegebene Öffentlichkeit repräsentiert alle Heiden. Es liegt nahe, an Lk 21,12—15 und an die Prozeßreden der Apg zu denken[28]. Paulus wurde bei dieser seiner ersten Gerichtsverhandlung noch nicht verurteilt, sondern dem Rachen des Löwen entrissen. Man kann an die Geschichte von Daniel in der Löwengrube denken (bes. Dan 6,21.28). Vielleicht aber handelt es sich auch nur um die Verwendung eines geläufigen alttestamentlichen Bildes, das auch der Danielgeschichte zugrunde liegt (vgl. Ps 22,22). Hinter 4,18 steht wahrscheinlich das Wissen des Verfassers vom Märtyrertod des Apostels. Der Herr rettet, auch wenn er den Apostel nicht vor dem Tod bewahrt. Er entreißt ihn dem bösen Werk, d. h. dem Verfolgungsleiden und der Hinrichtung, und rettet ihn, indem er ihn in sein himmlisches Reich versetzt. Die liturgische Doxologie unterstreicht den feierlichen Klang des Abschnittes. Die innere Ruhe und Sicherheit des Apostels, in der er Vorbild des Amtsträgers ist, basiert auf dem Vertrauen zur Macht Gottes und zur Hilfe Christi. Der Apostel ist kein Gescheiterter, sondern Sieger in der Kraft Gottes (vgl. 4,8).

Auf den *1. Timotheusbrief* muß deshalb eingegangen werden, weil 6,13 gern martyrologisch verstanden wird[29]. Nach M. Dibelius und H. Conzelmann stammen die Worte von ἐνώπιον bis Πιλάτου aus einer älteren Bekenntnisformel[30]. In ihr meine das Ablegen des Zeugnisses unter Pilatus das Leidensschicksal Jesu. Der Verfasser von 1 Tim habe dann wegen der Parallele zum Bekenntnis des Timotheus in 6,12 der alten Formel die Worte τὴν καλὴν ὁμολογίαν angefügt. »Dadurch wurde aber der Formel eine Beziehung auf das Wortbekenntnis gegeben, und μαρτυρεῖν erhielt die oft bemerkte schillernde Bedeutung«[31]. Die Annahme der Verwendung und Erweiterung einer älteren Formel an unserer Stelle ist nicht unwahrscheinlich. Allerdings stellt sich die Frage, ob wirklich μαρτυρεῖν in dieser Formel eine martyrologische Bedeutung gehabt

---

[28] In Lk 21,12—15 ist ebenso wie in 2 Tim 4,17 von der Hilfe des Herrn, und nicht vom Beistand des Geistes die Rede. Vgl. auch den beiden Stellen gemeinsamen siegreichen Ton. Mk 13,9—11; Mt 10,17—20 u. Lk 12,11f. sind demgegenüber von zurückhaltenderer Art. Das Zeugnis bezieht sich bei Mk und Mt auf die Antworten auf die vor Gericht gestellten Fragen, während Lk, wie die Apg zeigt, an längere Reden denkt. So auch wohl 2 Tim 4,17.

[29] Die Positionen der Autoren sind genannt bei E. Günther, Martys, 131/3; N. Brox, Zeuge und Märtyrer, 32/5, u. J. Beutler, Martyria, 176; vgl. auch W. Rordorf, Martirio e testimonianza = Rivista di Storia e Letteratura Religiosa 8 (1972) 239/58, hier 244f.

[30] Vgl. M. Dibelius — H. Conzelmann, Die Pastoralbriefe[4] (Tübingen 1966) = HNT 13,67f.; ähnlich H. v. Campenhausen, Die Idee des Martyriums, 50f.

[31] M. Dibelius — H. Conzelmann, 68.

hat. Gegen eine solche Annahme spricht das Fehlen von Parallelen für die Zeit vor der Abfassung der Pastoralbriefe[32]. Immerhin ist für die heutige Form des Satzes an das Wortzeugnis zu denken[33]. Christus Jesus hat unter Pontius Pilatus in gefährdeter Situation das gute Bekenntnis abgelegt. Dieser Hinweis auf das Bekenntnis Jesu dient der an die Adresse des kirchlichen Amtsträgers gerichteten Paränese (6,14). Wie in 2 Tim Paulus als Vorbild gilt, so wird hier Jesus als Modell des standhaften Verkündigers gezeichnet, der auch in schwieriger Situation Zeugnis ablegt und so an seinem Auftrag festhält, den er in der Taufe und Ordination übernommen hat[34].

b) Der Hebräerbrief

In Hebr 10,32—34 blickt der Verfasser zurück auf eine Verfolgung der Gemeinde, kurz nachdem sie gläubig geworden war. Die Glaubenden hatten damals einen harten Leidenskampf zu bestehen (10,32). Auch der Hebräerbrief ist der Sprache der militia spiritualis verpflichtet[35]. Die Wendung ὀνειδισμοῖς τε καὶ θλίψεσιν θεατριζόμενοι erinnert an 1 Kor 4,9. Ein Teil der Gemeinde ist in den Leiden zum Schauspiel geworden, die anderen, die nicht direkt durch diese Leiden betroffen waren, hatten zumindest Gemeinschaft mit jenen, die öffentlich leiden mußten (10,33). Die Art dieser Gemeinschaft erklärt der folgende Vers: Sie haben mit den Gefangenen mitgelitten. Gemeint ist wohl, daß sie unter Gefahren für sich selbst den Gefangenen durch Wort und Tat zur Seite standen[36]. Weiter haben sie den Raub ihrer Güter mit Freude hingenommen. Die Freude ist in ihrem Wissen begründet, daß sie

---

[32] N. Brox, Zeuge und Märtyrer, 33. 1 Clem 5,4.7, worauf W. Rordorf, Martirio e testimonianza, 343/5, hinweist, scheidet m. E., wie noch zu zeigen ist, als Parallele aus.

[33] So E. Günther, Martys, 132f.; N. Brox, Zeuge und Märtyrer, 33/5; ders., Die Pastoralbriefe, 215/7; J. Beutler, Martyria, 176.

[34] In 6,12 scheint die Formel einer Taufparänese in die Ordinationsmahnung übernommen worden zu sein. Vgl. N. Brox, Die Pastoralbriefe, 215.

[35] Vgl. V. C. Pfitzner, Paul and the Agon Motif, 196.

[36] Vgl. Mt 25,36; Phil 2,25—30; 4,10—20. Die spätere Praxis einer organisierten Liebestätigkeit an den Gefangenen, die wegen des Glaubens im Gefängnis waren, läßt sich aus den spöttischen Bemerkungen des Lukian, De morte Peregrini 12f. (476.478 Mras) erheben. Dazu s. H. D. Betz, Lukian von Samosata und das Neue Testament. Religionsgeschichtliche und paränetische Parallelen. Ein Beitrag zum Corpus Hellenisticum Novi Testamenti (Berlin 1961) = TU 76,9f. Vgl. auch die Bestimmungen der Didascalia V,1 u. 2, die von den Apostolischen Konstitutionen übernommen worden sind: Didascalia et Constitutiones Apostolorum I, ed. Fr. X. Funk (Paderborn 1905) 236/41.

einen besseren und bleibenden Besitz haben. Die Aussage berührt sich mit der präsentischen Heilserfahrung des Apostels Paulus. Die Verfolgungszeit gilt als heroische und glorreiche Zeit, in der sich die Gemeinde voll Glaubensbegeisterung und -freude bewährt hat. Die Erinnerung an diese Zeit dient der Paränese für die Gegenwart, die nach dem Verfasser durch einen Abfall von der früheren Höhe gekennzeichnet ist. Der Glaube der Gemeinde leidet an Auszehrung und Müdigkeit (vgl. 5,11—6,12). Die Glaubenden, die eigentlich der Zeit nach Lehrer sein müßten, brauchen von neuem jemanden, der sie die Anfangsgründe lehrt (5,12); sie sind, auch wenn sie nicht in der warnend genannten Gefahr des Glaubensabfalls stehen (6,4—8), doch im Eifer erlahmt und müde geworden (6,9—12). Die Not der Gegenwart ist nicht eine Verfolgung von außen, sondern Unsicherheit im Innern der Gemeinde, die sich angesichts der ausstehenden Heilsvollendung und der glanzlosen und nüchternen Gegenwart die Frage stellt: »Lohnt es sich überhaupt?«[37] Es ist »das Auseinanderklaffen zwischen erfahrener irdischer Wirklichkeit und geglaubter eschatologischer Existenz, das die Gemeinde bedrängt«[38].

Nach E. Fiorenza könnte sich der Abschnitt 12,1—13 auf bevorstehende Leiden beziehen[39]. Der Verfasser würde dann für die Zukunft eine neue Verfolgung erwarten. Doch läßt sich der Abschnitt auch als Teil der auf die Gegenwart der Gemeinde bezogenen Paränese verstehen. Eine solche Deutung entspricht eher dem Grundanliegen des Briefes; sie legt sich auch deshalb nahe, weil mit 12,1ff. die paränetischen Folgerungen aus dem vorhergehenden Kap. 11 gezogen werden und es auffällig wäre, wenn ein so großer Passus des Briefes nicht dem Hauptthema zugeordnet wäre. 12,4 könnte man auf das Martyrium beziehen. Doch ist es wahrscheinlicher, diesen Vers wie 12,5 als einen Tadel zu verstehen, mit dem gesagt wird, daß die Angesprochenen im Kampf gegen die Sünde noch nicht das Äußerste aus sich herausgeholt haben. 12,5—11 will das Leiden vom Erziehungs- und Züchtigungsgedanken her verständlich machen[40]. Man kann an die Ausführungen Senecas in De

---

[37] Fr. Doormann, Der neue und lebendige Weg. Das Verhältnis von Passion und Erhöhung Jesu im Hinblick auf das Heil der Glaubenden im Hebräerbrief (Münster 1973) 10.
[38] E. Fiorenza. Der Anführer und Vollender unseres Glaubens. Zum theologischen Verständnis des Hebräerbriefes = J. Schreiner — G. Dautzenberg (Hrsg.), Gestalt und Anspruch des Neuen Testaments, 262/81, hier 272.
[39] Ebd. 264.
[40] Vgl. G. Bornkamm, Sohnschaft und Leiden = W. Eltester (Hrsg.), Judentum, Urchristentum, Kirche. Festschrift für J. Jeremias. Beihefte ZNW 26 (Berlin 1960) 188/98.

providentia II,5—9 denken, nach denen Gott von der Art eines Vaters ist, der seinen Kindern bewußt das Schwere nicht erspart, um ihre Tapferkeit herauszufordern. Doch zeigt das Zitat Spr 3,11f., daß der Autor der jüdischen Leidenstheologie in ihrer weisheitlichen Ausprägung verpflichtet ist, in der der griechische Begriff παιδεία nicht die auch Leiden umfassende Erziehung zum Ideal des Gebildeten und Weisen, sondern die der rechten Gottesbeziehung des einzelnen oder des ganzen jüdischen Volkes dienende Züchtigung durch Gott meint[41]. In Übereinstimmung mit der Proverbienstelle und im Unterschied zur geläufigen Form der jüdischen Leidenstheologie wird hier nicht die Idee einer vorübergehenden Strafe und Sühne mit dem Züchtigungsgedanken verbunden. Auch ist keine Rede von der Züchtigung der Gottlosen, die gern im Zusammenhang mit der Deutung der Leiden der Glaubenden als eine endgültige Strafe im Sinn einer totalen Verwerfung begriffen wird[42]. Das Augenmerk des Verfassers des Briefes liegt darauf, den Adressaten zu erklären, daß Leiden nicht das Verhältnis zu Gott belasten müssen, sondern gerade zeigen, daß die Glaubenden Kinder Gottes sind. Die Leiden dienen dem Ziel, daß sie Anteil an der Heiligkeit Gottes gewinnen (12,10); sie haben als Frucht die zukünftigen Heilsgaben des Friedens und der Gerechtigkeit (12,11). Der Autor verbindet ähnlich wie Paulus die im Leiden mögliche präsentische Heilserfahrung mit einem Ausblick auf das volle Heil der Zukunft.

Worin bestehen nun die Leiden von Hebr 12,5—11? 12,3 spricht von dem Widerstand der Sünder, den Jesus zu erdulden hatte. Man kann folgern, daß der Kampf gegen die Sünde (12,4) den Christen ebenfalls den Widerstand der Sünder einbringt und sie deshalb leiden müssen. Doch stellt sich die Frage, warum der Verfasser dann nicht die Parallele zwischen Jesus und den Christen deutlicher ausgezogen hat. Es ist zu vermuten, daß er betont unbestimmt vom Leiden sprechen wollte. Er meint nicht ein ganz bestimmtes Leiden, sondern allgemein alle Leiden, denen die Glaubenden ausgesetzt sind. Er dürfte sagen wollen, daß die Existenz der Glaubenden in der Gegenwart vom Leiden bestimmt ist, nicht zuletzt auch vom Leiden an der glanzlosen und beschwerlichen Realität, die so gar nicht zur geglaubten Erlösung zu passen scheint. Diese Deutung legt sich auch von 12,12f. her nahe. Die Mahnung fordert dazu auf, sich aufzuraffen und die Schwäche zu überwinden. Wenn es dem Verfasser darum zu tun gewesen wäre, zur Stärke im Leiden, das

---

[41] Vgl. W. Wichmann, Die Leidenstheologie, 5f., u. N. Peters, Die Leidensfrage im Alten Testament, 33/47.
[42] Vgl. W. Wichmann, 9/15.

durch den Widerstand der Sünder bewirkt wird, aufzurufen, hätte er wohl anders gesprochen. Hier geht es um die Überwindung der allgemeinen Glaubensschwäche, die mit der Leidenserfahrung zusammenhängt.

Der Hebr ist der Versuch eines Seelsorgers[43], dem allgemeinen Erlahmen der angesprochenen Gemeinde, ihrer »Anämie«[44], entgegenzuwirken. Diesem Ziel dient die Christologie des Briefes, in der »der Verfasser seinen Lesern zeigen will, daß sie ihr Leiden an der Unanschaulichkeit des Heils als Teilhabe an der Passion Christi verstehen dürfen, die ihnen — in Einheit mit seiner Himmelfahrt — das Eschaton eröffnet (13,13f.)«[45]. Weiter dient diesem Ziel der Hinweis auf das Vorbild der alttestamentlichen Glaubenshelden in Kap. 11. 11,33f. dürfte u. a. auf Daniel in der Löwengrube und die drei Jünglinge im Feuerofen von Dan 6 und 3 anspielen. Der Glaube gilt hier als eine Kraft, die sich im Wunder der Rettung aus der Todesgefahr äußert. Beispiele der in Tod und Leiden gezeigten Glaubensstärke bringt die Aufzählung von 11,35b—38. Es ist schwer, im einzelnen zu erheben, worauf genau sich die einzelnen Aussagen stützen. Immerhin kann man sagen, daß sich 11,35b auf die Märtyrer von 2 Makk bezieht[46] und 11,36—38 auf alttestamentliche und apokryphe Traditionen von einzelnen Propheten zurückgreift[47]. Das Zersägen etwa läßt an das Martyrium des Jesaja denken. Alle in Kap. 11 genannten Gestalten werden in 12,1 als Wolke von μάρτυρες bezeichnet. Der Ausdruck muß aus dem Kontext des Kap. 11 und nicht vom in 12,1 genannten Wettkampf her interpretiert werden. Gemeint sind deshalb nicht die Zuschauer des Wettkampfes. Man kann versuchen, von dem Sprachgebrauch in 11,2.4.5.39 her eine Deutung zu gewinnen. Dann wären die genannten Personen Zeugen, weil Gott sich zu ihnen be-

---

[43] Vgl. O. Kuss, Der Verfasser des Hebräerbriefes als Seelsorger = Auslegung und Verkündigung I (Regensburg 1963) 329/58.

[44] Ebd. 333. Vgl. auch ders., Der theologische Grundgedanke des Hebräerbriefes. Zur Deutung des Todes Jesu im Neuen Testament = ebd. 281/328, bes. 305/10.

[45] Fr. Doormann, Der neue und lebendige Weg, 11. Vgl. auch E. Fiorenza, Der Anführer und Vollender unseres Glaubens, 273ff.; H.-Th. Wrege, Jesusgeschichte und Jüngergeschick nach Joh 12,20—33 und Hebr 5,7—10 = E. Lohse — Chr. Burchard — B. Schaller (Hrsg.), Der Ruf Jesu und die Antwort der Gemeinde. Exegetische Untersuchungen, J. Jeremias gewidmet (Göttingen 1970) 259/88, hier 277ff.; A. Schulz, Nachfolgen und Nachahmen, 293/8.

[46] Darauf verweist der Hinweis auf die Möglichkeit der Freilassung (die durch die Übertretung des Gesetzes hätte erreicht werden können) und auf die Auferstehungshoffnung; vgl. 2 Makk 6,21ff. u. 7,9.11.14.23.

[47] Vgl. O. H. Steck, Israel und das gewaltsame Geschick der Propheten, 263f., Anm. 3, hier 264.

kannt hat und ihnen ein gutes Zeugnis ausgestellt hat. Doch muß
man noch einen Schritt weitergehen. Das gute Zeugnis Gottes ist
die Bestätigung ihres starken Glaubens. In ihrer Glaubensstärke
sind sie Vorbilder der Gemeinde, die aufgefordert wird, sich zu
einem starken Glauben aufzuraffen. Sie beweisen, wozu der Glaube
fähig ist. Der Zeuge ist immer jemand, der das, was er gesehen und
gehört hat, bezeugt, indem er dafür eintritt. Von dieser Grundbe-
deutung her kann man den Hauptakzent auf das Eintreten für das
Gesehene und Gehörte oder das als wahr Erkannte legen. Die
Glaubenshelden der Vergangenheit bezeugen mit dem, was von ihnen erzählt wird, ihren Glauben. Sie treten mit ihrer Existenz für
ihn ein und sind so Zeugen, die die Adressaten auf einen starken
Glauben verpflichten sollen[48].

Die Christologie und der Blick auf die alttestamentlichen Glaubenshelden dienen der Paränese. Von einem weiteren Motiv war
schon die Rede: Der Verfasser erinnert die Gemeinde an ihre
eigene glorreiche Vergangenheit, nämlich die Verfolgungszeit
(10,32—39). In 13,7 verweist er sodann auf die Vorsteher, die der
Gemeinde das Wort Gottes gepredigt haben. Sie soll auf deren Le-
bensende schauen und ihren Glauben nachahmen. Ihr durch den
Tod vollendetes christliches Leben wird als Vorbild hingestellt. Die
Hervorhebung des Lebensendes könnte bedeuten, daß hier an das
Martyrium gedacht ist[49].

c) Der 1. Petrusbrief

Der Hebr bezieht sich nicht auf eine aktuelle Verfolgungssituation
der Gemeinde. Anders liegen die Dinge im 1. Petrusbrief. Die
Adressaten sind einer feindseligen Haltung ihrer Umwelt ausgesetzt[50]. Sie werden als Übeltäter verleumdet (2,12; vgl. auch 2,15)

---

[48] Vgl. O. Kuss, Der Brief an die Hebräer[2] (Regensburg 1966) = RNT 8,1,185;
N. Brox, Zeuge und Märtyrer, 40f.; O. Michel, Der Brief an die Hebräer[6]
(Göttingen 1966) = Meyer K 13,427f.

[49] H. Strathmann, Der Brief an die Hebräer[8] (Göttingen 1963) = NTD 9 (zus.
mit J. Jeremias, Die Briefe an Timotheus und Titus) 154; O. Kuss, Der Brief
an die Hebräer, 217f.; O. Michel, Der Brief an die Hebräer, 490.

[50] Zum Verfolgungs- und Leidensthema in 1 Petr vgl. H. Braun, Das Leiden
Christi. Eine Bibelarbeit über den I. Petrusbrief (München 1940) = Theologische Existenz heute, Heft 69, bes. 36ff.; E. Lohse, Paränese und Kerygma im
1. Petrusbrief = ZNW 45 (1954) 68/89, hier 80ff.; W. Nauck, Freude im
Leiden; A. Schulz, Nachfolgen und Nachahmen, 176/9, 289/93; K. H.
Schelkle, Das Leiden des Gottesknechtes als Form christlichen Lebens (nach
dem 1. Petrusbrief) = Wort und Schrift. Beiträge zur Auslegung und Aus-
legungsgeschichte des Neuen Testamentes (Düsseldorf 1966) 162/5; J. Schneider, Die Briefe des Jakobus, Petrus, Judas und Johannes[2] (Göttingen 1967)
= NTD 10,75f.; H. Schlier, Eine Adhortatio aus Rom. Die Botschaft des

und beschimpft (3,16; 4,14); sie müssen damit rechnen, daß man ihnen Böses antut und sie schmäht (3,9); ihre Eigenart erregt Unwillen, und man verflucht sie (4,4). Weiter ist allgemein vom Verfolgungsleiden die Rede (1,6; 3,14.17; 4,12f.15f.19; 5,1.9f.). Eine Reihe von Forschern schließt aus diesen Aussagen, daß sich die in dem bis 4,11 reichenden Teil des Briefes vorausgesetzte Situation der Adressaten von ihrer im anschließenden Abschnitt erkennbaren Lage unterscheidet. Die erste Situation sei dadurch gekennzeichnet, daß nur von der Möglichkeit des Leidens gesprochen werde, während entsprechend dem Teil 4,12ff. die Leiden Wirklichkeit seien[51]. Doch dürfte auch 1,6 schon Leidenserfahrungen der Gemeinde voraussetzen. Zudem muß 4,12—19 nicht so verstanden werden, als handele es sich um eine große und schwere Verfolgung[52]. Es ist nicht notwendig, eine im Brief erkennbare Verschärfung der Situation anzunehmen.

In 4,15f. nennt der Verfasser eine Reihe von Delikten, für die das Gericht zuständig war. Die Christen sollen dafür sorgen, daß sie nicht wegen solcher Straftaten leiden müssen. Nicht schämen aber sollen sie sich, wenn sie leiden müssen, weil sie Christen sind. Wenn der Verfasser den Delikten, über die vor Gericht verhandelt wurde, das Christsein an die Seite stellt, so ist damit zu rechnen, daß bereits Gemeindemitglieder vor Gericht gestellt und verurteilt worden waren. 5,9 spricht davon, daß die Glaubensbrüder der Adressaten in der ganzen Welt die gleichen Leiden erdulden müssen. Das Christsein ist also nicht nur bei den im Brief Angesprochenen gefährlich. Doch darf man nicht an eine große, organisierte Christenverfolgung denken. Der Brief läßt die Art der Feindschaft, die man Christen entgegenbrachte, ungefähr erkennen. Die Ablehnung wurzelte in einer ungünstigen öffentlichen Meinung; sie äußerte sich darin, daß man schlecht über die Christen sprach oder

ersten Petrusbriefes = H. Schlier u. a. (Hrsg.), Strukturen christlicher Existenz. Beiträge zur Erneuerung des geistlichen Lebens (Festschrift für Fr. Wulf) (Würzburg 1968) 59/80, hier 75ff.; H. Goldstein, Das Gemeindeverständnis des ersten Petrusbriefs. Exegetische Untersuchungen zur Theologie der Gemeinde im 1 Pt (Münster 1973) 155/222, 256f., 288/90, 344, 358f. (der 2. Teil dieser Diss. erschien unter dem Titel: Paulinische Gemeinde im Ersten Petrusbrief [Stuttgart 1975] = SBS 80; vgl. hier 28f., 53f., 100, 112); H. Millauer, Leiden als Gnade. Eine traditionsgeschichtliche Untersuchung zur Leidenstheologie des ersten Petrusbriefes (Bern-Frankfurt/M. 1976) = Europäische Hochschulschriften XXIII,56; N. Brox, Situation und Sprache der Minderheit im Ersten Petrusbrief = Kairos 19 (1977) 1/13.
[51] Die Angaben zu dieser Hypothese bei Wikenhauser — Schmid, Einleitung, 595/8, u. Feine — Behm — Kümmel, Einleitung, 305f.
[52] Der Autor benutzt traditionelle Motive der Leidensdeutung, die wenig über die tatsächliche Lage aussagen. Vgl. H. Millauer, 190.

sie beschimpfte. Es dürfte zu Gerichtsverhandlungen gekommen sein. Die Leidensthematik dürfte voraussetzen, daß auch körperliches Leid zu ertragen war. Der Grund der Feindschaft war das Anderssein der Christen (4,3f.).

Die Adressaten werden aufgefordert, die schlechte Meinung, die es über sie gibt, nicht als unabänderliches Verhängnis hinzunehmen. Ihr Lebenswandel soll die Heiden, die sie jetzt als Übeltäter verleumden, beeindrucken und zur Einsicht bringen (2,12)[53]. 2,15 dürfte meinen, daß sie durch loyales staatsbürgerliches Verhalten den Vorwurf politischer Unzuverlässigkeit entkräften sollen[54]. Wenn sie nach ihrem Glauben gefragt werden, sollen sie im Bewußtsein eines guten Gewissens Rede und Antwort stehen (3,15f.)[55]. Die Ermahnung könnte sich auf die Gerichtssituation beziehen, sie ist jedoch so allgemein gefaßt, daß man auch an private Gespräche zwischen Heiden und Christen denken kann. Die Gläubigen sollen so leben, daß sie der Strafverfolgung keinen berechtigten Anlaß zum Eingreifen geben. Die Bestrafung eines Deliktes ist rechtmäßig. Wenn Christen leiden, dann nur, weil sie Christen sind (4,15f.)! Das nomen christianum ist schon Grund für Feindschaft und wohl auch für gerichtliche Verurteilung[56]. Das Leiden wird also nicht gesucht. Man versucht, den falschen Meinungen durch das aufklärende Wort und die Tat des guten Verhaltens entgegenzutreten. Wenn es aber zum Leiden des Glaubens wegen kommt, soll man dieses ohne Gedanken an eine Vergeltung erdulden (3,9).

Der Verfasser fordert nun nicht nur zum rechten Verhalten in der Verfolgung auf, sondern macht das Leiden auch verständlich, indem er es deutet. In seiner Leidensdeutung ist er älteren Motiven verpflichtet, die er seinen Intentionen dienstbar zu machen versteht. Der Vergleich der Verfolgungssituation mit dem Schmelzen des Goldes in 1,7 hat eine lange Vorgeschichte, die bis auf Jes 1,25

---

[53] Vgl. auch Mt 5,16. — Der Hinweis auf das tatsächliche sittliche Leben der Christen als Widerlegung der umlaufenden üblen Gerüchte ist zu einem festen Bestandteil der apologetischen Literatur des 2. Jh.s geworden. Vgl. etwa L. W. Barnard, Justin Martyr. His Life and Thought (Cambridge 1967) 151/6. Zu den Vorwürfen gegen die Christen vgl. P. Allard, Dix leçons sur le martyre (Paris 1906) 117/24.

[54] Zum gesamten Abschnitt 2,13—17 vgl. H. Goldstein, Die politischen Paränesen in 1 Petr 2 und Röm 13 = BiLe 14 (1973) 88/104.

[55] 3,15f. spricht von der Verantwortung der Hoffnung; gemeint ist der Glaube in seiner »Hoffnungsstruktur«.

[56] Vgl. P. de Mouxy, Nomen christianorum. Ricerche sulle accuse e le difese relative al nome cristiano nella letteratura apologetica dei primi due secoli = Atti della Accademia delle Scienze di Torino II. Classe de Scienze Morali, Storiche e Filologiche 91 (1956/7) 204/36, hier 211f.

zurückreicht[57]. Die Stelle berührt sich mit Weish 3,6 und Sir 2,5. Der Verfasser verknüpft dieses Bild mit dem traditionellen Motiv der Freude im Leiden, die möglich ist im Blick auf die verheißene Zukunft (1,6f.). Doch überschreitet er wie Paulus die Grenzen des Vorgegebenen. In 1,8 spricht er davon, daß die Glaubenden in unsagbarer, von Herrlichkeit erfüllter Freude jubeln. Diese Freude ist ähnlich wie bei Paulus Ausdruck der der Gegenwart zugeordneten Heilserfahrung, die offen ist für die noch größere Heilsgabe der Zukunft (vgl. 1,9)[58]. Von hier aus legt es sich nahe, im ἀγαλλιᾶσθε von 1,6 nicht einen Imperativ, sondern einen Indikativ zu sehen[59]. Die Prüfungen sind für kurze Zeit zu tragen und werden abgelöst durch das mit der Apokalypsis Jesu Christi anbrechende volle Heil. Dieser Moment ist nahe (4,7). Hinter den Prüfungen steht der Diabolos, der sich der Menschen bedient, um Christen in ihrem Glauben unsicher zu machen (5,8). Bei denen, die sich bewähren, bewirken die Leiden eine Läuterung des Glaubens.

Die Seligpreisung in 3,14 läßt an Mt 5,10 denken. Im Hintergrund steht auch hier das Motiv der Freude im Leiden. Mit einem Zitat aus Jes 8,12f. fordert der Verfasser dazu auf, keine Furcht vor den Gegnern zu haben. Eine ähnliche Aufforderung enthält auch Mt 10,28/Lk 12,4f. Jedoch wird dort auf die Macht Gottes abgehoben, der mächtiger ist als diejenigen, die den Leib töten können, während hier auf Christus als den machtvollen Herrn hingelenkt wird (3,15). Ihm sind nach 3,22 Engel, Gewalten und Mächte untergeordnet. Er soll in der Situation der Drohung geheiligt werden, d. h. er soll in seiner Heiligkeit, in seinem Sein bei Gott, in dem er der mächtige Herr ist, anerkannt werden. Das Bekenntnis zu Christus als dem Herrn relativiert menschliche Macht, die angesichts des wahren Herrschers nicht zu fürchten ist. Von 3,14f. her hat 3,13 den Sinn, daß keiner den Gläubigen Böses zufügen kann, auch wenn sie verfolgt werden. Gemeint ist keine physische Unverletzlichkeit, sondern die im Glauben gewußte Gesichertheit in der Macht Gottes und Christi, die auch dann gilt, wenn Leiden zu tragen sind. Der Verfasser schließt die folgende Anweisung zur Verteidigung, von der schon die Rede war (3,15f.), mit einer allgemein klingenden Sentenz (3,17). Der Satz erscheint wie eine Abwandlung der Lehre des Sokrates, daß es besser ist, Unrecht zu leiden als

---

[57] Vgl. W. Wichmann, Die Leidenstheologie, 8f. Jes 1,25 spricht allerdings vom Ausschmelzen des Bleis.

[58] Vgl. H. Goldstein, Das Gemeindeverständnis, 173f., 180/2, 186/90.

[59] W. Nauck, Freude im Leiden, 72, geht von der Tradition aus, die ein kohortatives Verständnis nahelegt.

Unrecht zu tun[60]. 1 Petr 3,17 spricht von den zwei Fällen, schuldlos oder als Übeltäter zu leiden. Durch den folgenden Abschnitt 3,18—22 verankert der Autor sodann die Paränese im Kerygma: Der Erlösungszustand der Christen ist im Sterben Jesu begründet; das Leiden der Christen um den Glaubens willen entspricht dem Leiden des schuldlosen Herrn.

Dem Verfasser des Briefes kommt es darauf an, die Leser vom Eindruck abzubringen, als wenn Leiden etwas Singuläres und Besonderes im Leben der Christen wäre (4,12). Die Zugehörigkeit zu Christus, der gelitten hat, impliziert die Affinität von Christsein und Verfolgungsleiden (vgl. 4,13). 4,12 berührt sich mit 1,6f., insofern von einer Feuerprobe gesprochen wird. Wie in 1,6—9 wird auch in 4,13f. das Motiv von der Freude im Leiden im futurischen und im präsentischen Sinn verwandt. Neu in diesem Zusammenhang ist die paulinische Wendung von der Teilnahme an den Leiden Christi. Das Leiden der Christen ist Teilnahme am Geschick Christi, Schicksalsgemeinschaft. Deren Ziel ist die zukünftige Teilnahme an der Doxa Christi. Doch auch die Gegenwart ist schon vom Heil geprägt und deshalb glücklich zu preisen. 1 Petr 4,13 berührt sich mit Phil 3,10f. und Röm 8,17.

In 3,14f. hatte der Verfasser dazu aufgefordert, keine Angst vor den Gegnern zu haben, sondern die Heiligkeit Christi anzuerkennen. In 4,16 dürfte etwas Ähnliches gemeint sein. Statt sich zu schämen, soll der Christ die Macht und Herrlichkeit Gottes vor Augen haben; dementsprechend soll er sich verhalten; dadurch ehrt er Gott. Der folgende Abschnitt 4,17f. wurzelt in der jüdischen Leidenstheologie. Man kann an 2 Makk 6,12—17 denken[61]. Der jüdische Gedanke wird auf die christlichen Gemeinden bezogen. An ihnen beginnt jetzt schon in den Verfolgungen das Gericht Gottes, das die Gottlosen erst später treffen wird. Für die Christen bewirkt es eine Läuterung (vgl. 4,1); für die anderen bedeutet es schwere Strafe oder endgültige Verwerfung. Das Leiden der Christen entspricht dem Willen Gottes. Ihm als dem treuen Schöpfer sollen sich die Leidenden anvertrauen (4,19).

In 5,1 wird Petrus μάρτυς der Leiden Christi genannt. Man könnte annehmen, es sei die Augenzeugenschaft des Petrus gemeint, insofern er die Leiden Christi gesehen hat. Doch legt die Fortführung des Satzes eine andere Deutung nahe. Als Zeuge der Leiden Christi ist Petrus Teilhaber der Herrlichkeit, die offenbar werden wird. Die Herrlichkeitsaussage setzt, wie der Blick auf 4,13 zeigt, eigenes

---

[60] Vgl. K. v. Fritz, Art. Sokrates = RGG³ VI,125/7, hier 126.
[61] Auf andere Texte verweist E. Lohse, Paränese und Kerygma im 1. Petrusbrief, 83, Anm. 85. Vgl. auch 2 Petr 2,9f.

Leiden des Petrus voraus. Dieses müßte in der Wendung »Zeuge der Leiden Christi« gemeint sein. Als jemand, der im Leiden erprobt ist, »der durch eigenes Erleben das Leiden Christi bezeugt«[62], kann er mit seiner Mahnung auf Gehör rechnen.

Von 2,18—25 war bisher keine Rede, weil in diesem Abschnitt nicht vom Verfolgungsleiden um des Glaubens willen, sondern vom Leiden der christlichen Sklaven die Rede ist. Der Verfasser zitiert ein älteres Christuslied. In der Hinführung auf dieses heißt es, daß Christus den Sklaven ein Muster hinterlassen hat, das nachzuvollziehen ist, damit sie seinen Fußspuren nachfolgen (2,21). Die Aussage steht in der Tradition der synoptischen Nachfolgevorstellung, die hier durch den Gedanken der Nachahmung modifiziert wird[63]. Das in der Nachfolge Jesu, in der Ausrichtung auf sein Verhalten erduldete Leiden gilt als Gnade (2,19f.; vgl. Phil 1,29f.). Da es für den Verfasser von 1 Petr keinen grundlegenden Unterschied zwischen dem Leiden der Sklaven und dem Verfolgungsleiden um des Glaubens willen gibt[64], hätte er das vom Sklavenleiden Gesagte auch auf das Verfolgungsleiden beziehen können[65].

d) Zusammenfassung

In den Deuteropaulinen und Pastoralbriefen lassen sich drei Themenkreise zur Frage der Verfolgung und des Leidens unterscheiden. Der apokalyptische Gedankenkreis wird durch 2 Thess vertreten. Die Verfolgungsdeutung dieses Briefes berührt sich mit 1 Thess, entspricht aber viel mehr der traditionellen jüdischen Apokalyptik, die dadurch verchristlicht ist, daß man sie auf verfolgte Christen bezieht und daß das Endgericht Jesus übertragen ist.

---

[62] N. Brox, Zeuge und Märtyrer, 38. Vgl. auch O. Cullmann, Petrus, 97. Es könnte auch an den Märtyrertod des Petrus gedacht sein. Dazu s. auch 2 Petr 1,14.

[63] H. Millauer, Leiden als Gnade, 65/84, lehnt den Begriff Nachahmung ab und spricht stattdessen von Gehorsam gegenüber dem Leitbild, Angleichung an das Verhalten Jesu und Ausrichtung nach ihm (69 u. 84). Ist das aber nicht gerade Nachahmung innerhalb des Konzepts der Nachfolge?

[64] Vgl. die Verwandtschaft zwischen 2,18—25 u. 3,13—22.

[65] Auf einige Stellen des Jak soll kurz hingewiesen werden. In 1,2—4 ist ebenso wie in 1,12 das Motiv der Freude im Leiden verwandt. Beide Stellen berühren sich mit Röm 5,3f. Zu 1,12 vgl. auch 2 Tim 4,8. In 5,10 werden die Propheten als Vorbilder standhafter Ausdauer im Leiden genannt. Die Aussage setzt die Tradition vom gewaltsamen Geschick der Propheten voraus. Sie erscheinen hier als leidende Gerechte oder Märtyrer. Der Hinweis auf ihr Leidensgeschick dient nicht dem Aufweis von Schuld und der Gerichtspredigt. Den Propheten wird Ijob als klassisches Beispiel der Geduld zur Seite gestellt (5,11). Dem Verfasser geht es um die Haltung der Ausdauer und Geduld, zu der er seine Leser aufruft.

Einem zweiten Themenbereich kann man die Aussagen zuordnen, die von der Bedeutung der Paulusleiden für die Kirche handeln (Kol 1,24; Eph 3,1 und 3,13; 2 Tim 2,10). Sie könnten durch 2 Kor 1,6f. und Phil 1,7 angeregt worden sein; doch ist der Unterschied beträchtlich. Paulus deutet die Beziehung zwischen ihm und den Gemeinden im Glauben. Gottes Gnade fließt den Gemeinden von Paulus her zu, wenn sie sich im Blick auf den Apostel von der in ihm wirkenden göttlichen Kraft erfassen lassen. Umgekehrt kann auch Paulus in der Wirkung, die von den Gemeinden ausgeht, Gottes Gnade erfahren (1 Thess 3,7—9; 2 Kor 7,6f.). Die nachpaulinische Zeit macht aus dieser »Erfahrungstheologie« eine formelhafte, konstatierende Aussage. Die Leiden des Apostels sind ein Segen für die Kirche. Die Vorstellung wird nicht phänomenologisch begründet; man denkt an eine übernatürliche Gnadenzuteilung.

Der dritte Themenkreis berührt sich mit dem zweiten: In 2 Tim wird der leidende Apostel als Vorbild gezeichnet. Paulus erscheint als heroische Märtyrergestalt; in der Treue zu ihm sollen der Amtsträger, aber auch jeder Christ (vgl. 2 Tim 3,12) bereit sein, das Verfolgungsgeschick zu tragen. Neben Paulus gelten Onesiphorus und Timotheus selbst, die sich der Leiden des Paulus nicht geschämt haben, als Vorbilder (1,16f.; 3,10f.). Ein solches Vorbilddenken begegnet auch im Hebr und 1 Petr. Hebr 13,7 fordert die Angesprochenen, wohl unter Bezugnahme auf das Martyrium, zur Nachahmung des Glaubens derer auf, die der Gemeinde das Wort Gottes verkündet haben. Der Hinweis auf die alttestamentlichen Gestalten in Kap. 11 und die eigene glorreiche Vergangenheit (10,32—39) dient der Aufforderung zur Glaubensstärke. In 1 Petr 2,21 wird innerhalb des größeren Themas der Heilsbedeutung des Todes Jesu die Vorbildlichkeit des leidenden Herrn angesprochen. Der Gedanke berührt sich mit 1 Tim 6,13f., insofern auch dort zu einem dem Beispiel Jesu entsprechenden Verhalten aufgefordert wird.

Der Vorbildgedanke findet sich bereits bei Paulus, der gelegentlich dazu auffordert, ihn nachzuahmen (1 Kor 4,16; 11,1; Phil 3,17). In 1 Thess 1,6 meint die Nachahmung die Annahme des Verfolgungsgeschicks, das Paulus bereits früher als die Gemeinde zu ertragen hatte. Die Thessalonicher wurden dadurch zum Vorbild für andere Gemeinden (1,7). In den beiden Korintherbriefen stellt Paulus die Verkündiger als Beispiele christlicher Existenz vor. Die Apg zeigt, daß das Vorbilddenken dabei war, einen Einfluß auf die in der Evangelientradition beheimatete Idee der Jüngerschaft auszuüben. In der Entsprechung zwischen der Stephanusgeschichte und dem Lukasevangelium sind zumindest ansatzweise Züge der Nachahmung des leidenden Herrn enthalten. Die Verwendung des sonst nicht in den neutestamentlichen Briefen begegnenden Wortes ἀκολουϑεῖν in 2 Tim 3,10 und 1 Petr 2,21 läßt erkennen, daß sich in der Folgezeit die Idee der Jüngerschaft immer mehr mit dem Vorbildgedanken verbindet.

Der Hebräerbrief bezieht das Leidensthema auf das alltägliche Leben der Christen. Dieses Vorgehen läßt sich vergleichen mit dem lukanischen Verständnis des Logions vom Kreuztragen in Lk 9,23. 1 Petr ist dagegen im Blick auf eine Verfolgungssituation geschrieben. Der Verfasser greift traditionelle Motive auf, um den Adressaten ihre Lage verständlich zu machen und um sie zu ermutigen. Ein paulinischer Einfluß läßt sich in 4,13 feststellen. Darüber hinaus verbindet das Thema der gegenwärtigen Heilserfahrung, das auch das Motiv der Freude im Leiden beeinflußt (vgl. 1,6.8f.), 1 Petr mit dem paulinischen Denken. Vielleicht ist die Aussage, daß Leiden Gnade ist (2,20), durch Phil 1,29f. angeregt worden. Der Brief zeigt, daß Elemente der Leidenstheologie des Paulus tradiert werden. Sie helfen neben anderen Motiven, der Herausforderung der Verfolgung zu begegnen. Eine andere Form der Antwort auf aktuelle Verfolgungserfahrungen stellt die Offenbarung des Johannes dar, die einen beträchtlichen Schritt über die in 2 Thess feststellbare Verchristlichung der Apokalyptik hinausgeht.

3. Die Verfolgung und der Sieg der Kirche nach der Offenbarung des Johannes

In der bisherigen Forschung war die Frage nach der Martyriumstheologie der Offb meist mit dem Problem der Herleitung des Märtyrertitels verknüpft. Wegen der im Buch enthaltenen martyrologischen Thematik hat man auch die Zeugnisterminologie der Schrift gern martyrologisch verstanden[1]. Im Wort μάρτυς sah man bereits die Blutzeugenschaft in einem festgelegten, technischen Sinn ausgesagt, oder man bestimmte den diesbezüglichen Wortgebrauch der Offb als Vorstufe zum Märtyrertitel, wie er mit Sicherheit im Martyrium des Polykarp vorliegt. Gegen eine solche Deutung sind verschiedentlich, vor allem von N. Brox[2], gewichtige Argumente

---

[1] Vgl. H. v. Campenhausen, Die Idee des Martyriums, 42/6; H. Strathmann, Art. μάρτυς κτλ = ThWNT IV,477/520, bes. 507f.; E. Günther, Martys, 128 (trotz 114/7); W. H. C. Frend, Martyrdom and Persecution, 91; A. Satake, Die Gemeindeordnung in der Johannesapokalypse (Neukirchen-Vluyn 1966) = WMANT 21,117 (trotz 115f. mit 116, Anm. 1); s. auch H. Kraft, Die Offenbarung des Johannes (Tübingen 1974) = HNT 16a,27.

[2] N. Brox, Zeuge und Märtyrer, 92/105, 114/31; vgl. auch J. Beutler, Martyria, 182f., 188/91, 196f., bes. 196, Anm. 135, u. E.-B. Allo, Saint Jean. L'Apocalypse³ (Paris 1933) = ÉtB, 63f.

geltend gemacht worden. Offb 11,7 zeigt, daß das Zeugnis der zwei
Zeugen ihrer Lebenszeit zugeordnet ist. Erst wenn sie ihr Zeugnis
vollendet haben, bekriegt sie das Tier aus dem Abgrund und tötet
sie. Nach 17,6 ist das Weib trunken vom Blut der Heiligen und vom
Blut der Zeugen Jesu. Wenn μάρτυς hier Blutzeuge bedeuten würde,
ist nicht einzusehen, warum zwischen den Heiligen und den Zeugen
unterschieden wird. Die Heiligen und die Zeugen sterben den Märtyrertod. Aber nur eine Gruppe wird mit dem Wort μάρτυς bezeichnet. Dann aber kann μάρτυς nicht den Blutzeugen meinen. Da man
besser nicht davon ausgeht, daß die Offb mit dem Wort μάρτυς
unterschiedliche Bedeutungen verbindet, kann man annehmen, daß
auch an den Stellen, die weniger eindeutig sind als die zwei hier
angegebenen, mit dem genannten Wort nicht die Blutzeugenschaft
bezeichnet wird. Von der gesamten Zeugnisterminologie des Buches
her ergibt sich, daß das prophetische Wortzeugnis gemeint ist. Von
diesem Wortzeugnis ist innerhalb eines martyrologischen Kontextes
die Rede. Das Zeugnis ist gefährlich; die Verfolgungssituation führt
dazu, daß prophetische Zeugen als Märtyrer sterben. Es gibt also
eine Affinität zwischen dem Wortzeugnis und dem Martyrium;
diese wird jedoch nicht mit dem Wort μάρτυς ausgedrückt. In der
Verfolgung richtet sich der Haß der Gegner gegen die Christen
allgemein und besonders gegen die prophetischen Verkündiger,
die an exponierter Stelle dem Glauben dienen. Die Martyriumstheologie der Offb kann also nicht anhand der hier begegnenden
Zeugnisterminologie erhoben werden. Die Zeugnisvorstellung berührt sich zwar mit der Märtyreridee; jedoch darf man diese Berührungspunkte nicht zum Leitprinzip der Darstellung machen. Die
Verfolgungsdeutung des letzten Buches des neutestamentlichen
Kanons gründet nicht in der neutestamentlichen Zeugnisvorstellung, sondern in der verchristlichten jüdischen Apokalyptik.
Die Offb ist der Form nach »ein Rundschreiben an die Gemeinden
Asiens, die in ihrer Siebenzahl die Vollzahl der Gemeinden reprä-
sentieren«[3]. Die Briefform macht deutlich, daß das Buch nicht eine
apokalyptische Abhandlung sein will, in der die zukünftigen Ge-
heimnisse wissensdurstigen Lesern enthüllt werden, sondern daß es
eine Anrede an Christen in ihrer Situation ist. Den Inhalt des
Buches gibt 1,19 an. Johannes soll aufschreiben, was er gesehen hat.
Damit ist die Eingangsvision gemeint. Weiter soll er niederschrei-
ben, was ist und was hernach geschehen soll. Die Wendung »was
ist« bezieht sich auf die sieben Briefe an die kleinasiatischen Ge-

---

[3] E. Fiorenza, Gericht und Heil. Zum theologischen Verständnis der Apokalypse
= J. Schreiner — G. Dautzenberg (Hrsg.), Gestalt und Anspruch des Neuen
Testaments, 330/48, hier 338.

meinden, in denen ihr gegenwärtiger Zustand genannt wird (Kap. 2—3); das, was danach geschehen soll, ist das in den Visionen beschriebene Geschehen (Kap. 4ff.)[4]. Die sieben Schreiben an die kleinasiatischen Gemeinden sind fester Teil des Buches. Sie unterscheiden sich natürlich von den Visionen. Jedoch sind auch sie von dem Denken geprägt, das den Visionen zugrunde liegt.

a) Die sieben Gemeindebriefe

In 1,9 stellt sich Johannes vor als Bruder der Angesprochenen, der zusammen mit ihnen teilhat an der Bedrängnis, der Königsherrschaft und am Ausharren in Jesus. Er war um des Wortes Gottes und des Zeugnisses Jesu willen auf der Insel Patmos. Man denkt am besten an eine Strafverbannung, die Johannes wegen seiner Verkündigungstätigkeit zu erdulden hatte[5]. In dieser Bedrängnis hat er das Geschick der Adressaten geteilt, die ebenfalls in einer Situation der θλῖψις leben. Worin diese besteht, wird hier nicht gesagt. Wahrscheinlich meint der Verfasser ganz allgemein die schwierige, von Feindschaft und äußerem Druck geprägte Lage. Wenn er von einer akuten Verfolgung hätte sprechen wollen, hätte er sich wohl deutlicher ausgedrückt. Zudem erlauben es die entsprechenden Aussagen der sieben Sendschreiben nicht, an eine allgemeine und akute Verfolgung in Kleinasien zu denken.
Die Gemeinde in Ephesus wird gelobt, daß sie Standhaftigkeit besitzt (2,3). Sie hat um des Namens Christi willen ein Verfolgungsgeschick getragen und ist dabei nicht müde geworden. In Smyrna haben die Christen unter den Schmähungen der jüdischen Gemeinde zu leiden, die mit einem scharfen Wort als Synagoge Satans bezeichnet wird (2,9). Den Christen stehen auch für die Zukunft noch Leiden bevor (2,10). Der Diabolos wird einige von ihnen ins Gefängnis werfen. Dieses Leiden ist eine Prüfung durch Gott, die auf eine kurze Zeit begrenzt ist. Die Ermahnung, treu bis zum Tod zu sein, zeigt, daß an die Möglichkeit des Märtyrertodes gedacht ist. In der Gemeinde von Pergamon ist es bereits zu einem Martyrium gekommen; dort ist der Zeuge Antipas getötet worden (2,13)[6]. Die Gemeinde von Philadelphia hat trotz ihrer geringen

---

[4] E. Lohse, Die Offenbarung des Johannes (Göttingen 1960) = NTD 11,19; A. Wikenhauser, Die Offenbarung des Johannes[3] (Regensburg 1959) = RNT 9,33f.; H. Kraft, Offenbarung, 49.

[5] Vgl. E. Lohmeyer, Die Offenbarung des Johannes[2] (Tübingen 1953) = HNT 16,15. Die Deutungen von W. Bousset, Die Offenbarung Johannis[2] (Göttingen 1906, Nachdruck 1966) = Meyer K 16,192, wirken konstruiert.

[6] Nach E. Lohmeyer, 25, liegt in 2,13 der erste Beleg für μάρτυς = Märtyrer vor. Doch s. N. Brox, Zeuge und Märtyrer, 103. Πιστός dürfte hier »treu«, und nicht »glaubwürdig« bedeuten. Denn daß der Zeuge, der das Zeugnis

Kraft am Wort Christi festgehalten und seinen Namen nicht verleugnet (3,8). Der Satz setzt eine Situation äußeren Drucks voraus, die dazu hätte führen können, daß Gemeindemitglieder dem
Glauben untreu wurden. In 3,9 wird von der jüdischen Gemeinde
gesprochen. Wahrscheinlich hing der Druck auf die Christen mit
dem jüdischen Verhalten zusammen. Die bedrängte christliche
Gemeinde wird, so sagt es 3,9, über ihre Feinde triumphieren. Sie
wird vor der zukünftigen Prüfung vom Herrn geschützt werden
(3,10). Im Sendschreiben an die Gemeinde von Laodizea wird Spr
3,12 verwandt, eine Stelle, die auch Hebr 12,6 begegnet (Offb 3,19).
Vom Leiden dürfte auch 3,18 sprechen. Das Bild der Läuterung
des Goldes im Feuer wird in der jüdischen Leidenstheologie auf
die Reinigung der Gottesbeziehung bezogen[7]. Wenn der Gemeinde
hier geraten wird, von Christus Gold zu kaufen, das im Feuer geläutert ist, dann dürfte gemeint sein, daß sie die Leiden als eine von
Christus zur Läuterung ihres Glaubens gegebene Gelegenheit annehmen soll.

Die Ermahnungen der sieben Sendschreiben schließen jeweils mit
den Verheißungen der sog. Siegersprüche. In bildhafter Sprache
versprechen sie denen, die siegen, das eschatologische Heilsgut. Die
Verknüpfung der Verheißungen mit den an alle gerichteten Ermahnungen und die Tatsache, daß sich die Siegersprüche in allen sieben Sendschreiben finden, zeigen, daß sie sich nicht auf einige
wenige, etwa die Märtyrer, sondern auf die Gesamtheit der Christen beziehen. Ein Sieger ist jemand, der sich entsprechend den
Forderungen bewährt. Miteingeschlossen ist natürlich die Bewährung in der Bedrängnis des Glaubens wegen. Speziell auf die Situation des Martyriums dürfte sich der Siegerspruch im Brief an die
Gemeinde von Smyrna beziehen. 2,10 spricht von den bevorstehenden Leiden. Es folgt die Aufforderung zur Treue bis zum Tod, die
mit der Verheißung des Kranzes des Lebens verknüpft ist[8]. Wer
in der Treue zum Glauben stirbt, empfängt ein neues Leben. Der
Siegerspruch in 2,11 fügt hinzu: »Wer siegt, wird vom zweiten Tod
keinen Schaden leiden.« Für ihn gibt es nicht die Gefahr eines
Ausschlusses vom ewigen Leben bei der allgemeinen Totenerwek-
kung (vgl. 20,6.14; 21,8).

Christi fortsetzt, glaubwürdig ist, dürfte für den Verfasser der Offb selbstverständlich sein und in seinen Augen keiner Hervorhebung bedürfen. Der
Treue des Antipas entspricht die Treue der angeredeten Gemeinde, die in den
Tagen seines Martyriums den Glauben nicht verleugnet hat. Treu sein bedeutet: den Glauben nicht verleugnen.

[7] Vgl. W. Wichmann, Die Leidenstheologie, 8f.
[8] Zum Bild des Kranzes in der Offb vgl. A. J. Brekelmans, Martyrerkranz, 21/7.

Das Motiv vom zweiten Tod zeigt, daß die sieben Sendschreiben
Themen enthalten, die in den Visionen breiter ausgeführt werden.
Offb 20ff. schildert die Belohnung der Sieger und die endgültige
Bestrafung der anderen (vgl. 21,7f.). Gemeinsame Themen sind
weiter die Bewahrung der Kirche in den Endzeitdrangsalen (vgl.
3,10 und 7,4—8) und natürlich die Verfolgung der Gläubigen und
der Märtyrertod. Ein apokalyptisches Thema, das in den Sendschreiben anklingt, wird allerdings in den Visionen nicht aufgegriffen. 3,9 spricht von dem zukünftigen Triumph der Gemeinde
von Philadelphia über ihre jüdischen Bedränger. Weiter handelt
der Siegerspruch 2,26—28 von der zukünftigen Herrschaft der Sieger über die Heidenvölker. Dieses Motiv wird in jüdischen Apokalypsen teilweise breit ausgeführt[9], ist aber in den Visionen der
Offb höchstens implizit enthalten (vgl. 20,4).
Das Thema der Verfolgung und des Märtyrertodes durchzieht das
ganze Buch. Jedoch sind die Tonart und der Umfang der diesbezüglichen Aussagen der beiden Teile von unterschiedlicher Art,
so daß man schon an verschiedene Abfassungszeiten gedacht hat[10].
Da eine solche Theorie mehr Schwierigkeiten schafft als Probleme
löst[11], sucht man besser nach einer anderen Erklärung. Der Apokalyptiker zeigt durch die Visionen, welchen Stellenwert er der
kirchlichen Situation, in der er lebt, zuschreibt. Der Zeitpunkt des
Endes ist nahe (22,10)[12]. Die Bedrängnis durch die feindliche Umwelt ist schon die endzeitliche ϑλῖψις (vgl. 1,9). Die jetzt bereits
erfahrene Feindschaft ist der Anfang größerer Verfolgungen, hinter denen der Widersacher Gottes steht. Durch die Visionen ordnet
der Verfasser also die gegenwärtige Situation der Kirche in das
Endzeitgeschehen ein und deutet sie so. Er tut das, um zu zeigen,
daß die Kirche trotz stets wachsender Feindschaft in der Macht
Gottes und Christi siegen wird und schon jetzt, gestützt auf den
Sieg Jesu in Tod und Auferstehung und im festen Wissen um den
zukünftigen Triumph, trotz des Anscheins des Scheiterns die feindlichen Mächte überwindet.

---

[9] Vgl. die Schilderungen in den Bilderreden des äth. Henoch 37—71, etwa
48,8—10, auch den viel zurückhaltender gezeichneten Triumph des Gerechten
in Weish 5,1—7 u. die Beschreibung der paradiesischen Heilszeit im Jubiläen-
buch, nach dem die Knechte Gottes ihre Feinde vertreiben (23,30f.).

[10] Vgl. A. Satake, Gemeindeordnung, 34f., bes. 35, Anm. 2. — Aus ähnlichen
Gründen war man auch zur Teilungshypothese bez. 1 Petr gekommen.

[11] Die Sendschreiben sind keine normalen Briefe; sie können nicht für sich
bestanden haben. Auch ist nicht gut denkbar, daß man sie nachträglich den
Visionen vorgeschaltet hat. In den Visionen wie auch in den Sendschreiben
ist dieselbe Hand am Werk.

[12] Die 10 Tage der Bedrängnis in 2,10 könnten sich auf das nahe Ende beziehen.

b) Die Visionen

Die Vision des himmlischen Thronsaals (Kap 4 und 5) stellt das Vorzeichen für alles Folgende dar. Gott ist der ewige Allherrscher (4,8), der dem erhöhten Christus aufgrund seines Sieges in Tod und Auferstehung (vgl. 5,5) die Buchrolle als Symbol der Weltherrschaft übergibt[13]. »Der Christus ist der den Augen des Glaubens offenbare Herr der Welt, auch wenn die vorfindliche Welt noch beherrscht wird von den widergöttlichen Mächten und Gewalten und sich die Herrschaft des Christus in ihr erst durchsetzen muß in dem Kampf der Endzeit«[14]. Die Endzeit wird charakterisiert durch die Plagen, die vom Weltherrscher Christus ausgelöst werden (Kap. 6).

Inmitten der Endzeitschrecken lebt die Kirche als Gemeinschaft, in der Gottes Herrschaft bereits gilt[15]. Ihre Existenz ist in doppelter Weise gekennzeichnet. Einerseits gehört sie zur Welt, die von den Endzeitplagen getroffen wird, und erfährt Verfolgungen. Zum anderen wird sie mit dem Siegel Gottes bezeichnet (7,4—8) und steht so unter Gottes Schutz, der sich darin zeigt, daß sie vor den Plagen bewahrt wird, die den Götzendienern, Sündern und Feinden Gottes zugedacht sind (vgl. 9,4 und 14,7). Der Apokalyptiker macht deutlich, daß sie als ecclesia pressa identisch ist mit der ecclesia triumphans, wenn sie auch noch nicht die zukünftige Herrlichkeit erreicht hat. Die jetzt bedrängte Kirche ist die Kirche, die einst, wenn Christus Gottes Herrschaft vollständig durchgesetzt hat, am himmlischen Triumph teilnehmen wird (vgl. 7,9—17; 14,1—5). Sie ist die Schar, die durch Drangsal hindurch den Sieg erringt. Sie vermag das, weil sie Anteil an dem im Tod Jesu gewirkten Heil gewonnen hat (7,14). In der Nachfolgeterminologie der Evangelientradition heißt es von den versiegelten Hundertvierundvierzigtausend, daß sie dem Lamm folgen, wohin es geht (14,4). Das Nachfolgen dürfte den bedingungslosen Gehorsam meinen, der in einem beständigen Nachvollziehen des Leidensweges Jesu in der jeweiligen eigenen Situation besteht. Ziel dieses Weges der Christen ist die Teilnahme an der von Jesus durch Leiden erreichten Herrlichkeit. Man kann hier an den Nachfolgebegriff des Jo-

---

[13] Vgl. Tr. Holtz, Die Christologie der Apokalypse des Johannes (Berlin 1962) = TU 85,27/54.

[14] Ebd. 31.

[15] Vgl. E. Schüssler Fiorenza, Priester für Gott. Studien zum Herrschafts- und Priestermotiv in der Apokalypse (Münster 1972) = NTA N. F. 7,285f. zu Offb 5,10. Zum Basileia-Gedanken in Offb vgl. auch R. Schnackenburg, Gottes Herrschaft und Reich. Eine biblisch-theologische Studie (Freiburg 1959) 232/45.

hannesevangeliums denken (vgl. Joh 12,26; 13,36; 21,19.22). Der
den Visionen zugrunde liegende Hauptgedanke ist im himmlischen
Lobpreis von 11,15.17f. ausgesagt[16]. In der Endzeit setzt Gott seine
und Christi Weltherrschaft gegen die Auflehnung der Feinde
durch. Das Durchsetzen dieser Herrschaft bedeutet Strafe für die
Feinde und Belohnung für alle, die Gott die Ehre geben. Die Visionen schildern das Endgeschehen als einen längeren Prozeß. Anders
als etwa im Buch Daniel ist nicht von einem punktuellen, gottgewirkten Umschwung die Rede. In der Vorstellung von Lohn und
Strafe stimmt jedoch die christliche Apokalypse mit der jüdischen
Apokalyptik überein. Diesem apokalyptischen Stoff prägt der christliche Schriftsteller sein christologisches Muster auf.
Die christliche Apokalyptik weiß, daß zu den Endzeitzeichen die
Verfolgung der Christen gehört (vgl. Mk 13,9—13)[17]. Die Offb
gestaltet das Motiv zum Bild eines gewaltigen Kampfes des Satans
gegen die Herrschaft Gottes. Die widergöttliche Macht ist bereits
grundsätzlich durch den Tod und die Erhöhung Christi besiegt
(Kap. 12). Auf Erden hat der Drache jedoch noch die Macht, die
Frau, ein Symbol des Gottesvolkes[18], zu verfolgen. Die Frau ist
einerseits geschützt, insofern der Drache ihr an ihrem Ort in der
Wüste nichts antun kann (12,6.14—16). Zum anderen heißt es,
daß der Drache sich anschickte, »um Krieg zu führen mit den
übrigen von ihrer Nachkommenschaft, die die Gebote Gottes halten und das Zeugnis Jesu haben« (12,17). Im Unterschied zum
Messiaskind ist von den übrigen Nachkommen die Rede. Diese
sind wiederum die Glaubenden, die hier nun als solche dargestellt
werden, die den Angriffen Satans ausgesetzt sind[19]. Sie haben die
aus der Predigt Jesu stammende Verkündigung und halten die
Gebote Gottes. Gegen ihren Glauben, der sich in ihrer Lebenspraxis und in ihrem Wort äußert, richtet sich der Zorn des Drachen.
Dieser bedient sich in seinem Kampf zweier Tiere (Kap. 13). Das
erste Tier, das im Anschluß an Dan 7 geschildert wird, versinnbildet eine irdische, total gottfeindliche Weltherrschaft als Gegen-

---

[16] Vgl. E. Fiorenza, Gericht und Heil, 346f.

[17] Zu den Berührungspunkten zwischen Mk 13parr und der Offb vgl. ebd. 345f.
Siehe auch 2 Thess 1,3—10.

[18] Vgl. A. Th. Kassing, Die Kirche und Maria. Ihr Verhältnis im 12. Kapitel der
Apokalypse (Düsseldorf 1958) bes. 147ff., u. J. Ernst, Die »himmlische Frau«
im 12. Kapitel der Apokalypse = ThGl 58 (1968) 39/59. Das Bild meint das
Gottesvolk des Alten und Neuen Bundes. Wo es um den irdischen Kampf des
Drachen mit der Frau geht, ist an die Kirche zu denken.

[19] A. Wikenhauser, Offenbarung, 98, sieht in der Frau »die Kirche als Ganzes,
die Kirche als solche« dargestellt, während die übrigen Nachkommen »ihre
einzelnen Glieder« bezeichnen.

spieler des wahren Herrschers Christus. Das zweite Tier wird in 16,13; 19,20 und 20,10 Pseudoprophet genannt. Es ist eine im Dienst der gottfeindlichen politischen Herrschaft stehende Macht, die vor allem die religiöse Verehrung des ersten Tieres propagiert. Dem Apokalyptiker dürften bei der Schilderung der beiden Tiere das römische Weltreich und der Herrscherkult vor Augen gestanden haben. Hinzunehmen muß man, was in Kap. 17 und 18 von der Hure Babylon gesagt wird. Babylon meint Rom als Inbegriff und Verkörperung des ganzen römischen Weltreiches[20].

Dem ersten Tier wurde nach 13,7 gegeben, Krieg mit den Heiligen zu führen und sie zu besiegen. Die Aussage greift Dan 7,21 auf. Das ἐδόθη dürfte bedeuten, daß Gott den Krieg des Tieres zuläßt. 13,15 sagt mit Anspielung auf Dan 3,5f., daß alle, die das Bild des Tieres nicht anbeten wollten, sterben sollten. Weiter heißt es, daß nur diejenigen, die das Zeichen des Tieres tragen, am wirtschaftlichen Leben teilnehmen können (13,16f.). Vom Blut von Heiligen und Propheten sprechen 16,6 und 18,24. Die Propheten dürften identisch sein mit den in 17,6 neben den Heiligen genannten Zeugen Jesu[21]. In 18,24 wird Rom nicht nur für das Blut von Propheten und Heiligen, sondern auch für das Blut aller, die auf der Erde hingeschlachtet wurden, haftbar gemacht. A. Satake interpretiert den Satz folgendermaßen: »Die Stadt ist nicht nur für das Blut derer, die in ihren Mauern ermordet wurden, sondern vielmehr für das Blut aller derer verantwortlich, die auf der ganzen Welt um ihres Glaubens willen erschlagen worden sind«[22]. Man hat gemeint, der Verfasser habe an den genannten Stellen sagen wollen, daß in der Endzeitverfolgung alle Christen als Märtyrer sterben müßten. Doch lassen sich genügend Zeugnisse anführen, die zeigen, daß der Verfasser der Offb so wie die anderen neutestamentlichen Schriftsteller damit rechnete, daß die Kirche als irdische Gemeinschaft die Parusie erleben wird, daß also Christen im Moment der Parusie am Leben sind[23]. Die Verfolgung ist allerdings grausam

---

[20] Zur Romfeindschaft der Apokalypse vgl. H. Fuchs, Der geistige Widerstand gegen Rom in der antiken Welt (Berlin 1938) 20f. u. 59/62. Der Grund für die Ablehnung Roms ist jedoch nicht irgendein nationales Gefühl, sondern der Widerspruch gegen die religiöse Anmaßung des Reiches und der Kaiser.

[21] Die Propheten sind christl. und nicht atl. Propheten; vgl. A. Satake, Gemeindeordnung, 47/74.

[22] Ebd. 51.

[23] Vgl. E.-B. Allo, L'Apocalypse, 62/5 (gegen R. H. Charles u. A. Loisy); L. Brun, Übriggebliebene und Märtyrer in der Apokalypse = Theologische Studien und Kritiken 102 (1930) 215/31 (gegen R. H. Charles, A. Loisy, E. Lohmeyer u. H. Windisch) und I. H. Marshall, Martyrdom and the Parousia in the Revelation of John = Studia Evangelica IV. TU 102 (Berlin 1968) 333/9 (gegen R. H. Charles).

und blutig. Im Blick auf diese Situation mahnt der Verfasser zu Standhaftigkeit und Glaubenstreue (13,10). Wer für die Gefangenschaft bestimmt ist, soll diese hinnehmen. Wer durch das Schwert getötet wird, soll dies Geschick in Ergebung und Gehorsam gegen Gott erdulden[24]. 14,12 wiederholt die Mahnung zur Standhaftigkeit, die darin besteht, daß die Christen an den Geboten Gottes und am Glauben an Jesus treu festhalten. Die Seligpreisung in 14,13 dürfte sich auf die beziehen, die in der Treue zu den Geboten Gottes und zum Glauben an Jesus den Tod erleiden. Sie sind der Endzeitdrangsal enthoben und ruhen aus von ihren Mühen. Das zukünftige Heil ist ihnen gewiß.

In der endzeitlichen Verfolgung der Kirche kommt es also zum gewaltsamen Tod von Christen, die wegen ihres Glaubens sterben müssen. Die Offb belegt diese Christen ebensowenig wie die anderen neutestamentlichen Schriften mit einem besonderen Namen. Doch macht sie das Martyrium mehr als die übrigen Schriften des Neuen Testaments zu einem speziellen und eigenständigen Thema. Innerhalb der Verfolgungsdeutung des Buches gibt es einen besonderen Komplex von Aussagen zum Märtyrertod, die im folgenden zusammengestellt werden sollen.

c) Das Thema des Märtyrertodes

Die Öffnung des fünften Siegels läßt den Visionär am Fuß des himmlischen Altars die Seelen derer sehen, die wegen des Wortes Gottes und des Zeugnisses, das sie hatten, hingeschlachtet worden waren (6,9)[25]. Das Zeugnis ist wie auch in 1,9 das Zeugnis Jesu. Der Verfasser spezifiziert das Wort Gottes als die von Jesus herkommende Offenbarung[26] und gibt so die Ursache der gewaltsamen Tötung an. Die Seelen der Ermordeten befinden sich am Fuße des Altars[27], dort, wo das Blut der Opfertiere ausgegossen wurde. Da das Blut als Sitz des Lebens galt, ist es gut vorstellbar, wie das Bild zustande gekommen ist[28]. Der Ruf der Märtyrer in 6,10 läßt an die

[24] Zum Text der Stelle vgl. I.H. Marshall, 334, Anm. 4. Die hier vorgetragene Deutung folgt E. Lohse, Offenbarung, 71.

[25] Zu 6,9—11 vgl. W. Sattler, Das Buch mit sieben Siegeln. Studien zum literarischen Aufbau der Offenbarung Johannis. I. Das Gebet der Märtyrer und seine Erhörung = ZNW 20 (1921) 231/40, u. W. Klassen, Vengeance in the Apocalypse of John = CBQ 28 (1966) 300/11.

[26] Vgl. N. Brox, Zeuge und Märtyrer, 94f. — H. Kraft, Offenbarung, 119f., schlägt die befremdliche Interpretation auf atl. Märtyrer vor.

[27] Vgl. Th. Zahn, Die Offenbarung des Johannes II³ (Leipzig-Erlangen 1926) = KNT 18,358f.

[28] W. Sattler, Das Buch mit sieben Siegeln I, 233f., verweist auf den griechischen Volksglauben und denkt an die Milchstraße als Ort der Märtyrerseelen. Nun berührt sich aber zumindest 6,10, wie gleich zu zeigen ist, mit der jüdischen

Stelle äth. Henoch 47,1f. denken, an der es heißt, daß die himmlischen Heiligen wegen des Blutes der ermordeten Gerechten Gott bitten, deren Gebet zu erhören, das Gericht für jene zu vollziehen und sie nicht allzulange auf dieses warten zu lassen. Darauf wird in 47,3f. erzählt, daß Gott sich zum Gericht anschickt und die Heiligen sich freuen, »weil die Zahl der Gerechtigkeit nahe, das Gebet der Gerechten erhört und das Blut der Gerechten vor dem Herrn der Geister gerächt war«[29]. Die »Zahl der Gerechtigkeit« bedeutet nach G. Beer: »die für den Anbruch des Gerichts festgesetzte Zeit, oder nach Offenb. 6,11 die bestimmte Zahl der Märtyrer, die vorhanden sein muß, bevor das Gericht kommt«[30]. Die Verwandtschaft zwischen Offb 6,10f. und der Henochstelle zeigt, daß die christliche Apokalypse hier ein Motiv der jüdischen Apokalyptik aufgegriffen hat. In der Durchführung des Themas unterscheidet sich jedoch die Offb vom äth. Henoch und von entsprechenden Aussagen der jüdischen Apokalyptik. Nach dem Henochbuch sind die Verfolgten aktiv an der Endzeitvergeltung beteiligt[31]. In der Offb klingt ein solcher Gedanke nur eben an (vgl. 2,26—28; 3,9); er wird jedoch in den Visionen nicht ausgeführt. 20,4 dürfte zwar das Richten der vorher Bedrängten meinen, doch fehlt jede weitergehende Beschreibung. Gegenüber den Vergeltungsbeschreibungen des äth. Henochbuches sind die Schilderungen der Offenbarung des Johannes von einer deutlichen Mäßigung geprägt[32]. Da der Ruf nach einer Beschleunigung des Endgerichts und die Darstellung des Gerichts selbst einander entsprechen, muß die Klage der Verfolgten jeweils im Blick auf die entsprechende Gerichtsdarstellung interpretiert werden. Die ermordeten Gerechten des äth. Henochbuches

---

Apokalyptik. Dann empfiehlt es sich, für die ganze Szene eher an jüd. als an griech. Einflüsse zu denken. Zur Erklärung vgl. Th. Zahn, Offenbarung II, 359, u. E. Lohse, Offenbarung, 42f.

[29] G. Beer bei Kautzsch AP II,263. Vgl. diese Arbeit S. 26f. Siehe auch äth. Henoch 9,1—11; 22,5—7; 97,3.5; 99,3 u. 4 Esra 4,35f. (H. Gunkel bei Kautzsch AP II,357): Die Seelen der Gerechten fragen in ihren Kammern und erhalten eine Antwort des Erzengels Jeremiel: »Wie lange sollen wir noch hier bleiben? Wann erscheint endlich die Frucht auf der Tenne unseres Lohns? Aber ihnen hat der Erzengel Jeremiel geantwortet und gesprochen: wann die Zahl von Euresgleichen voll ist!«

[30] G. Beer bei Kautzsch AP II,263, Anm. p.

[31] Vgl. Anm. 9.

[32] Vgl. W. Klassen, Vengeance, 305ff. — Expressis verbis handelt Offb wohl von der Freude der Verfolgten an der gerechten Vergeltung Gottes (vgl. 18,20), nicht jedoch von Gefühlen der Genugtuung angesichts von Strafen, die mit Freude am grausamen Detail ausgemalt werden. Allerdings steckt unausgesprochen hinter den Gerichtsschilderungen auch der Wunsch, daß die Verfolger in dem gleichen Maß, in dem sie an den Christen schuldig werden, ihre zukünftige Strafe finden möchten (vgl. 18,4—8).

erwarten eine Vergeltung in der Art, wie sie im gleichen Buch beschrieben wird. Die Märtyrer der Offb wünschen die Vergeltung, die später berichtet wird. Diese Vergeltung ist die den Verfolgern zugewandte Seite der endzeitlichen Durchsetzung der Herrschaft Gottes und seines Gesalbten, die sich, ausgehend vom Raum der Kirche, in der sie schon gilt, der Reihe nach über alle Bereiche der Welt ausdehnt. Das Gerichtshandeln Gottes setzt ein, wenn die Kirche die ihr zugedachten Leiden getragen hat und die volle Zahl der Märtyrer[33] erreicht ist (6,11). Dieser Moment ist nicht fern. In der Zwischenzeit warten und ruhen[34] die Märtyrer. Ihnen wird ein weißes Gewand als Anwartschaft auf die eschatologische Vollendung übergeben (vgl. 7,9 und 19,8)[35].

Der Ruf der Märtyrer ist ein an Gott gerichtetes Gebet. Vielleicht ist es mitgemeint, wenn in 8,3f. von den Gebeten aller Heiligen gesprochen wird. Diese steigen als Weihrauch vor Gott empor (vgl. auch 5,8). In 8,5 wird nun berichtet, daß der Engel, der den Weihrauch der Gebete aller Christen in einer Räucherpfanne Gott darbringt, diese Pfanne darauf mit Feuer vom Altar füllt, das er auf die Erde wirft. Das bewirkt Donner, Getöse, Blitze und Beben. Das Bild könnte bedeuten, daß die Endzeitplagen zum Gerichtshandeln Gottes gehören, um das die Gläubigen und mit ihnen die Märtyrer bitten[36].

Deutlicher ist eine Beziehung zwischen 6,9—11 und 16,3—7[37]. Der Abschnitt 16,3—7 berichtet, wie zwei Engel Schalen über Meer, Flüsse und Quellen ausgießen und alles Wasser darauf zu Blut wird. Der Engel des Wassers kommentiert das Geschehen als gerechte Strafe dafür, daß diejenigen, denen nun Blut zu trinken

---

[33] Mit den σύνδουλοι und ἀδελφοί sind beidemal die Christen gemeint.

[34] ἀναπαύσωνται ἔτι χρόνον μικρόν meint wegen der Zeitangabe das Warten der Märtyrer. Doch könnte auch, wie es das Verbum nahelegt, der Gedanke des Ausruhens anklingen; vgl. 14,13, wo das gleiche Verbum das Ausruhen bezeichnet.

[35] Vgl. W. Sattler, Das Buch mit sieben Siegeln I, 235: Das weiße Kleid ist das für den Festsaal passende Gewand, das die Anwartschaft auf Teilnahme an einem bevorstehenden Freudenfest darstellt. Die Überreichung des Kleides verbürgt die Gewißheit der Realisierung der Erwartung der Märtyrer.

[36] Vgl. E. Lohse, Offenbarung, 50. — Vielleicht muß 9,13f. mit 8,3—5 in Verbindung gebracht werden. Die Stimme vom Altar fordert den sechsten Engel mit der Posaune dazu auf, die vier am Euphrat gefesselten Engel loszubinden. Das führt dazu, daß ein Drittel der Menschen getötet wird (9,15). Vom Altar her, auf dem die Gebete der Christen dargebracht werden, ergeht der Befehl zum Strafen. Weiter ist an 14,18 zu denken. Der Engel, der Macht über das Feuer hat, kommt vom Altar her und gibt den Befehl zur Endzeiternte. Dieser Engel dürfte der Engel von 8,3—5 sein. Vgl. E. Lohse, 54, 79; H. Kraft, Offenbarung, 143f., 199.

[37] Vgl. W. Sattler, Das Buch mit sieben Siegeln I, 237.

gegeben wird, das Blut von Heiligen und Propheten vergossen haben. Vom Altar her ertönt eine Stimme, die Gott anspricht: »Ja, Herr, Gott, Allherrscher, zuverlässig und gerecht sind deine Gerichte« (16,7). Die Stelle dürfte besagen, daß der Ruf der Märtyrer von 6,10 erhört wird. Das Blut der Märtyrer wird erneut 17,6 und 18,24 genannt. Rom ist verantwortlich für das vergossene Blut der Märtyrer und wird bestraft. Im Blick auf die Bestrafung der Stadt fordert 18,20 den Himmel, die Heiligen, die Apostel und Propheten zur Freude auf, da Gott ihren Rechtsanspruch durch sein Gericht an ihr erfüllt hat[38]. Einen Rechtsanspruch auf die Bestrafung haben die Märtyrer, für deren Blut Rom verantwortlich ist. Mit den Heiligen, Aposteln und Propheten werden deshalb die Märtyrer gemeint sein. Ihr Anspruch auf Vergeltung wird durch das Gerichtshandeln Gottes erfüllt. Der Aufforderung zur Freude entsprechen die Lieder in 19,1—8. Gott wird gepriesen, weil er das Strafgericht an der Stadt vollzogen hat. Den Lobspruch 19,2 muß man mit dem Ruf der Märtyrer von 6,10 in Verbindung bringen[39]. Das Gericht, nach dem sie rufen, ist vollzogen, ihr Blut ist gerächt. In diesen Zusammenhang gehört auch der umstrittene Abschnitt 20,4—6[40]. 20,4b und 6,9 berühren sich sehr deutlich[41]. Es bestehen demnach Verbindungslinien zwischen den 20,4—6 und 6,9—11 berichteten Visionen. 20,4b spricht eindeutig, im Stil von 6,9, von Märtyrern. Der Visionär sieht die Seelen derer, die wegen des Zeugnisses Jesu und wegen des Wortes Gottes getötet worden sind[42]. Die Frage ist nun, ob in 20,4a und 20,4c von jeweils anderen die Rede ist[43] oder ob der gesamte V. 4 auf Märtyrer zu interpretie-

---

[38] Die Übers. nach A. Wikenhauser, Offenbarung, 137.

[39] Vgl. 6,10: οὐ κρίνεις καὶ ἐκδικεῖς τὸ αἷμα ἡμῶν ἐκ τῶν κατοικούντων ἐπὶ τῆς γῆς; u. 19,2: ... ὅτι ἔκρινεν ... καὶ ἐξεδίκησεν τὸ αἷμα τῶν δούλων αὐτοῦ ἐκ χειρὸς αὐτῆς. In 6,10 wird Gott ἀληθινός genannt, in 19,2 heißen die Gerichte Gottes ἀληθιναί. Die Aussage über die gerechten Gerichte Gottes in 19,2 stimmt fast wörtlich überein mit 16,7: ἀληθιναὶ καὶ δίκαιαι αἱ κρίσεις σου. 19,2 ersetzt σου durch αὐτοῦ.

[40] Vgl. die ausführliche Besprechung der Stelle bei E. Schüssler Fiorenza, Priester für Gott, 291/344.

[41] Vgl. 6,9: Καὶ ... εἶδον ... τὰς ψυχὰς τῶν ἐσφαγμένων διὰ τὸν λόγον τοῦ θεοῦ καὶ διὰ τὴν μαρτυρίαν ἣν εἶχον; u. 20,4: Καὶ εἶδον ... τὰς ψυχὰς τῶν πεπελεκισμένων διὰ τὴν μαρτυρίαν Ἰησοῦ καὶ διὰ τὸν λόγον τοῦ θεοῦ ...

[42] Zu πεπελεκισμένων vgl. E. Lohmeyer, Offenbarung, 162. Das Wort entspricht dem ἐσφαγμένων in 6,9. Beide Begriffe sollen wohl allgemein den grausamen Tod und nicht eine spezielle Todesart bezeichnen.

[43] 20,4c kann als explikativer Relativsatz zu 20,4b verstanden werden (das Bezugswort wäre πεπελεκισμένων). Man kann aber auch an eine neue, generalisierende Aussage denken; der Blick geht von einer kleineren zu einer größeren Gruppe (καὶ (τούτους) οἵτινες ... (und die, welche auch immer...; und alle, die...).

ren ist. Eine Antwort kann vom Wort ἔζησαν in 20,4d und 20,5 her versucht werden. In 20,5 meint ἔζησαν nicht ein Weiterleben, sondern die Auferstehung von Toten. Die übrigen Toten gelangen nicht zum Leben, bis die tausend Jahre vollendet sind. Der Satz: »Dies ist die erste Auferstehung« kann sich nicht auf die noch nicht Auferweckten beziehen. Er weist zurück auf diejenigen, von denen in 20,4d gesagt wird: ἔζησαν. Das Wort kann deshalb hier nicht anders verstanden werden als in 20,5. Gemeint ist das Zum-Leben-Kommen, die Auferstehung. Es wäre auch in der Tat sehr seltsam, wenn das gleiche Wort, das zweimal in unmittelbarer Nachbarschaft verwandt wird, nicht an beiden Stellen die gleiche Bedeutung hätte. 20,4d spricht also davon, daß Tote zum Leben kommen und mit Christus tausend Jahre herrschen. Sind diese Toten nun nur die in 20,4b genannten Märtyrer? Dann würde 20,4d unmittelbar an 20,4b anschließen und 20,4c stände zusammenhanglos dazwischen. Es ist wahrscheinlicher, anzunehmen, daß in 20,4c ebenfalls von Märtyrern und nicht von noch lebenden Christen, die in der Verfolgung treu geblieben sind, gesprochen wird. Der Visionär sieht demnach die Seelen der Märtyrer, von denen schon in 6,9—11 die Rede war. Weiter spricht er von Märtyrern, die das Tier und sein Bild nicht angebetet hatten und die sich nicht sein Zeichen auf ihre Stirn und ihre Hand hatten aufprägen lassen. Die letzte Aussage könnte eine Erklärung und Ergänzung zu 20,4b sein. Dann würden die Märtyrer von 20,4b als solche bezeichnet, die wegen der Treue zum Zeugnis Jesu und zum Wort Gottes und in der Ablehnung der Ansprüche der widergöttlichen politischen Macht den Tod erlitten haben. Es könnten aber auch zwei Gruppen gemeint sein, zuerst die Märtyrer von 6,9—11 und dann die Märtyrer aus der großen Verfolgung, die die Zahl der ersten ergänzen.

Es bleibt nun noch, den Sinn von 20,4a zu bestimmen. Die Unbestimmtheit der Aussage spricht dagegen, daß hier vom Gericht Gottes oder Christi und einer himmlischen Schar die Rede ist. Der Verzicht darauf, diejenigen, die sich auf die Throne setzen, zu benennen, spricht dafür, daß der Verfasser schon an die im folgenden genannten Märtyrer gedacht hat. Der Visionär sieht zunächst Throne, dann sieht er, wie sich Gestalten auf die Throne setzen. Dann erst erkennt er, daß diese Gestalten Märtyrer sind, die zum Leben kommen. Der mit ψυχή bezeichnete Zwischenzustand der Märtyrer endet; sie gelangen erneut zum vollen Leben, zu dem im Verständnis des Visionärs auch die Körperlichkeit gehört. Als körperliche Gestalten setzen sie sich auf die Throne. Die Bedeutung der Thronbesteigung erklärt sich am besten von dem in 20,4d und 20,6 genannten βασιλεύειν her. Die zum Leben gekommenen Mär-

tyrer herrschen mit Christus tausend Jahre. Sie teilen die Königsherrschaft Christi. Den Beginn dieses ihres Herrschens drückt der Verfasser im Bild ihrer Thronbesteigung aus[44].
Weiter heißt es: κρίμα ἐδόθη αὐτοῖς. Die Aussage kann in doppelter Weise verstanden werden. Man kann an ein Gerichtshandeln denken. Die Märtyrer, die zur Herrschaft mit Christus kommen, erhalten Gerichtshoheit (vgl. auch Mt 19,28 und Lk 22,30). Man kann aber auch von 18,20 her κρίμα als Rechtsanspruch verstehen. Diejenigen, die auf den Thronen Platz nehmen, sind solche, »denen von Gott ihr Recht zugesprochen worden ist«[45]. Gegen die letzte Deutung könnte man einwenden, daß die Rehabilitation der Märtyrer sinnvollerweise zu Beginn ausgesagt wird, bevor man von ihrem Herrschaftsantritt spricht. Wenn zunächst vom Herrschaftsantritt die Rede ist, dann legt es sich nahe, die vom κρίμα handelnde Aussage als Ergänzung zur Herrschaftsaussage zu bestimmen. Die Herrschaft zeigt sich in einer Gerichtshoheit. Allerdings erhebt sich dann die Frage, wen die Märtyrer richten. Man kann jedoch darauf verweisen, daß auch im Zusammenhang mit dem Herrschen der Märtyrer keine Untertanen genannt werden. Der Verfasser dürfte nur sagen wollen, daß diejenigen, die der Macht der Verfolger ausgesetzt waren und sterben mußten, nun leben und mächtig sind. Anders als das äth. Henochbuch spricht die Offenbarung des Johannes nicht von einem Vergeltungshandeln der Verfolgten an ihren Verfolgern. Ihr genügt es, die Wiederherstellung des Rechts dadurch auszudrücken, daß sie die zukünftige Macht der Märtyrer absolut und nicht durch die Relation Herrscher — Beherrschter aussagt. Die Märtyrer, die in einer ersten Auferstehung zum vollen Leben gekommen sind, werden in 20,6 gepriesen, weil für sie das tausendjährige Leben bei der zweiten Auferstehung ins ewige Leben führt[46]. Sie brauchen nicht das den Gottesfeinden bei der allgemeinen Auferstehung vorbehaltene Geschick zu fürchten. Während der tausend Jahre sind sie Priester Gottes und Christi und herrschen mit ihm.
Der Verfasser greift in 20,4 auf Aussagen aus Dan 7 zurück. Im Kap. 13 hat er das Tier als eine Gestalt gezeichnet, auf die die danielische Vision der vier Tiere zutrifft. Die eine politische Herrschaft, die er meint, umfaßt alle Macht der vier Reiche von Dan 7.

---

[44] Vgl. E. Schüssler Fiorenza, Priester für Gott, 304.
[45] Ebd.
[46] 20,6 greift das Thema von 2,11 auf. 2,11 dürfte sich, wie gezeigt wurde, ebenfalls auf den Märtyrertod beziehen. — Vom ewigen Leben der Märtyrer wie allgemein der Erlösten gilt 7,17 u. 21,4: Gott wischt jede Träne aus ihren Augen. Der Tod ist nicht mehr, noch Trauer, Klage und Mühsal.

Von dem Tier sagt die Offb mit einem Zitat aus Dan 7,21, daß es
ihm gegeben wurde, Krieg zu führen mit den Heiligen und sie zu
besiegen (13,7). Bei Dan bezog sich diese Aussage auf die Verfolgung durch Antiochus IV. Epiphanes, auf die das göttliche Gericht
folgt, durch das dem überheblichen König die Macht genommen
wird und das Volk der Heiligen sie erhält (Dan 7,9—14.21f.26f.).
Auf diese Aussagen von der Herrschaftsübertragung im göttlichen
Gericht bezieht sich der Verfasser der Offb in 20,4 (vgl. Dan
7,9.22.27). Mit dem aus Dan übernommenen Gedanken der Herrschaft der vorher Verfolgten verbindet die christliche Apokalypse
die Idee des Messiasreiches und das Motiv der Totenauferstehung
(vgl. Dan 12,2f.), wobei sie die traditionellen Themen auf die Märtyrer bezieht[47]. Der Sinn des Abschnittes muß in der Relation zu
dem mit 6,9—11 beginnenden Aussagestrang gesehen werden. Die
Märtyrer rufen nach dem baldigen Eingreifen Gottes, durch das
das Recht wiederhergestellt wird. Die Erfüllung ihrer Bitte wird in
ihrem doppelten Aspekt geschildert. Auf die Verfolger und Mörder
der Märtyrer bezogen, ist sie ein Strafhandeln Gottes. Auf die
Märtyrer selbst bezogen, ist sie die Umkehr des Unrechtszustandes,
wie sie in 20,4—6 beschrieben wird. Die vorher Bedrängten und
Ermordeten erheben sich zu neuem Leben und herrschen mit dem
Messias.
Es stellt sich die Frage, warum der Verfasser die Umkehr des
Märtyrergeschicks nicht gänzlich der allgemeinen Totenauferwek-
kung und dem allgemeinen Endgericht (vgl. 20,11ff.) eingepaßt hat.
Wenn er die Auferstehung der Märtyrer vorzieht, dürfte er
tatsächlich einen gewissen Vorzug, der ihnen gilt, ausdrücken wollen. Eine solche Intention braucht nicht zu verwundern, wenn man
etwa an Dan 12,3 denkt, wo ja den zum Leben erweckten Weisen
eine besondere Verklärung zugeschrieben wird. Weiter stellt sich
eine Frage, die bisher oft genug die Interpretation von 20,4—6
belastet hat. Was geschieht nach Auffassung des Verfassers mit den
Gliedern der Kirche, die nicht als Märtyrer gestorben sind, im Moment des Endes? Oder sind nach 20,4—6 doch alle Christen als
Märtyrer gestorben? Es wurde schon gesagt, daß auch die Offb
damit rechnet, daß die Kirche als irdische Größe den Augenblick
des Endes erreicht[48]. Doch ist das Geschick der noch Lebenden dem
Verfasser nicht zu einem Thema seiner Endzeitvisionen geworden.
20,3 zeigt, daß trotz 19,21 noch Menschen auf der Erde leben.

---

[47] Zum Traditionshintergrund von Offb 20,4—6 vgl. E. Schüssler Fiorenza,
Priester für Gott, 315/25.
[48] Vgl. Anm. 23. Zu denken ist etwa an die Sehnsucht der Kirche nach der
Parusie; s. 22,7.12.17.20.

Wenn der Satan gefesselt und in den Abgrund geworfen wird, damit er die Völker nicht mehr verführt, dann muß es ja noch diese Völker geben, die unbeeinflußt vom Satan nun in Frieden leben. Dann müßte es eigentlich auch noch die Kirche geben. In welchem Verhältnis sie zur Herrschaft der Märtyrer mit Christus steht, wird nicht gesagt. I. H. Marshall meint, daß der Verfasser vor allem diejenigen, die das Martyrium erdulden mußten, stärken wollte. Er habe deshalb seine Aufmerksamkeit auf die den Märtyrern zugedachte Seligkeit gerichtet, ohne daß er andere Christen vom Millennium habe ausschließen wollen[49].

Mit dem Motiv der Wiederherstellung des Rechtes verknüpft die Theologie des Martyriums der Offb den Gedanken des Sieges. Der Märtyrertod ist zunächst einmal ein Sieg der widergöttlichen Macht (13,7). Doch den Christen, die das Geschehen der Endzeit durchschauen, ist das, was wie eine Niederlage der Kirche und der Märtyrer aussieht, in Wirklichkeit eine Niederlage der Feinde. Das Scheitern der Märtyrer ist ihr Sieg. Das Lied 12,10—12 kommentiert die Niederlage, die der Drache im himmlischen Kampf mit Michael hinnehmen muß. Durch diese Niederlage ist die widergöttliche Macht grundsätzlich entmachtet, auch wenn sie auf der Erde noch ihre Macht ausüben kann. Der Sieg über den Satan geschieht im Tod Jesu und im Märtyrertod. Die Märtyrer haben den Satan besiegt »durch das Blut des Lammes und durch das Wort ihres Zeugnisses, und sie haben nicht ihr Leben geliebt bis zum Tod« (12,11). Sie haben also ihr Leben nicht festgehalten, bis zu der Konsequenz des Todes. Sie taten das als solche, die ihre Kleider im Blut des Lammes reingewaschen haben (vgl. 7,14), d. h. als Erlöste, die die Erlösungswirklichkeit nicht verraten haben, und in der Treue zu dem von Jesus herkommenden Offenbarungswort. Der Sieg der Märtyrer wurzelt im Sieg Christi. Satan ist als Ankläger der Schuld entmachtet, weil die Kirche durch die Tat Christi gereinigt ist und es keine Grundlage der Anklage mehr gibt (12,10).

In 15,2 werden nicht ausschließlich Märtyrer gemeint sein. Es handelt sich um die triumphierende Kirche, zu der die Märtyrer und alle, die in der Endzeitverfolgung standhaft geblieben sind, gehören. In ihrer Standhaftigkeit sind sie Sieger über das Tier, die widergöttliche politische Macht, die der Verfasser mit Zügen ausgestattet hat, die an das römische Weltreich seiner Zeit denken lassen.

Der Gedanke des Sieges dürfte auch im Kap. 11 vorliegen. Das Tier aus dem Abgrund wird nach 11,7 die beiden Zeugen, nachdem sie ihr Zeugnis vollendet haben, bekriegen, besiegen und töten (vgl.

[49] I. H. Marshall, Martyrdom and the Parousia, 338.

Offb 13,7 und Dan 7,21). Doch dieser Sieg ist nur ein scheinbarer Sieg, über den sich die Bewohner voreilig freuen (11,10). Die beiden prophetischen Endzeitzeugen erhalten das Leben zurück und steigen vor den Augen ihrer Feinde zum Himmel hinauf (11,11f.). An ihnen wird der Sieg Christi erneut Wirklichkeit[50]. Ihr Sieg ist mit der Strafe an den feindlichen Bewohnern der Stadt verbunden (11,13).

Die Offb weist eine Verwandtschaft mit dem Buch Daniel auf. Beide Bücher blicken in einer von Verfolgung geprägten Situation nach vorn und erwarten den eschatologischen Umschwung für die allernächste Zukunft. Das Buch Daniel bedient sich allerdings der Fiktion der vaticinia ex eventu, während der Autor der Offb seine Gegenwart ausdrücklich als Ausgangspunkt bezeichnet. Die Verfolgungsdeutung und die Theologie des Martyriums der Offb sind in ihrer Grundstruktur verchristlichte Apokalyptik[51]. Entsprechend der apokalyptischen Geschichtssicht sagt auch die Offb, daß die bestehende Unrechtssituation durch Gott aufgehoben wird, der als Herr über Welt und Geschichte das Recht wiederherstellt, indem er die Verfolger straft und seine Herrschaft, an der er die Verfolgten teilnehmen läßt, durchsetzt. Doch unterscheidet sich die Offb sehr deutlich von einem Vergeltungsdenken in der Art des äth. Henochbuches, obwohl sie sich im Motiv des Rufes der Märtyrer mit diesem Buch berührt. Die übernommene apokalyptische Sicht wird verchristlicht, indem die Offb die Herrschaft Gottes mit dem Herrschen Christi, in das er durch Tod und Auferstehung eingetreten ist, verbindet. Dadurch wird die Zukunft mit der Vergangenheit verknüpft. Die Zukunft läßt das Heil offenbar werden, das schon gewirkt ist, aber noch auf der Erde und im Kosmos gegen die Widerstände der gegen Gott und Christus gerichteten Kräfte durchgesetzt werden muß. Die Kirche ist als Gemeinschaft der durch Christus Erlösten schon der Ort, an dem die Herrschaft Gottes und Christi gilt. Gegen sie richten sich deshalb die Anstrengungen des Feindes Gottes, der sie unter Aufbietung all seiner Macht besiegen will. Jedoch muß er unterliegen, da der Sieg Christi den Sieg der Kirche ermöglicht. Die endgültige Vollendung im himmlischen Jerusalem läßt ihn anschaulich sichtbar werden. Der Sieg der

---

[50] Vgl. D. Haugg, Die zwei Zeugen. Eine exegetische Studie über Apok 11,1—13 (Münster 1936) = NTA 17,1,136. Siehe auch Kl. Berger, Die Auferstehung des Propheten, 22/40, der mit einer jüdischen Tradition rechnet.

[51] Die Unterschiede zwischen Offb und der jüd. Apokalyptik berechtigen m. E. nicht zu dem Urteil von E. Fiorenza, Gericht und Heil, 331f., Offb sei kein apokalyptisches Werk.

Märtyrer ist Teilnahme am Sieg Christi. Ihre Herrschaft im messianischen Reich ist Teilnahme an der Herrschaft Christi[52]. Die Siegesthematik ist eine Eigentümlichkeit der Offenbarung des Johannes. Sie ist nicht wie das äth. Henochbuch von Klage und Trauer, sondern von der Gewißheit der Erlösung und des Sieges geprägt. Diese Thematik könnte, soweit die Märtyrer betroffen sind, an 4 Makk denken lassen. Näher liegt es jedoch, an Röm 8,37 und eher noch an die im Johannesevangelium enthaltene Siegesgewißheit zu erinnern. Besonders nahe berührt sich das Siegesdenken der Johannesapokalypse mit 1 Joh 4,2—4 und 5,4f. Über den Siegesgedanken hinaus weist der Antagonismus zwischen Gott und den gottwidrigen Mächten Berührungspunkte mit der johanneischen Gedankenwelt auf. Die Idee des Kampfes läßt an die Kriegsrolle von Qumran denken. Jedoch kämpfen nach der Offb vorzugsweise die widergöttlichen Kräfte. Christus muß sich seine Macht nicht erst im Krieg erringen. Er besitzt sie bereits und ist der Sieger[53]. Von einer Beteiligung der Kirche an kriegerischen Aktionen ist keine Rede. Die Unterschiede zur Kriegsrolle sind offenkundig.

Wie in 1 Petr ist die theologische Deutung der Verfolgung kein Selbstzweck. Verfolgungsdeutung und Theologie des Martyriums dienen der Paränese. Die Christen werden zur Standhaftigkeit in der Verfolgung aufgefordert und befähigt, indem ihnen ihr Platz im Endzeitgeschehen erklärt wird. Der Unterschied der Tonart der Verfolgungsaussagen der sieben Sendschreiben und der Visionen muß daher nicht befremden. Die Apokalypse ist nicht die Deutung einer schrecklichen und totalen Verfolgung, sondern eher exhortatio ad martyrium und Aufruf zur Standhaftigkeit[54]. Im Blick auf die gegenwärtige und für die Zukunft erwartete Verfolgung dient sie der Ermunterung zur Glaubenstreue und Standhaftigkeit der Christen.

[52] Der Prozeß der Verchristlichung der Apokalyptik ist in der Offb weiter fortgeschritten als in 2 Thess. Offb läßt sich mit Paulus und 1 Petr vergleichen, insofern hier wie dort die apokalyptische Zukunftshoffnung mit der Aussage einer in der Verfolgungssituation schon gegebenen Heilspräsenz verbunden ist.

[53] Vgl. Tr. Holtz, Christologie, 159/64.

[54] Zur späteren Literatur der exhortatio ad martyrium vgl. E. M. Mogavero, La letteratura di esortazione al martirio (Università degli Studi di Torino. Facoltà di Lettere e Filosofia. Tesi di Laurea. Anno accademico 1955/6). Siehe auch G. Lomiento, I topoi nell'Exhortatio ad martyrium di Origene = VetChr 1 (1964) 91/111; ders., Πρᾶγμα e λέξις nell'Exhortatio ad martyrium di Origine = ebd. 2 (1965) 25/66; ders., Cipriano per la preparazione al martirio dei Tibaritani (Ep. 58 — Hartel) = Annali della Facoltà di Magistero, Vol. III, Anno III (Bari 1962/3) = Pubblicazioni dell'Università di Bari, 5/39; L. Alfonsi, Sull'Ad Martyras di Tertulliano = In Memoriam Achillis Beltrami (Genova 1954) 39/49.

IV. Kapitel

DIE NICHTKANONISCHE LITERATUR
DER FRÜHEN KIRCHE BIS ZUM POLYKARPMARTYRIUM

Die ältesten nichtkanonischen Schriften der Kirche entstammen der
Zeit, in die auch die jüngsten Schriften des Neuen Testaments zu
datieren sind. Doch ist es im Blick auf die unterschiedliche Wirkungsgeschichte der beiden Gruppen angebracht, zwischen ihnen
zu unterscheiden. Bei der Besprechung der Offenbarung des Johannes hat sich gezeigt, daß die Frage des Märtyrertodes ein eigenständiges Motiv innerhalb der Verfolgungsthematik des Buches
darstellt. In der Evangelientradition und auch in den neutestamentlichen Briefen ist das in der Weise noch nicht der Fall. Das
Thema des Märtyrertodes klingt zwar immer wieder an, doch
bleibt es eingebettet in den größeren Komplex der Verfolgungsdeutung. Der Tod um des Glaubens willen gilt als Extremfall des
Verfolgungsgeschicks. In der Offenbarung des Johannes wird nun
sichtbar, wie sich das Thema des Märtyrertodes stärker verselb-
ständigt. Eine solche Entwicklung läßt sich auch in den nun zu
besprechenden Schriften feststellen. Am Ende des hier darzustel-
lenden Zeitraumes steht das Polykarpmartyrium, das den des
christlichen Glaubens wegen Hingerichteten mit dem Titel μάρτυς
belegt. Der terminologischen Fixierung entspricht ein festgeprägtes
Märtyrerbild, das sich in der Folgezeit immer mehr durchsetzt.

1. Der 1. Clemensbrief

Am Ende des ersten Jh.s spricht der Brief der römischen Gemeinde
an die von Korinth vom Martyrium der Apostel Petrus und Paulus
und einer großen Menge von Christen. An diesem »vielgeplagten
Text«[1] von 1 Clem 5,1—6,2 hat sich eine teilweise heftige Diskussion entzündet, der es vor allem um die Ermittlung historischer
Auskünfte über die beiden Apostel, besonders über Petrus ging[2].

[1] H. Lietzmann, Petrus römischer Märtyrer = SAB 1936, 392/410, erneut abge-
druckt in: Kleine Schriften I (Berlin 1958) = TU 67,100/23, hier 101. — Daß
der Text sich tatsächlich auf Martyrien bezieht, wird später begründet.
[2] Vgl. weiter ders., Petrus und Paulus in Rom. Liturgische und archäologische
Studien[2] (Berlin-Leipzig 1927) = Arbeiten zur Kirchengeschichte 1,228/36;
A. Bauer, Die Legende von dem Martyrium des Petrus und Paulus in Rom =
Wiener Studien 38 (1916) 270/307, bes. 281/93; H. Dannenbauer, Die römische Petruslegende = HZ 146 (1932) 239/62; G. Krüger, Petrus in Rom =

Im Zusammenhang mit dieser Diskussion oder im Anschluß an sie
ist man auf den literarischen Charakter der Stelle, die in ihr feststellbaren Einflüsse der Umwelt, die Traditionsgeschichte der Motive und auf den Bedeutungsgehalt des in 5,4.7 begegnenden
μαρτυρήσας eingegangen[3]. Diese zuletzt genannte Problematik berührt unser Thema stärker als die Frage nach den dem Text zugrundeliegenden Fakten, die zwar nicht gänzlich ausgeklammert
werden kann, die hier jedoch nicht im Vordergrund des Interesses
stehen muß.

a) 5,1—6,2 im Kontext des Briefes

Der Abschnitt 5,1—6,2 steht in einem Kontext, der nicht übersehen werden darf. Anlaß des Briefes ist ein Streitfall in der

ZNW 31 (1932) 301/6; J. Haller, Das Papsttum. Idee und Wirklichkeit I[3]
(Stuttgart 1943) 8f. u. 443/8; K. Heussi, Die römische Petrustradition in
kritischer Sicht (Tübingen 1955) 11/30; O. Cullmann, Petrus, 101/23; ders.,
Les causes de la mort de Pierre et de Paul d'après le témoignage de Clément
Romain = RHPhR 10 (1930) 294/300; A. Fridrichsen, Propter invidiam.
Note sur I Clém. V. = Eranos 44 (1946) 161/74; St. Giet, Le témoignage de
Clément de Rome sur la venue à Rome de Saint Pierre = RevSR 29 (1955)
123/36; ders., Le témoignage de Clément de Rome. La cause des persécutions
Romaines = ebd. 333/45; B. Altaner, War Petrus in Rom? = ThRv 36 (1937)
177/88, bes. 179/83; ders., Neues zum Verständnis von 1 Klemens 5,1—6,2.
Der Apostel Petrus, römischer Märtyrer = HJ 62/9 (1949) 25/30; Th. Klauser, Die römische Petrustradition im Lichte der neuen Ausgrabungen unter
der Peterskirche (Köln-Opladen 1956) = AGF NRW 24,11/4; K. Aland, Der
Tod des Petrus in Rom. Bemerkungen zu seiner Bestreitung durch Karl
Heussi = Kirchengeschichtliche Entwürfe (Gütersloh 1960) 35/104, bes. 66/
89; D. Wm. O'Connor, Peter in Rome. The Literary, Liturgical, and Archeological Evidence (New York-London 1969) 70/86 (mit ausführlichem Lit.-
Verzeichnis 214/26.
[3] Zur Frage der Einflüsse der Popularphilosophie und der Rhetorik vgl. M. Dibelius, Rom und die Christen im ersten Jahrhundert = SAH 1941/2, 2,18/29;
L. Sanders, L'Hellénisme de Saint Clément de Rome et le Paulinisme (Louvain 1943) = Studia Hellenistica 2,1/40; A. Stuiber, Art. Clemens Romanus I = RAC III,188/97, hier 195ff.; V. C. Pfitzner, Paul and the Agon
Motif, 196/8, der wie O. Perler, Das vierte Makkabäerbuch, Ignatius von
Antiochien und die ältesten Martyrerberichte, 65f., auf 4 Makk verweist, und
die Kritik an Sanders bei K. Beyschlag, Clemens Romanus und der Frühkatholizismus. Untersuchungen zu I Clemens 1—7 (Tübingen 1966) = BHTh
35,207/328, der den Blick auf die Traditionsgeschichte der einzelnen Motive
des Textes lenkt. Auf Parallelen in Qumran macht aufmerksam A. Jaubert,
Les sources de la conception militaire de l'église en 1 Clément 37 = VigChr
18 (1964) 74/84; vgl. auch ders., Thèmes Lévitiques dans la Prima Clemen-
tis = ebd. 193/203. Zur Frage der Zeugnisterminologie vgl. die folgenden
Anmerkungen 38—41. Allgemein zur Forschungsgeschichte vgl. K. Beyschlag,
1/47, u. G. Brunner, Die theologische Mitte des Ersten Klemensbriefs. Ein Beitrag zur Hermeneutik frühchristlicher Texte (Frankfurt a. M. 1972) = FTS
11,3/26.

korinthischen Gemeinde, bei dem auf Betreiben einiger Gemeindemitglieder, die die Mehrheit auf ihre Seite brachten, Presbyter
abgesetzt worden waren (1,1; 44,3—6; 47,6)[4]. Der Brief ist ein Bitt-
schreiben um die Wiederherstellung des Friedens und der Eintracht (63,2), in dem auch Aufforderungen zur Bereinigung des
Konfliktes ergehen (Kap. 54). Die Ermahnung will die Sündhaf-
tigkeit des getadelten Tuns aufweisen, zur Umkehr und Buße auf-
rufen, die Unabsetzbarkeit der in ihrem Amt untadeligen Presbyter begründen, für die rechte Ordnung werben und Anweisungen
zur Beendigung der Spaltung geben.
Zu Beginn stellt der Verfasser der traurigen Gegenwart den in
leuchtenden Farben gemalten idealen früheren Zustand der Gemeinde gegenüber (1,2—2,8). In 3,1 lenkt er dann wieder auf die
beklagte Situation zurück. Mit Dtn 32,15 erklärt er den Konflikt
als Ergebnis des Übermuts der Gemeinde, der es zu gut ging. Hier
wurzeln Eifersucht, Neid, Streit, Aufruhr, Verfolgung, Unordnung, Krieg und Gefangenschaft (3,2). Nach dem auch sonst verwandten Schema der Gegenüberstellung des tiefen Friedens (εἰρήνη
βαθεῖα) und des Krieges überzeichnet Clemens sowohl die ideal
gezeichnete Vergangenheit wie auch den gegenwärtigen Konflikt[5].
Das hinter der Überzeichnung stehende Geschehen läßt die durch
Jes 3,5 beeinflußte Aussage in 3,3 erkennen. Die Ungeehrten erheben sich gegen die Geehrten, die Unangesehenen gegen die Ange-
sehenen, die Unverständigen gegen die Verständigen, die Jungen
gegen die Älteren. Die sich in solchem Vorgehen äußernde Haltung ist ζῆλος und φθόνος (3,2), Eifersucht und Neid »auf Ansehen, Stellung, Vorzüge des andern«[6]. Die beiden Wörter bilden das
Leitmotiv der Beispielreihe von Kap. 4—6, zu der der Verfasser
mit einem Zitat aus Weish 2,24 überleitet. Clemens bezieht den

---

[4] Die Einleitungsfragen bei O. Knoch, Eigenart und Bedeutung der Eschatologie
im theologischen Aufriß des ersten Clemensbriefes (Bonn 1964) = Theophaneia 17,31/101; J. A. Fischer, Die Apostolischen Väter[7] (Darmstadt 1976)
3/23, nach dessen Ausgabe auch zitiert wird; A. Stuiber, Art. Clemens Romanus I,190/7. Zur Problematik des Streitfalls vgl. auch P. Mikat, Die Bedeutung der Begriffe Stasis und Aponoia für das Verständnis des 1. Clemensbriefes (Köln-Opladen 1969) = AGF NRW 155.
[5] Zum Motiv: εἰρήνη βαθεῖα — πόλεμος vgl. K. Beyschlag, Clemens Romanus,
135/206; W. C. van Unnik, »Tiefer Friede« (1. Klemens 2,2) = VigChr 24
(1970) 261/79; K. Beyschlag, Zur εἰρήνη βαθεῖα (1 Clem 2,2) = ebd. 26
(1972) 18/23; W. C. van Unnik, Noch einmal »Tiefer Friede« = ebd. 24/8.
[6] R. Knopf, Die Apostolischen Väter I (Tübingen 1920) = HNT, Ergänzungsband, 47. Ζῆλος kann auch im positiven Sinn des Eifers gebraucht werden;
vgl. A. Stumpff, Art. ζῆλος κτλ = ThWNT II,879/90, hier 879/84. 884
interpretiert er ζῆλος in 1 Clem 4—6 als »leidenschaftliche Mißgunst, Eifersucht, Streitsucht«.

Satz auf den im folgenden nach Gen 4,3—8 berichteten Bruder-
mord des Kain (4,1—6)[7].
Die Beispielreihe der Kap. 4—6 soll zeigen, daß Eifersucht und
Neid immer üble Folgen haben. Im Kap. 4 veranschaulicht Cle-
mens seine These anhand alttestamentlicher Exempla; von 5,1 an
geht er über zu christlichen Beispielen seiner Zeit. 6,3f. schließt die
Reihe mit Hinweisen auf die Zerrüttung von Ehen und auf die
Zerstörung großer Städte und die Ausrottung von ganzen Völkern.
Die drei Kapitel lassen an Hebr 11 denken. Der Clemensbrief
dürfte in den Kap. 17—19 durch Hebr 11 beeinflußt worden sein[8].
Es wäre deshalb möglich, daß Hebr 11 den Verfasser auch zur
Komposition seiner Beispielreihe in Kap. 4—6 angeregt hat[9]. Inhaltlich stimmen jedoch beide Reihen nur geringfügig überein. Es
wäre deshalb, auch wenn man mit einem Anstoß, der von Hebr 11
ausgegangen ist, rechnet, zu fragen, ob Clemens seine Reihe selbständig gebildet hat, oder ob er einer vorliegenden Tradition verpflichtet war, wie M. Dibelius und K. Beyschlag gemeint haben[10].
Clemens könnte sich in der Tat auf eine Tradition gestützt haben,
in der die Namen und Geschicke alttestamentlicher Verfolgter zusammengestellt waren[11]. Wenn jedoch, wie es wahrscheinlich ist,
1 Clem 17—19 eine Kenntnis von Hebr 11 verrät, der Vergleich
beider Abschnitte aber zeigt, mit welcher Freiheit Clemens Vorlagen benutzt, dann muß man auch damit rechnen, daß 1 Clem
4—6 weithin die Handschrift des Clemens trägt.
Mit 5,1 geht Clemens zu den christlichen Beispielen über. Der Satz
entspricht einem rhetorischen Topos[12]; jedoch zeigen die von K.
Beyschlag angeführten Parallelen bei den Kirchenschriftstellern,
daß eine solche Aussage in einem christlichen Text den »Gedan-
ke(n) der heilsgeschichtlichen Kontinuität zwischen Altem und
Neuem Bund« enthält[13]. Der den christlichen Exempla gewidmete

---

[7] Weish 2,24 selbst meint die Sünde im Paradies nach Gen 3.
[8] Vgl. 1 Clem 17,1 u. Hebr 11,37, weiter 1 Clem 19,2 u. Hebr 12,1. Die Zeugnisterminologie in 1 Clem 17—19 berührt sich mit der von Hebr 11. Siehe
J. Beutler, Martyria, 184f. Zu den Berührungen zwischen 1 Clem 9—12 und
Hebr 11 vgl. G. Brunner, Die theologische Mitte, 91f.
[9] Vgl. A. Fridrichsen, Propter invidiam, 164.
[10] M. Dibelius, Rom und die Christen, 21; K. Beyschlag, Clemens Romanus,
67/134.
[11] Mit Ausnahme von 4,11f. handelt es sich im Kap. 4 stets um Verfolgte. Eine
Beispielreihe von Verfolgten enthält 4 Makk 18,11—19; vgl. auch 16,20f. Die
berichteten Martyrien sind selbst ein groß ausgeführtes Beispiel. Siehe auch
die Exempla in 2,1—3,18, die zeigen sollen, wie die Vernunft über die Affekte
herrscht.
[12] Vgl. L. Sanders, L'Hellénisme de Saint Clément, 6/8.
[13] K. Beyschlag, Clemens Romanus, 214, vgl. den ganzen Abschnitt 207/25.

Abschnitt 5,1—6,2 unterscheidet sich in bemerkenswerter Weise
von Kap. 4 und von 6,3f. Die Art, in der in Kap. 4 und in 6,3f. die
Beispiele vorgeführt werden, entspricht genau der Zelos-Thematik.
Die Aussageabsicht erhellt aus dem Resümee, das der Verfasser
in 4,7 aus der Abelgeschichte zieht: »Seht, Brüder, Eifersucht und
Neid bewirkten Brudermord!« Die paränetische Spitze dieses Sat-
zes kann man etwa so formulieren: Eifersucht und Neid führen
sogar zu Brudermord; hütet euch daher vor einer solchen Haltung!
Die Passage über die christlichen Exempla verbindet nun mit der
Zelos-Thematik, die nicht aufgegeben wird[14], das Motiv der Vorbildlichkeit. Paulus wird in 5,7 als nachzuahmendes Beispiel der
Geduld bezeichnet[15]; die große Menge der Märtyrer, von denen
6,1f. spricht, ist zum »schönsten Beispiel unter uns« geworden (6,1).
Dem Nachahmungsgedanken entspricht die Bewunderung, die aus
den Aussagen spricht.

Im Gegensatz zu Kap. 4 und 6,3f. kann man in 5,1—6,2 das Zelos-
Motiv streichen, ohne daß der verbleibende Inhalt ein Torso wird.
Man kann nun annehmen, daß Clemens selbst im Moment des
Schreibens die über das Zelos-Thema hinausgehende Thematik
geschaffen hat, weil er das Geschick gerade der Gestalten der aller-
jüngsten Vergangenheit nicht ohne eine positive Sinngebung nennen wollte. Doch wäre zu fragen, ob der Verfasser dann nicht die
Gewichte gleichmäßiger verteilt und beide Themen stärker ineinander verzahnt hätte. So wie der Text vorliegt, erweckt er eher
den Eindruck, daß Clemens eine vorliegende Tradition seiner Zelos-Thematik angepaßt hat[16]. Er wollte die christlichen Märtyrer
in seiner Reihe nennen und tat das entsprechend einer vorgeprägten, ihm geläufigen Art und Weise. Da man nicht davon ausge-

---

[14] O. Cullmann, Les causes de la mort de Pierre et de Paul, u. Petrus, 114/23,
meint, aus den atl. Beispielen, bei denen es sich »um Neid und Eifersucht
unter Brüdern handelt« (114), schließen zu können, daß die Märtyrer von
5,1—6,2 »Opfer der Eifersucht von Seiten solcher waren, die sich selbst zur christlichen Kirche zählten« (115). Vgl. auch die ähnliche Hypothese Cullmanns
zu Apg 12,2: Courants multiples dans la communauté primitive. A propos du
martyre de Jacques fils de Zébédée =RSR 60 (1972) 55/68. Jedoch ist es
fraglich, ob die atl. Beispiele in 1 Clem die Deutung Cullmanns tragen können. Clemens geht es mehr um die Eifersucht selbst als um den speziellen
Fall der Eifersucht unter Brüdern. Das Motiv »Eifersucht unter Brüdern«
soll eher die Verwerflichkeit der getadelten Haltung besonders deutlich her-
vortreten lassen. Vgl. auch A. Fridrichsen, Propter invidiam; St. Giet, Le
témoignage de Clément de Rome. La cause des persécutions romaines, u.
K. Beyschlag, Clemens Romanus, 191/3.

[15] Zu ὑπογραμμός vgl. 1 Petr 2,21.

[16] Vgl. G. Brunner, Die theologische Mitte, 90f.; s. auch K. Beyschlag, Clemens
Romanus, 266f. u. ö. (bes. die Zusammenfassung 333/9).

hen kann, daß er nicht bemerkt hätte, daß die von ihm aufgegriffene Märtyrerthematik über das Zelos-Motiv hinausreicht, kann man vermuten, daß er tatsächlich die Nennung der christlichen Märtyrer mit einer positiven Sinngebung ihres Geschicks verbinden wollte. Man kann nun noch einen Schritt weitergehen und fragen, ob Clemens sich auf ein schriftlich vorliegendes Martyrium gestützt hat, von dem er vielleicht sogar abgeschrieben hat. Doch enthalten die Aussagen in 5,1—6,2 zu wenig erzählerische Elemente, als daß man sie als Teile eines Martyriums verstehen könnte, in dem doch bei aller Rhetorik erzählt werden soll, was geschehen ist. Am ehesten paßt der Abschnitt zu einer ein Martyrium abschließenden Zusammenfassung, die das vorher Erzählte voraussetzt und in rhetorischer Weise rekapituliert[17]. Clemens könnte jedoch auch genauso gut, wie er von einem solchen Resümee abhängig gewesen sein könnte, einer mündlichen Tradition verpflichtet gewesen sein, in der man in Rom über die Märtyrer sprach. Das Formulieren der Tradition wäre dann auch Werk des Clemens. Dafür spricht, daß der Abschnitt durchaus zur Eigenart des Clemensbriefes paßt.

Es empfiehlt sich, bei der Besprechung der den Aposteln gewidmeten Sätze mit der Pauluspassage zu beginnen, einmal weil sie nicht so knapp ist wie der Petrusabschnitt, zum anderen weil es zu Paulus mehr der Interpretation dienliche Aussagen der frühchristlichen Literatur gibt als zu Petrus. Da die Äußerungen über Petrus und Paulus Parallelen aufweisen, hilft das zu Paulus Erhobene bei der Auslegung der kurzen Petruspassage.

b) Paulus (5,5—7)

Durch das betont vorangestellte διὰ ζῆλον καὶ ἔριν in 5,5 paßt der Verfasser den Paulusabschnitt seiner Zelos-Thematik an, auf die im folgenden dann nicht mehr Bezug genommen wird. In der durch Eifersucht und Streitlust bestimmten Lage hat Paulus Geduld bewiesen, deren Siegespreis er nun vorweisen kann. Bei Paulus selbst ist ὑπομονή die Haltung des Ausharrens in der Bedrängnis, die mit der Hoffnung, der Ausrichtung auf das zukünftige eschatologische Heil, verknüpft ist (vgl. 1 Thess 1,3; Röm 5,3f.). Hier nun steht das Wort in einem agonistischen Kontext, der eine Interpretation der ὑπομονή auf die angestrengte und standhafte Ausdauer nahelegt[18]. Der Zukunftsbezug erscheint unter dem besonderen Aspekt der Auszeichnung des Standhaften, der schließlich den Siegespreis erhält. In diesem Motiv berührt sich 1 Clem 5,5 mit

---

[17] So Martyrium Polycarpi 19. Vgl. K. Beyschlag, 312/4, 344.
[18] Vgl. Hebr 12,1; Mart. Pol. 19,2; 4 Makk 1,11; 7,9; 9,8.30; 15,30; 17,4.12.17.23.

1 Kor 9,24 und Phil 3,14[19]. Nach R. Knopf zeigte Paulus, »wie man den Preis erlangt«[20]. Doch dürfte hier nicht der Vorbildgedanke gemeint sein. Paulus hat den Siegespreis erhalten; er kann ihn zeigen und weist ihn vor[21].
Der folgende V. 5,6 verbindet mit dem Motiv der Leiden das der missionarischen Tätigkeit und lenkt ebenso wie 5,5 auf die Auszeichnung des Paulus hin. Der knappe Peristasenkatalog läßt an die Aufzählung der apostolischen Leiden in 2 Kor 11,23—33 denken[22]. Beide Texte sprechen von Gefangenschaft und Steinigung (vgl. 2 Kor 11,23.25). Allerdings weiß 1 Clem 5,6, daß Paulus siebenmal Fesseln getragen hat, während 2 Kor 11,23 allgemein von häufigen Gefängnisaufenthalten spricht. Die Zahl sieben läßt sich auch nicht aus der Apg errechnen[23]; vielleicht liegt der Akzent einfach auf der Vielzahl und weniger auf einer genauen Zahlangabe. Der nachapostolischen Kirche war, wie die Pastoralbriefe zeigen, das Thema der Gefangenschaft des Paulus wichtig. Von einer Vertreibung des Apostels im strengen Sinn handelt Apg 13,50; von Flucht ist häufiger die Rede (Apg 14,5f.; 17,10.14; 20,3; vgl. auch 9,25 und 2 Kor 11,32f.).
Auf den kurzen Peristasenkatalog folgt eine Aussage zur Missionstätigkeit des Paulus, die in 5,7 fortgeführt wird. Paulus war κῆρυξ. Während das Verbum κηρύσσειν im Neuen Testament häufig belegt ist, findet sich das Substantiv κῆρυξ innerhalb der neutestamentlichen Schriften nur in den späten Briefen 1 Tim 2,7; 2 Tim 1,11 und 2 Petr 2,5. Epiktet nennt den Kyniker einen Herold der Götter[24]. Es ist gut denkbar, daß der Sprachgebrauch der Popularphilosophie die christlichen Schriftsteller dazu angeregt hat, vom Verbum κηρύσσειν her den Schritt zum Substantiv κῆρυξ zu tun. Die beiden genannten Stellen der Pastoralbriefe gehören in den größeren Komplex des Paulusbildes der Zeit nach Paulus, der der Apostel zur zentralen und überragenden Gestalt der gesamten frühchristlichen Heidenmission, die immer mehr als Weltmission gesehen wurde, geworden ist. Paulus selbst hat sich im Kontrast zu Petrus, dem, wie er sagt, der Aposteldienst an den Beschnittenen

---

[19] Vgl. auch 4 Makk 9,8; dort allerdings ἆθλον statt βραβεῖον wie in 1 Clem 5,5; 1 Kor 9,24 u. Phil 3,14. Βραβεῖον auch im Mart. Pol. 17,1.
[20] R. Knopf, Die Apostolischen Väter I,51.
[21] So M. Dibelius, Rom und die Christen, 20, Anm. 2.
[22] 1 Clem verwendet bestimmt 1 Kor; ob 2 Kor benutzt wird, ist umstritten. Vgl. O. Knoch, Eigenart und Bedeutung der Eschatologie, 82/5.
[23] 1 Clem steht dem lukanischen Traditionskreis nahe; vgl. O. Knoch, 70/2, 74/7.
[24] Epikt., Diss. III,22,69 (306,19f. Schenkl²): ... τὸν ἄγγελον καὶ κατάσκοπον καὶ κήρυκα τῶν θεῶν; vgl. auch III,21,13—16 (292f.). Siehe G. Friedrich, Art. κῆρυξ κτλ = ThWNT III,682/717, hier 691f.

anvertraut war, als Apostel der Unbeschnittenen verstanden (Gal 2,7—9). Sein Sendungsbewußtsein zeigt sich in Röm 1,5. Durch Jesus Christus hat er Gnade und Apostelamt empfangen, um für seinen Namen unter allen Heiden Gehorsam des Glaubens zu bewirken. Auf diesem Selbstverständnis des Paulus gründet das Paulusbild von Kol 1,24—29 und Eph 3,1—13. Der Apostel hat im Heilsplan Gottes die Aufgabe, den Heiden den unergründlichen Reichtum Christi zu verkünden (Eph 3,8); er bringt unter ihnen das Wort Gottes zur Vollendung (Kol 1,25). Auf sein Wirken geht die heidenchristliche Kirche zurück. Nach den schon genannten Stellen 1 Tim 2,7 und 2 Tim 1,11 ist er Herold, Apostel und Lehrer. Er ist, wie 1 Tim 2,7 besonders beteuert, als Lehrer der Heiden im Glauben und in der Wahrheit eingesetzt. Für die Gerichtssituation hat er nach 2 Tim 4,17 Kraft erhalten, damit durch ihn die Verkündigung vollendet werde und alle Heiden sie hörten. Diese Stelle steht der lukanischen Sicht des Paulus nahe. Apg 1,8 greift auf Lk 24,46—49 zurück und entwirft den Weg der Mission von Jerusalem bis an die Grenze der Erde. In dieses Geschehen tritt Paulus ein, der nach Apg 9,15 dazu berufen ist, den Namen Jesu vor Völker und Könige und die Söhne Israels zu tragen (vgl. auch Apg 22,15 und 26,16—18). Von Kap. 13 an steht Paulus im Mittelpunkt der Missionsbeschreibung der Apg. Durch seine Missionstätigkeit und durch den Prozeß in Jerusalem, Cäsarea und Rom erreicht die christliche Verkündigung die Weltöffentlichkeit. Diese Sicht der Prozeßsituation geht über Mk 13,9—11 und Mt 10,17—20 hinaus. Beide Stellen sehen das dem Prozeß entsprechende Reden der Angeklagten als ein Zeugnisablegen an. Lukas greift diese Tradition im Evangelium (12,11f. und 21,12—15) auf; die Apg zeigt, daß er an große Verteidigungsreden denkt[25]. Vor dem Hintergrund des hier knapp skizzierten nachpaulinischen Bildes des Apostels müssen die Aussagen über die Mission des Paulus in 1 Clem 5,6f. gesehen werden.

Paulus war Herold im Osten und im Westen; er lehrte die ganze Welt Gerechtigkeit und kam bis an die Grenze des Westens (1 Clem 5,6f.). Durch alle drei Aussagen soll betont werden, daß der Apostel weltweit gewirkt hat. Dabei wird die Universalität seiner Mission durch geographische Angaben gekennzeichnet. In den neutestamentlichen Schriften kann die Universalität der Mission durch personenbezogene oder geographische Angaben ausgesagt werden. In der Apg finden sich beide Ausdrucksweisen. Die Berufungsaussagen in Apg 9,15; 22,15; 26,16—18 sind personenbezogen. In Apg

---

[25] Lk 12,11 u. 21,14 verwenden im Unterschied zu den Parallelen das Verbum ἀπολογεῖσθαι. Lk 21,13 verdeutlicht den Aspekt des Zeugnisablegens.

1,8 ist dagegen von Jerusalem, Judäa, Samarien und von der Grenze der Erde die Rede[26]. Das Wirken des Paulus beginnt nach Lukas, nachdem das Evangelium bereits über Jerusalem hinaus Judäa und Samarien erreicht hat. Seine Missionstätigkeit fällt daher unter die Überschrift: »Bis an die Grenze der Erde«. Die Wendung hat Lukas aus Jes 49,6 übernommen[27]. Er dürfte sagen wollen, daß im Wirken des Paulus, das dieser schließlich auch in Rom, der Hauptstadt des Reiches, fortsetzen konnte, die prophetische Verheißung Wirklichkeit zu werden beginnt. Paulus verkündet den Heiden, deren Wohnbereich bis an die Grenze der Erde reicht, die christliche Botschaft.

Die Missionsaussagen in 1 Clem 5,6f. stehen in der Tradition einer geographisch orientierten Universalitätsaussage zur christlichen Mission, die mit Paulus verbunden worden ist[28]. Es stellt sich daher die Frage, ob Apg 1,8 helfen kann, die schwierige Angabe von 1 Clem 5,7, daß Paulus bis an die Grenze des Westens kam, zu interpretieren. Zunächst ist zu sagen, daß τὸ τέρμα τῆς δύσεως in einem stadtrömischen Brief nicht Rom selbst bezeichnen kann, sondern die westliche Grenze der damaligen Welt, Spanien oder sogar genau die Säulen des Herakles, meint[29]. Könnte nun wie in Apg 1,8 auch hier ausgedrückt sein, daß die christliche Botschaft die gesamte Welt erreicht, ohne daß gesagt werden soll, daß Paulus tatsächlich bis an die Grenze gekommen ist? Aber gerade das steht im Unterschied zur Apg in 1 Clem 5,7. Paulus ging bis an die Grenze des Westens[30]. Nach K. Beyschlag ist gerade deshalb, weil der Ausdruck τὸ τέρμα τῆς δύσεως die Säulen des Herakles meint, »eben nicht zuerst an Paulus, sondern an die katholische Weltmis-

[26] Vgl. auch Mk 16,15 (Markusschluß) mit Mt 28,19. Aus πορευθέντες οὖν μαθητεύσατε πάντα τὰ ἔθνη... (Mt 28,19) ist in Mk 16,15 geworden: πορευθέντες εἰς τὸν κόσμον ἅπαντα κηρύξατε τὸ εὐαγγέλιον πάσῃ τῇ κτίσει. Weiter s. Mt 26,13; Röm 10,18 (Ps 19,5); Kol 1,6.

[27] Vgl. diese Arbeit S. 135, Anm. 84.

[28] Zur Verwurzelung der Missionsaussagen von 1 Clem 5,6f. im »frühkatholischen Weltmissionsgedanken« vgl. K. Beyschlag, Clemens Romanus, 267/99; das Zitat 280. Zur Vorstellung der apostolischen Mission s. auch 1 Clem 42, wo allerdings der Gedanke der Universalität und der geographischen Erstreckung fehlt.

[29] Vgl. O. v. Gebhardt — A. Harnack, Patrum Apostolorum Opera I,1² (Leipzig 1876) 16f.; J. B. Lightfoot, The Apostolic Fathers I,2 (London 1890, Nachdruck Hildesheim-New York 1973) 30f. (beide Kommentare mit Referaten über andere Ansichten); E. Dubowy, Klemens von Rom über die Reise Pauli nach Spanien. Historisch-kritische Untersuchung zu Klemens von Rom: 1 Kor 5,7 (Freiburg i. Br. 1914) = Biblische Studien 19,3,17/79.

[30] Ἐλθών mit ἐπί bedeutet nicht, daß Paulus sich auf den Weg zur westlichen Grenze gemacht hat, ohne daß gesagt werden soll, daß er sie auch tatsächlich erreicht hat.

sion gedacht, die, um vollständig zu sein, auch das τέρμα τῆς δύσεως erreicht haben muß. Paulus wird also auch mit dieser Wendung in den Rahmen des in Apg 1,8 programmatisch ausgesprochenen Missionsgedankens eingeordnet«[31]. Doch kann der Autor das doch eigentlich nur tun, wenn er tatsächlich glaubt, daß Paulus in Spanien gewesen ist. Sicherlich basiert 1 Clem 5,7 auf dem Weltmissionsgedanken; aber innerhalb dieser Idee gibt es die Ansicht, daß Paulus in die westlichen Grenzgebiete des Reiches gegangen ist[32]. Die geographischen Angaben in 1 Clem 5,6f. sollen die Totalität der paulinischen Mission ausdrücken und basieren insofern auf dem geographisch ausgesagten Weltmissonsgedanken. Mit ihnen soll die gewaltige Anstrengung seines Wirkens gekennzeichnet werden. Paulus wird heroisiert. Die in den geographischen Angaben enthaltene Vorstellung eines Weges vom Osten bis zum äußersten Westen[33] läßt an vergleichbare Züge der antiken Aretalogie[34] und besonders an Herakles[35] und Apollonius von Tyana[36] denken. 1 Clem 5,5—7 zeichnet Paulus als einen heroischen Menschen; die Farben für dieses Bild bieten aufgegriffene Traditionen und Einflüsse der Umwelt.

Paulus lehrte nach 5,7 die ganze Welt Gerechtigkeit. Der Kontext der Stelle läßt es als unwahrscheinlich erscheinen, daß hier die paulinische Rechtfertigungslehre gemeint ist. Gerechtigkeit ist das rechte Verhalten der Menschen zu Gott und untereinander in einem christlichen Verständnis, wie es die Pastoralbriefe und der Clemensbrief belegen[37]. Paulus ist also Lehrer der Gerechtigkeit und Herold. Beides kann auch von einem Philosophen gesagt werden, bezieht sich aber hier auf die christliche Botschaft, wie sie gegen Ende des 1. Jh.s verstanden wurde. Sie hat zwar Züge einer Sittenlehre angenommen, ist aber immer noch weit genug davon entfernt, mit der zeitgenössischen Philosophie verwechselt zu werden.

Es stellt sich nun die Frage, ob auch die folgende Wendung καὶ

---

[31] K. Beyschlag, Clemens Romanus, 298f. Beyschlag bestreitet daher, daß die zur Debatte stehende Wendung »irgend etwas mit einer dem Clemens etwa vorschwebenden ›historischen‹ Spanienreise des Paulus zu tun hat« (298).

[32] Auf Röm 15,23f. und auf die Frage der Historizität einer Spanienreise des Paulus braucht hier nicht eingegangen zu werden.

[33] Im Osten und Westen — die ganze Welt — bis zur Grenze des Westens.

[34] Vgl. R. Söder, Die apokryphen Apostelgeschichten und die romanhafte Literatur der Antike (Stuttgart 1932) = Würzburger Studien zur Altertumswissenschaft 3,21/51.

[35] Vgl. L. Sanders, L'Hellénisme de Saint Clément, 29f.

[36] Hinweise von K. Beyschlag, Clemens Romanus, 299. Natürlich ist die Vita des Apollonius jünger als 1 Clem, doch zeigt sie, welche Vorstellungen umliefen.

[37] Zum Thema »Christus als Lehrer« bei Clemens vgl. Fr. Normann, Christos

μαρτυρήσας ἐπὶ τῶν ἡγουμένων von der Wortverkündigung her zu
verstehen ist. Zur Interpretation des μαρτυρήσας sind folgende
Deutungen vorgeschlagen worden: 1. den Märtyrertod sterben[38]; 2.
um des Glaubens willen leiden[39]; 3. durch das Beispiel predigen[40];
4. Zeugnis ablegen im Sinn des Wortzeugnisses[41]. Ein gewichtiges
Argument, das sich gegen die ersten drei Deutungen geltend machen
läßt, ist die Nähe der Formulierung zu Mk 13,9parr[42]. Die Apg
zeigt, daß Lukas den synoptischen Spruch im Sinn eines apologetischen und rhetorischen Zeugnisses vor den Herrschenden aufge-
faßt hat. Mit dieser Sicht berührt sich auch 2 Tim 4,17[43]. Der lukanische Traditionskreis und Vorstellungen der Pastoralbriefe wurden
schon vorher zur Erklärung der Sicht der paulinischen Mission in
1 Clem 5,6f. herangezogen. Auch μαρτυρήσας ἐπὶ τῶν ἡγουμένων
wird man von hier verstehen müssen. Gemeint ist ein unerschrok-
kenes Wortzeugnis in der Art, wie es die Apg im Bericht über den
Prozeß des Paulus darstellt[44]. Diese Sicht ist sicherlich nicht unbe-

---

Didaskalos, 78/83. Christus ist für Clemens Lehrer, auch wenn er ihn nicht
ausdrücklich »Didaskalos« nennt.

[38] Vgl. R. Knopf, Die Apostolischen Väter I,51f.; H. Delehaye, Martyr et Confesseur = AnBoll 39 (1921) 20/49, hier 24; ders., Sanctus. Essai sur le culte
des saints dans l'Antiquité (Bruxelles 1927) = SHG 17,79; G. Fitzer, Der
Begriff des »martys«, 181 (μαρτυρεῖν bezeichnet hier »ebenso die Verkündigung vor der Welt und ihren Behörden, wie die Notwendigkeit, um dieses
Zeugnisses willen zu sterben...«); H. v. Campenhausen, Die Idee des Martyriums, 54f.; K. Aland, Der Tod des Petrus, 83/8; O. Cullmann, Petrus, 106f.;
D. Wm. O'Connor, Peter in Rome, 76/8.

[39] Vgl. R. Reitzenstein, Bemerkungen zur Martyrienliteratur. I. Die Bezeichnung
Märtyrer = NGG 1916, 417/67, hier 438, der zwar an ein Wortzeugnis denkt,
jedoch auch auf die »lange Folge der πάθη« hinweist (das μαρτυρήσας der
Petrusstelle bezieht er eindeutig auf die πόνοι: »das πάθος ist die μαρτυρία«);
W. Rordorf, Martirio e testimonianza, 243f.

[40] »prêcher d'exemple«, »enseigner la vertu par l'exemple« wie bei Epiktet; so
L. Sanders, L'Hellénisme de Saint Clément, 21/8, die Zitate 21 u. 26.

[41] Vgl. K. Heussi, Die römische Petrustradition, 17/9; H. Strathmann, Art.
μάρτυς, 511, der sich sehr vorsichtig ausdrückt; M. Dibelius, Rom und die
Christen, 27, der Strathmann folgt; E. Günther, Martys, 117/23 (Lit.); N. Brox,
Zeuge und Märtyrer, 199/203; J. Beutler, Martyria, 183f. Vgl. auch H. Lietzmann, Petrus römischer Märtyrer, 104 (Anm. 1 nimmt die in »Petrus und
Paulus in Rom«, 234, Anm. 1, geäußerte, in der Nachfolge Reitzensteins
stehende Meinung zurück): »das Zeugnis vor dem Richter, der das Todes-
urteil fällt«.

[42] In Mk 13,9parr begegnet jeweils die Zeugnisterminologie und der Hinweis
auf die ἡγεμόνες. 1 Clem 5,7 hat μαρτυρεῖν und die ἡγούμενοι.

[43] Vgl. auch ἀπολογία in 2 Tim 4,16 und ἀπολογεῖσθαι in Lk 12,11 u. 21,14
(s. Anm. 25). Vgl. weiter Apg 22,1; 24,10; 25,8.16; 26,1f.24. Den späten Briefen (vgl. noch 1 Petr 3,15) und Lukas geht Paulus selbst voraus: Phil 1,7.16;
1 Kor 9,3; 2 Kor 12,19. Sonst werden beide Wörter nicht im NT verwandt.

[44] Vgl. auch K. Beyschlag, Clemens Romanus, 268/76.

einflußt von der Popularphilosophie; doch schießt der Vorschlag
von L. Sanders, das μαρτυρεῖν an unserer Stelle vom Sprachgebrauch des Epiktet her als ein Lehren durch das eigene Beispiel
zu interpretieren, weit über das Ziel hinaus. Für die Kritik an der
ersten Deutung im Sinn des Märtyrertodes sei auf K. Heussi verwiesen, dessen Interpretation N. Brox bekräftigt hat[45]. Wie zuletzt
K. Beyschlag durch viele Parallelen erhärtet hat, ist das οὕτως in
5,7 nicht zurück-, sondern vorwärtsweisend im Sinn von »sodann«[46]. Auf die drei Partizipien im Nebensatz, die durch καί verbunden sind, folgt mit οὕτως der Hauptsatz, der den Gedanken
des Nebensatzes weiterführt, indem er in euphemistischer Weise
den Tod des Paulus umschreibt. Von dieser Struktur des Satzes her
verbietet es sich, μαρτυρήσας als Bezeichnung des Märtyrertodes
zu verstehen. Denn es gibt keinen Sinn, zu sagen: Nachdem er den
Märtyrertod gestorben war, schied er (durch den Tod) aus der
Welt. Die zweite Deutung des μαρτυρεῖν als eines Leidens um
des Glaubens willen ist, wenn der Märtyrertod ausgeschlossen ist,
von der grammatischen Struktur des Satzes her möglich, doch hat
sie Schwierigkeiten mit dem Zusatz ἐπὶ τῶν ἡγουμένων[47], die entfallen, wenn man entsprechend der Traditionsgeschichte des Ausdrucks an ein Wortzeugnis denkt.

Mit dem auf οὕτως folgenden Hauptsatz in 5,7 wird der Tod des
Paulus in euphemistischer Weise umschrieben. Weder hier noch
im ganzen Abschnitt 5,1—6,2 wird expressis verbis gesagt, daß die
genannten Personen eines gewaltsamen Todes gestorben sind. Doch
spricht alles dafür, daß der Märtyrertod vorausgesetzt wird. Gleich
zu Beginn heißt es in 5,2, daß die größten und gerechtesten Säulen
verfolgt wurden und bis zum Tode kämpften. Zur Wendung »bis
zum Tode kämpfen« gibt es eine Fülle von Parallelen in 4 Makk,
die sich auf den Märtyrertod beziehen[48]. Die Stelle hier muß nicht
von 4 Makk abhängig sein; doch gehört sie in den Traditionskreis,
in dem auch die jüdische Märtyrerschrift steht. 1 Clem 5,2 will in
einer agonistischen Sprache sagen, daß »die größten und gerechtesten Säulen«, bewunderte Gestalten der christlichen Frühzeit[49],

---

[45] K. Heussi, Die römische Petrustradition, 17/9, u. N. Brox, Zeuge und Mär-
    tyrer, 199f.
[46] K. Beyschlag, Clemens Romanus, 314/9. Vgl. bes. 4 Makk 12,19.
[47] Vgl. W. Rordorf, Martirio e testimonianza, 244.
[48] Vgl. 4 Makk 1,9; 5,37; 6,21.30; 7,8.16; 13,1 u. ö. 2 Makk 13,14 (... γενναίως
    ἀγωνίσασθαι μέχρι θανάτου περὶ νόμων...) bezieht sich auf den Tod in der
    Schlacht, zeigt aber, wie man, wenn man das Martyrium in der Sprache des
    Kampfes beschreiben wollte, zur Ausdrucksweise kommen konnte, daß man im
    Erleiden des Märtyrertodes bis zum Tode kämpft.
[49] Vgl. Gal 2,9. Die vier bei K. Beyschlag, Clemens Romanus, 226f., angeführten

verfolgt wurden und als Märtyrer starben. Zu diesen στῦλοι rechnet der Text auch Petrus und Paulus, die im folgenden dann einzeln genannt werden[50]. K. Beyschlag hat auf viele Parallelen zu den Schlußformeln in 5,4 und 5,7 verwiesen, die zeigen, daß man in gleicher oder ähnlicher Weise vom Märtyrertod sprechen konnte[51]. Schließlich legt es die Betonung der Grausamkeit der Leiden in 6,1f. nahe, anzunehmen, daß der Tod der Genannten mitgemeint ist.

Im Unterschied zu 6,1f. ist im Zusammenhang mit dem Märtyrertod des Petrus und des Paulus nicht von irgendwelchen Grausamkeiten die Rede. Die Märtyrer von 6,1f. haben sich in den Leiden des Martyriums bewährt, Petrus und Paulus in den Mühen und Leiden ihres apostolischen Dienstes, dessen »passender« Abschluß der Märtyrertod ist. Im Tod erreichen die Märtyrer das Ziel der Vollendung. Paulus ist aus der Welt geschieden und an den heiligen Ort gegangen (5,7). Die in dieser Wendung liegende räumliche Vorstellung erinnert an das Nachfolgeverständnis des Johannesevangeliums. Nachfolgen bedeutet in Joh 12,26; 13,36—38; 21,18f.22 das Nachgehen des Weges Jesu vom Tod in die Herrlichkeit. Im Haus des Vaters sind viele Wohnungen; Jesus geht dorthin, um den Jüngern einen Platz zu bereiten (Joh. 14,2f.). Von einem räumlichen Gehen zu einem jenseitigen Ort spricht auch Apg 1,25: Judas ist an den ihm bestimmten Ort gegangen. Daneben kann man 1 Clem 5,4 stellen: Petrus ist an den gebührenden Ort der Herrlichkeit gegangen. Mit dem Gedanken des räumlichen Gehens zum himmlischen Ort verbindet sich in 1 Clem 5,1—6,2 die Idee der Belohnung. Paulus kann den Siegespreis, der ihm wegen seiner standhaften Ausdauer verliehen wurde, vorweisen (5,5). Er empfing den edlen Ruhm für seinen Glauben (5,6). Die Frauen, von denen in 6,2 die Rede ist, gelangten zum Ziel im Glaubenswettlauf[52] und empfingen einen edlen Ehrenpreis. Das letzte Zitat zeigt deutlich, daß der Gedanke der Belohnung mit dem ago-

---

Stellen verwenden das Wort in unterschiedlicher Weise und können nicht beweisen, daß στῦλος ein Titel für den Märtyrer ist.

[50] Wenn den στῦλοι die ἀπόστολοι Petrus und Paulus als getrennte Gruppe hätten gegenübergestellt werden sollen, hätte der Verf. wohl nicht einen so glatten Übergang von 5,2 zu 5,3 geschaffen, sondern er hätte wahrscheinlich in 5,3 nach der Art seiner Aufzählung mit einem Hinweis auf die Eifersucht neu angesetzt. Der Verf. greift aus der Gruppe der στῦλοι zwei Apostel heraus, die er namentlich anführt.

[51] K. Beyschlag, Clemens Romanus, 306/28.

[52] R. Knopf, Die Apostolischen Väter I,54: »βέβαιος δρόμος, der Punkt der Rennbahn, wo der Lauf entschieden, der Sieg gesichert ist, das Ziel.« M. Dibelius, Rom und die Christen, 23, übersetzt: »sie gelangten zu einem sicheren (d. h. des Zieles sicheren) Wettlauf des Glaubens«.

nistischen Vorstellungskomplex mitgegeben ist[53]. Ist nun hier an eine besondere Auszeichnung der Märtyrer gedacht? 2 Tim 4,7f. schließt einen besonderen Lohn des Paulus aus. Den Kranz, der für ihn bereit liegt, wird der Herr bei seiner Parusie Paulus und allen geben, die in Liebe auf sein Erscheinen warten. 2 Tim 4,7f. meint eine Belohnung bei der Parusie. In 1 Clem 5,1—6,2 dagegen wird von einem Hingehen der Märtyrer an einen jenseitigen Ort gesprochen, auf das der Verfasser bereits zurückblickt. Dieser jenseitige Ort wird der gebührende Ort der Herrlichkeit (5,4) oder der heilige Ort (5,7) genannt. Es könnte gut ein besonderer Platz am postmortalen, interimistischen Ort der Frommen oder sogar das Eingehen in die volle Seligkeit gemeint sein, auf das andere Tote noch bis zur Endvollendung warten müssen[54].

Paulus, der nach 5,5 den Siegespreis für seine standhafte Ausdauer vorweisen kann, wird in der die Pauluspassage abschließenden Wendung als das größte, zur Nachahmung auffordernde Muster oder Vorbild der Ausdauer bezeichnet (5,7). Diese Thematik[55] entspricht der Sicht des Märtyrers im 2. und 4. Makkabäerbuch[56]. Die Vorbildlichkeit des Paulus ist ein Gedanke der Pastoralbriefe, der sich nicht zuletzt auch auf Aussagen des Apostels selbst stützen kann. In der wachsenden Bedeutung dieses Themas zeigt sich der stärker werdende Einfluß des griechischen Denkens. Die gesamte Pauluspassage steht der Stelle 2 Tim 4,6—8 nicht fern, wenn man sie im Kontext der anderen Aussagen von 2 Tim zum Leiden des Paulus liest. Die Stelle faßt das Leben des Apostels, seine Mühen und Leiden im apostolischen Dienst, in agonistischer Kennzeich-

---

[53] Vgl. 1 Kor 9,24f.; 2 Tim 4,7f.

[54] Vgl. J. A. Fischer, Studien zum Todesgedanken in der alten Kirche. Die Beurteilung des natürlichen Todes in der kirchlichen Literatur der ersten drei Jahrhunderte I (München 1954) 234/6: Clemens scheint an einen interimistischen, für die Zeit bis zur Parusie geltenden Ort der Frommen zu denken. Die bewährten gestorbenen Presbyter brauchen nicht zu fürchten, ἀπὸ τοῦ ἱδρυμένου αὐτοῖς τόπου verdrängt zu werden; 44,5 (80,14/6 Fischer). Die entsprechend der Gnade Gottes in Liebe vollendet waren, ἔχουσιν χῶρον εὐσεβῶν· οἱ φανερωθήσονται ἐν τῇ ἐπισκοπῇ τῆς βασιλείας τοῦ Χριστοῦ; 50,3 (86,20/3). Petrus und Paulus dagegen gelangen zum gebührenden Ort der Herrlichkeit oder zum heiligen Ort (5,4.7).

[55] Vgl. noch 5,1 (ὑπόδειγμα in 5,1a = Beispiel im Sinn der Aufzählung von Kap. 4; in 5,1b schwingt schon der Gedanke der Bewunderung und Vorbildlichkeit mit; vgl. G. Brunner, Die theologische Mitte, 91) und 6,1.

[56] Vgl. 2 Makk 6,28.31 (über Eleasar) und allgemein 4 Makk, wo ähnlich wie in 1 Clem 5,1 der Gedanke des Beispiels mit dem der Vorbildlichkeit verbunden wird. Zum Vorbildmotiv in 4 Makk vgl. bes. 17,23f.: Der Feind selbst, Antiochus, läßt seinen Soldaten durch Herolde die Tapferkeit und Ausdauer der Märtyrer als Vorbild hinstellen; darauf hatte er tapfere Krieger und besiegte alle Feinde.

nung zusammen. Der Märtyrertod des Paulus ist in 2 Tim 4,6 ebenfalls wie in 1 Clem 5,7 nur angedeutet. Beidemal ist von der Auszeichnung des Apostels die Rede[57], die jedoch nach 2 Tim 4,8 nicht allein Paulus vorbehalten ist. Die Vorbildhaftigkeit des Apostels ist im gesamten 2 Tim enthalten. Der Duktus beider Passagen berührt sich mit 4 Makk 9,8. Die Märtyrer sagen dort von sich selbst, daß sie wegen ihres Leidens und ihrer Standhaftigkeit die Siegespreise der Tugend erhalten und bei Gott sein werden, um dessentwillen sie das Martyrium erdulden[58].

Das Paulusbild, das 1 Clem 5,5—7 zeichnet, geht im letzten auf Paulus selbst zurück, der in seinen Briefen von seinen Leiden und Missionsmühen spricht. Leiden und apostolischer Dienst gehören zusammen und können auch von Paulus selbst schon in agonistischer Sprache beschrieben werden. Die nachpaulinische Kirche geht ein paar kräftige Schritte über Paulus hinaus. Sein Leiden, in das nun auch sein Märtyrertod gehört, erhält eine besondere Dignität (vgl. Kol 1,24; Eph 3,1.13; 2 Tim 2,10). Seine Heidenmission wird immer mehr als Weltmission gesehen. Leiden und apostolischer Dienst gehören weiterhin zusammen (vgl. Apg 9,15f.). Der Einfluß der agonistischen Sprache verstärkt sich[59], sie wird dementprechend auch auf die Zeichnung der Paulusgestalt angewandt. Paulus gilt immer mehr als heroischer, großer Mensch. 1 Clem 5,5—7 weist Berührungspunkte mit dem Heraklesbild der antiken Philosophie auf[60]. Zwar hat Clemens den Apostel sicherlich nicht nach dem Modell des Herakles darstellen wollen. Doch findet die Heroisierung des Paulus in einer Kirche statt, die sich den Einflüssen der Umwelt nicht verschließt. So kann man auch in das im christlichen Raum gewachsene Paulusbild Züge eintragen, die an Herakles denken lassen. Der Märtyrertod des Paulus ist in dieser Sicht der Endpunkt eines mühevollen Lebens. Er wird nicht eigens reflektiert, sondern gehört unter die Überschrift der apostolischen Leiden und Mühen. Die postmortale Auszeichnung des Paulus gilt nicht allein dem Märtyrer, sondern dem Märtyrerapostel.

c) Petrus (5,4) und die »große Menge Auserwählter« (6,1f.).

Die ausführliche Besprechung der Paulusstelle 1 Clem 5,5—7, bei der schon häufiger auf den Kontext verwiesen wurde, erlaubt es, den übrigen Text von 5,1—6,2 kürzer zu behandeln. Petrus- und

---

[57] 2 Tim 4,8: Kranz der Gerechtigkeit; 1 Clem 5,5: Siegespreis der Geduld.
[58] Rahlfs I,1170.
[59] Vgl. V. C. Pfitzner, Paul and the Agon Motif, 165.
[60] Vgl. L. Sanders, L'Hellénisme de Saint Clément, 8/34; M. Dibelius, Rom und die Christen, 23/7; A. Stuiber, Art. Clemens Romanus I,195f.

Paulusaussage entsprechen einander. Dabei verhält sich 5,4 zu
5,5—7 etwa so wie eine Miniatur zu einer größeren Zeichnung mit
ungefähr gleichem Motiv. Die gleiche Struktur der Aussage verbietet es, in 5,4 und in 5,5—7 begegnende Gemeinsamkeiten in unterschiedlicher Weise zu interpretieren.

Der Ausgangspunkt ist wiederum der ζῆλος, der hier als ἄδικος
gekennzeichnet wird. Er gilt als Ursache der πόνοι des Petrus,
deren Häufigkeit in einer rhetorischen Formel, deren martyrologische Verwendung K. Beyschlag untersucht hat[61], hervorgehoben
wird. Das Wort πόνος begegnet häufig sowohl in der Beschreibung des philosophischen Athleten, besonders des Herakles[62], als
auch in 4 Makk[63]; zweimal findet es sich in 2 Makk[64]. 2 und 4 Makk
zeigen, daß das Wort in einem martyrologischen Kontext speziell
die Märtyrerleiden bezeichnen kann. Von Leiden des Petrus berichtet die Apg in den Kap. 4 und 12. 1 Petr 5,1 bezieht sich nach der
früher vorgetragenen Deutung auf Leidenserfahrungen des Petrus.
Es gab also die Überzeugung, daß auch Petrus zu leiden hatte. Die
πόνοι von 1 Clem 5,4 sind demnach nicht von Paulus her auf
Petrus übertragen worden.

Mit dem folgenden καί wird zu dem Satz übergeleitet, der dem
Hauptsatz nach den Partizipien im Paulusabschnitt entspricht. Das
οὕτως wurde dort entsprechend der Struktur des Satzes und im
Blick auf die vielen von K. Beyschlag beigebrachten Parallelen als
vorwärtsweisend interpretiert: Nachdem das mit den Partizipien
gemeinte Geschehen abgeschlossen war, starb Paulus und ging an
den heiligen Ort. Wegen der Parallelität zwischen 5,4 und 5,5—7
empfiehlt es sich, das καί οὕτω der Petrusaussage entsprechend
dem οὕτως in 5,7 zu verstehen: und so(dann) ging er an den Ort der
Herrlichkeit. Man kann das οὕτω auch zu μαρτυρήσας ziehen und
als einen Rückverweis verstehen[65]. Dann aber entscheidet man sich
gleichzeitig auch für die Deutung des Wortes μαρτυρήσας im Sinn
des Märtyrertodes oder des dem Tod vorausgehenden Leidens.
Die Aussage wäre dann: Petrus, der viele πόνοι erduldet hat und,
nachdem er so Zeugnis im Sinn des Märtyrertodes oder des Leidens um des Glaubens willen abgelegt hatte, zum Ort der Herrlichkeit ging. Beide Interpretationen sind, grammatisch gesehen,

---

[61] K. Beyschlag, Clemens Romanus, 227/67, vgl. die Zusammenstellung 248f.
[62] Vgl. M. Dibelius, Rom und die Christen, 23; L. Sanders, L'Hellénisme de
Saint Clément, 14/7.
[63] 4 Makk 1,4.9.20.21.23.24.28; 5,23; 6,9; 7,22 u. ö.
[64] 2 Makk 7,36 u. 9,18.
[65] So K. Heussi, Die römische Petrustradition, 15; N. Brox, Zeuge und Märtyrer,
198; W. Rordorf, Martirio e testimonianza, 244 mit Anm. 22.

möglich. Dann muß man aber die Entscheidung von der Paulusstelle her treffen. Dort aber ist die Deutung des μαρτυρεῖν auf den
Märtyrertod unmöglich. Die Deutung auf das dem Tod vorausgehende Leiden aber gerät in Schwierigkeiten mit dem von der
Tradition her vorgegebenen Motivzusammenhang »mündliches
Zeugnis vor Herrschenden«. Besser ist es, μαρτυρεῖν sowohl in 5,7
wie auch in 5,4 vom Wortzeugnis her zu verstehen. Dann bedeutet
der Satz: Petrus, der viele πόνοι ertragen hat und so, nachdem er
Zeugnis abgelegt hatte, an den Ort der Herrlichkeit ging. Im
μαρτυρήσας kann sowohl die Verkündigung des Petrus allgemein
wie auch sein Zeugnis im Zusammenhang mit den πόνοι und dem
Märtyrertod gemeint sein. Die Tatsache, daß die Verkündigung
nicht parallel zu den πόνοι genannt ist, sondern im zweiten Satz-
teil im Zusammenhang mit der Aussage über das Gehen des Apostels an den himmlischen Ort erscheint, spricht eher für die zweite
Möglichkeit. Während der dem Tod vorausgehenden Leiden hat
Petrus Zeugnis abgelegt. Es dürfte also der Motivzusammenhang
von Leiden und Sterben um des Glaubens willen und des Zeugnisses als eines Bekenntnisses vorliegen, ohne allerdings im Wort
μαρτυρεῖν ausgedrückt zu sein.
Im Anschluß an die Notiz zu Petrus und Paulus geht 6,1f. auf das
Martyrium einer großen Menge Auserwählter ein, unter der man
gut die multitudo ingens des Tacitus[66] verstehen kann. Zu den beiden Sätzen bemerkt O. Perler: »Die Beschreibung der unmenschlichen Qualen in 1 Klem 6,1—2 atmet den gleichen Geist wie das
4 Makk«[67]. Die Terminologie berührt sich mit der von 2 und 4
Makk[68]. Zur Notiz über das Martyrium der Frauen in 6,2 ist auf
die Gestalt der Mutter der sieben Märtyrer in 2 und 4 Makk zu
verweisen. Von ihr sagt 2 Makk 7,21, daß sie die weibliche Art
durch männlichen Mut aufgerichtet habe. 4 Makk 16,2 heißt es,
daß nicht nur Männer die Affekte besiegt haben, sondern auch
eine Frau die größten Qualen verachtet hat[69]. Es soll gesagt werden, daß Frauen schwächer sind als Männer und daß deshalb der
Sieg der Frau um so mehr beweist, daß Glaubensgehorsam alle

---

[66] Tacitus, Annales XV,44,2—5. Das Wort selbst in 44,4. Lit. zur Interpretation
des Berichtes bei W.-D. Hauschild, Der römische Staat und die frühe Kirche
(Gütersloh 1974) = Texte zur Kirchen- und Theologiegeschichte 20,17.
[67] O. Perler, Das vierte Makkabäerbuch, Ignatius von Antiochien und die ältesten Martyrerberichte, 65.
[68] Zu πολλαῖς αἰκίαις (6,1) und αἰκίσματα δεινὰ καὶ ἀνόσια (6,2) vgl. 2 Makk
7,42: τὰς ὑπερβαλλούσας αἰκίας; 7,1.13.15 (αἰκίζεσθαι) u. 4 Makk 1,11; 6,16
(αἰκίζεσθαι); 6,9; 7,4; 14,1; 15,19 (αἰκισμός). Zu πολλαῖς ... βασάνοις (6,1) vgl.
2 Makk 7,8 u. 4 Makk 4,26; 5,6; 6,27.30 u. ö.
[69] Vgl. auch 16,11—14 u. 17,2—6.

Qualen überwindet. Hierzu ist die Schlußwendung in 1 Clem 6,2 zu vergleichen, mit der auf die körperliche Schwäche der Frauen hingewiesen wird[70], die als Danaiden und Dirken furchtbar gelitten haben. Die beiden Entlehnungen aus der griechischen Mythologie dürften sich auf die Art der Leiden beziehen[71]. Inmitten dieser Grausamkeiten sind die der körperlichen Konstitution nach schwachen Frauen stark gewesen und haben so durch den Tod hindurch das Ziel des Glaubens erreicht und den Ehrenpreis erhalten. Der Abschnitt 5,1—6,2, der die christlichen Märtyrer zu Beginn als Athleten[72] bezeichnet (5,1), endet mit dem Bild des Laufes und der Auszeichnung der Sieger[73].

d) Zusammenfassung

1 Clem 5,1—6,2 enthält Berührungspunkte mit 2 Makk; darüber hinaus gibt es Gemeinsamkeiten mit 4 Makk, die fragen lassen, ob eine Abhängigkeit von diesem jüdischen Märtyrerbuch anzunehmen ist. O. Perler möchte diese Frage bejahen[74]. Doch weist er darauf hin, daß sich ein zwingender Beweis nicht erbringen läßt, weil die Berührungspunkte zu wenig ausschließlich und eigentümlich sind. Man wird immerhin sagen können, daß die agonistische Sicht des Martyriums in 1 Clem 5,1—6,2 in der Tradition der jüdisch-hellenistischen Deutung des Märtyrertodes steht, die ihren Ausdruck in 4 Makk gefunden hat. Weiter ist an Einflüsse der

---

[70] Vgl. auch 1 Clem 55,3—6.

[71] M. Dibelius, Rom und die Christen, 24, meint, daß die christlichen Märtyrerinnen nach den mythischen Heldinnen benannt werden, »nicht um die Art ihrer Bestrafung, sondern um die Größe ihrer Leiden darzustellen: sie sind wahre Danaiden und Dirken!« Doch setzt diese Interpretation voraus, daß die Danaiden und Dirken auch als Heldinnen galten. Von den Danaiden erzählte man, daß sie in der Unterwelt für die Ermordung ihrer Bräutigame bestraft wurden. Dirke wurde, weil sie die Sklavin Antiope haßte und mißhandelte, von deren Söhnen an die Hörner eines Stiers gebunden und so zu Tode geschleift. Vgl. die Darstellung der beiden Mythen bei A. W. Ziegler, Neue Studien zum ersten Klemensbrief (München 1958) 84/8, der auch auf die positive Zeichnung des Danaidenmythos durch Aischylos hinweist. Doch ist es fraglich, ob 1 Clem von der Sicht des Aischylos abhängig ist. Zur Deutung auf Hinrichtungen in der Art mythologischer Darstellungen vgl. R. Knopf, Die Apostolischen Väter I,53f., der bes. auf Tacitus, Annales XV,44,4f., hinweist und weitere antike Texte zitiert.

[72] Übertragung dieses Wortes der agonistischen Philosophensprache auf die Märtyrer in 4 Makk 6,10; 17,15f. Vgl. auch G. Lomiento, Ἀθλητὴς τῆς εὐσεβείας = VetChr 1 (1964) 113/28.

[73] Vgl. 1 Kor 9,24f.; Phil 3,14. Vom Sieg im Martyrium spricht bes. 4 Makk 17,11—16.

[74] O. Perler, Das vierte Makkabäerbuch, Ignatius von Antiochien und die ältesten Martyrerberichte, 66. Vgl. auch V. C. Pfitzner, Paul and the Agon Motif, 196f.

agonistischen Partien der Paulusbriefe und an ein direktes Einwirken der hellenistischen Popularphilosophie zu denken. Die Grundlinie der in diesem Abschnitt enthaltenen Sicht des Märtyrertodes kann man wie folgt umreißen. Eifersucht und Neid sind die Ursache der Verfolgungen. In diesen haben sich die Genannten in bewundernswürdiger Weise standhaft gezeigt. Sie sind deshalb Vorbilder der Ausdauer und erreichen im Tod das Ziel des Glaubens, die Fülle des jenseitigen Lebens als Lohn für ihre Standhaftigkeit. Diese Grundsicht ist vor allem im Paulusabschnitt erweitert worden durch die Hineinnahme der Missionstätigkeit des Apostels. Die gleiche Sicht begegnet noch einmal in der Anwendung auf Daniel in der Löwengrube und die drei Jünglinge im Feuerofen: »Die aber in Zuversicht ausharrten, erbten Ehre und Auszeichnung, sie wurden erhöht und von Gott in sein Gedächtnis eingeschrieben für alle Ewigkeit. Amen. An solche Vorbilder müssen daher auch wir uns halten, Brüder« (45,8—46,1)[75].
In dem Zitat aus Weish 2,24 in 3,4 hat Clemens den Diabolos gestrichen. Eifersucht und Neid sind für ihn menschliche Phänomene. Die Verfolgung wird nicht wie etwa in der Offenbarung des Johannes auf die widergöttliche Macht zurückgeführt, sondern auf eine menschliche Fehlhaltung (vgl. auch 45,7). Hier zeigt sich ein grundlegender Unterschied zwischen einer apokalyptischen und einer ethisch orientierten Deutung des Märtyrergeschicks. Die Märtyrer sind für Clemens Vorbilder der Ausdauer; doch ist nicht recht ersichtlich, ob er ihre Vorbildhaftigkeit überhaupt auf die Martyriumssituation der Christen bezieht. 7,1 kann diese Bedeutung haben[76], doch kann der Satz auch Einleitung zu der folgenden Aufforderung zur Buße sein[77]. 1,1 dürfte sich »auf die Bedrückung der Christen gegen Ende der Regierung Domitians beziehen«[78]. Doch verbindet Clemens mit diesem Hinweis keine Martyriumsthematik; er dient allein der Erklärung, warum der Brief nicht schon früher geschrieben worden ist. Clemens scheint sogar die Bedeutung des Geschehens herunterspielen zu wollen[79]. Der Brief kennt den jüdisch-hellenistischen Paideia-Begriff. Er spricht von Züchtigungen, durch die Gott erzieht (Kap. 56)[80]; doch auch hier geht es

---

[75] Die Übers. nach J. A. Fischer, 83.
[76] Vgl. K. Beyschlag, Clemens Romanus, 304.
[77] Vgl. R. Knopf, Die Apostolischen Väter I,55.
[78] J. A. Fischer, 19. Vgl. auch L. W. Barnard, Clement of Rome and the Persecution of Domitian = NTS 10 (1963/4) 251/60.
[79] περίπτωσις u. συμφορά = »leidiges Mißgeschick zufälliger Art«; vgl. O. Knoch, Eigenart und Bedeutung der Eschatologie, 201.
[80] Vgl. P. Stockmeier, Der Begriff παιδεία bei Klemens von Rom = Studia Patristica VII. TU 92 (Berlin 1966) 401/8, hier 405f.

nicht um Leiden oder Verfolgungen, sondern um Zurechtweisung und Buße. Schließlich kann man darauf verweisen, daß auch das Thema des freiwilligen Opfertodes in 55,1 nicht zu einem martyrologischen Gedanken angeregt hat, sondern im Kontext der Aufforderung zum freiwilligen Exil steht (Kap. 54). Der Martyriumsgedanke wird also nicht aktualisiert. Das hängt nicht allein mit der Intention des Briefes zusammen, der ja die Unordnung in Korinth beenden will, sondern ist auch Ausdruck der Geisteshaltung, die aus dem Brief spricht. Die Gemeinde hat sich in der Welt des römischen Staates eingerichtet, der trotz der Verfolgungen bejaht wird (vgl. bes. 60,4—61,3). Diese werden nicht apokalyptisch gedeutet. Die Zeit, in der man lebt, ist nicht die dem Ende zudrängende Zeit voller Bedrängnisse, sondern die sich dehnende Epoche der sittlichen Bewährung[81]. Die Märtyrer sind Vorbilder der rechten Haltung, vergleichbar den alttestamentlichen Vorbildern in Hebr 11 und Jak 5,10f. Sie haben sich in ihrer Situation der Verfolgung bewährt und haben so als Sieger das Ziel des Glaubens erreicht. Genauso sollen sich die Christen in ihrer Situation bewähren, um an das Ziel zu gelangen. Die Offenbarung des Johannes und 1 Clem markieren zwei entgegengesetzte Pole, zwischen denen sich die Martyriumsdeutung bewegen kann.

2. Die Didache und die Petrusapokalypse

Die »Lehre der zwölf Apostel«, die älteste Kirchenordnung, die in ihrer vorliegenden Form wohl in den ersten Jahrzehnten des 2. Jh.s im syrischen Raum redigiert worden ist, geht in ihrem lehrhaften Teil nicht auf die Frage der Verfolgung und des Martyriums ein. Doch zeigt der den synoptischen Apokalypsen nahestehende Schluß, daß man für die Zukunft mit einer Verfolgung gerechnet hat. Zu den Endzeitzeichen gehört, daß man einander haßt, verfolgt und ausliefert. Dann werden die Menschen in das Feuer der Prüfung kommen; viele werden Anstoß nehmen und zugrundegehen; die aber ausharren in ihrem Glauben, werden gerettet werden[1]. Der Akzent liegt zwar mehr auf den allgemeinmenschlichen Feindseligkeiten, doch zeigt 16,5, daß auch an eine Verfolgung gedacht ist, bei der Christen entweder schwach werden oder sich bewähren können.

Von einer endzeitlichen Verfolgung spricht auch die mit der Dida-

---

[81] Vgl. O. Knoch, Eigenart und Bedeutung der Eschatologie, 200f.

[1] Did. 16,4f. (FlorPatr 1³, Bonn 1940, 30). Zu ἀπ᾽ αὐτοῦ τοῦ καταθέματος vgl. R. Knopf, Die Apostolischen Väter I,39, u. J.-P. Audet, La Didachè. Instructions des Apôtres (Paris 1958) = ÉtB, 472f.

che etwa gleich alte Petrusapokalypse[2], die vorhersagt, daß es beim
Auftreten der endzeitlichen Verführer, die sich als Christus ausge-
ben, zu Martyrien kommen wird[3]. Ganz im Stil des äthiopischen
Henochbuches werden die Strafen, die die Feinde des »Weges
der Gerechtigkeit« nach dem Endgericht zu erdulden haben, recht
handgreiflich ausgemalt. Diejenigen, die den Weg der Gerechtigkeit gelästert haben, werden an ihrer Zunge aufgehängt. Unter
ihnen brennt Feuer, das sie quält[4]. An einer anderen Stelle wird
von ihnen gesagt, daß sie ihre Zungen zerbeißen und daß ihre
Augen mit glühenden Eisen verbrannt werden[5]. Diejenigen, welche
die Gerechten verfolgt und ausgeliefert haben, müssen bis zur Mitte
ihres Körpers in Flammen stehen. Sie werden an einem finsteren
Ort von bösen Geistern ausgepeitscht, und nimmermüde Würmer
zerfressen ihre Eingeweide[6]. Der äthiopische Text erwähnt daneben
diejenigen, die die Märtyrer lügnerischerweise getötet haben. Ihnen
schneidet man die Lippen ab; ihr Mund und ihre Eingeweide sind
voll Feuer[7]. Allgemein auf Mörder bezogen heißt es, daß die Seelen der Getöteten Zeugen der Bestrafung derer sind, die sie ermordet haben, und die Strafe als das gerechte Gericht Gottes bezeichnen[8]. Die Szene steht den Aussagen des äthiopischen Henochbuches
über die endzeitliche Genugtuung der Bedrängten nahe. Jedoch
fehlt der Zug der Rache und der aktiven Teilnahme der Bedrängten
an der Bestrafung ihrer Bedränger. Von denen, die die Gerechtigkeit verleugnet haben, d. h. die dem Glauben untreu geworden
sind, sagt die Apokalypse, daß sie im Feuer von Strafengeln ge-
peinigt werden[9]. Die Gerechten aber erfahren die paradiesische
Seligkeit[10]. Gott kommt zu den Gläubigen, »welche hungern und

---

[2] B. Altaner — A. Stuiber, Patrologie[8] (Freiburg-Basel-Wien 1978) 142: 1. Hälfte
des 2. Jh.s; J. Quasten, Patrology I[4] (Utrecht-Antwerpen 1966) 144: zwischen
125 und 150; Chr. Maurer bei Hennecke—Schneemelcher II,469: die Zeit
um 135.

[3] Vgl. c. 2 (Äth.); Hennecke—Schneemelcher 473. Die Übers. des äthiopischen
Textes stammt von H. Duensing, die des im folgenden auch zitierten griechi-
schen Akhmimfragmentes von Ch. Maurer. Der äth. Text spricht von Märtyrern.
Doch kann das Wort »Märtyrer« gut auf das Konto des äth. Übersetzers
gehen. Das Akhmimfragment benutzt das Wort nicht. Man kann aus der
Stelle keine Folgerungen für die Frage nach dem Martystitel ziehen.

[4] C. 7 (Äth.) /c. 22 (Akhm.); ebd. 475.

[5] C. 9 (Äth.) /c. 28 (Akhm.); ebd. 477.

[6] C. 9 (Äth.) /c. 27 (Akhm.); ebd. 477.

[7] C. 9 (Äth.); ebd. 478. Der Akhmimtext bezieht eine ähnliche Strafe an der
parallelen Stelle c. 29 (ebd. 478) auf die falschen Zeugen.

[8] C. 7 (Äth.) /c. 25 (Akhm.); ebd. 476. Vgl. auch c. 13 (Äth.); ebd. 480: die
Genugtuung der Gerechten angesichts der Bestrafung der Sünder.

[9] C. 7 (Äth.) /c. 23 (Akhm.); ebd. 475.

[10] C. 13f. (Äth.); ebd. 480.

dürsten und bedrängt werden und in diesem Leben ihre Seelen erproben« und richtet die »Söhne der Gesetzlosigkeit«[11]. Von der Seligkeit der verfolgten Christen sagt der äthiopische Text im Kontext einer Paradiesesschilderung: »Hast du gesehen die Scharen der Väter? Wie ihre Ruhe ist, so ist die Ehre und Herrlichkeit derer, die man um meiner Gerechtigkeit willen verfolgt«[12]. Der Text spricht von Gestorbenen. Die himmlische Seligkeit der gestorbenen Verfolgten entspricht der der alttestamentlichen Väter Abraham, Isaak, Jakob, Mose und Elija.

Im Zusammenhang mit der Petrusapokalypse ist auf das Papyrusfragment der Sammlung Erzherzog Rainer hinzuweisen, das nach E. Peterson zu dieser Apokalypse gehört[13]. In diesem Fragment heißt es nach der Übersetzung von Ch. Maurer[14]: »Siehe, ich habe dir, Petrus, alles geoffenbart und dargelegt. So gehe in die Stadt, welche herrscht über den Westen, und trinke den Kelch, den ich dir verheißen habe aus den Händen des Sohnes dessen, der im Hades (ist), damit seine Vernichtung den Anfang nehme und du der Verheißung würdig seiest (?) ...« Der Ausdruck »den Kelch trinken« meint den Märtyrertod[15]. Der Text spricht also vom Martyrium des Petrus[16].

Die Petrusapokalypse als ganze wie auch ihre Verfolgungsdeutung stehen in der Tradition jüdischer Apokalyptik. Das Endgericht bringt die Umkehrung aller Unrechtsverhältnisse. Die während ihres Lebens Bedrängten erhalten die Seligkeit; ihre Bedränger

---

[11] C. 3 (Akhm.); ebd. 481.

[12] C. 16 (Äth.); ebd. 482. Vgl. Mt 5,10.

[13] E. Peterson, Das Martyrium des Hl. Petrus nach der Petrus-Apokalypse = Frühkirche, Judentum und Gnosis. Studien und Untersuchungen (Rom-Freiburg-Wien 1959) 88/91.

[14] Hennecke—Schneemelcher II,480, Anm. 3.

[15] Vgl. Mart. Is. 5,13.; Mk 10,38f.; Mt 20,22f.; Mk 14,36; Mt 26,39; Lk 22,42.

[16] E. Peterson bespricht auch die Stelle Ascensio Isaiae 4,2f. Sie lautet in der Übers. von J. Flemming u. H. Duensing (Hennecke—Schneemelcher II,458): »Und nachdem es mit ihr (scil. der Welt) zu Ende gekommen ist, wird Beliar, der große Fürst, der König dieser Welt, der sie beherrscht hat, seit sie besteht, herabkommen, und er wird aus seinem Firmament herabsteigen in der Gestalt eines Menschen, eines ungerechten Königs, eines Muttermörders, was eben dieser König ist, — die Pflanzung, die die zwölf Apostel des Geliebten gepflanzt haben, wird er verfolgen, und von den Zwölfen wird einer in seine Hand gegeben werden.« Peterson interpretiert die Aussage auf Nero und auf Petrus. Die Datierung der christl. Apokalypse 3,13—4,19 ist strittig. Harnack: 3. Jh.; Charles, Tisserant u. Cullmann: um 100; Peterson: vor Justin (vgl. 89); J. Flemming — H. Duensing bei Hennecke—Schneemelcher II,454: 2. Jh.; E. Hammershaimb, Das Martyrium Jesajas = Jüdische Schriften aus hellenistisch-römischer Zeit II,1,19: letztes Drittel des 1. Jh.s. Die Schrift enthält das jüdische Mart. Is.

werden bestraft. Von dieser Grundsicht sind sowohl die Apokalypse des Petrus wie auch die des Johannes geprägt. Doch geht die Offenbarung des Johannes in der Verchristlichung der apokalyptischen Verfolgungsdeutung einen beträchtlichen Schritt über das mit dem Namen des Petrus verbundene Buch hinaus. Sie verknüpft mit dem Thema der Wiederherstellung des Rechtes die Idee des durch den Tod Jesu errungenen Sieges der Kirche und der Märtyrer. Der Sieger Jesus, der im Tod die widergöttlichen Mächte prinzipiell entmachtet hat, setzt die in der Kirche schon geltende Gottesherrschaft nach außen hin durch, so daß sie am Ende das gesamte All umfaßt. In der Kraft seines Sieges überwinden Kirche und Märtyrer die Verfolger, die zwar während einer kurzen Zeit töten können, die jedoch keine Macht über das Auferstehungsleben haben und ihre irdische Gewalt bald verlieren werden. Die Petrusapokalypse ist im Vergleich zur Johannesoffenbarung stärker jüdisch geprägt. Die Verchristlichung der übernommenen Tradition zeigt sich allein darin, daß Christus der Offenbarer des apokalyptischen Wissens ist[17], daß die Verfolgungsdeutung auf christliche Verfolgte angewandt wird und daß das Endgericht mit der Parusie Jesu verbunden ist[18]. Im Unterschied zu den bisher besprochenen christlichen Apokalypsen — die Offenbarung des Johannes, die synoptischen Apokalypsen, der apokalyptische Schluß der Didache —, die vor allem an den dem Ende vorausgehenden Wirren und an der Parusie Jesu interessiert sind, legt die Offenbarung des Petrus den Akzent auf das Endgericht und die mit ihm gegebene Belohnung der Gerechten und Bestrafung der Sünder, die mit Freude am Detail ausgemalt wird. Diese Strafschilderungen berühren sich mit dem äthiopischen Henochbuch. Das Thema der Verfolgung ist vor allem unter dem Aspekt der Bestrafung der Verfolger präsent[19].

---

[17] Vgl. c. 1 (Äth.); Hennecke—Schneemelcher II,472.

[18] Vgl. auch die Verfolgungsthematik von 2 Thess.

[19] Die übrige apokryphe Lit. des 2. Jh.s wird in dieser Arbeit, die mit der Besprechung des Polykarpmartyriums schließt, nicht behandelt. Die anderen christl. Apokalypsen sind jünger als die Offenbarung des Petrus und fallen nicht in den hier zu beachtenden Zeitraum. Zum Hirt des Hermas, der apokalyptische Züge trägt, ohne deshalb eine Apokalypse im eigentlichen Sinn zu sein, vgl. den folgenden Abschnitt. Zur Datierung der seit kurzem sehr beachteten koptischen Apokalypse des Elija (s. Kl. Berger, Die Auferstehung des Propheten, 74/82) vgl. J.-M. Rosenstiehl, L'Apocalypse d'Elie (Paris 1972) = Textes et études pour servir à l'histoire du Judaïsme intertestamentaire I,75f. (3. Jh. n. Chr.). Die Frage der Abgrenzung älterer jüd. Teile ist kontrovers. Die ältesten Apostelakten entstammen der zweiten Hälfte des 2. oder erst dem Anfang des 3. Jh.s und werden wegen ihrer Berührungen mit dem Gnostizismus am besten im Zusammenhang mit einer Untersuchung der gnostischen Leidens- und Verfolgungsdeutung behandelt, auch wenn sie nicht eigentlich

3. Der Hirt des Hermas

In der nicht allzulange vor 150 in Rom verfaßten Schrift werden
apokalyptische Motive dem zentralen Thema der Aufforderung zur
Buße dienstbar gemacht. Das Buch rechnet mit einer zukünftigen
großen ϑλῖψις. In ihr gilt es, Gott nicht zu verleugnen, da solchen,
die untreu sein werden, das Leben abgesprochen werden wird[1]. Für
diejenigen, die Gott früher verleugnet haben, gibt es die Gelegenheit der Buße, die jedoch in der Enddrangsal nicht mehr möglich
ist[2]. Von der großen Drangsal spricht auch Vis IV. Hermas sieht
ein apokalyptisches Tier, das vier Farben am Kopf trägt. Die
feurig- und blutigrote Farbe wird auf das Blut und das Feuer gedeutet, durch die die Welt zugrunde gehen wird[3]. Die Christen
werden wie Gold im Feuer geprüft[4]. Hermas hat die Begegnung
mit dem schrecklichen Tier in der Kraft des Glaubens ohne Schaden bestanden. Ebenso werden die Christen, wenn sie im Glauben
gefestigt sind, die Endzeitschrecken überstehen. Das Ende gilt als
nahe bevorstehend; es ist noch nicht erreicht, weil die Gelegenheit
der Umkehr angeboten ist. Gerade deshalb muß die Gegenwart als
Zeit der Buße genutzt werden[5].
Mit dem Thema der Buße ist der Gedanke des Lohnes und der
Strafe verbunden. Wer in der rechten Weise lebt und umkehrt,
wenn er auf dem falschen Wege ist, der wird mit der ewigen Vollendung belohnt; die anderen finden ihre Strafe. Mit dieser, dem

gnostisch sind. Die apokryphe Evangelientradition, die man der ersten Hälfte
des 2. Jh.s zuweisen kann, enthält für das hier behandelte Thema nichts, was
über die kanonischen Evangelien hinausgeht. Vgl. etwa Hennecke—Schneemelcher I,69, 73, 113. Die Besprechung der Epistula Apostolorum, die man besser
nicht in die 1. Hälfte des 2. Jh.s datiert, setzt, weil sie sich im Kampf gegen
den Gnostizismus gnostischer Vorstellungen bedient, eine vorhergehende Be-
handlung der gnostischen Verfolgungsdeutung voraus. Die Oracula Sibyllina
wird man ebenfalls nicht zu früh ansetzen. Vgl. A. Kurfess bei Hennecke—
Schneemelcher II,501: Buch I/II um 150, vor Buch VII u. VIII. — Zum Bar-
nabasbrief vgl. W. H. C. Frend, Martyrdom and Persecution, 197. Dieser
Brief zitiert in 4,4f. (FlorPatr 1³,35f.) Dan 7,24 u. 7,7f., verbindet damit
jedoch keinen Hinweis auf bevorstehende Verfolgungen. Das Motiv des Prophetenmordes findet sich in einer der heilsgeschichtlichen Sicht des Mt (vgl.
Mt 23,31f.) entsprechenden Interpretation in 5,11 (40). Nach 7,11 (46) gehören
Leiden zum Leben der Christen. Diejenigen, die Jesus sehen und sein Reich
erlangen wollen, müssen ihn in Mühsal und Leiden (ϑλιβέντες καὶ παϑόντες)
erfassen. Vgl. Apg 14,22. Nach 20,2 (67) gehen die Verfolger der Guten den
Weg des Todes.

[1] Vis II,2,8 (GCS. Die Apostolischen Väter I², 6,14/7 Whittaker). Vgl. Mk 8,35
parr; Mt 10,39/Lk 17,33; Joh 12,25 u. Mt 10,33/Lk 12,9.
[2] Vgl. auch Sim IX,26,3—6 (95 Whittaker).
[3] Vis IV,3,3 (21).
[4] Ebd. 3,4 (21). Vgl. Offb 3,18 u. 1 Petr 1,6f.
[5] Vgl. etwa Vis III,8,9 (15).

allgemeinen apokalyptischen Schema entsprechenden Sicht verbindet Hermas das besondere Thema eines unterschiedlichen Ansehens bei Gott. In Sim V,3,3 heißt es: »Wenn du etwas Gutes tust über das Gebot Gottes hinaus, so erwirbst du dir überreichen Ruhm und du wirst angesehener sein bei Gott, dem du gehören wolltest«[6]. Als besonders angesehen bei Gott gelten die Märtyrer. In der Vis III schildert Hermas, wie ihn die Kirche in der Gestalt einer alten Frau einlädt, auf einer Bank Platz zu nehmen. Als einem Visionär gebührt ihm ein Vorrang vor den Presbytern; doch muß er den Ehrenplatz zur Rechten der Frau den Märtyrern überlassen[7]. Hermas kennt noch nicht den Martystitel. Doch zeigt sein Sprachgebrauch das Bemühen um eine eindeutige Bezeichnung derer, die um des Glaubens willen gestorben sind[8]. Er nennt sie hier: »diejenigen, die Gott bereits wohlgefällig sind und wegen seines Namens gelitten haben«[9]. Πάσχειν meint hier das Todesleiden, durch das ihr Leben eine Endgültigkeit erreicht hat, in der sie schon Gott gefallen. Vis III,2,1 erklärt genauer, daß sie Geißeln, Gefängnis, große Trübsal, Kreuzigung und Tierhetze wegen des Namens ertragen haben. Deswegen haben sie den Ehrenplatz inne. Für die übrigen gibt es den Platz zur Linken. Doch haben beide, sowohl die zur Rechten, wie auch die zur Linken Sitzenden, die gleichen Gaben und die gleichen Verheißungen; nur genießen die Märtyrer eine gewisse Ehre[10]. Die Stelle zeigt, daß der vielbeschworene Lohngedanke des Hermas nicht ganz so eindeutig ist, wie man oft annimmt. Der Lohn der beiden Gruppen ist gleich in bezug auf das, was ihnen geschenkt und verheißen ist. In ihrer Ehre unterscheiden sie sich jedoch. Es scheint, daß hier ein Einfluß des antiken, besonders des römischen Ruhmesgedankens vorliegt[11]. Der Ruhm des Römers beruhte auf der »übereinstimmenden Anerkennung durch die Mitbürger«[12]. Christliche Römer wie Tertullian haben diesen Gedanken aufgegriffen und im christlichen Sinn verändert: Bei Gott, nicht bei den Menschen soll man sich um Ruhm bemühen[13]. Es könnte gut sein, daß auch Hermas schon vom römischen

[6] Sim V,3,3 (54,15f.).

[7] Vis III,1,8f. (8f.).

[8] Vgl. E. Günther, Martys, 146/8; N. Brox, Zeuge und Märtyrer, 225f.

[9] Vis III,1,9 (8,23/9,1): ὁ εἰς τὰ δεξιὰ μέρη τόπος ἄλλων ἐστίν, τῶν ἤδη εὐαρεστηκότων τῷ θεῷ καὶ παθόντων εἵνεκα τοῦ ὀνόματος.

[10] Ebd. 2,1 (9).

[11] Dazu vgl. U. Knoche, Der römische Ruhmesgedanke = Philologus 89 (1934) 102/24.

[12] Ebd. 103.

[13] Tertullian, De virginibus velandis 2,4 (CSEL 76,81,22 Bulhart): *a deo, non ab hominibus captanda gloria est*. Vgl. U. Knoche, 123.

Ruhmesgedanken beeinflußt ist und deshalb nicht allein von der
jüdischen Lohnidee her verstanden werden sollte.

Die Erwähnung der Märtyrer hat einen Stellenwert in der Bußthematik. Das, was sie schon erlangt haben, die Vollendung und die
Anerkennung bei Gott, müssen andere erst noch auf dem Weg der
Buße erreichen. Hermas, der zur Rechten der Frau sitzen möchte,
wird auf die Buße verwiesen. Er muß sich erst von seinen Fehlern
reinigen[14]. Die Kirche wird mit einem Turm verglichen. Die Steine,
die aus der Tiefe hervorgeholt werden, versinnbilden die Märtyrer, die wiederum als solche bezeichnet werden, die wegen des
Namens des Herrn gelitten haben[15]. Diese Steine passen, ebenso
wie die Steine der Apostel, Bischöfe, Lehrer und Diakone, die nach
der Heiligkeit Gottes gelebt haben oder noch leben[16], fugenlos in
den Bau, während andere Steine noch durch die Buße zurechtge-
hauen werden müssen.

Im Gleichnis vom Weidenbaum werden die Märtyrer als solche geschildert, die den Weidenzweig, den sie vom Engel bekommen ha-
ben, im bestmöglichen Zustand des Grünens, Wachsens und
Fruchtbringens zurückgeben[17]. Sie werden bekränzt und in den
Turm entlassen[18]. Von ihnen werden andere unterschieden, die
Zweige zurückgeben, die zwar grünen und Schößlinge aufweisen,
denen jedoch die Früchte fehlen. Ihnen wird ein Siegel übergeben.
Von beiden Gruppen heißt es, daß alle das gleiche schneeweiße Gewand tragen[19]. Im folgenden deutet der Verfasser das Bild. Der
Baum, von dem die Zweige abgeschnitten werden, ist das Gesetz
Gottes als die bis an die Grenzen der Erde reichende Verkündigung
von seinem Sohn[20]. Die Zweige bezeichnen die Art, in der die einzelnen ihr Leben nach diesem Gesetz ausgerichtet haben. Diejenigen, die grünende, sprossende und fruchtbringende Zweige vorweisen können, sind die Märtyrer, die für das Gesetz gelitten haben.
Sie werden bekränzt als solche, die mit dem Diabolos gerungen und
ihn besiegt haben[21]. Der Märtyrertod gilt also als Kampf mit dem
Teufel und als Sieg über ihn. Der Sieg wird durch den Kranz sinn-
fällig ausgedrückt. Die agonistische Aussage erinnert an die Sieges-

---

[14] Vis III,2,2 (9).
[15] Ebd. 5,2 (12).
[16] Ebd. 5,1 (11f.).
[17] Sim VIII,1,18 (67).
[18] Ebd. 2,1 (67).
[19] Ebd. 2,2f. (67).
[20] Ebd. 3,2 (68). Vgl. 1 Clem 5,6f.
[21] Sim VIII,3,6 (69,7/9).

thematik der Offenbarung des Johannes[22]. Die andere Gruppe, die grünende und sprossende Zweige ohne Früchte zurückgibt, wird folgendermaßen gekennzeichnet: ὑπὲρ τοῦ νόμου θλιβέντες, μὴ παθόντες δὲ μηδὲ ἀρνησάμενοι τὸν νόμον αὐτῶν[23]. Es sind solche, die nicht als Märtyrer gestorben sind, die jedoch bedrängt wurden und dabei den Glauben nicht verleugnet haben. Wir stoßen hier also schon auf die Unterscheidung zwischen Märtyrern und Confessores, die jedoch noch nicht in der Terminologie ausgedrückt wird, die später gebräuchlich geworden ist. Von den Bekennern war vorher gesagt worden, daß sie ein Siegel erhalten. Damit ist eine Auszeichnung gemeint, die eine Stufe unter der Bekränzung rangiert. Beide Gruppen tragen nach Sim VIII,2,3 das gleiche schneeweiße Gewand. Der Heilszustand ist derselbe; die Auszeichnung, die ihnen gilt, differiert. Die Märtyrer und die Bekenner gelangen gleich zum Ziel der Vollendung, ebenso auch diejenigen, die heilig und gerecht gelebt haben[24]. Die anderen bedürfen der Buße und erhalten den ihren Taten und ihrer Umkehr entsprechenden Platz. Verweigern der Buße aber bedeutet Tod[25]. Nach Hermas gibt es einen abgestuften jenseitigen Heilszustand und unterschiedliche Ehrenränge bei gleichem Heilsbesitz, verschiedenen Lohn und verschiedene Ehre.

Sim IX greift erneut das Bild vom Turmbau auf und verknüpft damit andere vorher bereits verwandte Motive. Wahrscheinlich ist der Teil Sim IX und X ein Nachtrag, den der Verfasser zu einem späteren Zeitpunkt seinem Werk angefügt hat[26]. Das Thema des Martyriums begegnet erneut, diesmal in noch exakterer Nuancierung. Wurde vorher zwischen Märtyrern und Bekennern unterschieden, so zieht der Verfasser jetzt noch eine Grenzlinie durch die Gruppe der Märtyrer. Auf dem Berg, der die Märtyrer symbolisiert, befinden sich Bäume mit besonders schönen und andere mit weniger schönen Früchten[27]. Beide Gruppen von Märtyrern sind in Ansehen bei Gott; ihre Sünden sind getilgt, weil sie wegen des Namens des Gottessohnes gelitten haben[28]. Doch haben die einen bereitwillig gelitten, während sich die anderen nur zögernd für das

---

[22] Vgl. Offb 12,10f. u. 15,2. Siehe auch Fr. J. Dölger, Der Kampf mit dem Ägypter in der Perpetua-Vision. Das Martyrium als Kampf mit dem Teufel = AuC III,177/88. Zum weißen Kleid s. Offb 3,5.18; 6,11; 7,9.13ff.; 19,8.14. Zum Motiv der Bekränzung s. A. J. Brekelmans, Martyrerkranz, 27/30.
[23] Sim VIII,3,7 (69,11f.).
[24] Vgl. ebd. 3,8 (69).
[25] Ebd. 6,6 (72) u. 7,3 (72f.).
[26] Vgl. Ph. Vielhauer bei Hennecke—Schneemelcher II,447f.
[27] Sim IX,28 (96f.).
[28] Ebd. 28,3 (96,19/21).

Martyrium entschlossen haben, nachdem sie zunächst geschwankt hatten, ob sie bekennen oder leugnen sollten. Das Ansehen der ersten Gruppe ist größer bei Gott als das der zweiten. Die längeren, paränetisch gestimmten Äußerungen zur zweiten Gruppe und die Tatsache, daß dieses Thema erst jetzt begegnet, könnten besagen, daß die Sache in der Zwischenzeit, zwischen der Abfassung des früheren Buches und des Nachtrags, akut geworden ist.

Für Hermas hat das Martyrium sündentilgende Kraft. Die Märtyrer sind Gott zu Dank verpflichtet, weil Gott sie gewürdigt hat, im Martyrium eine Heilung all ihrer Sünden zu erlangen[29]. Ihnen schenkt Gott das Leben. Hermas spricht von solchen, deren Sünden so schwerwiegend waren, daß sie, wenn sie nicht um des Herrn Namen willen gelitten hätten, für Gott tot gewesen wären. Wer leugnet, gelangt in das Gefängnis; wer zunächst unsicher ist, aber dann bekennt, erhält so die Tilgung der Sünden und das göttliche Leben[30]. Die Vorstellung der sündentilgenden Kraft des Martyriums hängt mit der Bußthematik des Buches zusammen. Das Martyrium ersetzt die Buße. Man muß deshalb nicht auf den jüdischen Sühnegedanken rekurrieren, nach dem der Tod, auch der Märtyrertod, sündentilgend ist, wenn auch der Einfluß eines solchen Denkens nicht gänzlich ausgeschlossen werden kann[31]. Auf keinen Fall liegt hier die Idee der stellvertretenden Sühne vor, da ja ausdrücklich von den eigenen Sünden der Märtyrer die Rede ist. Die folgende Zeit behandelt das Thema der sündentilgenden Kraft des Martyriums gern im Vergleich des Märtyrertodes mit der Taufe. Das Martyrium ist die Bluttaufe[32].

Der Hirt des Hermas bezeugt eine fest fixierte Märtyrervorstellung, die jedoch nicht mit der Zeugnisterminologie verbunden ist. Der Märtyrer ist jemand, der wegen des Glaubens gelitten hat. Das Partizip παϑόντες ist »Ersatzwort für den Märtyrertitel«[33]. Die

---

[29] Ebd. 28,5 (96,30/97,1).

[30] Vgl. ebd. 28,6—8 (97). Hermas spricht lebende Christen im Blick auf ihr mögliches Martyrium an.

[31] Vgl. E. Lohse, Märtyrer und Gottesknecht, 38/63, 72/8, 205f.

[32] Vgl. W. Hellmanns, Wertschätzung des Martyriums als eines Rechtfertigungsmittels in der altchristlichen Kirche bis zum Anfange des vierten Jahrhunderts (Breslau 1912), zu Hermas 10/2; Fr. J. Dölger, Gladiatorenblut und Martyrblut. Eine Szene der Passio Perpetuae in kultur- und religionsgeschichtlicher Beleuchtung = Vorträge der Bibliothek Warburg 3 (1926) 196/214; ders., Tertullian über die Bluttaufe. Tertullian De baptismo 16 = AuC II, 117/41; E. Dassmann, Sündenvergebung durch Taufe, Buße und Martyrerfürbitte in den Zeugnissen frühchristlicher Frömmigkeit und Kunst (Münster 1973) = MBTh 36,153/71.

[33] N. Brox, Zeuge und Märtyrer, 226.

Zeit ist auf der Suche nach einem knappen, eindeutigen Terminus, den jedoch der Hirt des Hermas noch nicht gefunden hat.

Die Visionen des Buches beziehen sich auf die irdische und himmlische Kirche und verschränken die Gegenwart, in die das Bußthema gehört, mit dem zukünftigen Gericht. Da die Märtyrer jedoch bereits gestorben sind, handeln die ihnen geltenden Aussagen vom himmlischen Geschehen. Die Blutzeugen haben die ganze Vollendung erreicht, die jedoch nicht nur ihnen, sondern auch anderen Gerechten gilt. Das jenseitige Heil ist gestuft; doch muß man zwischen der Vorstellung des unterschiedlichen Lohnes und der verschiedenen Ehre bei Gott unterscheiden. Bekenner, Märtyrer geringerer Martyriumsbereitschaft und Märtyrer, die ohne Bedenken zum Bekenntnis geschritten sind, stehen in unterschiedlichem Ansehen bei Gott und, so kann man hinzufügen, bei Hermas selbst und denen aus der römischen Kirche, die so dachten wir er. Ansätze zur Hervorhebung des himmlischen Geschicks der Märtyrer wurden bereits bei Dan 12,3 und Offb 20,4—6 festgestellt. Weiter kann man an 1 Clem 5,4.7 denken. Der äthiopische Text der Petrusapokalypse läßt die um der Gerechtigkeit Jesu willen Verfolgten an der Seligkeit der alttestamentlichen Väter teilnehmen[34]. Doch ist nicht ersichtlich, ob damit das himmlische Geschick der Genannten von dem anderer unterschieden werden soll. Zu Hermas ist zu sagen, daß er die Märtyrer zwar hervorhebt, aber doch weiß, daß die Vollendung der Märtyrer auch anderen gerecht lebenden Christen offensteht[35]. Das Buch enthält sicherlich manche jüdischen Traditionen, die wohl vor allem durch die Apokalyptik überliefert worden sind. Manches, was jüdisch klingt, gehört jedoch eher in das Bußthema als in den Bereich jüdischen Denkens. Auch die Vorstellung von der sündentilgenden Kraft des Martyriums dürfte in der Bußthematik wurzeln. Für die Idee der Anerkennung und des Ruhmes bei Gott läßt sich eine Verbindung zum antiken und besonders zum römischen Ruhmesgedanken wahrscheinlich machen.

4. Die Entstehung des Martystitels

Der Hirt des Hermas zeigt, daß die damalige Zeit auf der Suche nach einer knappen und eindeutigen Benennung dessen war, der für seinen christlichen Glauben starb. Der Tod um des Glaubens willen galt nicht mehr als ein Verfolgungsgeschick, das grausamste zwar, neben anderen, sondern als ein besonderes Faktum, das durch

---

[34] C. 16 (Äth.); Hennecke—Schneemelcher II,482.

[35] Zur späteren Spekulation vgl. A. Quacquarelli, Il triplice frutto della vita cristiana: 100, 60 e 30 (Matteo XIII-8, nelle diverse interpretazioni) (Rom 1953).

besondere Würde ausgezeichnet war und das man von einem Verfolgungsleiden ohne tödlichen Ausgang unterschied. Hermas benutzt das Partizip παθόντες, um diejenigen zu bezeichnen, die als Märtyrer gestorben sind, und erklärt durch Zusätze[1], daß der christliche Glaube der Betroffenen die Ursache des Todes ist. Diese Sprachregelung hat sich in der Folgezeit nicht durchgesetzt, wohl aber eine andere, die in der erhaltenen Literatur der Alten Kirche zum ersten Mal im Polykarpmartyrium begegnet. Derjenige, der wegen des christlichen Glaubens stirbt, ist ein μάρτυς; μαρτυρεῖν heißt: als Märtyrer sterben und »μαρτυρία bzw. μαρτύριον ist das Martyrium, das heißt der Vorgang des Leidens und Sterbens, das um des Festhaltens am Glauben willen ertragen wird«[2]. Dieser Wortgebrauch wird im Martyrium Polycarpi nicht eigens erklärt, er muß also der Gemeinde von Smyrna als dem Absender des Briefes, in dem das Martyrium des Polykarp beschrieben wird, und der Gemeinde von Philomelium als dem Empfänger bereits geläufig gewesen sein, während er kurz zuvor in Rom nicht bekannt war[3].

Die neutestamentlichen Schriften kennen, wie N. Brox gezeigt hat, die martyrologische Verwendung der Zeugnisterminologie noch nicht. Eine martyrologische Interpretation des Zeugen der Offenbarung des Johannes ist zumindest unwahrscheinlicher als die Deutung auf den Wortzeugen. Der überwiegende Teil der neutestamentlichen Belege zur Wurzel μαρτ- spricht vom Wortzeugnis und von der Augenzeugenschaft; doch gibt es auch, entsprechend antikem Sprachgebrauch, die Vorstellung des Tatzeugnisses. Zu nennen sind Mk 1,44parr; 6,11; Lk 9,5; Apg 14,3; Joh 5,36; 10,25; 1 Joh 5,6—8; 1 Tim 5,10; Hebr 2,4; 12,1 und 1 Petr 5,1[4]. Unter diesen Stellen kommt 1 Petr 5,1 der martyrologischen Verwendung der Zeugnisterminologie am nächsten. Petrus ist als einer, der Leiden ertragen hat, Zeuge der Leiden Christi. Er bezeugt mit seiner Erfahrung, daß Leiden zum Leben der Jesus Nachfolgenden gehören, weil Jesus selbst gelitten hat. Allerdings meint der Zeugnisbegriff hier nicht, selbst wenn der Verfasser von 1 Petr an den Märtyrertod des Petrus gedacht haben sollte, das Blutzeugnis wie im Polykarpmartyrium. Μάρτυς ist in 1 Petr 5,1 noch nicht terminus

---

[1] ἕνεκεν τοῦ ὀνόματος (τοῦ κυρίου); ὑπὲρ τοῦ ὀνόματος; διὰ τὸ ὄνομα; ὑπὲρ τοῦ νόμου; vgl. N. Brox, Zeuge und Märtyrer, 226.

[2] Ebd. 227.

[3] Man kann nicht gut annehmen, Hermas hätte ihn gekannt, jedoch nicht verwandt. Denn welchen Grund sollte er angesichts seines Interesses an einer eindeutigen terminologischen Fixierung des Martyriums gehabt haben, seinen umständlicheren Begriff gegen einen einfacheren zu verteidigen?

[4] Vgl. N. Brox, 193/5; W. Rordorf, Martirio e testimonianza, 256.

technicus für Blutzeuge. Eine solche Verwendung der Zeugnisterminologie liegt, wie gezeigt worden ist, ebensowenig in 1 Clem
5,4.7 vor. Das Zeugnis der beiden Apostel ist eher ihre Verkündigung und speziell ihr Wort in der Prozeßsituation als der Märtyrertod. Auch die Ignatianen und der Polykarpbrief kennen noch
nicht den spezifischen Gebrauch der Zeugnisterminologie. Dieser ist
ebenfalls noch um 140 in Rom unbekannt, während er rund 20
Jahre später in Kleinasien so geläufig ist, daß er nicht eigens
erklärt werden muß. Die Wahrscheinlichkeit spricht dafür, daß er
in den Jahrzehnten vor der Abfassung des Polykarpmartyriums in
Kleinasien aufgekommen ist. Dann aber empfiehlt es sich, in den
kleinasiatischen Schriften der Zeit nach Anzeichen zu suchen, die
erklären können, welche Vorstellungen bei der Ausbildung des
martyrologischen Gebrauchs der Zeugnisterminologie eine Rolle
gespielt haben.
N. Brox verweist auf die bei Ignatius begegnende Vorstellung,
daß das Martyrium ein antidoketischer Beweis ist[5]. Im Brief an
die Smyrnäer 5,1 heißt es, daß weder die Prophetensprüche, noch
das Gesetz des Mose, nicht einmal das Evangelium, noch »unsere
Leiden Mann für Mann« die Doketen überzeugt haben[6]. Das Martyrium hat also, so wie die Prophetensprüche, das Gesetz des Mose
und das Evangelium die Bedeutung eines Beweises für die volle
Realität des Leidens Jesu. Dieser Gedanke ist auch in Trall 10 und
in Sm 4,2 enthalten. Der diesen Aussagen zugrundeliegende Gedankengang läßt sich aus Sm 2 und 3 erheben. Ignatius schreibt dort,
daß Jesus Christus unsertwegen litt, damit wir gerettet würden, und
daß er wirklich litt, wie er sich auch wirklich auferweckte[7]. Ignatius weiß und glaubt, daß Christus auch nach der Auferstehung im
Fleische ist. So hat er sich denen um Petrus gezeigt, die ihn auf
seine Aufforderung hin berührten und glaubten. »Deshalb verachteten sie auch den Tod, sie wurden vielmehr erhaben über den Tod
erfunden«[8]. Die Bereitschaft zum Martyrium basiert auf dem Glauben an die volle Realität der Auferstehung Jesu, der die Wirklichkeit des Leidens entspricht. Weil Christus wirklich und nicht nur
zum Schein gelitten hat und weil er wirklich, leibhaftig auferstanden ist, sind die Apostel und ist Ignatius selbst zum Martyrium
bereit, weil, so kann man hinzufügen, die volle Realität der Auf-

---

[5] N. Brox, 211/5, 222/5, 232/7. Vgl. auch ders., »Zeuge seiner Leiden«. Zum
Verständnis der Interpolation Ign. Rom. II,2 = ZKTh 85 (1963) 218/20.
[6] 206,21/208,2 Fischer.
[7] Sm 2 (204,19f.).
[8] 3,2 (206,7f.).

erstehung Jesu auch die Wirklichkeit des ewigen Lebens der Märtyrer garantiert.

N. Brox möchte nun von dieser bei Ignatius begegnenden Bedeu-
tung des Martyriums als eines antidoketischen Beweises her die
Entstehung des Martystitels erklären. Ergänzend weist er hin auf
Adversus haereses III,18,5 und auf Polykarp, Ad Philippenses 7,1.
Der Titel »Martys« wäre demnach geprägt worden, um den um
des Glaubens willen sterbenden Christen gegenüber den Doketen
als Zeugen des leidensfähigen Christus zu bezeichnen. Aus einem
Kampfwort wäre die Ehrenbezeichnung geworden. Gegen diese
Deutung wendet sich W. Rordorf, der bezweifelt, daß das durch
den Märtyrer ergehende antidoketische Zeugnis für die Leidens-
fähigkeit Christi Ursprung des von der gesamten Kirche übernommenen Martystitels ist[9]. Er weist darauf hin, daß der Terminus
zuerst in Briefen begegnet, die an christliche Adressaten gerichtet
sind. Das Zeugnis beziehe sich daher nicht auf die Heiden, sondern
auf die Christen selbst. Der Märtyrer sei in diesen Schriften durch
sein Leiden und seinen Tod ein Zeuge der Auferstehung des Leibes,
weil Christus in ihm und in seinem Körper die eigene, den Tod
besiegende Kraft bezeugt[10]. Allerdings stellt sich die Frage, ob
diese, vor allem im Brief der Gemeinden von Lyon und Vienne enthaltene Sicht des Märtyrers auch wirklich Pate gestanden hat bei
der Entstehung des Martystitels. Daß diese Sicht dort vorliegt, hat
W. Rordorf gezeigt. Aber war sie auch bestimmend für die Entstehung des Terminus? Ein fertig vorliegender Titel kann mit Ideen
verknüpft werden, die nicht ursprünglich zur Bildung des Terminus
geführt haben.

Der Martystitel ist in den Jahrzehnten zwischen Ignatius und dem
Polykarpmartyrium in Kleinasien aufgekommen. Insofern ist es
tatsächlich nicht falsch, bei Ignatius anzusetzen. Doch wird man
suchen müssen, ob sich nicht eine breitere Basis als die von N. Brox
angegebene finden läßt. Die Frage ist, ob sich in den Briefen des
Ignatius ein zentraler Gedankenkomplex entdecken läßt, in den
der Titel »Martys« paßt, und ob ein solcher Vorstellungskreis,

---

[9] W. Rordorf, Martirio e testimonianza, 241f.

[10] Ebd. 256f.: »il martire cristiano diventa per la sua sofferenza e la sua morte,
un testimone della resurrezione del corpo, perché il Cristo testimonia in lui e
nel suo corpo, la propria potenza che vince la morte.« — Einen neuen Versuch,
den Martystitel zu erklären, hat D. van Damme, MAPTYC — XPICTIANOC.
Überlegungen zur ursprünglichen Bedeutung des altkirchlichen Märtyrertitels
= Freiburger Zeitschrift für Philosophie und Theologie 23 (1976) 286/303,
vorgelegt. Er bestimmt den Titel, ausgehend vom Brief der Gemeinden von
Lyon und Vienne, erneut vom Wortzeugnis her, kann dabei aber gerade nicht
den Wortgebrauch des Polykarpmartyriums erklären. Die Hinweise 293

wenn auch nur andeutungsweise, noch im Polykarpmartyrium auf-
taucht. Da dieses Martyrium den Martystitel als selbstverständlich
voraussetzt, kann man keine Definition erwarten, aber vielleicht
doch auf Indizien stoßen, die einige Folgerungen gestatten.

Es fällt auf, daß Ignatius häufiger von der Übereinstimmung zwischen dem Bereich des Redens und Lehrens auf der einen Seite
und des Tuns auf der anderen Seite spricht. In IgnEph 15,1 heißt
es: »Besser ist schweigen und sein als reden und nicht sein. Gut ist
das Lehren, wenn man tut, was man sagt. So ist nur einer Lehrer,
der da sprach und es geschah, und was er schweigend getan hat,
ist des Vaters würdig«[11]. Als Beispiel für die perfekte Übereinstimmung zwischen Lehren und Tun wird der Lehrer par excellence, Jesus Christus, genannt. Die Ausdrucksweise[12] läßt zwar an
eine Schöpfertätigkeit denken, doch legt es der Kontext nahe, zu
vermuten, daß die Übereinstimmung zwischen Lehren und Tun im
Leben des irdischen Jesus gemeint ist[13]. Das Tun Jesu ist für
Ignatius vor allem das Leiden, das auch hier gemeint sein dürfte.
Die Kongruenz zwischen Reden und Sein, die Jesus voll und ganz
verwirklicht hat, ist Aufgabe des Christen. »Man erkennt den Baum
an seiner Frucht; so werden die, die sich als Anhänger Christi
bekennen, an ihrem Tun ersichtlich werden. Denn jetzt kommt es
nicht auf das Bekenntnis an, sondern ob einer in der Wirkkraft des
Glaubens erfunden wird bis ans Ende«[14]. Das Tun zeigt, ob jemand
wirklich auf der Seite Christi steht. Zum Glauben gehört die Liebe;
beides muß auf Jesus Christus ausgerichtet sein[15]. Die Wirkkraft
des Glaubens ist das dem Glauben entsprechende Tun in der
Liebe.

Im Brief an die Magnesier 4 schreibt Ignatius, daß es geziemend
ist, nicht nur Christ zu heißen, sondern es auch zu sein[16]. In 10,1
heißt es: »Lernen wir deshalb, da wir seine Jünger geworden sind,
dem Christentum entsprechend zu leben«[17]. Nach Ignatius ist es
fehl am Platze, Jesus Christus zu sagen und more iudaico zu leben[18].
Wer sich nach jüdischen Bräuchen richtet, bekennt dadurch, daß
er die in Jesus Christus geschenkte Gnade nicht empfangen hat[19].

u. 298 genügen m. E. nicht. Auch in Mart. Pol. 13,2 dürfte doch eher das Blutzeugnis gemeint sein (zu 298).

[11] 154,5/7 Fischer; die Übers. ebd. 155.
[12] Er sprach und es geschah. Vgl. Ps 33,9.
[13] Vgl. Fr. Normann, Christos Didaskalos, 88f.
[14] IgnEph 14,2 (154,1/4; die Übers. 155). Vgl. Mt 7,16-20; 12,33; Lk 6,43f.
[15] IgnEph 14,1f. (152,9/154,1).
[16] Magn 4 (164,4f.).
[17] Ebd. 10,1 (168,5f.).
[18] Ebd. 10,3 (168,10f.).   [19] Ebd. 8,1 (166,10f.).

Im Tun ist ein Bekenntnis enthalten. In 8,2 spricht Ignatius von den Propheten, in denen er Christen vor Christus sieht. Sie wurden bereits von der Gnade Christi angeweht, damit sie die Ungehorsamen von dem einen Gott, der sich durch seinen Sohn Jesus Christus offenbart, überzeugten. Ihr Lebenswandel entsprach ihrem Wort: »Denn die Gott sehr nahestehenden Propheten haben gemäß Christus Jesus gelebt; deswegen wurden sie auch verfolgt...«[20]. Es läßt sich nicht gut entscheiden, ob gesagt werden soll, daß das Verfolgungsgeschick zum Leben κατὰ Χριστόν gehört, weil auch Christus gelitten hat, oder ob gemeint ist, daß die christliche Lebenspraxis der Propheten die Konsequenz hatte, daß sie von Übelwollenden verfolgt wurden, so wie auch Christus verfolgt wurde. Die Erwähnung der »Ungehorsamen« im Kontext läßt eher an die zweite Möglichkeit denken. Ignatius hat der Tradition vom gewaltsamen Geschick der Propheten eine seinem Denken entsprechende christliche Interpretation gegeben.

Ignatius betont also, daß das Tun dem Denken und Sprechen entsprechen muß; im Tun wiederum sieht er ein Sprechen und Bekennen. Im Brief an die Trallianer 3,2 nennt er die Haltung des Bischofs der Gemeinde eine »große Unterweisung«. Seine Sanftmut ist eine Macht. Ihn achten, wie Ignatius meint, auch die Heiden[21]. Die Haltung des Bischofs ist ein belehrendes und wirkkräftiges Wort, das auch bei den Heiden Eindruck macht. Der Bischof der Gemeinde von Philadelphia vermag schweigend mehr als die, die eitel reden, denn er stimmt mit den Geboten überein wie eine Zither mit den Saiten[22].

Im Brief an die Römer spricht Ignatius von seinem Martyrium. Er macht sich Sorge, daß sich die römische Gemeinde für ihn verwenden könnte, so daß es nicht zum Martyrium kommen würde. Die Römer sollen von ihm schweigen und nichts unternehmen. Wenn sie sich so verhalten, wird er als Märtyrer sterben; wenn sie ihn jedoch für das irdische Leben retten wollen, schaden sie ihm nur. »Denn wenn ihr von mir schweigt, werde ich ein Wort Gottes sein; wenn ihr aber mein Fleisch liebt, werde ich wiederum (nur) ein

---

[20] Ebd. 8,2 (166,11f.).
[21] Trall 3,2 (174,7/9).
[22] Phld 1,1f. (194,14f.). Zum Schweigen des Bischofs bei Ignatius vgl. P. Meinhold, Schweigende Bischöfe. Die Gegensätze in den kleinasiatischen Gemeinden nach den Ignatianen = Festgabe Joseph Lortz II (Baden-Baden 1958) 467/90, hier 470 u. 489. Das Schweigen beziehe sich auf die fehlende pneumatische Begabung und den Verzicht auf freie pneumatische Gebete. Doch dürfte mit dieser Deutung nur ein Teilaspekt des Themas getroffen sein.

Laut sein«[23]. Der nicht leicht zu verstehende Satz kann von der hier besprochenen Thematik her interpretiert werden. Der Märtyrertod des Ignatius hat Wortcharakter. Wenn die Römer schweigen und er das Martyrium erleidet, ist er als Märtyrer ein von Gott herkommendes Wort. Die Haltung des Bischofs der Trallianer ist eine große Unterweisung, der Märtyrer Ignatius ein Wort Gottes. Wenn die Römer jedoch bewirken, daß er nicht stirbt, sondern weiterlebt, ist er nur Laut, d. h. ein undeutlicher, ungeformter Schall. Die Frage nach dem Inhalt des Wortes, das der Märtyrer ist, läßt sich vom folgenden Abschnitt 3,2f. her beantworten. Ignatius möchte als Märtyrer sterben, er weiß jedoch, daß er noch nicht am Ziel ist, und kennt die menschliche Schwäche. Er bittet daher die Römer, sie möchten ihm Kraft erbitten, damit er nicht nur redet, sondern auch den Willen zur Tat hat, damit er nicht nur Christ heißt, sondern es auch wirklich ist. Denn wenn er als Christ erfunden ist, d. h. wenn er durch den Märtyrertod Christ nicht nur dem Namen nach, sondern in Wirklichkeit ist, dann kann er mit vollem Recht auch so heißen, und zwar dann, wenn er als Gestorbener für die Welt nicht mehr zu sehen ist[24]. Der Märtyrertod ist die Tat par excellence, um nicht nur Christ zu heißen, sondern es auch zu sein. Das Wort, zu dem Ignatius im Akt des Martyriums wird, ist deshalb das zur höchsten Tat verdichtete Wort, das den Christen ausmacht, der durch die Tat des Märtyrertodes geäußerte und bekräftigte christliche Glaube. Für diese Tat bedarf der Märtyrer der göttlichen Kraft, um die im Gebet zu bitten die Römer aufgefordert werden.

Die Schlußwendung von 3,2 führt Ignatius dazu, von Christus zu sprechen (3,3). Wenn er gestorben und für die Welt nicht mehr sichtbar ist, gleicht er Christus, der dem irdischen Leben enthoben und im Vater ist. Diese Seinsweise ist der irdischen überlegen. Nichts, was sichtbar ist, ist wirklich gut. Dadurch daß Christus im Vater ist, tritt er um so mehr in Erscheinung[25]. Jetzt ist sein wahres göttliches Sein sichtbar. Der folgende Satz schließt den Gedankengang ab: »Nicht das Werk von Überredung, sondern etwas Großes ist das Christentum, wenn es von der Welt gehaßt wird«[26]. Der Überredung, die in den Bereich des Lehrmäßigen und des Redens gehört, wird die Größe des Christentums gegenübergestellt, die in der die lehrhafte Seite des christlichen Glaubens übersteigenden

---

[23] IgnRöm 2,1 (184,5/7): ἐὰν γὰρ σιωπήσητε ἀπ᾽ ἐμοῦ, ἐγὼ λόγος θεοῦ· ἐὰν δὲ ἐρασθῆτε τῆς σαρκός μου, πάλιν ἔσομαι φωνή.
[24] Ebd. 3,2 (184,13/6).
[25] Ebd. 3,3 (184,17/186,1).
[26] Ebd. (186,1f.).

Wirklichkeit der Erlösung und des daraus folgenden Tuns besteht. Diese Größe des Christentums wird deutlich, wenn es von der Welt gehaßt wird. Im Martyrium wird sichtbar, daß es nicht eine philosophische Lehre ist, sondern Erlösungswirklichkeit. Im Tod gelangt der Märtyrer zu Gott und zu Christus, der im Vater ist.

Fr. Normann hat darauf aufmerksam gemacht, daß Ignatius durch die Benennung Christi als Didaskalos, durch die Hervorhebung des Mathetes-Begriffes und allgemein durch Indizien seines Wortschatzes eine Strömung in der jungen Kirche anzeige, »die dahin geht, das Christentum weitgehend als eine ›Lehre‹ zu verstehen«[27]. Andererseits spreche er aber auch pointiert von der Heilswirksamkeit des Kreuzes und Todes Christi. Der hier besprochene Gedankenkreis zeigt, wie er die Verbindung zwischen den beiden Tendenzen geschaffen hat. Das Christentum ist Lehre, aber es kommt darauf an, daß man tut, was man sagt. Christliche Lehre und christliches Tun wurzeln in der Heilswirksamkeit des Todes Jesu; das Tun macht darüber hinaus die Realität der Erlösung deutlich und muß von daher verstanden werden. Gerade weil der Mathetes-Begriff bei Ignatius eine intellektuelle Färbung hat, tritt ergänzend der Mimesis-Gedanke hinzu. Die Christen sind Jünger und Nachahmer Christi und Gottes. Über diesen allgemeinen Mathetes- und Mimesis-Gedanken hinaus kennt Ignatius eine spezielle Anwendung beider Begriffe auf den Märtyrer. Er selbst ist zwar, wie die Christen allgemein, ein Jünger, andererseits ist er noch auf dem Weg, es zu werden und im Märtyrertod zu sein[28]. Dann ist er auch ein Nachahmer des Leidens Jesu. An die Römer schreibt er: »Gestattet mir, ein Nachahmer des Leidens meines Gottes zu sein«[29]. Der Märtyrer ist voll und ganz Jünger, weil er in seinem Tod den Tod Jesu nachahmt. Die Jüngerschaft vollendet sich, wenn das Tun dessen, was man glaubt, sagt und lehrt, die dem Tod Jesu entsprechende Gestalt annimmt. Wie das Tun redend ist und das Wort bekräftigt, so ist die höchste Tat des Jüngers ein Wort, Wort Gottes, wie Ignatius sagt.

Mit diesem Gedankenkreis des Ignatius berühren sich nun zwei Stellen des Polykarpmartyriums, in denen auch das Wort μάρτυς begegnet. 17,3 bestimmt den Unterschied zwischen der Anbetung Christi und der den Märtyrern entgegengebrachten Verehrung: »Diesen (Christus) beten wir an, weil er der Sohn Gottes ist, die Märtyrer (μάρτυρας) aber lieben wir als Jünger (μαθητάς) und

---

[27] Fr. Normann, Christos Didaskalos, 83/91, hier 91.
[28] Vgl. IgnEph 1,2 (142,13); 3,1 (144,8f.); IgnRöm 5,3 (188,5). Siehe auch N. Brox, Zeuge und Märtyrer, 207/9.
[29] IgnRöm 6,3 (188,16f.): ἐπιτρέψατέ μοι μιμητὴν εἶναι τοῦ πάθους τοῦ θεοῦ μου.

Nachahmer (μιμητάς) des Herrn mit Recht wegen ihrer unüber-
trefflichen (oder: unüberwindlichen) Zuneigung gegenüber ihrem
König und Lehrer. Möge es geschehen, daß auch wir ihre Teilhaber
(κοινωνούς) und Mitjünger (συμμαθητάς) werden«[30]. Die andere
Stelle 19,1 sagt von Polykarp, daß er den Christen unvergeßlich
ist und daß selbst die Heiden noch überall von ihm sprechen.
»Er war nicht nur ein ausgezeichneter Lehrer, sondern auch ein hervorragender Märtyrer, dessen entsprechend dem Evangelium Christi
geschehenes Martyrium alle nachahmen wollten«[31].
Die Stelle 17,3 bezeichnet den Märtyrer mit den gleichen Worten,
die auch Ignatius auf ihn angewandt hat. Die Märtyrer sind μαθηταί
und μιμηταί. Die beiden Bezeichnungen stehen sicher nicht zusammenhanglos nebeneinander. Wahrscheinlich hat das Wort μαθητής
auch für den Verfasser des Polykarpmartyriums einen dem Bereich
der Lehre und der Schule zugeordneten Klang. Das zweite Wort
μιμητής hebt dagegen auf das Tun ab. Entsprechend den zwei
Bezeichnungen der Märtyrer sagt der Verfasser des Martyriums,
daß die Christen von Smyrna Mitjünger und Teilhaber der Märtyrer werden möchten. Συμμαθητής bedeutet wohl so viel wie
»Mitschüler«, während κοινωνός den Bereich des Geschehens betrifft. Die Gemeinde sehnt sich danach, in der Teilnahme am
Geschick der Märtyrer die Jüngerschaft zu verwirklichen. Christus
selbst wird »Lehrer« und »König« genannt; er lehrt also und übt
Herrschaft aus. Wieder wird ein Wort der Schulsprache durch
ein anderes ergänzt, das in den Bereich des Tuns und Wirkens
gehört. In dem Gebet, das Polykarp auf dem Scheiterhaufen
spricht, dankt er Gott dafür, daß die Menschen durch Jesus Christus die Kenntnis von ihm erhalten haben und daß er in der Zahl
der Märtyrer Anteil gewinnt am Kelch Christi zur Auferstehung
des ewigen Lebens[32]. Die Teilnahme am Kelch Christi meint das
Martyrium, die Schicksalsgemeinschaft zwischen Christus und dem
Märtyrer. Durch Christus haben die Christen Kenntnis von Gott
erhalten und die Möglichkeit, in der Teilnahme an seinem Geschick
das ewige Leben zu gewinnen.
An der zweiten, zuvor angeführten Stelle des Polykarpmartyriums
(19,1) werden in einer Steigerung die zwei Wörter διδάσκαλος und
μάρτυς nebeneinandergestellt. Das Wort μάρτυς ist terminus tech-

---

[30] H. Musurillo, The Acts of the Christian Martyrs (Oxford 1972) 16,3/7.
[31] 16,19/21 Musurillo: οὐ μόνον διδάσκαλος γενόμενος ἐπίσημος ἀλλὰ καὶ μάρτυς
ἔξοχος, οὗ τὸ μαρτύριον πάντες ἐπιθυμοῦσιν μιμεῖσθαι κατὰ τὸ εὐαγγέλιον
Χριστοῦ γενόμενον.
[32] 14,1f. (12,21/31).

nicus für den, der um des Glaubens willen stirbt. Doch klingt für
einen Griechen immer auch die Bedeutung »Zeuge« mit an. Beiden
Begriffen ist eine Beziehung zum Wort gemeinsam. Zugleich müssen sie sich unterscheiden, da μάρτυς in einer Steigerung dem
διδάσκαλος entgegengesetzt wird. Das Lehrersein wird durch das
Martyssein überboten. Der Martys ist jemand, der das, was er lehrt,
im Märtyrertod auch selbst verwirklicht. Diese Tat hat aber wiederum eine Beziehung zum Wort. Der Lehrer lehrt während seines
Lebens und legt Zeugnis ab in der Tat seines Todes um des Glaubens willen. Der Inhalt der Lehre und des Zeugnisses ist gleich,
nämlich der christliche Glaube als Kenntnis von Gott und als Erlösungswirklichkeit.
Der Titel »Martys« als Bezeichnung dessen, der wegen des christlichen Glaubens stirbt, dürfte in der aus den Ignatianen und dem
Polykarpmartyrium erhobenen Gedankenwelt verwurzelt sein. Der
Märtyrer ist jemand, der im Raum der Erlösungswirklichkeit und
mit Bezug zum Leiden Christi das Wort seines Glaubens durch die
Tat des Todes um des Glaubens willen bekräftigt und damit seinen
Glauben in der dem Jünger Christi höchstmöglichen Tat äußert.
Diese Äußerung des Glaubens in der Tat des Märtyrertodes richtet
sich an Christen und Heiden. Das Polykarpmartyrium berichtet,
daß Christen und Heiden nach dem Tod des Märtyrers von ihm
sprechen. Doch ist es nicht konstitutiv für den Titel, daß Heiden
tatsächlich zum Glauben gelangen. Der Akt der Bezeugung des
Glaubens im Märtyrertod, nicht der Erfolg dieses Zeugnisses ist
gemeint. Im Titel »Martys« ist also die Verdichtung des Wortes
des Glaubens im höchsten Tun und der Wortcharakter dieses Tuns
ausgesagt.
Mit der hier vorgetragenen Deutung soll nicht gesagt werden,
daß der Martystitel mit direktem Rekurs auf die Ignatiusbriefe
gebildet worden ist. Ignatius lebte in einer geistigen Welt, in der
auch die Christen nach ihm noch standen. In ihr war man bei aller
Treue zur christlichen Botschaft, die sich im Faktum des Martyriums zeigt, offen für Einflüsse der Umwelt. Gerade zu dem hier
genannten Vorstellungsbereich gibt es Parallelen in der zeitgenössischen Philosophie, die immerhin so deutlich sind, daß man den
Martystitel aus dem Sprachgebrauch des Epiktet ableiten wollte[33].
In der Stoa der Kaiserzeit hatte die Ethik das Übergewicht gewonnen[34]. Die stoische und die kynische Philosophie waren zu einer
praktischen Lebenskunst geworden, in der selbst individuelle

[33] Vor allem J. Geffcken, Die christlichen Martyrien = Hermes 45 (1910)
481/505.
[34] Vgl. M. Pohlenz, Die Stoa I,277/353; II,142/72.

Seelenführung einen Platz hatte[35]. Gleichzeitig fand ein voluntaristischer Zug Eingang in den überkommenen Intellektualismus. Der Philosoph wurde zum Lehrmeister des rechten Verhaltens, der seine Lebensführung nach seiner Lehre auszurichten hatte und auch von anderen die Übereinstimmung zwischen Lehre und Tun verlangte. Die innere Freiheit gegenüber allen Lebensumständen, auch gegenüber Krankheit, Feindschaft der Mächtigen und Tod, galt als Ideal, dessen Verwirklichung in Todesberichten vorbildlicher Stoiker gefeiert wurde[36].

Einen pointierten Ausdruck hat die Forderung der Übereinstimmung zwischen Lehre und Lebenspraxis vor allem bei Epiktet gefunden[37]: »Es ist heutzutage kein Mangel an philosophischen Erörterungen. Die Bücher der Stoiker sind voll davon. Woran mangelt es uns hingegen? An einem Manne, der Gebrauch davon macht; an einem Manne, der die Erörterungen mit seinen Handlungen bestätigt[38]. Übernimm diese Rolle, damit wir in der Schule nicht mehr alte Muster vonnöten haben, sondern auch einmal ein Muster unter« uns vorhanden sei«[39]. Innerhalb dieser Thematik nennt Epiktet den Philosophen auch einen μάρτυς[40]. An die, welche den Mangel fürchten[41], gewandt, sagt er[42]: »So wenig sollte sich Gott um seine Werkzeuge, seine Diener, seine Zeugen kümmern, die einzigen, die er bei den Unwissenden als Beweise brauchen kann, daß er ist und die Welt wohl regiert und die menschlichen Begebenheiten nicht außer Acht läßt und daß einem guten Manne weder im

---

[35] Vgl. P. Rabbow, Seelenführung. Methodik der Exerzitien in der Antike (München 1954).

[36] Zu den antiken Todesberichten nicht nur stoischer Provenienz vgl. A. Ronconi, Exitus illustrium virorum = Studi Italiani di Filologia Classica. Nuova Serie 17 (1940) 3/32; ders., Art. Exitus illustrium virorum = RAC VI, 1258/68; F. A. Marx, Tacitus und die Literatur der exitus illustrium virorum = Philologus 92 (1937) 83/103; E. Benz, Das Todesproblem in der stoischen Philosophie, bes. 111/9; J. Leipoldt, Der Tod bei Griechen und Juden; P. Schunck, Römisches Sterben. Studien zu den Sterbeszenen in der kaiserzeitlichen Literatur, insbesondere bei Tacitus (phil. Diss. Heidelberg 1955); C. Zäch, Die Majestätsprozesse unter Tiberius in der Darstellung des Tacitus (Winterthur 1972). Siehe auch W. Schmidt, De ultimis morientium verbis (Marburg 1914) u. K. Sauer, Untersuchungen zur Darstellung des Todes in der griechisch-römischen Geschichtsschreibung (Frankfurt 1930).

[37] Diss. I,29,56f. (108,3/8 Schenkl²). Die Übers. nach R. Mücke, Epiktet, 85.

[38] ... ὁ ἔργῳ μαρτυρήσων τοῖς λόγοις. I,29,56 (108,5f.).

[39] Zum Thema der Ergänzung der alten Beispiele durch neue vgl. 1 Clem 5,1.

[40] Vgl. L. Sanders, L'Hellénisme de Saint Clément, 21/8; N. Brox, Zeuge und Märtyrer, 178/82.

[41] Überschrift zum ganzen Abschnitt Diss. III,26 (345,11): Πρὸς τοὺς τὴν ἀπορίαν δεδοικότας.

[42] Diss. III,26,28 (350,20/351,4). Die Übers. nach R. Mücke, Epiktet, 258f.

Leben noch im Tode ein Übel widerfährt?« Der Weise, der tut,
was er sagt, der gemäß der Maxime lebt, daß ihm weder im Leben
noch im Tod ein Übel widerfährt, da sein Wohl in der von allen
äußeren Umständen unbeeinflußbaren Sittlichkeit besteht, ist ein
lebender Theodizeebeweis. Die Verknüpfung der Forderung, Lehre
und Tun in Einklang miteinander zu bringen, mit der Zeugnisterminologie ist eine Eigenart des Epiktet. Die Forderung selbst ist
jedoch allgemein geläufig, auch das Wissen darum, daß eine durch
die Praxis unterstrichene ethisch ausgerichtete Philosophie Wirkungen auf die Umwelt hervorruft. In formelhafter Kürze heißt es bei
Seneca: *concordet sermo cum vita*[43].

Die Forderung der Übereinstimmung zwischen der Überzeugung
und dem Tun begegnet auch im 4. Makkabäerbuch, das den stoischen Gedanken mit der jüdischen Idee des absoluten Gesetzesgehorsams verbindet. Der Verfasser bezeichnet das Martyrium ausdrücklich als eine den Glauben bekräftigende Tat, die selbst wieder
aussagekräftig ist. Eleasar hat durch die Taten des Martyriums die
Worte seiner göttlichen Philosophie bewahrheitet (7,9)[44]. Sein
gesetzestreues Leben ist durch das Siegel des Todes vollendet
worden (7,15)[45]. Die Märtyrer sind zum Kampf berufen für die
διαμαρτυρία des Volkes (16,16)[46]. Im Martyrium, das die Märtyrer
stellvertretend für die Gesamtheit erleiden, legt das Volk Zeugnis
ab. Schließlich kann man auch auf 12,16 in der Überlieferung des
Codex Alexandrinus hinweisen, wonach der Jüngste der sieben
Brüder sagt: »Ich weiche nicht der μαρτυρία meiner Brüder aus«[47].
Der Sinaiticus hat statt μαρτυρία das Wort ἀριστεία. Die Lesart
μαρτυρία kann durch christlichen Einfluß in den Text geraten
sein[48], sie kann aber auch ursprünglich sein[49]. Das 4. Makkabäerbuch kennt also die der Stoa der Kaiserzeit geläufige Thematik,
daß die Taten das Wort unterstreichen und daß die Tat selbst
aussagekräftig ist. Das hellenistisch-jüdische Buch bezieht dieses
Motiv auf das Martyrium als Ausdruck des absoluten Gesetzesgehorsams. In dem Zusammenhang verwendet 4 Makk das Wort
διαμαρτυρία und vielleicht auch den Begriff μαρτυρία. Man muß
nun nicht annehmen, daß 4 Makk von Epiktet abhängig ist. Vielmehr ist damit zu rechnen, daß eine gemeinsame Mentalität dazu
führen kann, daß unabhängig voneinander ein Sprachgebrauch
entsteht, der parallele Züge aufweist.

---

[43] Ep. 75,4 (271,17f. Hense²).   [44] Rahlfs I,1167.
[45] Ebd.   [46] Ebd. 1181.
[47] Ebd. 1175 (Apparat).   [48] So H. Strathmann, Art. μάρτυς, 485, Anm. 24.
[49] Vgl. O. Perler, Das vierte Makkabäerbuch, Ignatius von Antiochien und die
ältesten Martyrerberichte, 65.

Zwischen dem 4. Makkabäerbuch auf der einen Seite und Ignatius und dem Polykarpmartyrium auf der anderen bestehen nun, wie O. Perler gezeigt hat, verwandtschaftliche Beziehungen[50]. Ob Ignatius das jüdisch-hellenistische Märtyrerenkomion gekannt hat, läßt sich nicht beweisen[51]. Sicherer ist, wie noch zu zeigen ist, eine Abhängigkeit des Polykarpmartyriums von 4 Makk. Immerhin kann man sagen, daß Ignatius in der Weise der Geschwisterschaft mit 4 Makk verwandt ist, während das Martyrium Polycarpi dann, unter dem Blickwinkel der Berührungspunkte mit der jüdischen Märtyrerschrift, zur Nachkommenschaft des jüdischen Vorgängers gehört. Wenn Ignatius 4 Makk nicht gekannt hat, so hat man in der Zeit zwischen Ignatius und dem Polykarpmartyrium in christlichen Kreisen angefangen, dieses Buch zu lesen. Man kann nun fragen, ob sich von dieser Feststellung her die Entstehung des christlichen Martystitels erklärt. Kann 4 Makk 16,16 und vielleicht 12,16 Christen angeregt haben, denjenigen, der um des Glaubens willen stirbt, einen Martys zu nennen? Eine solche Vermutung hat nicht die größte Wahrscheinlichkeit für sich. In 4 Makk taucht die Zeugnisterminologie nur sporadisch auf; sie ist nicht zentral, wenn auch die Sache, daß das Martyrium eine Aussage enthält, nicht nebensächlich ist. In den kleinasiatischen christlichen Kreisen der Zeit vor Abfassung des Polykarpmartyriums ist dagegen die Bezeichnung »Martys« ein allgemeingebräuchlicher terminus technicus geworden. Sollte eine eher beiläufige Bemerkung eine solche Wirkung hervorgerufen haben? Von zentralerer Bedeutung ist dagegen die Zeugnisterminologie bei Epiktet. Doch ist es nicht gut denkbar, daß Epiktet die Christen Kleinasiens dazu gebracht hat, den um des Glaubens willen Getöteten einen Martys zu nennen. Was zur Beziehung zwischen 4 Makk und Epiktet gesagt wurde, gilt auch hier. Die gemeinsame geistige Mentalität kann dazu führen, daß unabhängig voneinander Entwicklungen stattfinden, die man nicht nach dem Schema von Ursache und Wirkung erklären kann. Die Ausbreitungsgeschichte dieser Mentalität kann man nachzeichnen; doch muß man von ihr die Entstehungsgeschichte des Martystitels unterscheiden. Der Gedanke der Übereinstimmung von Wort und Tat und des Wortcharakters der Tat ist in der Stoa verwurzelt. Das hellenistische Judentum übernimmt ihn von dort her, verbindet ihn mit dem Thema des Märtyrertodes und gibt ihn so weiter ans Christentum. Gleichzeitig haben auch direkte Wege der Beeinflus-

---

[50] Ebd. 48/65 u. 66f.
[51] Vgl. V. C. Pfitzner, Paul and the Agon Motif, 198f. u. 200, Anm. 2. Pfitzner urteilt zurückhaltender als Perler, der an eine Abhängigkeit des Ignatius von 4 Makk denkt.

sung zwischen der Popularphilosophie und dem Christentum bestanden. In einem so geprägten christlichen Milieu hat man vom Martyrium gesprochen und nach einer eindeutigen Benennung des Märtyrers gesucht. Aus der christlichen Tradition kannte man die Zeugnisterminologie zur Bezeichnung des Wort-, Augen- und auch des Tatzeugnisses. Man verband sie nun mit einem neuen Sinn, entsprechend einem Denken, das bei Ignatius feststellbar ist[52]. Martys wurde zur Bezeichnung dessen, der im Tod um des Glaubens willen μαθητής und μιμητής Christi ist, der in der höchsten Tat das Wort des Glaubens verwirklicht und so im Martyrium den Glauben äußert. Die Zeugnisterminologie war offensichtlich zur Bezeichnung dieses Sachverhaltes geeignet. Der neutestamentliche Wortgebrauch zeigt, daß sie auch ein Tatzeugnis bezeichnen konnte. In 1 Petr 5,1 ist sie mit dem Thema des Leidens verbunden worden. Epiktet und 4 Makk auf der anderen Seite machen deutlich, daß es eine Affinität zwischen dem Gedankenkomplex Wort-Tat-Wort und den Wörtern des Stammes μαρτ- gab, die hier den Wortcharakter des das Wort unterstreichenden Tuns bezeichnen. Auslösendes Moment für das Zusammenwachsen des aus der neutestamentlichen Tradition übernommenen Wortes mit dem in der Stoa verwurzelten Gedanken war die Tatsache des Martyriums selbst und die Verselbständigung der Theologie des Martyriums, die aus dem größeren Bereich der Verfolgungsdeutung herauswuchs und zu einem eigenständigen Gewächs wurde. Eine Vorstufe zum Martystitel stellt die Martyriumstheologie des Ignatius dar. Im Polykarpmartyrium liegt dann der Titel bereits fest fixiert vor. Neben diesem terminologisch festgelegten Gebrauch der Zeugnisterminologie blieb eine unspezifische, allgemeine Verwendung der entsprechenden Wörter erhalten.

5. Ignatius von Antiochia

a) Die Gefangenschaft

Im vorhergehenden Abschnitt ist Ignatius bereits zu Wort gekommen. Es geht nun darum, das dort Gesagte zu einem Gesamtbild

---

[52] Mit der ignatianischen Wort-Tat-Thematik ist 1 Joh verwandt; vgl. 1 Joh 1,6f.; 2,4—6.9; 3,18. Ansatzpunkt für das Aufgreifen des in der Stoa beheimateten Gedankens der Übereinstimmung von Wort und Tat war die ältere christliche Paränese; vgl. Mt 7,15—27; Lk 6,43—49 u. IgnEph 14,2 (s. Anm. 14). Zu dieser Thematik s. E. Albrecht, Zeugnis durch Wort und Verhalten untersucht an ausgewählten Texten des Neuen Testaments (Basel 1977) = Theol. Diss. XIII. In der paulinischen Paränese geht es um die Einheit von Indikativ und Imperativ: Handle entsprechend dem Heil, das Dir geschenkt ist. Dieser Gedanke ist nicht identisch mit dem Motiv der Einheit von Wort und Tat.

seiner Theologie des Martyriums zu ergänzen[1]. Das Besondere dieser Martyriumssicht liegt darin, daß Ignatius im Angesicht seines eigenen Märtyrertodes sein Geschick deutet[2]. In allen Briefen, vor allem jedoch im Brief an die Römer, geht er auf seine Lage ein, die bestimmt ist durch die Gefangenschaftsreise und das unmittelbar bevorstehende Ziel des Märtyrertodes, um das er nicht gebracht werden möchte. Die Situation der Gefangenschaft bezeichnet er, indem er wie Paulus von seinen Fesseln spricht[3]. Paulus hatte im Philipper- und im Philemonbrief deutlich gemacht, daß er, indem er durch Menschen gefangen gehalten wird, in Wirklichkeit ein Gefangener Jesu Christi ist. In Eph 3,1 wird er gar *der* Gefangene Christi Jesu genannt. Seine Gefangenschaft ist die Konsequenz seines Glaubens und seines apostolischen Wirkens, in dem er sich total Christus zur Verfügung gestellt hat. Auch für Ignatius ist die Gefangenschaft ein religiöses Geschehen. Er ist gefesselt wegen des gemeinsamen Namens und der Hoffnung (IgnEph 1,2)

---

[1] Zur Martyriumstheologie des Ignatius vgl. H. Schlier, Religionsgeschichtliche Untersuchungen zu den Ignatiusbriefen (Gießen 1929) = Beihefte ZNW 8,135/74; H. v. Campenhausen, Die Idee des Martyriums, 67/78; Th. Preiss, La mystique de l'imitation du Christ et de l'unité chez Ignace d'Antioche = RHPhR 18 (1938) 197/241; H.-W. Bartsch, Gnostisches Gut und Gemeindetradition bei Ignatius von Antiochien (Gütersloh 1940) = BFChTh, 2. Reihe, Bd. 44, 80/98; E. Günther, Martys, 143/6; O. Perler, Das vierte Makkabäerbuch, Ignatius von Antiochien und die ältesten Martyrerberichte, 48/65; R. Bultmann, Ignatius und Paulus = Studia Paulina. In honorem Johannis de Zwaan Septuagenarii (Haarlem 1953) 37/51; N. Brox, Zeuge und Märtyrer, 203/25; P. Meinhold, Episkope — Pneumatiker — Märtyrer. Zur Deutung der Selbstaussagen des Ignatius von Antiochien = Saeculum 14 (1963) 308/24, hier 317ff.; W. H. C. Frend, Martyrdom and Persecution, 197/201; W. M. Swartley, The Imitatio Christi in the Ignatian Letters = VigChr 27 (1973) 81/103; M. Laracy, Cross and Church in the Spirituality of Ignatius of Antioch = American Ecclesiastical Review 67 (1973) 387/92; K. Bommes, Weizen Gottes. Untersuchungen zur Theologie des Martyriums bei Ignatius von Antiochien (Köln-Bonn 1976) = Theophaneia 27.

[2] Die Einleitungsfragen zu Ignatius bei J. A. Fischer, Die Apostolischen Väter, 111/41. Die neue literarkritische Hypothese von J. Rius-Camps, Las cartas auténticas de Ignacio, el obispo de Siria = Revista Catalana de Teologia 2 (1977) 31/149, bedarf noch der Überprüfung, die hier nicht geleistet werden kann (Kritik an R. Weijenborg, Les Lettres d'Ignace d'Antioche. Étude de critique littéraire et de théologie [Leiden 1969] ebd. 40/2). Zur juristischen Lage des Ignatius vgl. St. L. Davies, The Predicament of Ignatius of Antioch = VigChr 30 (1976) 175/80. Davies denkt an eine vorläufige Verurteilung während der Abwesenheit des Statthalters, die in Rom bestätigt und ausgeführt werden sollte, da die Vollstreckung der Todesstrafe nicht dem Vertreter des Statthalters erlaubt war.

[3] Zu Paulus vgl. Phil 1,7.13.14.17; Phlm 1.9.13; Eph 3,1; 4,1; Kol 4,3.18; 2 Tim 1,8; 2,9. Zu Ignatius s. IgnEph 1,2; 3,1; 11,2; 21,2; Magn 1,2; 12,1; Trall 1,1; 5,2; 10; 12,2; IgnRöm 1,1; Phld 5,1; 7,2; Sm 4,2; 10,2; 11,1.

oder einfach im Namen (IgnEph 3,1). In Christus Jesus trägt er die
Fesseln umher (IgnEph 11,2; vgl. Trall 1,1). Die Wendung »in
Christus Jesus« bedeutet bei Paulus: »im Kraftfeld des erhöhten
Pneuma-Christus leben, ... der die ihm angehörenden Glieder der
neuen Menschheit in sein Leben einbezieht«[4]. Bei Ignatius hat die
Formel nach K. Bommes einen vierfachen Sinn[5]: Sie kann eine
kausale Bedeutung haben und »Christus als den Grund für ein Sein
oder Geschehen bezeichnen«; sie kann modal eine Zugehörigkeit
zu Christus charakterisieren; sie kann im instrumentalen Sinn
»durch Christus« bedeuten und schließlich einen metaphorisch-
lokalen Sinn haben und »im Raum, in der Sphäre Christi« meinen.
Die letzte Bedeutung schwingt fast immer mit. Das christliche
Leben allgemein wie auch die Gefangenschaftsreise vollziehen sich
in der von Christus bestimmten Sphäre. Ursache der Fesseln ist der
christliche Glaube, die Zugehörigkeit zu Gott[6] und zu Christus. In
einer an 2 Tim 1,8.16 erinnernden Wendung schreibt Ignatius den
Smyrnäern, daß sie seine Fesseln nicht verachtet und sich ihrer
nicht geschämt haben (10,2). Die wegen des Glaubens erlittene Gefangenschaft ist für Christen kein Anlaß des Schämens. Sie ist
darüber hinaus eine Auszeichnung[7], die dazu dienen kann, Bitten
ein besonderes Gewicht zu verleihen. Paulus verbindet im Philemonbrief die Fürsprache für Onesimus mit dem Hinweis auf seine
Gefangenschaft (Phlm 8—10). Nach Eph 4,1 ermahnt er als Gefangener im Herrn die Adressaten, ein der christlichen Berufung ent-
sprechendes Leben zu führen. Ignatius schreibt im Brief an die
Trallianer[8]: »Meine Fesseln, die ich um Jesu Christi willen herum-
trage, im Verlangen danach, zu Gott zu gelangen, rufen euch zu:
Verharrt in eurer Eintracht und im gemeinsamen Gebet!«
Ignatius hat sein Geschick nach dem Modell der Gefangenschaft
und des Martyriums des Paulus verstanden. Er sagt ausdrücklich,
daß er in den Spuren des Apostels erfunden werden möchte, wenn
er zu Gott gelangt[9]. In Christus gefesselt zu sein und auf den Spuren
des Paulus zu wandeln, ist ihm eine Auszeichnung. Doch weiß
Ignatius, daß er im Gegensatz zu Paulus noch nicht vollendet ist.
Seine Gefangenschaft ist Durchgangsstation zum Moment des Märtyrertodes, in dem er in der Nachfolge des Paulus zu Gott gelangen
möchte. Die Sicherheit, zu Gott zu gelangen, gibt es für Ignatius

---

[4] W. Thüsing, Per Christum in Deum, 66.
[5] K. Bommes, Weizen Gottes, 130f.
[6] Auf das Leiden der Christen allgemein bezogen Sm 9,2 u. Pol 3,1.
[7] Vgl. auch IgnEph 11,2: die Fesseln sind geistliche Perlen.
[8] 12,2 (178,16/8 Fischer).
[9] IgnEph 12,2. Zur Ausdrucksweise vgl. 1 Petr 2,21.

erst im Moment des Todes. Die Gefangenschaftsreise partizipiert zwar schon an der Würde dieses Todes, aber mehr noch ist sie eine Zeit der Unsicherheit und der Sorge.

Ignatius schätzt sich nicht so hoch ein, daß er als Verurteilter wie ein Apostel befehlen könnte (Trall 3,3). Petrus und Paulus sind Apostel und frei, er ist bis zum Moment des Todes ein Sklave. Erst im Tod wird er ein Freigelassener Christi werden und als Freier in ihm auferstehen (IgnRöm 4,3). Wie schon im vorausgehenden Abschnitt gesagt wurde, versteht sich Ignatius als Jünger im Anfangsstadium. Er greift das in der Evangelientradition beheimatete Wort μαθητής auf und bezieht es auf den Märtyrertod, in dem er erst wirklich Jünger sein wird. Während der Gefangenschaftsreise ist er es noch nicht (Trall 5,2); er fängt erst an, ein Jünger zu sein (IgnEph 3,1); er wird noch geschult (IgnRöm 5,1), um im Moment des Märtyrertodes das Ziel der Jüngerschaft zu erreichen (IgnEph 1,2). Dann erst steht er am Ziel (IgnRöm 1,1), dann ist er vollendet (Phld 5,1). Der Moment des Todes ist für ihn der Kairos, um zu Gott zu gelangen (IgnRöm 2,1).

Nach dieser Erfüllung seines Lebens sehnt sich Ignatius. Der ganze Römerbrief ist Ausdruck seiner Sehnsucht (vgl. bes. 7,2 und Trall 10), die gerade, weil sie sich auf die noch ausstehende Zukunft richtet, von der Sorge geprägt ist, das Ziel auch tatsächlich zu erreichen. Die Römer haben offensichtlich Möglichkeiten, das Martyrium zu verhindern. Ignatius rechnet auch mit seiner eigenen Schwäche. Der Fürst dieser Welt will seinen auf Gott gerichteten Sinn verderben und könnte ihn dazu bringen, im Angesicht des Todes etwas anderes zu sagen als das, was er den Römern geschrieben hat. Ignatius fürchtet also, daß er doch noch vor dem Tod zurückschrecken könnte. Aber auch dann soll sein Brief gelten, und nicht das, was er in Rom etwa sagt (IgnRöm 7). Er möchte nicht als unbrauchbar erfunden werden (Trall 12,3) und mäßigt sich, um nicht an Überheblichkeit zugrunde zu gehen. Das Reden seiner Umgebung könnte ihn hochmütig machen, doch noch hat er das Ziel nicht erreicht, und er kann es verfehlen, wenn er trotz seiner Sehnsucht nach dem Leiden schwach wird. Noch weiß er nicht, ob er würdig ist. Er braucht daher Gelassenheit, an der der Fürst dieser Welt zuschanden wird (Trall 4). Ignatius benötigt Kraft, damit er nicht nur Christ heißt, sondern es auch im Märtyrertod ist (IgnRöm 3,2). Die schon besprochene Übereinstimmung zwischen Reden und Tun ist für Ignatius eine Aufgabe, die noch vor ihm liegt. Er kann ihr gegenüber scheitern.

Die von Sorge und Sehnsucht bestimmte Erfahrung, noch unterwegs zu sein und das Ziel noch nicht erreicht zu haben, ist die Ur-

sache der vielen Selbsterniedrigungsaussagen des Ignatius, in denen
er sich und seine Lage mit der im Glauben gesicherten Situation
der christlichen Gemeinden vergleicht. Die Vollendung, die er für
sich im Märtyrertod erhofft, ist in den Gemeinden unter den Bedingungen des irdischen Lebens Wirklichkeit, wenn die Christen
in Einheit um den Bischof geschart sind und in der Eucharistie und
im Glauben allgemein Anteil an dem durch Christus eröffneten
göttlichen Heil gewinnen. Von einer solchen, in der Art eines Krei-
ses, dessen Mittelpunkt der Bischof ist, gedachten Einheit ist Ignatius ausgeschlossen, der als einzelner auf einem unsicheren Weg
unterwegs ist, um seine Vollendung im Märtyrertod zu erfahren.
Das Loblied der vollkommenen Gemeinde singt er im Brief an die
Epheser 9,2, wo er die Christen Gottesträger[10], Tempelträger, Chri-
stusträger[11] und Träger von Heiligem nennt. Die wohl im Blick
auf heidnische Prozessionen, bei denen Götterbilder mitgetragen
wurden, gebildeten Wörter sollen die in der christlichen Gemeinde
erfahrbare Heilsgegenwart bezeichnen, von der Ignatius, soweit
sie an ein geordnetes Gemeindeleben geknüpft ist, auf seiner Gefangenschaftsreise ausgeschlossen ist. Er ist zwar in Christus, jedoch
noch nicht vollendet, während die Gemeinde in ihrem In-Christus-
Sein die auf Erden mögliche Vollendung erfährt. In einem Satz,
der an 1 Kor 4,10 denken läßt[12], stellt sich Ignatius der Gemeinde
von Ephesus gegenüber[13]: »Ich weiß, wer ich bin und welchen ich
schreibe. Ich bin verurteilt, ihr habt Erbarmen gefunden; ich bin
in Gefahr, ihr seid gefestigt.« In demselben Brief bezeichnet er
sich als den Letzten der Gläubigen der Kirche in Syrien, der gewürdigt worden ist, zur Ehre Gottes erfunden zu werden (21,2). Diese
und die ähnlichen Aussagen in Trall 13,1; IgnRöm 9,2 und Sm 11,1
dürften durch 1 Kor 15,8—10 und Eph 3,8 angeregt worden sein[14].
Paulus ist nichts aus sich heraus; in allem hängt er ab von Gottes
Gnade. Ignatius bezieht diese Aussage auf seine Situation. Dabei
ordnet er die zwei Aspekte der paulinischen Grunderfahrung der
zeitlichen Linie seines Weges zu: Dem Zustand der Ohnmacht folgt
im Märtyrertod die durch Gottes Erbarmen zustandekommende
Erfüllung, wenn er zu Gott gelangt. Man darf die Sehnsucht des
Ignatius nach dem Märtyrertod nicht mit irgendeiner Form der
Werkgerechtigkeit verwechseln, so als wenn der Bischof sich im

---

[10] So bezeichnet sich Ignatius auch selbst in den Briefeingängen.
[11] Das Wort wird später zu einer Bezeichnung des Märtyrers; vgl. Fr. J. Dölger,
   Christophoros als Ehrentitel für Martyrer und Heilige im christlichen Altertum = AuC IV,73/80.
[12] Vgl. auch 1 Kor 4,8 u. 2 Kor 4,12.
[13] IgnEph 12,1 (150,18f.).
[14] Vgl. W. Bauer, Die Apostolischen Väter II,219 u. 253.

frei gewählten Märtyrertod die Vollendung selbständig habe erringen wollen. Es wird im folgenden noch deutlicher werden, daß
Ignatius sich von Gottes Gnade abhängig weiß. Sie würdigt ihn,
den Weg des Martyriums zu gehen (IgnEph 21,2) und als Letzter
im Märtyrertod ein Jemand zu werden, wenn er zu Gott gelangt
(IgnRöm 9,2). Ignatius ist der Letzte der Kirche zu Antiochia. Seine
Fesseln sind Gott wohlgefällig, d. h. Gott will seinen Weg zum
Martyrium. Durch seinen Willen, aufgrund seiner Gnade, wurde
er dieses Weges für würdig befunden. Gottes Gnade möge ihm,
das ist sein Wunsch, im Vollmaß verliehen werden, damit er durch
das Gebet der Smyrnäer im Martyrium zu Gott gelange (Sm 11,1).
Der Weg zum Martyrium ist jedoch nicht schon das Ziel. Der Endgültigkeit des Todes geht die Unsicherheit der Gefangenschaftsreise voraus, während der er den Mangel der den Gemeinden
geschenkten Heilssicherheit spürt. »Denn wenn ich auch gefesselt
bin, so bin ich doch nichts gegenüber einem von euch, die ihr nicht
gebunden seid«[15].
In der Unsicherheit des der Vollendung vorausgehenden Weges
ist Ignatius den Einflüssen der gottwidrigen Macht ausgesetzt,
die jedoch durch Festigkeit entkräftet werden können (Trall 4,2;
IgnRöm 7,1; vgl. auch Phld 6,2). Das Denken des Ignatius kann
man sicher nicht apokalyptisch nennen, doch fehlt auch bei ihm
nicht eine eschatologische Geschichtsschau. Die Zeit, in der der
Fürst dieser Welt wirkt, ist letzte Zeit; ihr folgt das Gericht Gottes (IgnEph 11,1). In dieser Zeit ist Gottes Lebensmacht bereits in
der Welt anwesend; das christliche Heil ist schon unter den Bedingungen dieser Welt präsent. Die in Frieden um den Bischof
gescharte und in der Eucharistie geeinte Gemeinde erfährt das
von Gott und Christus herkommende Leben, das in seiner ganzen
Fülle erst im Moment des Todes erlangt wird.
Auf seinem Weg zur Vollendung im Tod bedarf Ignatius des Gebetes der Gemeinden. Er hofft, durch das Gebet der Epheser in
Rom des Tierkampfes teilhaftig zu werden (IgnEph 1,2); durch ihr
Gebet möge ihm, so wünscht er, die Auferstehung in den Fesseln
zuteil werden, die er in Christus Jesus herumträgt (11,2). Die Trallianer bittet er, für ihn zu beten, da er ihrer Liebe bei der Barm-
herzigkeit Gottes bedarf, um des Loses gewürdigt zu werden, das
zu erlangen ihm anliegt, damit er nicht als unbrauchbar erfunden
werde (Trall 12,3). Im Brief an die Römer sagt Ignatius, daß er
durch sein Gebet zu Gott erlangt hat, ihr Antlitz zu sehen (IgnRöm

---

[15] Magn 12 (168,20f.).

18*

1,1)[16]. In 8,3 bittet er sie, zu beten, daß er zum Martyrium gelangt.
Der Satz steht im Kontext seiner Mahnung, nichts zur Rettung seines Lebens zu unternehmen. Jesus Christus wird ihnen zeigen,
daß Ignatius wahr redet (8,2). Er weiß, daß es Christus entspricht,
wenn er als Märtyrer stirbt. Christus wird den Römern offenbaren, daß es so recht ist und daß er zum Martyrium berufen ist[17].
Der Märtyrertod ist das Ignatius von Christus und Gott her zufal-
lende Geschick, nach dem er sich sehnt, zu dem er sich jedoch
nicht eigenmächtig entschlossen hat. Vor dieser ihm gestellten
Aufgabe darf er nicht zurückweichen; dafür bedarf er des Gebetes
und der göttlichen Hilfe. Durch Gottes Erbarmen wird er, der
Letzte, im Martyrium jemand sein (9,2). Das Gebet der Philadelphier wird ihn, der als Gefangener noch unvollendet ist, für Gott
vollenden (Phld 5,1). Christus stärkt ihn (Sm 4,2). Die Gnade, die
er schon empfangen hat, möge ihm, so bittet er, im Vollmaß verliehen werden, damit er durch das Gebet der Smyrnäer zu Gott
gelange (Sm 11,1). Die z. T. schon vorher angeführten Stellen wurden hier zusammengestellt, weil sie in ihrer Gesamtheit zeigen,
daß Ignatius sich sehr wohl von göttlicher Hilfe abhängig gefühlt
hat. Anders als bei Paulus ist dieses Abhängigkeitsbewußtsein auf
die Martyriumssituation konzentriert. Man wird vielleicht vermuten
können, daß die Gefangennahme in Antiochia Ignatius zu der Überzeugung geführt hat, daß das Martyrium das ihm zugedachte
Geschick, seine »Berufung« ist. Der Verwirklichung des ihm zu-
gefallenen Loses gilt seine Sorge und Sehnsucht. Er weiß dabei
sehr genau, daß das Martyrium Geschenk Gottes ist und daß er
der Hilfe Gottes bedarf, die durch das Gebet der Gemeinden er-
beten werden kann.
Die Gefangenschaftsthematik der Ignatianen ist den paulinischen
Briefen verpflichtet. Ignatius greift paulinische Wendungen und
Gedanken auf, um von sich und seiner Situation zu sprechen, und
paßt sie dabei seinem Denken an. Für ihn konzentriert sich alles
auf den Märtyrertod; die Gefangenschaft ist auf diesen hingeordnet; von ihm her wird sie bewertet als Zeit der Sehnsucht, der
Sorge, der Unsicherheit und der Vereinzelung auf dem Weg zur
Vollendung. Das paulinische Thema von der Kraft in der Schwachheit wird in der Weise auf die Situation des Gefangenen angewandt, daß der Gefangenschaft die menschliche Schwäche zugeordnet wird und dem Märtyrertod die Kraft Gottes. Dadurch
aber wird im Sprechen vom Märtyrertod nicht noch einmal die

---

[16] Ignatius stellt als Tatsache hin, was er nach der Fortsetzung des Satzes noch
erhofft, nämlich nach Rom zu gelangen.
[17] Vgl. K. Bommes, Weizen Gottes, 139/43.

menschliche Schwäche thematisiert. Im Moment des Todes endet die Unsicherheit und beginnt die Endgültigkeit des christlichen Lebens. Der Tod selbst trägt johanneisches Gepräge, er ist umleuchtet vom Glanz der Vollendung[18]. Ignatius ist zwar auch in der Todesdeutung noch, wie gleich zu zeigen ist, Paulus verpflichtet; doch ist der johanneische Charakter ausgeprägter. Was von Paulus her übernommen worden ist, steht in einem — aufs Ganze gesehen — johanneisch klingenden Kontext.

b) Der Märtyrertod

Der Bezug zum Leiden Jesu

Sm 4,2 spricht in einer paulinischen Wendung vom συμπάσχειν mit Jesus Christus (vgl. Röm 8,17). Ignatius wendet sich, wie auch das Johannesevangelium, gegen die doketische Verflüchtigung des irdischen Lebens und Leidens Jesu. Für ihn ist das Christentum, wie schon deutlich geworden ist, nicht allein eine neue Lehre, sondern darüber hinaus Erlösungswirklichkeit, die sich in der tatsächlichen Welt auswirkt. In der Wirklichkeit des menschlichen Lebens ist das christliche Heil gestiftet worden; dieser Realität entspricht der Christ, wenn er nicht nur christlich redet und lehrt, sondern das, was er sagt, auch tut. Die christliche Tat, die alles andere Handeln übertrifft, ist das Martyrium. In der Realität des leiblichen Leidens entspricht es der Wirklichkeit des Leidens Jesu, die die Voraussetzung seiner wirklichen und leiblichen Auferstehung war. Das Martyrium ist der zur höchsten Tat verdichtete Glaube an die Erlösung in Tod und Auferstehung Jesu Christi und hat so den Charakter einer bezeugenden Aussage, die, soweit sie sich an die Adresse von Doketen richtet, diese von der Leiblichkeit

---

[18] Zur Frage der Benutzung ntl. Schriften durch Ignatius vgl. E. von der Goltz, Ignatius von Antiochien als Christ und Theologe. Eine dogmengeschichtliche Untersuchung (Leipzig 1894) = TU 12,3,99/144 u. die Tabellen 178/206; Chr. Maurer, Ignatius von Antiochien und das Johannesevangelium (Zürich 1949) = AThANT 18; H. Köster, Synoptische Überlieferung bei den Apostolischen Vätern (Berlin 1957) = TU 65,24/61; R. M. Grant, Hermeneutics and Tradition in Ignatius of Antioch. A methodological investigation = Archivio di Filosofia, 1963, 1—2: Ermeneutica e Tradizione. Scritti di E. Castelli, P. Ricoeur etc. (Padova 1963) 183/201 (mit Überblick über die Forschungsgeschichte zu Ignatius: 184/90). Trotz Maurer wird man nicht davon ausgehen können, daß Ignatius das Johannesevangelium gekannt hat. Doch gibt es eine Verwandtschaft des Denkens zwischen den Ignatianen und dem johanneischen Schrifttum. Hier wird die Kennzeichnung »johanneisch« im Sinn dieser Verwandtschaft verwandt, ohne daß damit stets eine Deckungsgleichheit zwischen Gedanken des Ignatius und Aussagen des johanneischen Schrifttums ausgesagt werden soll.

Jesu, an die die volle Realität des den Tod überwindenden christlichen Heils geknüpft ist, überzeugen kann.

Im Leiden ist der Märtyrer Gott nahe, zu dem er im Tod gelangt. »Nahe dem Schwert ist nahe bei Gott, inmitten der Bestien ist mitten in Gott — einzig im Namen Jesu Christi«[19]. Das Heil, das Ignatius im Tod zuteil wird, ist an den Namen Jesu Christi gebunden. Um mit ihm zu leiden, erträgt Ignatius alles, da er ihn stärkt, der voll und ganz Mensch geworden ist (Sm 4,2). Das Mitleiden bezieht sich auf die Entsprechung zwischen den Situationen des Leidens Jesu und des Märtyrergeschicks. Paulus hatte erfahren, daß sein Leiden im Glauben die Gestalt des Leidens Jesu annahm und so aufgebrochen wurde für die Auferstehungswirklichkeit. Die Teilnahme am Leiden Jesu bedeutet Teilnahme am Auferstehungsleben Jesu im gegenwärtigen Leben und in der Zukunft, die das unter den Bedingungen dieser Welt wirksame Heil voll offenbar werden läßt. Ignatius spricht in Sm 4,2 nur vom Mitleiden mit Jesus Christus. Der Hinweis auf die Auferstehungswirklichkeit fehlt. Doch hat er die Sache in einer johanneisch klingenden Formulierung kurz vorher ausgedrückt. Jesus Christus ist »unser wahres Leben« (Sm 4,1)[20]. Der Unterschied zu Paulus besteht vor allem darin, daß Ignatius hauptsächlich das individuelle Geschick des Märtyrers im Auge hat, der im Tod zum Leben kommt, während Paulus das gesamte gegenwärtige Leben und die Zukunft der einzelnen und der ganzen Geschichte mit der Polarität »Tod und Auferstehung« verknüpft.

In der wahren Menschlichkeit Jesu, in seinem nicht zum Schein, sondern in Wirklichkeit erlittenen Leiden und in seiner leiblichen Auferstehung gründet für Ignatius das christliche Heil, das den Gläubigen im irdischen Leben, vor allem in der Eucharistie, und im Moment des Todes als dem Augenblick des Hingelangens zu Gott und zu Christus zuteil wird. Dieses Heil bedeutet das Ende der Todesverfallenheit des Menschen: Jesus Christus ist unsertwegen gestorben, »damit ihr, indem ihr an seinen Tod glaubt, dem Sterben entrinnt«[21]. In der Erlösungswirklichkeit wurzeln das Sprechen von dem in Christus geschenkten Heil, die christliche Lehre, und das diesem Sprechen entsprechende Handeln, das mehr als das Wort auf der Linie der Wirklichkeit des Handelns Jesu liegt. Weil Christus sich die Feindschaft der Menschen zugezogen hat

---

[19] Sm 4,2 (206,17f.).
[20] 206,14: ... τὸ ἀληθινὸν ἡμῶν ζῆν. Doch vgl. auch Phil 1,21 u. Kol 3,4.
[21] Trall 2,1 (172,14/6). Auch die Eucharistie wird unter dem Aspekt der Aufhebung des Todes gesehen: Sie ist Unsterblichkeitsarznei, Gegengift, daß man nicht stirbt, sondern in Christus für immer lebt; vgl. IgnEph 20,2.

und weil er gestorben ist, eignet dem christlichen Leben eine grundsätzliche Martyriumsbezogenheit, deren Realisierung jedoch nicht
von jedem verlangt ist. Entsprechend den zwei Seiten des Todes
Jesu, der von außen her Ergebnis der Verfolgung durch Menschen[22],
von innen her aber Erlösungsleiden ist, hat die Ausrichtung des
christlichen Lebens auf das Martyrium einen äußeren und einen
inneren Grund, nämlich den Haß der Welt gegen das Christentum und die Konsequenz der Jüngerschaft.

Im Brief an Polykarp sagt Ignatius: »Vor allem aber müssen wir
Gottes wegen alles ertragen, damit auch er uns ertrage«[23]. Gemeint
ist alles Schwere, das des Glaubens wegen zu tragen ist, eingeschlossen Leid und Martyrium, denen man nicht ausweichen darf, wenn
die Situation dem einzelnen eine solche Aufgabe stellt. Diese Forderung richtet sich an alle Christen. Die Propheten haben Christus
gemäß gelebt und wurden deshalb verfolgt (Magn 8,2)[24]. Zum
Christentum gehört es, daß es von der Welt gehaßt wird (IgnRöm
3,5). Die grundsätzliche Martyriumsbezogenheit des christlichen
Lebens ist begründet im Haß der Welt, die sich gegen Gott richtet
und deshalb solche, die Christus entsprechend leben, verfolgt. Der
Gedanke ist johanneisch.

Der innere Grund der Martyriumsbezogenheit des christlichen Lebens liegt in der Idee der Jüngerschaft. Christus ist den Weg des
Leidens gegangen, deshalb muß sein Jünger zum Leiden bereit
sein. Die Jüngerschaft vollendet sich im Martyrium; der Märtyrer
ist Jünger im Vollsinn. Er orientiert sich nicht nur im Reden und
Lehren an Christus, sondern auch in der Tat, in der er ein Nachahmer des Leidens seines Gottes Jesus Christus ist (IgnRöm 6,3).
Ignatius sehnt sich nach dem Martyrium, doch weiß er, daß es ein
Geschenk Gottes ist, um das man betet. In der von Gott geschenkten Gelegenheit, den Märtyrertod zu sterben, wird er ein Nachahmer des Leidens Jesu. Die Martyriumstheologie des Ignatius
ist nicht richtig getroffen, wenn man in ihm jemanden sieht, der
aus eigener Kraft Christus gleich werden will. Seine Martyriums-
sehnsucht bezieht sich darauf, daß er das, was bereits begonnen
hat, in menschlicher Freiheit und in der Gnade Gottes vollenden

---

[22] Dieser Aspekt tritt gegenüber dem zweiten zurück; er ist jedoch vorhanden.
Ignatius konstatiert die Tatsache, daß Jesus durch Menschen zu Tode gekommen ist, ohne weitere Überlegungen zur Schuld dieser Menschen anzustellen.
Vgl. IgnEph 10,3; Trall 9,1; Sm 1,2. Man kann auch die Stellen hinzunehmen,
an denen von der Kreuzigung gesprochen wird, etwa IgnEph 16,2 u. ö.

[23] Pol 3,1 (218,7f.).

[24] Zum Verständnis des AT bei Ignatius vgl. P. Meinhold, Die geschichtstheologischen Konzeptionen bei Ignatius von Antiochien = Kyriakon. Festschrift
J. Quasten I (Münster 1970) 182/91.

möchte. Jedoch drängt er sich nicht zum Martyrium, um, allein auf
sich gestellt und kraft eigener Anstrengung, die Vollkommenheit
menschlicher Sittlichkeit zu erreichen. Er ordnet sich Christus
unter, weil er sich abhängig weiß von dem im Leiden Christi gewirkten Heil.

Im Brief an die Magnesier 5,2 sagt Ignatius in einer Aussage, die
er auf sich selbst und auf die Adressaten bezieht, daß die Gläubigen
die einer Münzprägung vergleichbare Prägung Gottes des Vaters
durch Jesus Christus tragen, »durch den dessen Leben nicht in uns
ist, wenn wir nicht freiwillig das Sterben haben auf sein Leiden
hin«[25]. Ignatius will sicher nicht die Präsenz des christlichen Heils
abhängig machen vom Märtyrertod. Im Kontext ist von der Prägung der Welt, die die Ungläubigen tragen, die Rede. Das Sterben
könnte sich darauf beziehen: Die Gläubigen sterben der Welt ab
und haben so das Leben Christi in sich[26]. Insofern der Satz sich
jedoch auch auf Ignatius bezieht, kann ein Martyriumsgedanke
anklingen. Das christliche Sterben gegenüber der Welt schließt für
ihn die Situation des Martyriums mit ein. Die Christen müssen sich
frei, in der Ausrichtung auf das Leiden Jesu für den Tod gegenüber der Welt entscheiden und haben so das Leben Jesu Christi
in sich. Ignatius ratifiziert diese Haltung im Martyrium.

In einer Magn 5,2 entsprechenden Wendung heißt es in IgnRöm
6,1, daß es für Ignatius besser ist, auf Jesus Christus hin zu sterben,
als über die Grenzen der Erde zu herrschen. Im folgenden Satz ist
Christus als Ziel angegeben: »Jenen suche ich, der für uns gestorben ist; jenen will ich, der für uns auferstanden ist«[27]. Doch ist es
fraglich, ob deshalb auch das »Sterben auf Jesus Christus hin« im
Sinn einer Zielangabe verstanden werden muß. Die Übereinstimmung der Formulierungen in Magn 5,2 und IgnRöm 6,1 spricht
dafür, daß nicht der pneumatische, sondern der historische Jesus
gemeint ist. In Hinsicht auf ihn und sein Leiden will Ignatius als
Märtyrer sterben.

Nach dem Vorbild von Gal 5,24 und 6,14 spricht Ignatius davon,
daß seine Liebe gekreuzigt ist (IgnRöm 7,2). Er sehnt sich nach
dem Tod; in dieser Sehnsucht ist seine Liebe zur Welt gekreuzigt;
kein Feuer, das in der Hyle Nahrung sucht, ist in ihm. So wie
Jesus als Gekreuzigter gestorben ist und Paulus innerlich der Welt
abgestorben ist, will Ignatius im Märtyrertod die Bindung an die
stoffliche Welt hinter sich lassen. Gegenüber Gal 5,24 und 6,14
ist jedoch eine Sinnverschiebung festzustellen. Paulus meint mit der

[25] Magn 5,2 (164,12/4).
[26] Vgl. Röm 6.
[27] IgnRöm 6,1 (188,12f.).

Welt die von Sünde geprägte Wirklichkeit. Ignatius befindet sich dagegen im Bereich einer hellenistischen Todesdeutung, nach der der Tod das Ende der Verhaftung des Menschen an den niederen Bereich des Stofflichen und der Beginn der Freiheit im Bereich des Geistigen ist[28]. Ignatius verchristlicht diese Vorstellung jedoch, indem er das Ziel des Todes als Hingelangen zu Gott und zu Jesus Christus und als volle Teilnahme am Heil, das Christus in Tod und Auferstehung begründet hat, beschreibt[29].

In der Nachahmung des Leidens Jesu, im Hinblick auf seinen Tod, im Nachvollzug der Kreuzigung und im Mitleiden mit ihm wird Ignatius im Märtyrertod ein wahrer Jünger Christi. Sein Leiden entspricht dem Leiden Christi[30], geschieht aber in Abhängigkeit von ihm und in Unterordnung[31]. Im Tod gewinnt der Märtyrer vollen Anteil an dem im Tod und in der Auferstehung Jesu gewirkten Heil. Paulus hat die Beziehung zwischen den Gläubigen und Jesus als ein Mitsterben und Mitauferstehen bezeichnet und von hier aus die Verfolgungserfahrung gedeutet. Ignatius konzentriert die paulinische Aussage auf den Märtyrertod. Der Tod des Märtyrers ist in der Abhängigkeit von Jesus ein Hinüberschreiten vom Tod zum Leben. Man kann auch an die auf den Tod des Jüngers bezogene Nachfolgevorstellung des Johannesevangeliums denken. Petrus, der während der Passion Jesu seinem Meister nicht nachfolgen kann, wird es später tun. Dann wird der Jünger ihm auf seinem Weg vom Tod zum Leben nachgehen (Joh 13,36—38; 21,18f.22; vgl. auch 12,26). Das Wort ἀκολουθεῖν, das bei Joh sonst das Nachgehen des Jüngers meint, wird an den genannten Stellen auf den Tod in der Nachfolge Jesu bezogen. Ignatius spricht in diesem Zusammenhang vom μαθητής. Jünger sind die Christen allgemein; Jünger im Vollsinn ist jedoch der Märtyrer, der im Tod dem Tod seines Meisters entspricht und so vom Tod

---

[28] Zur griechisch-hellenistischen Todesdeutung vgl. E. Benz, Das Todesproblem in der stoischen Philosophie; J. Leipoldt, Der Tod bei Griechen und Juden; G. Pfannmüller (Hrsg.), Tod, Jenseits und Unsterblichkeit in der Religion, Literatur und Philosophie der Griechen und Römer (München-Basel 1953); P. Hoffmann, Die Toten in Christus, 26/57.

[29] Vgl. J. Daniélou, Die Lehre vom Tod bei den Kirchenvätern = Das Mysterium des Todes (Frankfurt a. M. 1955) 127/48, hier 136f.

[30] Zur Terminologie πάθος — πάσχειν vgl. N. Brox, Zeuge und Märtyrer, 204. Das Substantiv πάθος ist dem Leiden Christi vorbehalten; es beinhaltet die ganze Passion, das Leiden mit dem Tod. Das Martyrium wird mit den Wörtern πάθημα und πάσχειν benannt, wobei das Verbum πάσχειν sowohl die Passion Jesu wie auch das Martyrium bezeichnen kann.

[31] Vgl. auch IgnEph 18,1 (156,4): περίψημα τὸ ἐμὸν πνεῦμα τοῦ σταυροῦ ...; schlechter Abfall vom Kreuz ist mein Geist. Zur Deutung s. K. Bommes, Weizen Gottes, 84f.

zum Leben gelangt[32]. Im Märtyrertod wird der Jünger zum wahren
Christen und Gläubigen, der nicht nur so heißt, sondern es auch
in der Tat ist (IgnRöm 3,2), und zum vollen Menschen, der die
Bestimmung des Menschseins im Hingelangen zu Gott erreicht
(IgnRöm 6,2).

Vom Tod zum Leben

Der Überschritt vom Tod zum Leben wird bei Ignatius mit einer
Vielzahl von Benennungen und Bildern bezeichnet. Am häufigsten
spricht er davon, zu Gott zu gelangen[33]. Es kann auch heißen, daß
er im Tod zu Jesus Christus gelangt (IgnRöm 5,3). Jenen sucht er,
der für uns starb; jenen will er, der unsertwegen auferstand
(IgnRöm 6,1). Das Ziel, das er im Tod erreichen möchte, ist Gott
selbst und Christus. Der Inhalt dessen, was er im Hingelangen zum
Ziel erwartet, kann als Anteil (μέρος) bezeichnet werden (Pol
6,1)[34]. Ausgeprägter ist die Auferstehungsvorstellung. Ignatius
wünscht, daß ihm in den Fesseln die Auferstehung zuteil werden
möge (IgnEph 11,2). Von ihr spricht er auch im Bild des Sonnen-
aufgangs: »Schön ist es, unterzugehen von der Welt zu Gott hin,
damit ich bei ihm aufgehe«[35]. Im Tod wird er ein Freigelassener
Jesu Christi sein und als Freier in ihm auferstehen (IgnRöm 4,3).
Die Situation der Gefangenschaft ist Sinnbild des irdischen Lebens.
Im Tod beginnt mit der Auferstehung die Freiheit.
Der Tod ist für Ignatius eine Geburt (IgnRöm 6,1). Joh 3,1—12
spricht von der Taufe als einer Geburt zu einem neuen Leben;
Ignatius bezieht das Bild auf das mit dem Tod beginnende Auferstehungsleben. Wenn die Römer ihn vor dem Tod bewahren
wollen, so halten sie ihn in Wirklichkeit ab vom Leben. Das Weiterleben wäre für ihn ein Sterben. Die Römer sollen ihn, der Gottes
sein will, nicht der Welt schenken, noch sollen sie ihn durch die

---

[32] ἀκολουθεῖν bedeutet bei Ignatius ein unmittelbares Nachfolgen und Nachgehen. Das Wort wird nicht auf das Verhältnis des μαθητής zu Jesus angewandt. Vgl. Phld 2,1; 3,3; 11,1; Sm 8,1. Siehe auch IgnEph 14,1.

[33] Magn 14; Trall 12,2; IgnRöm 1,2; 2,1; 4,1; 9,2; Sm 11,1; Pol 7,1. Siehe auch
IgnEph 12,2; Trall 5,2; IgnRöm 8,3; Sm 4,2. Vgl. R. A. Bower, The Meaning
of ἐπιτυγχάνω in the Epistels of St. Ignatius of Antioch = VigChr 28
(1974) 1/14.

[34] Vgl. auch IgnEph 11,2. Der κλῆρος der christlichen Epheser ist ihr Erbteil bei
Gott. Anders W. Bauer, Die Apostolischen Väter, II,211, der an das Erbgut
denkt, das die Epheser von den Aposteln geerbt haben. — Ignatius kennt auch
die Vorstellung unterschiedlicher jenseitiger τόποι; vgl. Magn 5,1: jeder wird
an seinen besonderen Ort gelangen. Hierzu s. 1 Clem 5,4.7; Joh 14,2f. u.
Apg 1,25.

[35] IgnRöm 2,2 (184,10f.). Vgl. auch Fr. J. Dölger, Sol Salutis. Gebet und Gesang
im christlichen Altertum² (Münster 1925) 146 (Anm.).

Hyle verführen. Er möchte im Tod reines Licht empfangen. In dem neuen Sein wird er erst eigentlich Mensch sein (IgnRöm 6,2). Ignatius überstürzt sich in diesem Abschnitt, um die Herrlichkeit des Auferstehungslebens auszudrücken. Er ist der griechischen Todesdeutung verbunden. Wie Joh spricht er vom Leben und vom Licht. Man kann auch an Phil 1,21.23 denken. Im Unterschied zu Paulus hat sich Ignatius nicht für ein apostolisches Weiterwirken, sondern für den Märtyrertod entschieden. Man hat auf dieser Tatsache weitreichende Theorien aufgebaut. Doch ist zu fragen, ob Ignatius wirklich der Heilsindividualist ist, der seine Vollendung herbeisehnt, während Paulus sich im apostolischen Dienst aufzehrt. Der Philipperbrief ist zu einer Zeit geschrieben worden, in der Paulus zwar mit einer Verurteilung rechnete, in der andererseits aber auch ein Freispruch als möglich erschien. Das Urteil war also noch nicht gefällt. Die Situation des Ignatius scheint eine andere zu sein. Er wird als Gefangener nach Rom gebracht, wo er hingerichtet werden soll. Für ihn ist die Entscheidung zwischen Tod und Leben bereits gefallen. Im Märtyrertod sieht er das ihm von Gott zugedachte Los[36]. Ihm geht es darum, daß mit Gottes Hilfe das, was ihm bestimmt ist, geschieht. Viele Unterschiede zwischen Ignatius und Paulus gehen auf das Konto der unterschiedlichen Situationen. Es bleiben natürlich noch Züge, in denen sich die beiden Charaktere und die beiden Theologien unterscheiden. Ignatius ist mehr als Paulus Hellenist. Er geht in manchen Punkten sogar noch über das Johannesevangelium hinaus[37]. Doch drückt er in den hellenistischen Aussagen seine christliche Sehnsucht nach dem Auferstehungsleben und dem Hingelangen zu Gott und Jesus Christus aus. Dabei ist er ein glühender Charakter, der das den Christen verheißene Ziel zum Greifen nah vor sich liegen sieht und nun, da er im Weg des Martyriums seine, ihm von Gott zugewiesene Aufgabe sieht, mit größter Intensität herbeisehnt.
Ignatius spürt in sich statt des Feuers, das mit der Hyle genährt werden will, lebendiges und redendes Wasser, das innerlich zu ihm sagt: Auf zum Vater (IgnRöm 7,2). Das Feuer versinnbildet die Liebe zur Welt, die Verhaftung an das Stoffliche, das Wasser die Sphäre Gottes, die pneumatische Wirklichkeit des göttlichen Geistes. Vom lebendigen Wasser spricht auch das Johannesevangelium

---

[36] Vgl. Trall 12,3; IgnRöm 1,2; Phld 5,1.
[37] Die Verführung durch die Hyle. Vgl. auch IgnRöm 7,2: kein Feuer ist in mir, das in der Hyle Nahrung sucht. Die Hyle ist hier das dem Auferstehungsleben gegenüber Geringere. Doch ist sie nicht als böse gekennzeichnet.

Kap. 4 und 7,37—39[38]. Der Tod ist für Ignatius Heimkehr zum Vater. Der göttliche Geist in ihm läßt ihn erfahren, daß er in dieser Welt nicht zu Hause ist (vgl. Röm 8,15f.). Im Tod wird er zu einem von Gott herkommenden Wort (IgnRöm 2,1); das Worthafte seiner Existenz gelangt zu einer gottgeschenkten Klarheit der Aussage. Das Sichtbare ist nicht wirklich gut; es trübt die Aussage. So tritt auch Christus dadurch mehr in Erscheinung, daß er im Vater ist (IgnRöm 3,3). Die unsichtbare Welt Gottes ist der irdischen Welt des Sichtbaren überlegen. Dann wird Ignatius wirklich ein Jünger Jesu sein, wenn die Welt nicht einmal mehr seinen Leib sehen wird (IgnRöm 4,2).

Die Vollendung im Tod kennzeichnet Ignatius mit Aussagen, die den Gedanken der Eucharistie anklingen lassen. Er ist Weizen Gottes, der durch die Zähne der Tiere gemahlen wird, damit er als reines Brot Christi erfunden wird (IgnRöm 4,1). Der Tod ist ein Umwandlungsprozeß: Aus den Weizenkörnern wird Mehl, das zur Herstellung des besten Brotes dient. In einem kühnen Bild werden die Zähne der Tiere mit einer Mühle verglichen. Der Akzent liegt auf dem Umwandlungsvorgang. Ignatius sagt nicht, daß das Brot eine Nahrung für irgend jemanden ist. Die Weizenkörner und das Brot werden mit Gott und Christus in Verbindung gebracht. Weizen Gottes ist Ignatius vor seinem Tod als derjenige, dem Gott das Martyrium zugedacht hat. In seiner Bestimmung, zu reinem Brot zu werden, ist er Eigentum Gottes. Die Wendung »Brot Christi« läßt an die Eucharistie denken[39]. Wie Christus nach Ignatius im eucharistischen Brot gegenwärtig ist[40], so wird er die Existenz des Märtyrers nach dem Tod durchwirken, in ihm zugegen und wirksam sein. Anlaß für die Übertragung einer eucharistischen Aussage auf das Martyrium dürfte der sowohl der Eucharistie wie auch dem Märtyrertod gemeinsame Bezug zum Leiden Jesu sein. Man wird jedoch nicht Eucharistie und Martyrium ineinssetzen können. Der Märtyrer wird im Tod nicht zum eucharistischen Brot, sondern er erreicht die Vollendung seines Lebens in einem Sein, das von der Lebensmacht Christi durchwirkt ist und insofern mit der Eucharistie verglichen werden kann.

Der Hinweis auf die Eucharistie dient weiter dazu, das Hingelangen zu Christus als Ziel des Märtyrertodes zu umschreiben. »Gottes Brot will ich, das das Fleisch Jesu Christi ist, der aus dem Samen

---

[38] Vgl. auch Joh 3,5.

[39] Vgl. J. Betz, Die Eucharistie in der Zeit der griechischen Väter I/1 (Freiburg 1955) 184.

[40] Vgl. die sehr deutlichen Aussagen in Sm 7,1; Phld 4. Zu IgnRöm 7,3 vgl. das Folgende.

Davids stammt, und als Trank will ich sein Blut, das die unvergängliche Liebe ist«[41]. Das was in der Eucharistie unter den Bedingungen der irdischen Existenz geschieht, vollzieht sich im Tod des Ignatius in der Weise, daß er durch den Tod hindurch zu Christus gelangt und dabei Anteil gewinnt an dem im Leiden Christi gewirkten Leben. So wird er der unvergänglichen Liebe teilhaftig.

Ignatius beschreibt den Märtyrertod auch als Opfer. Die Römer bittet er, ihm zu gewähren, Gott geopfert zu werden, solange noch ein Altar bereitsteht, damit sie, in Liebe zum Chor geworden, dem Vater in Christus Jesus lobsingen (IgnRöm 2,2). Es folgt der schon genannte Vergleich des Todes mit dem Untergang und Aufgang der Sonne. Die Stelle läßt an 2 Tim 4,6, vor allem jedoch an Phil 2,17f. denken. Paulus hat seinen Tod mit einem Trankopfer verglichen. So wie man die Gottesspende vergießt, so beendet möglicherweise ein gewaltsamer Tod sein Leben. Der Vergleich bezieht sich jedoch nicht nur auf den Vorgang des Vergießens. Der Tod hat auch Opfercharakter, was dadurch deutlich wird, daß Paulus vom Opfer und Gottesdienst des Glaubens der Philipper spricht. Wie der Glaube der angesprochenen Gemeinde ein Opfer ist, so hat auch der Tod des Paulus den Charakter eines Opfers. IgnRöm 2,2 spricht ausdrücklich davon, daß das Trankopfer Gott dargebracht wird. Nicht der Aspekt des Vergießens, sondern der des Opfers steht im Vordergrund. In demselben Brief 4,2 bittet Ignatius die Römer, Christus für ihn anzuflehen, daß er im Tod durch die wilden Tiere als Gottes Opfer erfunden werde.

c) Der Wert des Martyriums für die Kirche

Ignatius erhofft sich im Martyrium die Vollendung seines Lebens im Hingelangen zu Gott und Christus. Sein Blick ist nach vorn, auf den Moment seines Todes gewandt. Doch vergißt er auf seinem Weg nicht die Kirche. Er richtet seine Mahnungen, sein Testament, an die Gemeinden, bittet sie um ihr Gebet und spricht ihnen gegenüber davon, daß sein Weg ihnen Segen bringt. Im Brief an die Epheser 8,1 nennt er sich: περίψημα ὑμῶν. Das Wort begegnet auch 1 Kor 4,13; dort heißt es »Abfall, Dreck, Unrat, Schmutz«. Eine solche Bedeutung ergibt in IgnEph 8,1 keinen guten Sinn, da der Satz fortfährt: »und ich weihe mich für euch Epheser, die für alle Zeiten berühmte Kirche«[42]. Περίψημα kann die Bedeutung »Sühneopfer, Lösegeld« haben im Sinn eines Löse- und Sühne-

---

[41] IgnRöm 7,3 (190,7/9).
[42] IgnEph 8,1 (148,5f.).

mittels »zum Zweck der Erlösung und Rettung von kultischer
Unreinheit und Verschuldung«[43]. Etwa entsprechend dieser zweiten Bedeutung dürfte Ignatius das Wort im Epheserbrief gebraucht
haben. Es deckt sich ungefähr mit dem an anderen Stellen begegnenden ἀντίψυχον[44]. Im Epheserbrief heißt es: »Ein Lösegeld
(ἀντίψυχον) bin ich für euch...«[45]. Im Brief an die Smyrnäer sagt
Ignatius: »Lösegeld für euch sind mein Geist und meine Fesseln,
die ihr nicht verachtet und deren ihr euch nicht geschämt habt«[46].
Der Brief an Polykarp verbindet das Motiv des Lösegelds mit der
Paränese, sich der kirchlichen Führung unterzuordnen: »Ein Löse-
geld bin ich für die, die sich dem Bischof, den Presbytern, den
Diakonen unterordnen; und mit ihnen möge mir der Anteil zuteil
werden in Gott«[47].
Das Wort ἀντίψυχον spielt eine Rolle in 4 Makk[48]. Nach diesem
Buch hat das ganze jüdische Volk wegen seiner Sünde die Strafe
Gottes verdient. Die Märtyrer nehmen stellvertretend für die Ge-
samtheit das Leidensgeschick auf sich und bewirken so, daß das
Volk gereinigt und geläutert vor Gott dasteht. Damit endet die
Verfolgung als Heimsuchung Gottes; das Volk hat wieder Frieden.
Die Märtyrer sind also Lösegeld in dem Sinn, daß sie ihr Leben
stellvertretend für das Leben des Volkes opfern. In einem solchen
Sinn verwendet Ignatius das Wort ἀντίψυχον nicht. Er leistet
nicht Sühne für die Schuld der Kirche. Weiter bezieht er das Wort
nicht ausdrücklich auf das Sterben selbst, sondern allgemein auf
seinen Martyriumsweg. Als Gefangener, der zum Märtyrertod bestimmt ist, ist er Lösegeld für die jeweils Angesprochenen. Die
Wirkung ist nicht die Hinwegnahme von Schuld, sondern ein der
Kirche aufgrund seines Weges zukommender Segen. Man kann
daran denken, daß nach Ignatius das christliche Leben auf das
Martyrium angelegt ist. Nicht von allen wird jedoch verlangt, daß
sie in der Konsequenz des Christseins als Märtyrer sterben. Ihm ist
dieses Los von Gott zugedacht worden. Stellvertretend für die anderen[49], denen diese Chance nicht gegeben ist, geht er seinen Weg
des Martyriums, um sein Christsein durch die höchste, dem Menschen mögliche Tat zu bestätigen. Auf diesem Weg gefällt er
Gott; er ist zur Ehre Gottes erfunden worden (IgnEph 21,2); sein
Tod ist sogar ein Opfer. Nach IgnEph 5,2 hat das Gebet des Bischofs

---

[43] G. Stählin, Art. περίψημα = ThWNT VI,83/92, hier 87.
[44] Ebd. 87 u. 91.
[45] IgnEph 21,1 (160,3).
[46] Sm 10,2 (212,11f.).
[47] Pol 6,1 (220,10/2).
[48] Vgl. 4 Makk 6,29 u. 17,21.
[49] Vgl. auch 1 Joh 3,16 u. Joh 15,13.

und der ganzen Kirche eine besondere Kraft, die über die Wirkung hinausgeht, die das Gebet eines einzelnen Gläubigen oder zweier Christen hat. In ähnlicher Weise hat er seinem Martyriumsweg eine besondere Wirkung bei Gott zugeschrieben[50]. Aufgrund seines Martyriums schenkt Gott der Kirche Segen. Ein solcher Gedanke braucht nicht zu verwundern, wenn man an die früher besprochenen Stellen Kol 1,24; Eph 3,1.13 und 2 Tim 2,10 denkt, an denen der Gefangenschaft und dem Leiden des Paulus eine Wirkung für die Kirche zugeschrieben wird. Die damalige Kirche hatte keine Sorge, daß durch dieses Denken die Bedeutung der Erlösungstat Christi eingeschränkt werden könnte. Der der Kirche aufgrund des Leidens des Paulus und des Ignatius von Gott her zufließende Segen tritt nicht in Konkurrenz zur Erlösung durch den Tod und die Auferstehung Jesu Christi, sondern ist überhaupt erst denkbar im Raum der Erlösungswirklichkeit. Weil Christus den Weg zu Gott geöffnet hat, können die Christen im Vertrauen auf die Annahme ihrer Bitten zu Gott beten und kann ihr Tun dazu führen, daß Gott auf dieses hin der Kirche Segen zukommen läßt.

d) Zusammenfassung

Die gerade genannten Berührungspunkte mit 4 Makk lassen fragen, ob Ignatius dieses Buch gekannt hat. O. Perler bejaht diese Frage[51]. Er vergleicht den Wortschatz, den Stil und den Inhalt von 4 Makk mit den Ignatianen und schließt von der Verwandtschaft auf eine Abhängigkeit des Ignatius von der vielleicht aus Antiochia stammenden jüdisch-hellenistischen Schrift. Nun müssen die Gemeinsamkeiten im Stil und in der Martyriumsbegeisterung nicht für eine literarische Abhängigkeit sprechen. Beweiskräftig sind eigentlich nur die mehr oder weniger wörtlichen Anklänge. Diese betreffen vor allem die Ignatius und 4 Makk gemeinsame agonistische Sprache, der sich Ignatius vorzugsweise im Brief an Polykarp bedient. Sollte Ignatius im Blick auf die als Kämpfer gezeichneten Märtyrer von 4 Makk Polykarp, in dem er ja keinen Märtyrer sieht, zum Kampf des rechten Verhaltens aufgefordert haben? Es ist wahrscheinlicher zu denken, daß er die agonistische Gedankenwelt ohne Vermittlung von 4 Makk auf sein Thema bezogen hat, wie auch der Verfasser des Märtyrerlobes die agonistischen Motive auf seine

---

[50] K. Bommes, Weizen Gottes, 221/7, versteht die Wirkung des Martyriums als eines Segens für die Kirche vom Gebet her: »Das Martyrium als Opfer für die Kirche trägt also den Charakter einer im Einsatz des eigenen Lebens vorgetragenen und der Erhörung sicheren Fürbitte« (221).

[51] O. Perler, Das vierte Makkabäerbuch, Ignatius von Antiochien und die ältesten Martyrerberichte, 48/65.

Thematik angewandt hat. Die gemeinsame Basis ist die agonistische Sprache, die sowohl das 4. Makkabäerbuch in seinem Sinn als auch Ignatius gemäß seiner im Polykarpbrief enthaltenen Absicht benutzt haben. Ignatius konnte sich dabei auf die agonistischen Partien der paulinischen Briefe stützen[52].

Wenn man nun die im Polykarpbrief des Ignatius enthaltenen Berührungspunkte mit 4 Makk außer acht läßt, verringert sich die Zahl der Gemeinsamkeiten zwischen Ignatius und 4 Makk beträchtlich. Es bleibt vor allem das gemeinsame Wort ἀντίψυχον. Weiter kann man an die Stellen IgnRöm 5,1; 5,3 und Sm 4,2 denken, die eine Freude an der Aufzählung grausamer Leiden verraten. Sie entsprechen eher der Tonart von 4 Makk als der der paulinischen Peristasenkataloge[53]. Schließlich sind die von O. Perler aufgewiesenen Parallelen im Gebrauch des Wortes εἰρηνεύειν, in der »Beschreibung der Niederlage Satans und des Todes bei Ignatius und der Zunichtemachung der Gewalt des Tyrannen beim 4 Makk« und in dem Verständnis des Martyriums als einer Geburt zu nennen[54]. Gemeinsam ist darüber hinaus die große Martyriumsbegeisterung. Wenn man berücksichtigt, wie frei Ignatius mit den Paulusbriefen umgeht, kann man es nicht für unwahrscheinlich halten, daß er 4 Makk gekannt hat. Doch läßt sich das nicht beweisen. Man muß damit rechnen, daß das geistige Klima, in dem der Verfasser von 4 Makk lebte, auch die Welt des Ignatius bestimmt hat, ohne daß er von der jüdischen Märtyrerschrift abhängig ist. Die gemeinsame Basis von 4 Makk und Ignatius ist die Welt des hellenistischen Judentums und der zeitgenössischen Popularphilosophie.

Ignatius erhofft sich im Martyrium die Vollendung seines christlichen Lebens. Er erwartet dabei nicht einen Sonderlohn des Märtyrers. Das Ziel aller Christen ist das Hingelangen zu Gott und Christus. Das Martyrium ist der sichere und direkte Weg zu diesem Ziel. Auf diesem Weg hat Ignatius die Chance, sein Christentum mit göttlicher Hilfe zu verifizieren. Christus gemäß leben heißt: bereit sein zum Martyrium. Ignatius ist die Gnade geschenkt, aus der Bereitschaft die Tat werden zu lassen und so das, was er sagt und lehrt, durch die Tat des Martyriums zu bezeugen. Die Gefangenschaft und den Bezug seines Leidens zum Tod Jesu beschreibt

---

[52] Vgl. V. C. Pfitzner, Paul and the Agon Motif, 198f.

[53] Zum Vergleich der Soldaten mit Leoparden in IgnRöm 5,1 vgl. O. Perler, 55, der auf 4 Makk 9,28 hinweist (die Speerträger werden als Pantherbestien bezeichnet). Perler führt auch 1 Kor 15,32 an.

[54] Ebd. 52, 54 u. 55f. Das Zitat 54. — Zu εἰρηνεύειν vgl. Phld 10,1 (die Kirche zu Antiochia hat Frieden); Sm 11,2; Pol 7,1 u. 4 Makk 18,4. Weiter vgl. IgnEph 19,3; Trall 4,2 u. 4 Makk 11,24f. u. ö.; IgnRöm 6,1 u. 4 Makk 16,13.

Ignatius in Aussagen, die eine Nähe zu Paulus verraten. Doch ist der Gesamttenor der Briefe eher johanneisch. Ignatius sieht im Tod den Anbruch der Herrlichkeit, nach der er sich sehnt, die Vollendung seines Lebens als Mensch und Christ. Der Tod, wie er ihn sieht, ist umleuchtet vom Glanz der Herrlichkeit Gottes und seines unvergänglichen und ewigen Lebens, das in der Auferstehung Jesu den Menschen geschenkt ist. Ignatius greift die griechische Sicht des schönen Todes, dessen Exemplum vor allem Sokrates ist, auf und verchristlicht sie. Seine Deutung steht diametral dem Bild des Todes gegenüber, das etwa das äthiopische Henochbuch zeichnet. Ignatius ist ein griechischer Mensch, der Christ geworden ist. Im Glauben an Jesus Christus will er im Tod die unvollkommene irdische Welt hinter sich lassen, um im Hingelangen zu Gott das wahre, unvergängliche Leben zu erreichen. Der eschatologische Zukunftsbezug fehlt zwar nicht ganz. Doch gilt der Blick des Ignatius vor allem dem individuellen Übergang aus der Zeit in die ewige Welt Gottes.

6. Der Polykarpbrief

Der Brief des Polykarp an die Philipper[1] zeichnet die Märtyrer als Abbilder Christi und bewunderte Vorbilder der Christen. In 1,1 schreibt Polykarp den Philippern, daß er sich sehr gefreut hat, weil sie die Abbilder der wahren Liebe aufgenommen und den Trägern der heiligen Fesseln, die die Diademe der in Wahrheit von Gott und dem Herrn Auserwählten sind, das Geleit gegeben haben[2]. Der Satz greift den ignatianischen Gedanken der Nachahmung Christi im Martyrium auf (vgl. IgnRöm 6,3). Die Kennzeichnung der Fesseln als Diademe dürfte inspiriert sein durch die Stelle IgnEph 11,2, an der die Fesseln als geistliche Perlen bezeichnet werden. Die Märtyrer sind Auserwählte Gottes und Christi. Das Martyrium ist eine Gnade, die einigen, nicht allen, geschenkt ist. In der Auserwählung durch Gott gründet ihre Auszeichnung. Die durch die Fesseln Geschmückten sind auf ihrem Martyriumsweg Abbilder der Liebe Christi, der sein Leben hingegeben hat für seine Freunde (Joh 15,13; 1 Joh 3,16; vgl. auch Joh 10,11). Polykarp verbindet die ignatianische Nachahmungsidee mit dem johanneischen Thema der Liebe, die Christus in seinem Sterben bewiesen hat.

Im Kap. 8 kombiniert Polykarp den Nachahmungsgedanken mit

---

[1] Es dürfte sich um 2 Briefe handeln, die man zu einem einzigen verbunden hat. Vgl. J. A. Fischer, Die Apostolischen Väter, 233/9.

[2] 248,7/10 Fischer. Zur Märtyrersicht des Briefes vgl. auch H. v. Campenhausen, Die Idee des Martyriums, 78f.

dem Thema der Geduld Christi, der das Leiden erduldete, »damit wir in ihm das Leben haben«[3]. Der Hinweis auf die Geduld Christi begründet die folgende Paränese: »Werden wir also Nachahmer seiner Geduld, und wenn wir um seines Namens willen leiden, so wollen wir ihn preisen. Denn dieses Muster gab er uns in seiner Person, und wir haben daran geglaubt«[4]. Der Gedankengang und das Wort ὑπογραμμός lassen an 1 Petr 2,18—25 denken (vgl. auch 3,13—18 und 4,16). Man kann auch den Abschnitt 10,3 im Epheserbrief des Ignatius nennen. Der folgende Teil Kap. 9 zeigt, daß Polykarp 1 Clem 5 verwandt hat. Es ist möglich, daß dieser Passus aus dem Brief der römischen Gemeinde nach Korinth Polykarp angeregt hat, von der ὑπομονή zu sprechen[5]. Doch hat dieses Wort bei Polykarp nicht den agonistischen Klang im Sinn der angestrengten und standhaften Ausdauer wie in 1 Clem 5, sondern eher die Bedeutung »demütiges und geduldiges Ausharren« entsprechend der Tonart der Beschreibung des leidenden Christus in 1 Petr 2,18—25.

Nach Christus werden in Kap. 9 andere Vorbilder der Geduld genannt: die seligen Ignatius, Zosimus und Rufus, andere Märtyrer aus Philippi, Paulus und die übrigen Apostel (9,1). Der folgende Vers 9,2 ist eine Blütenlese von Wendungen unterschiedlicher Herkunft, die Polykarp zusammengestellt hat, um den Weg der Märtyrer zu charakterisieren. Im Rückgriff auf Phil 2,16 sagt er, daß all die Genannten nicht vergeblich gelaufen sind, sondern in Glaube und Gerechtigkeit (vgl. auch Gal 2,2). Sie sind nach 1 Clem 5,4 (vgl. 5,7) an dem ihnen gebührenden Ort. Polykarp fügt hinzu: beim Herrn. Diese Wendung dürfte durch 2 Kor 5,8 und Phil 1,23 angeregt worden sein. Entsprechend Röm 8,17 und Sm 4,2 haben sie mit dem Herrn gelitten. In der Umkehrung der Aussage von 2 Tim 4,10 heißt es, daß sie nicht die gegenwärtige Welt geliebt haben[6]. Sie liebten vielmehr den, der für uns starb und unsertwegen auf Gottes Geheiß auferstand. Diese Aussage erinnert an 2 Kor 5,15, mehr noch an IgnRöm 6,1. In all diesen Märtyrern hatten die Angesprochenen die Geduld vor Augen (9,1; vgl. 1 Clem 5,3). Die Märtyrer sind Exempla der Haltung, zu der Polykarp die Philipper ermahnt. Er nennt in 9,1 Paulus zusammen mit den übrigen Aposteln. 9,2 zeigt, daß bestimmt vom Märtyrergeschick die Rede ist. Polykarp wäre so der früheste Zeuge für die Ansicht, alle Apostel seien als Märtyrer gestorben.

---

[3] 8,1 (258,9f.).
[4] 8,2 (258,10/2).
[5] Vgl. 1 Clem 5,5.7.
[6] Vgl. auch Offb 12,11.

Die Märtyrersicht des Polykarp ist von großer Hochachtung bestimmt. Die Märtyrer haben die Haltung verwirklicht, in der Christus sein Leiden auf sich genommen hat. Sie sind Vorbilder der Christen, da sie in der von Christen geforderten Gesinnung das Ziel erreicht haben und nun vollendet sind. An Ignatius ist zu sehen, wie ein Schriftsteller in einer äußerst eigenständigen Weise mit vorliegender Tradition umgeht. Polykarp ist demgegenüber stärker seinen Vorlagen verpflichtet[7]. Er baut seine Aussage aus Mosaiksteinchen von Zitaten zusammen, die jedoch nicht zusammenhanglos nebeneinander stehen, sondern so verwandt werden, daß sie das von Polykarp gewünschte Gesamtbild ergeben. In seiner Art entspricht er sicherlich mehr als Ignatius dem Denken der Gemeinde. Ignatius ist wohl auch von der Martyriumsdeutung seiner Gemeinde abhängig, jedoch wendet er sie in individueller Art auf sein eigenes Geschick an. Polykarp spricht in dem Brief an die Philipper nicht als Märtyrer. Er ist eher Sprachrohr der Gemeinde. Gemeinsam ist beiden die große Wertschätzung des Martyriums. Ignatius bezeugt sie aus der Sicht dessen, der den Märtyrertod vor Augen hat, Polykarp aus der Sicht derer, die voll Bewunderung zu den Märtyrern aufschauen.

7. Das Polykarpmartyrium

Im Brief der Gemeinde von Smyrna an die von Philomelium über den Tod des Polykarp ist zum ersten Mal die Beschreibung eines Martyriums zum Thema einer ganzen christlichen Schrift geworden. Der Bericht über den Tod des Stephanus bildet einen Abschnitt der Apostelgeschichte. Der Clemensbrief widmet dem Martyrium der Apostel Petrus und Paulus und der römischen Märtyrer einige Zeilen. Erst im Schreiben der Smyrnäer ist die Beschreibung des Martyriums ein brieffüllendes Thema. Das Polykarpmartyrium eröffnet so die Reihe der christlichen Märtyrerberichte. Die Datierung dieses Briefes ist in den letzten Jahren infolge der 1951 erstmals vorgetragenen Hypothese H. Grégoires, der im Widerspruch zur seinerzeit vorherrschenden Ansicht, Polykarp sei 155 oder 156 den Märtyrertod gestorben, 177 als Todesjahr bestimmte, erneut diskutiert worden[1]. H.-I. Marrou, dessen Stellungnahme zu

---

[7] Vgl. noch 2,3 (250,14f.) nach Mt 5,3.10 u. Lk 6,20; 12,3 (264,1/4) nach Mt 5,44 u. Lk 6,28.

[1] Überblick über die Diskussion und Literaturangaben bei J. A. Fischer, Die Apostolischen Väter, 230/3. Vgl. auch H. v. Campenhausen, Bearbeitungen und Interpolationen des Polykarpmartyriums = Aus der Frühzeit des Christentums (Tübingen 1963) 253/301, hier 253f. Der Aufsatz von H. Grégoire (in Zusammenarbeit mit P. Orgels): La véritable date du martyre de S. Poly-

dieser Frage[2] H. von Campenhausen als »vielleicht abschließenden
Aufsatz« charakterisiert hat[3], denkt an die ersten Regierungsjahre
Marc Aurels. In jüngster Zeit ist man gar wieder zur frühen Datierung zurückgekehrt[4]. Die Frage ist, ob man den Angaben des
Eusebius, nach denen das Martyrium des Polykarp in die Regie-
rungszeit Marc Aurels fällt[5], oder dem Kap. 21 des Briefes der
Smyrnäer, wohl ein Anhang zum ursprünglichen Schreiben, aus
dem sich der frühe Termin erschließen läßt, größeres Vertrauen
entgegenbringt. Für die hier zu behandelnde Thematik genügt es,
davon auszugehen, daß der ursprüngliche Brief der Gemeinde von
Smyrna an die von Philomelium um 160, kurz nach dem Martyrium des Polykarp, geschrieben worden ist.

a) Literarkritische Fragen

Eusebius hat das Schreiben in seiner Kirchengeschichte IV,15 z. T.
wörtlich zitiert oder referiert. Der volle Text des Briefes, wie er
heute vorliegt, geht zurück auf das Corpus Polycarpianum des
Pseudo-Pionius aus der Zeit um 400, der diesen in seine Vita des
Märtyrerbischofs von Smyrna aufgenommen hat. Von dieser Quelle
stammen alle Handschriften des Gesamttextes ab[6]. Im Brief ist
ein deutlicher Einschnitt am Ende von Kap. 20 feststellbar. Auf
eine Doxologie folgen Grüße, wie sie das Ende eines Briefes markieren. Kap. 21 erweckt den Eindruck einer nicht viel später verfaßten Nachschrift, zu der auch noch ein Teil von Kap. 22 gehören
dürfte. Die angeschlossenen Bemerkungen zur Überlieferungsgeschichte des Dokumentes stammen von Pseudo-Pionius[7].
Der Brief dürfte also ursprünglich mit Kap. 20 geendet haben.
Dann bleibt zu fragen, ob der Text der Kap. 1—20, wie er heute
vorliegt, im wesentlichen identisch ist mit dem ursprünglichen
Schreiben der Gemeinde von Smyrna oder ob mit späteren Verän-

---

carpe (23 février 177) et le »Corpus Polycarpianum« = AnBoll 69 (1951)
1/38.
[2] H.-I. Marrou, La date du martyre de S. Polycarpe = AnBoll 71 (1953) 5/20.
[3] H. v. Campenhausen, Bearbeitungen, 254. Vgl. auch die Zustimmung zu Marrou bei M. Simonetti, Alcune osservazioni sul martirio di S. Policarpo =
Giornale Italiano di Filologia 9 (1956) 328/44, hier 328/32.
[4] T. D. Barnes, Pre-Decian Acta Martyrum = JThS N. S. 19 (1968) 509/31,
hier 512/4: 157 oder 156.
[5] Euseb., HE IV,14,10/15,1 (GCS 9,1,334 Schwartz); die Stelle in der Chronik:
GCS 20,222 Karst, vgl. auch GCS 47,205 Helm.
[6] Vgl. L. W. Barnard, In Defence of Pseudo-Pionius' Account of Saint Polycarp's Martyrdom = Kyriakon. Festschrift J. Quasten I (Münster 1970)
193/204, hier 193, u. H. v. Campenhausen, Bearbeitungen, 256.
[7] Die zwei Versionen dieser Bemerkungen bei Musurillo, The Acts of the Christian Martyrs, 18 u. 20.

derungen des ältesten Bestandes gerechnet werden muß. Die These
einer sukzessiven Überarbeitung des Briefes ist von H. Müller[8]
und vor kurzem erneut von H. von Campenhausen[9] vorgetragen
worden. Von Campenhausen bemerkt, daß man sich bisher in
den meisten Fällen auf einen Vergleich der von Eusebius wörtlich
überlieferten Partien mit den entsprechenden Abschnitten des Gesamttextes beschränkt habe und sich durch die weitgehende Übereinstimmung, die hier zutage tritt, im Vertrauen auf die Güte der
Überlieferung nur bestärkt gefühlt habe[10]. »Das Bild ändert sich
indessen sofort, wenn man sich dazu entschließt, die eusebianischen
Paraphrasen ebenso sorgsam heranzuziehen und mit dem Pionios-
text zu vergleichen.« Das sei sehr wohl möglich, da Eusebius bemüht sei, ein präzises Referat zu bringen. Dabei fällt nun auf:
»die bekannte Parallelisierung des Polykarpmartyriums mit der
Christuspassion und die betonten, ›lehrhaften‹ Folgerungen im Sinne eines ›dem Evangelium gemäßen‹ Martyriums sind bei Eusebios
schlechterdings nicht zu finden.« Von Campenhausen folgert daraus, daß dieser Zug des Martyriums nicht ursprünglich sei, sondern
erst »einer sehr viel späteren Bearbeitung« angehöre. Noch vor der
abschließenden Rezension durch Pseudo-Pionius habe das Poly-

---

[8] H. Müller, Das Martyrium Polycarpi. Ein Beitrag zur altchristlichen Heiligen-
geschichte = RQ 22 (1908) 1/16; Aus der Überlieferungsgeschichte des Polykarp-Martyrium. Eine hagiographische Studie = Verzeichnis der Vorlesungen
Paderborn WS 1908/9, 3/69; Eine Bemerkung zum Martyrium Polycarpi =
ThGl 2 (1910) 669f. — Müller meint, »die wesentlichen Grundzüge und Daten
des Smyrnäerbriefes seien zweifelsohne authentisch; er habe aber seit den
Tagen, da er, zunächst als Brief geschrieben, Literatur ward, in bezug auf den
Text eine Entwicklung durchmachen müssen. Die langsam fortschreitende,
in ausschmückenden Zusätzen sich zeigende Entwicklung des Martyrium-
textes sei wahrscheinlich beeinflußt worden durch die allmählich mehr und
mehr hervortretende Parallelisierung des Martyriums Polykarps mit dem evan-
gelischen Bericht über das Leiden Christi. Die eusebianische Überlieferung
zeige schon die Keime und Ansätze zur Parallelisierung der beiden Leidens-
berichte; Eusebius stehe mit seinem Polykarp-Martyrium zwischen dem Ori-
ginale und unseren jetzigen Martyriums-Handschriften« (ThGl 2 [1910] 669).
— Gegen die Ansicht Müllers erhob sich Widerspruch. Vgl. H. Baden, Der
Nachahmungsgedanke im Polykarpmartyrium = ThGl 3 (1911) 115/22; Das
Polykarpmartyrium = Pastor Bonus 24 (1911/2) 705/13, 25 (1912/3) 71/81,
136/51; B. Sepp, Das Martyrium Polycarpi nebst Anhang über die Afra-
legende (Regensburg 1911); W. Reuning, Zur Erklärung des Polykarpmartyriums (Darmstadt 1917), der sich auch gegen R. Reitzenstein, Bemerkungen
zur Martyrienliteratur I,459f., wendet, nach dem bei der »Umgestaltung des
Briefes in ein Buch« die »zehn anderen Martyrien« fortgelassen worden
sind. (Siehe 1: »... niemand hatte ein Interesse daran, einen etwa vorhan-
denen ausführlichen Bericht über sie zu streichen.«)
[9] H. v. Campenhausen, Bearbeitungen.
[10] Ebd. 256f.

karpmartyrium eine umfassende Bearbeitung durch einen sog. Euangelion-Redaktor erfahren, der den ursprünglichen Brief »in einem
antimontanistischen oder allgemein antirigoristischen Sinn« »zum
normativen Muster einer ›evangeliumgemäßen‹ Märtyrerhaltung«
umgestaltet habe[11]. Auf diesen Redaktor gehe die betonte Parallelisierung des Martyriums mit der Passion Jesu »so gut wie ausschließlich« zurück. Eusebius habe das Polykarpmartyrium im Zustand vor dieser Redaktion vorgelegen, die etwa in seine Zeit gehöre. Weiter rechnet von Campenhausen mit Veränderungen des
Textes vor und nach Eusebius, durch die die wunderhaften Züge
des Berichtes gesteigert worden seien[12]. Eine voreusebianische,
antimontanistische Interpolation sei der Abschnitt, der vom Abfall
des Quintus handelt; vor Eusebius sei auch der Passus über die
Berechtigung der Märtyrerverehrung, mit dem die Nachrichten über
die Reliquien und die Gedächtnisfeier möglicherweise zusammen-
hingen, eingefügt worden. Kap. 20 sei der echte Schluß des Martyriums, an den später Kap. 21 angehängt worden sei. 22,1 stamme
vom Euangelion-Redaktor; die abschließenden Schreibernotizen
seien von Pseudo-Pionius überarbeitet oder frei erfunden worden.

Zu den Kap. 20—22 ist oben bereits Stellung bezogen worden. Im
übrigen ist auf die Kritik zu verweisen, die L. W. Barnard an der
Hypothese von Campenhausens geübt hat[13]. Barnard prüft das
Vorgehen des Eusebius und stellt fest, daß der Verfasser der Kirchengeschichte Auszüge, Zitate und Paraphrasen des Briefes der
Smyrnäer, nicht jedoch das gesamte Schreiben bringt. Es ist deshalb unwahrscheinlich, daß etwas, was sich nicht bei Eusebius
findet, ein späterer Text sein muß, der durch Pseudo-Pionius oder
ihm vorausgehende Autoren in den Brief eingefügt worden ist.
Weiter stellt Barnard fest, daß der größte Teil der im Pioniustext
enthaltenen Parallelen zwischen dem Martyrium und der Passion
Jesu auch bei Eusebius begegnet[14]. Die Unterschiede zwischen
Eusebius und dem Pioniustext lassen sich besser vom Vorgehen des

---

[11] Ebd. 291.

[12] Die Umgestaltung des Traumgesichts, die Himmelsstimme beim Eintritt ins
Stadion, die aus der Wunde fliegende Taube, wahrscheinlich auch der Einzug
auf dem Esel.

[13] L. W. Barnard, In Defence of Pseudo-Pionius' Account. Vgl. auch Th. Baumeister, Martyr Invictus, 43, Anm. 40. Ich habe dort trotz der Kritik an
v. Campenhausen gemeint, immerhin doch mit einer frühen, noch dem 2. Jh.
angehörenden Überarbeitung des ursprünglichen Briefes rechnen zu sollen.
Doch ist eine solche Theorie nicht notwendig.

[14] Vgl. die 18 Punkte umfassende Liste 194f. Nur 3 Parallelen fehlen bei
Eusebius. Siehe auch M.-L. Guillaumin, En marge du »Martyre de Polycarpe«. Le discernement des allusions scripturaires = Forma Futuri. Studi
in onore del Card. M. Pellegrino (Turin 1975) 462/9, bes. 468f.

Eusebius als von der Hypothese einer sog. Euangelion-Redaktion her erklären[15]. Schließlich zeigt Barnard, daß die Geschichte vom Abfall des Quintus, die den beginnenden Reliquienkult bezeugenden Notizen und auch das Gebet des Polykarp auf dem Scheiterhaufen gut zum ursprünglichen Bestand des Briefes der Smyrnäer gehört haben können, da diese Züge nichts enthalten, was nicht zur Abfassungszeit geschrieben werden konnte. Die Theorie sukzessiver Überarbeitungen des Polykarpmartyriums ist nach Barnard unnötig kompliziert; der Text des Pseudo-Pionius hat die Substanz des ursprünglichen Briefes bewahrt[16]. Die Hypothese von Campenhausens hat ihren Angelpunkt in der Differenz zwischen Eusebius und dem Pioniustext. Diese Differenz läßt sich in der Tat zufriedenstellend von der Arbeitsweise des Verfassers der Kirchengeschichte her erklären. Eusebius hatte im wesentlichen den uns heute vorliegenden Text des Polykarpmartyriums vor Augen[17], der aufgrund unseres Wissens über das 2. Jh. gut um das Jahr 160 geschrieben worden sein kann. Die folgenden Ausführungen können in ihrer Gesamtheit als zusätzliches Argument für die Authentizität des Pioniustextes gelten.

b) Der Traditionshintergrund

Das Polykarpmartyrium steht in der Traditionswelt von 2 Makk 6f. und 4 Makk, und zwar dürfte der Verfasser des Briefes beide Bücher gekannt haben[18]. Nach Mart. Pol. 2,3 verachteten die Märtyrer die irdischen Qualen; durch eine Stunde kauften sie sich frei von der ewigen Strafe. Von der Verachtung der Qualen spricht 4 Makk häufiger (vgl. 13,1; 16,2); weiter ist an 2 Makk 7,36 zu denken, wo es heißt, daß die Märtyrer nach kurzer Marter mit der göttlichen Verheißung eines ewigen Lebens gestorben sind. In der Gegenüberstellung der kurzen irdischen Qual und der postmortalen Ewigkeit berühren sich Mart. Pol. 2,3 und 2 Makk 7,36. Doch

---

[15] L. W. Barnard, 197. Es ist klar, daß bei einem auf den Bericht des Geschehens konzentrierten Abkürzungsverfahren am ehesten predigthafte und erbauliche Züge fortfallen. Vgl. Th. Baumeister, Martyr invictus, 43, Anm. 40.

[16] L. W. Barnard, 199f. u. 203f.

[17] An der Stelle Mart. Pol. 16,1 heißt es in den Handschriften des Pioniustextes, daß man Polykarp schließlich einen Dolch in die Brust gestoßen hat, worauf eine Taube und eine Menge Blut aus der Wunde herauskamen. Der Hinweis auf die Taube fehlt an der entsprechenden Stelle bei Eusebius, HE IV,15,39 (GCS 9,1,348,26f. Schwartz). Wahrscheinlich hat Eusebius ihn in seinem Text des Martyriums nicht gelesen. Er kann also gut nacheusebianische Zutat sein und wird deshalb in den modernen Ausgaben getilgt.

[18] Vgl. O. Perler, Das vierte Makkabäerbuch, Ignatius von Antiochien und die ältesten Martyrerberichte, 66f.; M.-L. Guillaumin, En marge du »Martyre de Polycarpe«, 468f.; S. K. Williams, Jesus' Death as Saving Event, 234/6.

ist die Verwandtschaft des Polykarpmartyriums mit 4 Makk ausgeprägter. Vor allem das den Märtyrern vor Polykarp gewidmete
Kap. 2 entspricht ganz der Tonart des 4. Makkabäerbuches: Betonung der schrecklichen Leiden und rühmende Bewunderung der
Stärke der Märtyrer. In 2,2 ruft der Verfasser des Briefes aus:
»Wer sollte nicht ihre edle Haltung, ihr Durchhalten und ihre Liebe zum Herrn bewundern?«[19] Dazu ist 4 Makk 17,16 zu vergleichen: »Wer sollte sie nicht anstaunen, die Athleten der göttlichen
Gesetzgebung? Wer sollte vor ihnen nicht erbeben?«[20] Das Ergeb-
nis der Auspeitschung wird in 2,2 in Worten geschildert, die der
Beschreibung des leidenden Eleasar in 4 Makk 7,13 nicht fern
stehen. Man kann auch an die übrigen Leidensbeschreibungen des
jüdisch-hellenistischen Märtyrerbuches denken. Die Märtyrer von
Mart. Pol. 2 und 4 Makk geben keinen Schmerzenslaut von sich[21].
Ihnen ist das Feuer kühl[22]. Das Wort τύραννος in Mart. Pol. 2,4[23]
kann gut ein Relikt aus dem 4. Makkabäerbuch sein, das den König
Antiochus durchweg als Tyrannen bezeichnet.

Es ist durchaus möglich, daß dem Verfasser des Briefes Eleasar bei
der Darstellung des Polykarp vor Augen stand, während Germanicus eher nach dem Modell der sieben Brüder gezeichnet ist. So
wie Antiochus die Brüder auffordert, Mitleid mit ihrem Alter zu
haben, heißt es von Germanicus, daß der Prokonsul ihn überreden
will, Mitleid mit seinem Alter zu haben[24]. Entsprechend wird von
Polykarp berichtet, daß der Prokonsul ihm rät, er solle doch Scheu
haben vor seinem Alter (Mart. Pol. 9,2). Daneben kann man die
Aufforderung des Antiochus an Eleasar halten, Mitleid mit seinem
Greisenalter zu haben (4 Makk 5,12; vgl. auch 5,33). Polykarp
antwortet dem Richter, daß er 86 Jahre lang Diener Christi gewesen ist (Mart. Pol. 9,3)[25]. Eleasar beruft sich nach 2 Makk 6,24—28;
4 Makk 5,31—38 und 6,17—23 ebenfalls auf sein Alter, um zu

---

[19] 2,18f. Musurillo.
[20] Rahlfs I,1182; die Übers. nach A. Deißmann bei Kautzsch AP II,174.
[21] Vgl. Mart. Pol. 2,2 u. 4 Makk 9,21. An beiden Stellen das Verbum στενάζειν.
[22] Mart. Pol. 2,3 (4,2f.): καὶ τὸ πῦρ ἦν αὐτοῖς ψυχρὸν τὸ τῶν ἀπανθρώπων
βασανιστῶν. 4 Makk 11,26 (Rahlfs I,1174): τὸ πῦρ σου ψυχρὸν ἡμῖν ...
[23] Es ist nicht ersichtlich, auf wen es sich bezieht. H. Rahner, Die Martyrerakten des zweiten Jahrhunderts² (Freiburg 1953) 25, denkt an den Satan, von
dem der folgende Satz 3,1 spricht. Es kann auch der Prokonsul gemeint sein,
von dem ebenfalls in 3,1 die Rede ist.
[24] Mart. Pol. 3,1 (4,16f.). Vgl. 4 Makk 8,10.20, wo auch die Wörter ἡλικία und
(κατ-)οικτίρειν begegnen (Rahlfs I,1169).
[25] Zur späteren Verwendung des Motivs in den Märtyrerakten vgl. M. Simonetti,
Qualche osservazione sui luoghi comuni negli atti dei martiri = Giornale
Italiano di Filologia 10 (1957) 147/55, hier 149f.

betonen, daß er dem, was er in einem langen Leben praktiziert hat, nicht im Alter untreu werden kann.

Nach Mart. Pol. 1,1 hat Polykarp, dessen Märtyrertod gleichsam die Besiegelung der vorherigen Martyrien war, die Verfolgung beendet. In 2 Makk 7,38 heißt es in der Rede des Jüngsten der Brüder, daß bei ihm und seinen Brüdern der Zorn Gottes zum Stillstand kommen möge. 4 Makk 18,4 konstatiert, daß um der Märtyrer willen das Volk Frieden erhielt[26]. Im Polykarpmartyrium geht es nicht um Sühne und Stellvertretung; doch dürfte der Gedanke der Beendigung der Verfolgung durch das Martyrium des Bischofs von Smyrna mit den zitierten Stellen aus 2 und 4 Makk zusammenhängen. Weitere Gemeinsamkeiten, die abschließend genannt werden sollen, betreffen die Beschreibung der Vollendung der Märtyrer im Leben jenseits des Todes und die Charakterisierung des Martyriums als eines Sieges. Nach Mart. Pol. 2,3 hatten die Märtyrer vor Augen, dem ewigen und unauslöschlichen Feuer zu entfliehen. Vom ewigen Feuer als der Strafe der Ungerechten und Verfolger sprechen 4 Makk 12,12 und Mart. Pol. 11,2. Der Gedanke wird im Polykarpmartyrium in der Weise auf die Märtyrer bezogen, als gesagt wird, daß sie infolge ihres Martyriums dieser Strafe entgehen. Das Ziel des Märtyrers wird positiv angegeben als Auferstehung zu ewigem Leben der Seele und des Leibes in der Unversehrtheit heiligen Geistes (Mart. Pol. 14,2). Die Aussage kann sicherlich nicht allein auf 2 und 4 Makk zurückgeführt werden. Man wird auch an die paulinische und johanneische Theologie denken müssen. Doch ist die Nähe zu Stellen wie 4 Makk 15,3; 17,12 und zur Auferstehungsthematik von 2 Makk 7 nicht zu übersehen. Die Aussage von der Bekränzung der Märtyrer in Mart. Pol. 17,1 dürfte sowohl 4 Makk 17,12.15 als auch Phil 3,14 verpflichtet sein (vgl. auch 1 Kor 9,24f.). Mart. Pol. 19,2 verbindet den Gedanken des Kranzes mit der Feststellung, daß Polykarp in seiner Ausdauer den ungerechten Herrscher besiegt habe[27]. Ähnlich heißt es in 4 Makk 17,2, daß die Mutter mit ihren sieben Söhnen die Macht des Tyrannen zunichte gemacht hat. Man muß nicht daran denken, daß der Verfasser des Briefes der Smyrnäer 2 und 4 Makk auf seinem Schreibtisch liegen hatte, als er sein Schreiben verfaßte. Er und wohl auch die Gemeinde kannten beide Bücher. So flossen bei der Niederschrift des Berichtes über die Martyrien in Smyrna

---

[26] Vgl. auch 4 Makk 17,20f.

[27] H. Rahner, Die Martyrerakten des zweiten Jahrhunderts, 36, denkt wieder an den Satan, »den gottlosen Herrscher der Welt«. Doch kann auch der irdische Machthaber gemeint sein. Zur Bedeutung des Kranzes im Polykarpmartyrium vgl. A. J. Brekelmans, Martyrerkranz, 52/5.

Wendungen und Gedanken ein, die in 2 und 4 Makk beheimatet
sind, aber inzwischen zum mehr oder weniger festen Bestand des
Märtyrerbildes kleinasiatischer Gemeinden geworden waren.
Wie Eleasar nach 4 Makk 6,27—29 spricht auch Polykarp im
Feuer ein Gebet (Mart. Pol. 14). Von einem solchen Gebet handelt
ebenfalls Dan 3 in den griechischen Fassungen. Es scheint nun
speziell zwischen Dan 3,39f. und der dem Gebet des Polykarp vor-
angestellten Einleitung in Mart. Pol. 14,1 eine Beziehung zu bestehen[28]. Hier heißt es, daß Polykarp, dem man die Hände auf
dem Rücken gefesselt hatte, dastand »wie ein erlesener Widder,
aus einer großen Herde zur Opfergabe bestimmt, als angenehmes
Brandopfer für Gott zugerüstet«[29]. Im Gebet selbst bittet er darum,
als reiches und wohlgefälliges Opfer angenommen zu werden[30].
Nach Dan 3,39f. im Septuaginta-Text betet Asarja im Feuerofen:
»Mit zerknirschter Seele und demütigem Geist mögen wir angenommen werden, wie bei Brandopfern von Widdern und Stieren
und wie bei Tausenden von fetten Schafen, so möge unser Opfer
heute vor dir sein...«[31]. Es ist gut möglich, daß der Verfasser
des Polykarpmartyriums durch diesen Text zu seinen gerade genannten Formulierungen angeregt worden ist. Die Bezeichnung
des Martyriums als eines Opfers wird ihm auch von Ignatius her
bekannt gewesen sein.
Das Polykarpmartyrium dürfte über 2 und 4 Makk und Dan hinaus
vom ebenfalls jüdischen Martyrium Isaiae beeinflußt worden sein.
In Mart. Pol. 2,2 wird das Faktum, daß die Märtyrer keinen
Schmerzenslaut äußerten, theologisch interpretiert. Sie zeigten den
Christen so, »daß in jener Stunde der Folterung die Märtyrer Christi außerhalb des Fleisches sind, besser noch, daß der Herr neben
ihnen steht und mit ihnen Zwiesprache hält«[32]. Diese auch im Brief
der Gemeinden von Lyon und Vienne begegnende Vorstellung[33]
dürfte die Verchristlichung des Motivs sein, das Mart. Is. 5,14 begegnet: »Und Jesaja schrie weder, noch weinte er, als er zersägt

---

[28] Vgl. W. Reuning, Zur Erklärung des Polykarpmartyriums, 40.

[29] 12,19f.: ... ὥσπερ κριὸς ἐπίσημος ἐκ μεγάλου ποιμνίου εἰς προσφοράν,
ὁλοκαύτωμα δεκτὸν τῷ θεῷ ἡτοιμασμένον ...

[30] Mart. Pol. 14,2 (12,28f.): ... προσδεχθείην ἐνώπιόν σου σήμερον ἐν θυσίᾳ
πίονι καὶ προσδεκτῇ ...

[31] LXX Gott. XVI,2,123 Ziegler: ἀλλ᾽ ἐν ψυχῇ συντετριμμένῃ καὶ πνεύματι
τεταπεινωμένῳ προσδεχθείημεν· ὡς ἐν ὁλοκαυτώμασι κριῶν καὶ ταύρων καὶ
ὡς ἐν μυριάσιν ἀρνῶν πιόνων· οὕτω γενέσθω ἡμῶν ἡ θυσία ἐνώπιόν σου
σήμερον ... Der sog. Theodotion-Text ebd.; Mart. Pol. 14,1 hat mit dem
LXX-Text ὁλοκαύτωμα, »θ´« stattdessen ὁλοκαύτωσις.

[32] 2,24/6.

[33] Ep. Lugd. bei Euseb., HE V,1,51.56 (GCS 9,1,422,16f. u. 424,13f.).

wurde, sondern sein Mund redete mit dem Heiligen Geist, bis er in zwei Teile zersägt war«[34]. Weiter könnte die Rolle, die der Teufel im Polykarpmartyrium spielt[35], mit dem Mart. Is. zusammenhängen[36]. Doch muß man gleichzeitig an die Johannesapokalypse, an 1 Petr und an Ignatius denken[37].

Der Verfasser des Polykarpmartyriums hat Paulus zitiert[38]. Das paulinische Denken hat über die Zitate hinaus Einfluß auf die Gedankenwelt des Briefes gehabt. Nach Mart. Pol. 6,2 ist Polykarp in seinem Martyrium ein κοινωνός Christi. Gemeint ist die Teilnahme am Leidensgeschick Christi, die Schicksalsgemeinschaft zwischen dem Märtyrer und seinem Herrn. Mart. Pol. 6,2 berührt sich mit Phil 3,10; jedoch fehlt hier ein Hinweis auf die Auferstehung. Ein solcher findet sich in einem ähnlichen Zusammenhang an der schon in Verbindung mit der Frage nach den Einflüssen von 4 Makk genannten Stelle Mart. Pol. 14,2. Polykarp dankt in seinem Gebet auf dem Scheiterhaufen dafür, daß Gott ihn dieses Tages und dieser Stunde gewürdigt hat, um in der Zahl der Märtyrer Anteil zu haben an dem Becher Christi zur Auferstehung ewigen Lebens der Seele und des Leibes in der Unversehrtheit heiligen Geistes. Das Gebet als ganzes hat eucharistisches Gepräge. Polykarp spricht eine Danksagung, für die eucharistische Formen auf die spezielle Situation des Martyriums zugeschnitten worden sind. Zugleich ist an den Einfluß von Dan 3,39f. zu denken. In einem eucharistischen Kontext bezieht sich die Wendung »Becher Christi« auf den eucharistischen Trank[39]. Im Zusammenhang mit dem Martyrium meint sie jedoch das Leiden Christi, entsprechend der in der Evangelientradition belegten Bezeichnung des Leidens als des Bechers[40], die auf eine jüdische Redeweise zurückgeht. Mart. Is. 5,13 hat also nicht direkt auf Mart. Pol. 14,2 eingewirkt, sondern nur insofern, als die Evangelientradition die Mart. Is. 5,13 zugrundeliegende Vorstellung aufgreift[41]. Die Teilhabe am Becher Christi ist sach-

---

[34] Jüdische Schriften aus hellenistischer Zeit II,1,32 Hammershaimb. Vgl. auch Mart. Is. 5,7 (ebd. 31): »Aber Jesaja war (entrückt) in einem Gesicht des Herrn, und obgleich seine Augen geöffnet waren, sah er sie (scil. Balkira und die Lügenpropheten) nicht.«

[35] Vgl. 3,1 u. 17,1.

[36] Vgl. vor allem Mart. Pol. 17,1 (die »Einflüsterung« des Teufels) mit Mart. Is. 3,11f.; 5,1 (der Teufel nimmt Platz im Herzen Manasses).

[37] Zur Beziehung zwischen Mart. Is. 5,13 (Gott hat den Becher gemischt) und Mart. Pol. 14,2 (der Becher Christi) vgl. den folgenden Abschnitt.

[38] Vgl. Phil 2,4 in Mart. Pol. 1,2 u. 1 Kor 2,9 in Mart. Pol. 2,3.

[39] Vgl. Mk 14,23—25; Mt 26,27—29; Lk 22,17f.20; 1 Kor 10,16.21; 11,25—28.

[40] Vgl. Mk 10,38f.; 14,36; Mt 20,22f.; 26,39; Lk 22,42; Joh 18,11.

[41] Im Mart. Is. und in der Evangelientradition ist der Becher nicht mehr der Becher des Zornes Gottes, sondern Ausdruck für das von Gott zugeteilte

lich identisch mit der κοινωνία am Leiden Christi (vgl. Mart. Pol.
6,2). Im Tod als Märtyrer teilt Polykarp das Leidensgeschick Jesu
in der Hinordnung des Leidens auf die Auferstehung. Dieser paulinische Gedanke wird mit einer johanneischen Wendung verbunden
(vgl. Joh 5,29) und in der Art eines 2 und 4 Makk verwandten
Denkens weiter ausgestaltet[42].
Der in Kap. 14 enthaltene eucharistische Gedanke kann gut auf
Ignatius zurückgehen[43]. Für die Kennzeichnung des Martyriums
als eines Opfers ist neben den Ignatianen auch Dan 3,39f. (griech.)
zu nennen[44]. Der Nachahmungsgedanke findet sich ebenfalls bei
Ignatius; weiter ist an 1 Petr, 1 Clem 5 und 6 und an den Brief
des Polykarp zu denken[45]. Für die Bezeichnung des Märtyrerge-
dächtnistages als ἡμέρα γενέθλιος in Mart. Pol. 18,3 kann auf das
ignatianische Verständnis des Märtyrertodes als einer Geburt zum
Leben bei Gott verwiesen werden (IgnRöm 6,1), ohne daß damit
gesagt werden soll, daß die Ignatiusstelle alle sich hier stellenden
Fragen klären könnte[46]. Das Polykarpmartyrium ist offensichtlich

Leidenslos. Die Bedeutung »Becher des Zornes« begegnet noch an der Stelle
Offb 14,10.

[42] Vgl. 2 Makk 7,9.14; 4 Makk 15,3; 17,12.

[43] Nach J. Kettel, Martyrium und Eucharistie = GuL 30 (1957) 34/46, hier
34/8, ist auch das Fürbittgebet, das Polykarp nach Mart. Pol. 7,3 u. 8,1
für alle betet, denen er je begegnet ist, von der Eucharistiefeier zu verstehen.
Es entspricht dem Fürbittgebet vor dem Herbeibringen der Gaben. Kettel vergleicht weiter die Fahrt des Polykarp zum Gericht mit dem Herbeibringen der
eucharistischen Gaben und die Anteilnahme der Gläubigen am Martyrium mit
der Kommunion. Doch s. Mart. Pol. 5,1, wonach es Polykarp gewohnt war,
ständig für jeden und alle Gemeinden zu beten. Die Deutung Kettels wirkt
zu konstruiert. Sicher ist allein die Verwandtschaft des Gebetes von Kap. 14
mit eucharistischen Gebeten der Zeit. Vgl. L. W. Barnard, In Defence of
Pseudo-Pionius' Account, 200/3, u. J. Betz, Die Eucharistie in der Zeit der
griechischen Väter, 115f. Zu späteren Gedanken über die Verbindung von
Martyrium und Eucharistie vgl. M. Pellegrino, Eucaristia e martirio in San
Cipriano = Convivium Dominicum. Studi sull'Eucaristia nei padri della
chiesa antica e miscellanea patristica (Catania 1959) 135/50.

[44] Zum Martyrium als Opfer vgl. M. Pellegrino, Le sens ecclesial du martyre =
RevSR 35 (1961) 151/75, hier 160/2; zur ekklesiologischen Bedeutung des
Martyriums s. auch E. Peterson, Zeuge der Wahrheit = Theologische Trak-
tate (München 1951) 165/224.

[45] Speziell zum Thema der Nachahmung des Märtyrers durch die Gläubigen
vgl. Mart. Pol. 1,2; 22,1 mit dem Brief des Polykarp Kap. 9; 1 Clem 5 u. 2
Tim 3,10f. — Der Märtyrer ist μιμητής Christi (Mart. Pol. 17,3); die Gläubigen wollen den Märtyrer nachahmen. Diese zwei Aspekte des Nachahmungsgedankens finden sich sowohl im Brief des Polykarp wie im Mart. Pol.

[46] Vgl. auch 4 Makk 16,13. Zum beginnenden Märtyrerkult s. Th. Klauser,
Christlicher Märtyrerkult, heidnischer Heroenkult und spätjüdische Heiligenverehrung (Köln-Opladen 1960) = AGF NRW 91 (dort Hinweise auf die
entsprechenden Arbeiten von E. Lucius, H. Delehaye, F. Pfister und weitere

nicht nur einer Reihe jüdischer Schriften, sondern auch, wie es
nur natürlich ist, der vorausgehenden christlichen Briefliteratur
verpflichtet.
Weiter gibt es Berührungspunkte mit dem Stephanusmartyrium der
Apg. Nach Mart. Pol. 2,3 schauten die Märtyrer mit den Augen des
Herzens während der Leiden die Güter, die für die, die standhalten,
aufbewahrt sind. Mit 1 Kor 2,9 heißt es, daß das, was kein Ohr
gehört und kein Auge gesehen hat, den Märtyrern vom Herrn
gezeigt wurde, ihnen, die schon nicht mehr Menschen, sondern
bereits Engel waren. Nach Apg 6,15 erschien dem Hohen Rat das
Gesicht des Stephanus wie das Gesicht eines Engels. In einer
Vision sieht er die Herrlichkeit Gottes und Jesus zur Rechten Gottes stehen (Apg 7,55f.). Das Polykarpmartyrium handelt zwar nicht
von einer direkten Vision der Märtyrer, doch macht es deutlich,
daß das geistige Geschehen eine innere Schau der himmlischen
Güter ist, die Gott den Blutzeugen zeigt. Von einer Vision während
des Martyriums spricht auch Mart. Is. 5,7. Jedoch zeigt die Verbindung des Visionsmotivs mit dem Vergleich der Märtyrer mit
Engeln in Mart. Pol. 2,3, daß eher die Erzählung der Apg auf diese
Stelle eingewirkt hat[47]. Stephanus ist nach Apg 6,8 voll Gnade; die
gleiche Formulierung begegnet in der Beschreibung des betenden
Polykarp Mart. Pol. 7,3[48]. In 12,1 wird von Polykarp gesagt, daß er
bei der Gerichtsverhandlung während seines Redens von Mut und
Freude erfüllt war und daß sein Gesicht von göttlicher Gnade
strahlte[49]; statt selbst erschrocken zu sein, bewirkte er, daß der
Richter sich verwunderte. Der Verfasser des Polykarpmartyriums
könnte in dieser Aussage durch Apg 6,8 und 6,15 beeinflußt worden
sein.
Von Stephanus her läßt sich auch die im Polykarpmartyrium
begegnende Betonung eines Martyriums gemäß dem Evangelium
verstehen[50]. Lukas zeichnet Stephanus als den vollendeten Jünger,

Studien von Klauser selbst); B. Kötting, Der frühchristliche Reliquienkult und
die Bestattung im Kirchengebäude (Köln-Opladen 1965) = AGF NRW 123;
ders., Heiligenverehrung = H. Fries, Handbuch theologischer Grundbegriffe I
(München 1962) 633/41. Zur Bezeichnung des Märtyrertodestages als Geburtstag s. A. Stuiber, Art. Geburtstag = RAC IX,217/43, hier 229/33.
[47] Vgl. auch S. Frank, ΑΓΓΕΛΙΚΟΣ ΒΙΟΣ, 177f.
[48] Apg 6,8: πλήρης χάριτος; Mart. Pol. 7,3 (6,27): πλήρης ὢν τῆς χάριτος τοῦ
θεοῦ ...
[49] 10,20: καὶ τὸ πρόσωπον αὐτοῦ χάριτος ἐπληροῦτο ...
[50] Zu dieser Frage vgl. H. Baden, Der Nachahmungsgedanke im Polykarpmartyrium; W. Reuning, Zur Erklärung des Polykarpmartyriums, 10/20;
M. Pellegrino, L'imitation du Christ dans les actes des martyrs = VS 98
(1958) 38/54, bes. 40f.; L. W. Barnard, In Defence of Pseudo-Pionius' Account, 194f.; M.-L. Guillaumin, En marge du »Martyre de Polycarpe«, 468.

der sich entsprechend den Weisungen seines Herrn verhält und in dessen Martyrium sich die Verheißungen Jesu für die Gerichtssituation erfüllen. Von hier aus kommt Lukas dazu, eine Parallelität zwischen dem leidenden Herrn und dem Jünger darzustellen, die sich vor allem auf die gleiche Haltung des Vertrauens im Moment des Todes (Lk 23,46 und Apg 7,59) und, wenn Lk 23,34 ursprünglich ist, auch auf die den Mördern gegenüber geübte Vergebung (Apg 7,60) bezieht. Wenn Lk 23,34 nicht ursprünglich ist, hat man immerhin bald nach Lukas die Parallelität zwischen Stephanusmartyrium und Jesuspassion dadurch verstärkt, daß man das vergebende Wort des Jüngers auf ein Wort Jesu zurückgeführt hat, das man von Apg 7,60 her in die Passionsgeschichte eingefügt hat. Das Polykarpmartyrium liegt auf der Linie einer solchen Tendenz, Parallelen zwischen Jesus und dem Jünger in der Verfolgungssituation aufzuweisen. Dadurch soll Polykarp nicht zu einem zweiten Jesus gemacht werden. Der Akzent liegt im Polykarpmartyrium wie in der Stephanusgeschichte auf dem Bemühen, den Märtyrer in der Schicksalsgemeinschaft mit seinem leidenden Herrn als den vollkommenen Jünger darzustellen. Die Situation des Polykarp entspricht der seines Herrn. Die Parallelen zwischen seinem Leiden und der Passion Jesu sollen zu einem guten Teil die Schicksalsgemeinschaft deutlich machen[51]. In dieser Situation zeigt sich Polykarp als wahrer Jünger, der sich nach seinem Meister richtet[52]. Es geht also um die doppelte Thematik der Entsprechung der Situationen und der Nachahmung. Insofern Polykarp sich nicht freiwillig zum Martyrium gedrängt hat, sondern wie Jesus außerhalb der Stadt auf die Häscher wartete, dient das Thema des evangeliumgemäßen Martyriums auch der Begründung der Ablehnung des Hindrängens zum Märtyrertod[53].

c) Das Märtyrerbild

Der Verfasser des Polykarpmartyriums ist in seiner Darstellung des Geschehens abhängig von einzelnen mehr oder weniger fest vorgeprägten Motiven, die eine Analyse erkennen läßt. Doch ist mit einer solchen Analyse erst ein Teil des Sachverhaltes bestimmt. Die einzelnen Motive stehen nicht zusammenhanglos nebeneinander, sondern bilden eine Einheit. Der Verfasser hat sie zu einem

---

[51] Vgl. Mart. Pol. 6,1 (der Verrat der beiden Sklaven); 6,2 (der Name des Offiziers, der Polykarp festnimmt, ist Herodes); 7,1 (wie gegen einen Räuber ist man gegen Polykarp ausgezogen). Weitere Parallelen bei L. W. Barnard, 195.
[52] Vgl. Mart. Pol. 7,1 (Polykarp sagt: Der Wille Gottes geschehe) mit Mt 26,42 u. Lk 22,42.
[53] Vgl. Mart. Pol. 1 u. 4.

Gesamtbild verbunden, das eine eigentümliche, durchgehend feststellbare Färbung trägt. Der Brief der Gemeinde von Smyrna trägt
johanneisches Kolorit. Der Verfasser berichtet das grausame Geschehen so, daß dem Leser deutlich wird, wie über allem ein göttlicher Glanz liegt. Die aus 4 Makk übernommenen Themen etwa
werden auf diese johanneische Tonart abgestimmt. Aus dem kämp-
ferischen Mut der sieben Brüder, der sich in harten Worten gegen
den Tyrannen zeigt, wird im Polykarpmartyrium eine stille Größe,
die vom Glanz der Gnade überstrahlt ist. Im irdischen Geschehen
wird die Vollendung deutlich. Die Märtyrer sind in ihrem Leiden
schon Engel. Mit dieser johanneischen Sicht hängt es zusammen,
daß der Verfasser die Vollendung durch vorsichtige Andeutungen
des Wunderbaren ausdrückt. Der göttliche Glanz manifestiert sich
in Zeichen, die denen, die zu sehen verstehen, als wunderähnliches
Geschehen erscheinen. Der Verfasser ist dabei beeinflußt von der
antiken Sicht des göttlichen Menschen, nach der sich die Gott-
erfülltheit und Gottesnähe großer Personen in Zeichen des Wunderbaren äußert.

Während des Betens, drei Tage, bevor Polykarp festgenommen wird,
sieht er in einem Gesicht, wie sein Kopfkissen brennt. Dieses Gesicht deutet er seinen Begleitern als Hinweis auf seinen Feuertod
(Mart. Pol. 5,2). In 12,3 wird konstatiert, daß sich diese Vorhersage erfüllt hat. Nach 16,2 gilt Polykarp als apostolischer Lehrer
und prophetischer Bischof. Seine prophetische Gabe zeigt sich darin,
daß sich jedes Wort, das aus seinem Mund kam, erfüllte oder noch
erfüllen wird. Der Verfasser des Martyriums stützt sich gewiß auf
ein Faktum. Daß er diesem Faktum jedoch ein solches Gewicht bei-
mißt, dürfte mit den Leidensansagen Jesu und damit, daß er in
Polykarp einen prophetischen Menschen sieht, zusammenhängen.
Weiter ist an das Bild des göttlichen Menschen zu denken, für den
es typisch ist, daß er seinen Tod voraussieht[54].

Als Polykarp das Stadion betritt, sagt eine Stimme vom Himmel:
»Sei stark, Polykarp, und habe Mut!«[55] Den Sprecher sieht niemand,
die Stimme aber haben die anwesenden Christen gehört. Mit dieser
Szene kann man Joh 12,28—30 und die Berichte von der Taufe Jesu
vergleichen (vgl. Mk 1,11; Mt 3,17; Lk 3,22). Man kann aber auch an
die Himmelsstimme denken, die den göttlichen Menschen ermun-
tert, »den Aufstieg zu den Göttern anzutreten«[56]. Der Verfasser
deutet ein Geschehen in der Art eines ihm bekannten Motivs.

---

[54] L. Bieler, ΘΕΙΟΣ ΑΝΗΡ, 91/3.
[55] Mart. Pol. 9,1 (8,16). Zum Inhalt des Spruches vgl. Jos 1,6f. u. Dtn 31,6f.23.
[56] L. Bieler, 46. Vgl. auch Th. Baumeister, Martyr invictus, 47f.

Von einem Wunder spricht er in der Beschreibung des Todes
Polykarps (Mart. Pol. 15). Das Feuer umhüllte den Leib des Polykarp wie ein vom Wind geblähtes Segel. Dieses Geschehen deutet
der Verfasser als Wunder, das diejenigen sahen, denen es zu sehen
gegeben war und denen es vorbehalten blieb, davon den anderen
zu berichten. Polykarp stand mitten im Feuer, nicht wie brennen-
des Fleisch, sondern wie Brot, das gebacken wird, oder wie Gold
und Silber, die im Feuer geläutert werden. Der Verfasser spricht
von einem Wohlgeruch wie von Weihrauch oder kostbaren Duft-
stoffen. Als man nun sah, daß der Leib des Polykarp nicht verbrannt werden konnte, gab man den Befehl, dem Märtyrer einen
Dolch in die Brust zu stoßen, worauf eine solche Menge Blut
herausströmte, daß das Feuer erlosch und das ganze Volk sich ver-
wundert fragte, woher ein solcher Unterschied zwischen Ungläubigen und Märtyrern komme (Mart. Pol. 16). Es ist möglich, daß
der Verfasser an Dan 3 gedacht hat[57]. Der Wohlgeruch, den die
Christen wahrnahmen, verweist auf griechische Vorstellungen[58].
Dieser vom brennenden Leib des Polykarp ausgehende Duft ist
»Zeichen seines auch durch den Feuertod nicht ausgelöschten
Lebens, seiner Unvergänglichkeit und Heiligkeit«[59]. Der Verfasser
will durch die vorsichtigen Andeutungen des Wunderbaren die im
Tod liegende Vollendung und das Hineinreichen der göttlichen
Herrlichkeit in das irdische Geschehen deutlich machen.
Das Polykarpmartyrium hat eine Fülle vorliegender Motive und
Gedanken zum Martyrium zu einem Gesamtbild vereinigt, das eine
große Wirkung auf die folgende Zeit ausgeübt hat. Der Märtyrer
ist nun eine klar umrissene Gestalt der Kirche, die durch den martyrologischen Gebrauch der Zeugnisterminologie exakt benennbar
ist. Das Polykarpmartyrium sieht in ihm jemanden, der gemäß der
Vorsehung und dem Willen Gottes zum Martyrium bestimmt ist.
Das Drängen zum Blutzeugnis ist nicht recht; wohl aber gilt es als
mutig, nach einer Verurteilung die Tiere zu reizen, um schneller
als Märtyrer zu sterben (3,1)[60]. Die Märtyrer sind mutige Menschen,
die voll Freimut ihren Glauben bekennen[61], die vor Drohungen

---

[57] Mart. Pol. 15,2 (14,9f.) spricht von Gold und Silber ἐν καμίνῳ πυρούμενος.
Das Wort κάμινος ist mit der Geschichte der drei Jünglinge im Feuerofen
verwachsen. Vgl. außer Dan 3 noch 4 Makk 13,9 u. 16,3. Jedoch paßt das
Wort auch zum Bild des Schmelzprozesses, so daß der Gedanke einer Beziehung zu Dan 3 nicht zwingend ist. Zum Motiv des Schmelzprozesses vgl. Hirt
des Hermas, Vis IV,3,4; Offb 3,18; 1 Petr 1,6f.; Weish 3,6 etc.

[58] Vgl. E. Lohmeyer, Vom göttlichen Wohlgeruch = SAH 1919, 9,48.

[59] Ebd. — Vgl. auch IgnEph 17,1.

[60] Vgl. auch IgnRöm 5,2.

[61] Vgl. Mart. Pol. 10,1.

nicht zurückschrecken und die die Schmerzen ohne Klage ertragen. Sie entsprechen so dem Idealbild des Weisen, wie es Stoiker und Kyniker gezeichnet haben und wie es im hellenistischen Judentum auf den Märtyrer übertragen worden ist. Hinter den Verfolgern steht die widergöttliche Macht, die jedoch gegenüber der Standhaftigkeit der Blutzeugen machtlos ist (3,1 und 17,1). Diese leben mitten im Leiden schon anfanghaft in der göttlichen Welt. Sie sind von Gottes Gnade erfüllt, schon mehr Engel als Menschen; Christus ist ihnen nahe und spricht mit ihnen; die himmlischen Güter stehen ihnen schon innerlich vor Augen. Die göttliche Gnade manifestiert sich in einer außergewöhnlichen Hoheit und Seelenruhe, die sinnlich wahrnehmbar ist, und in wunderbaren Zeichen, die die Herrlichkeit Gottes andeutungsweise sichtbar werden lassen. Das Martyrium ist Schicksalsgemeinschaft mit dem leidenden Christus und ein Hinüberschreiten zur Auferstehung und in die Welt des ewigen Lebens und der Unvergänglichkeit. In diese Welt gelangt der Märtyrer unmittelbar im Tod; dort lobsingt er Gott zusammen mit den Aposteln und allen Gerechten und preist den Herrn Jesus Christus (17,1 und 19,2), während der Ungläubige und Verfolger ewige Strafe erleiden wird (11,2). Der Märtyrer erfährt also gleich im Tod die vollkommene Vollendung. Das Polykarpmartyrium sieht im Märtyrertod ein Gott dargebrachtes Opfer. Im Tod geschieht eine Verherrlichung Gottes (vgl. Mart. Pol. 14 und Joh 21,19), die vergleichbar ist mit dem Lobpreis, der Gott in der Eucharistie dargebracht wird. Schließlich zeigt das Polykarpmartyrium die beginnende Märtyrerverehrung. Polykarp wird bereits zu Lebzeiten als Bischof besondere Ehre entgegengebracht (13,2). Nach seinem Tod hält man seine Gebeine für wertvoller als Gold und Edelstein (18,2). Zu seinem Jahresgedächtnis versammelt sich die Gemeinde (18,3). Doch macht man einen genauen Unterschied zwischen der Anbetung Christi und der den Märtyrern entgegengebrachten Verehrung (17,2f.). Die Märtyrer sind Jünger und Nachahmer des Herrn (17,3). Sie vollenden das Jüngersein der Christen durch die ihnen von Gott geschenkte Gnade der Nachahmung des Leidens Jesu durch ihre Tat des Martyriums.

Im Polykarpmartyrium hat sich die Linie der beginnenden christlichen Theologie des Martyriums mit dem im hellenistischen Judentum geschaffenen Märtyrerbild getroffen. Dieses Bild wird in einen johanneischen Kontext gestellt, wodurch die Möglichkeit geschaffen ist, Motive der hellenistischen Gestalt des göttlichen Menschen auf den Märtyrer zu übertragen. Damit ist der Weg zur Märtyrerlegende eröffnet, den das Polykarpmartyrium selbst noch nicht gegangen ist. Der Brief der Gemeinde von Smyrna ist ein Märtyrerbericht, der das Geschehen erzählt und gleichzeitig in seiner Bedeutung entschlüsselt. Er verbindet Erzählung und Deutung der Geschehnisse[62]. Der vorherrschende Zug der Deutung ist das Anliegen, im grausamen Ereignis den göttlichen Glanz aufleuchten zu lassen. Wie bei Ignatius ist der Märtyrertod ein schöner Tod, vergleichbar dem Sterben des Sokrates und doch wieder von jenem so verschieden wie das Johannesevangelium von Platons Phaidon.

Das Polykarpmartyrium markiert das Ende der Anfänge der Martyriumstheologie. Es faßt eine Fülle früherer Motive und Gedanken zu einem Gesamtbild zusammen und gibt sie in der Form einer festen Vorstellung an die Folgezeit weiter. Zusammen mit der martyrologischen Zeugnisterminologie gewinnt diese Sicht an Einfluß, ohne jedoch mit einem Schlag kanonische Geltung zu erlangen. Auch die folgende Zeit ist noch reich an unterschiedlichen Ideen zum Martyrium; doch setzen diese immer mehr das Bild des Polykarpmartyriums voraus, auch wenn neue Fragen wie etwa das Problem der Confessores und des Sündennachlasses auftauchen. Natürlich darf das Polykarpmartyrium nicht isoliert werden. Neben ihm steht die Martyriumstheologie des Justin und anderer etwa gleichzeitiger Schriften. Zu denken ist an 2 Clem, an den etwas späteren Brief der Gemeinden von Lyon und Vienne, den Eusebius überliefert hat, an die ebenfalls durch Eusebius tradierten Martyrien des Hegesipp, an die gnostische Sicht des Martyriums, an die Apostelakten und andere apokryphe Schriften des ausgehenden 2. Jh.s. Eine Darstellung der Martyriumstheologie dieser Schriften muß mit der Untersuchung der Rezeptionsgeschichte des Martystitels und der Martyriumssicht des Briefes der Smyrnäer verbunden werden. Eine solche Arbeit gehört nicht mehr zu einer Darstellung der Anfänge der Theologie des Martyriums, deren Endpunkt das Polykarpmartyrium darstellt.

---

[62] Anders K. Beyschlag, Das Jakobusmartyrium und seine Verwandten in der frühchristlichen Literatur = ZNW 56 (1965) 149/78, hier 172ff., der in einem übersteigerten traditionsgeschichtlichen, m. E. nicht überzeugenden Vorgehen fast die gesamte Erzählung auf den sog. »Jakobusstoff« und andere traditionelle Motive zurückführt (vgl. 177).

ABSCHLIESSENDER ÜBERBLICK

Die vorausgehenden Darlegungen dürften deutlich gemacht haben, daß der Begriff »Theologie des Martyriums« für den hier untersuchten Zeitraum nicht eine einheitliche Systematik bezeichnet, in der die einzelnen Themen und Gedanken ihren bestimmten Platz innehaben, sondern Sammel- und Oberbegriff für eine Fülle unterschiedlicher Versuche darstellt, das Geschick der Verfolgung und des Todes um des Glaubens willen theologisch zu reflektieren. Die Anfänge dieses Bemühens sind historisch faßbar; sie liegen in der Zeit der religiösen Auseinandersetzungen unter Antiochus IV. Epiphanes. Erst nachdem man unter dem Eindruck von Martyrien begonnen hatte, das Geschick der Betroffenen in theologischer Weise zu bedenken und die Märtyrer immer mehr zu bewundern, hat man auch einzelne Propheten wie etwa Jesaja als Märtyrer gezeichnet. Den Anlaß dazu gab die ältere Tradition vom gewaltsamen Geschick der Propheten ab. Die älteste Form der Theologie des Martyriums ist die apokalyptische. Noch zur Zeit der Verfolgung spricht das Buch Daniel von der für die nächste Zukunft erwarteten Wende, die den Unterdrückten die Rechtfertigung bringt. Die Himmelfahrt des Mose führt den Gedanken weiter: Das Selbstopfer des Taxo und seiner Söhne veranlaßt gar den Beginn der gottgewirkten Wende. Andere apokalyptische Aussagen betreffen das Endgericht als Bestrafung der Verfolger und Belohnung der Verfolgten. Vor allem das äthiopische Henochbuch hat großes Interesse daran, die Szene der Umkehrung der irdischen Unrechtssituation durch viele Einzelzüge auszuschmücken. Innerhalb des apokalyptischen Rahmens bemüht man sich, dem Verfolgungsgeschick einen positiven Sinn abzugewinnen. Es dient der Reinigung und Läuterung, der Erprobung und Züchtigung durch Gott. Der Lehrer der Gerechtigkeit sieht in den Verfolgungen eine Bestätigung seiner Sendung; sie sind die Folge seiner Berufung durch Gott und richten sich so gegen Gott selbst.
Einzelne in der Apokalyptik beheimatete Gedanken finden sich auch in Martyriumsberichten, zumeist in abgewandelter Form. Von Dan 12,2 läuft eine Linie zum Auferweckungsgedanken von 2 Makk 7. Unter hellenistischem Einfluß kommt man zur Überzeugung, daß das ewige Leben der Märtyrer nicht erst beim Endgericht, sondern schon im Moment des Todes selbst beginnt (vor allem 4 Makk). Das Thema der Belohnung und Strafe wird auch

in Martyriumsberichten mit dem Endgericht oder allgemein dem jenseitigen Geschick verbunden. Im Vordergrund steht jedoch das im irdischen Geschehen feststellbare Gericht Gottes, von dem die Apokalyptik nur vereinzelt spricht, wenn etwa in Dan 11,45 auf die Strafe Gottes im Tod des Antiochus angespielt wird. In den im Vorherigen besprochenen drei Makkabäerbüchern ist die Verfolgung Strafe für die Schuld des jüdischen Volkes. Im erfolgreichen Befreiungskampf der Makkabäer und im Frieden nach der Verfolgung zeigt sich die erneute Zuwendung Gottes, die nach 2 und 4 Makk Folge der vom Stellvertretungs- und Sühnegedanken her verstandenen Martyrien ist. In Philons Schrift gegen Flaccus gilt das unrühmliche Ende des Judenfeindes als Strafe Gottes, der sein Volk aus den Gefahren rettet.

Die Makkabäerbücher zeigen den wachsenden Einfluß der griechischen Bewunderung des heroischen Todes, von der auch Philon und Flavius Josephus geprägt sind, wenngleich der Alexandriner vor tollkühnem, unvernünftigem Mut warnt und das Martyrium selbst nicht heroisiert. Die Darstellung der Zeloten durch Flavius Josephus läßt deutlich werden, daß die Hochschätzung des heroischen Todes zu seiner Zeit nicht nur ein Kennzeichen des hellenistischen Judentums war. Auch in palästinensischen Kreisen schaute man voll Hochachtung auf die Märtyrer, Grund dafür, daß man auch Propheten als solche zeichnete. Nach den Katastrophen des 1. und 2. Jh.s hat dann jedoch eine gegenläufige Bewegung eingesetzt. Die Rabbinen sehen im Tod um des Glaubens willen eine Gelegenheit der Sühne eigener Schuld. Auf dieser Linie liegt trotz gelegentlicher Ausnahmen die Martyriumssicht des ganzen späteren Judentums.

Das Christentum übernimmt nicht eine fertige Form der jüdischen Theologie des Martyriums, sondern geht einen eigenen Weg bei gleichzeitiger Übernahme jüdischer Traditionen und einzelner hellenistischer Motive, die oft über das hellenistische Judentum vermittelt wurden. Zunächst bleibt das Thema des Martyriums noch eingebettet in den größeren Komplex der Verfolgungsdeutung allgemein; erst allmählich gewinnt es an Eigenständigkeit. Der Ausgangspunkt für das christliche Verständnis der Verfolgung und des Martyriums ist wieder ein historischer: die Verfolgungserfahrung Jesu, seiner Jünger und der frühen Kirche. In einer Zeit, in der in Zelotenkreisen der charismatischen Führergestalt unbedingter Gehorsam entgegengebracht wird, verlangt Jesus von seinen Jüngern, daß sie bereit sein müssen, der Ablehnung, auf die er stößt, in der Treue zu ihm nicht auszuweichen. In dieser Forderung ist das Spezifikum christlicher Martyriumstheologie begründet.

In der Deutung der ihn treffenden Ablehnung hat vielleicht Jesus selbst auf die Tradition vom gewaltsamen Geschick der Propheten zurückgegriffen. Die Logienquelle beruft sich auf diese Tradition, um sich die Feindschaft gegen Jesus und seine Gesandten verständlich zu machen. Paulus kennt die Vorstellung (1 Thess 2,15), die jedoch von geringer Bedeutung für ihn ist, während Mattäus seine Redaktionstätigkeit in entscheidender Weise nach ihr ausrichtet. Im lukanischen Doppelwerk dient sie dem Nachweis, daß die Heilsgeschichte vom Alten Testament an durch den Widerspruch gegen Gottes Heilsabsicht gekennzeichnet ist. Die Logienquelle verband die Prophetenmordtradition mit dem Aufruf zur Umkehr; für Mattäus hat sich das Judentum schon endgültig vom Heil ausgeschlossen. Lukas spricht von einem längeren Prozeß der Trennung zwischen Synagoge und Kirche. In späterer Zeit erhält das Thema des Prophetenmordes einen Platz in der gegen das Judentum gerichteten Polemik. Beispiele für eine solche Verwendung der Tradition bietet Justins Dialog mit Tryphon[1].

Eine weitere aus der jüdischen Verfolgungsdeutung übernommene Tradition stellt das apokalyptische Thema dar, das allerdings entscheidend durch die Überzeugung modifiziert wird, daß das Endgericht mit der Parusie Jesu verknüpft ist. Beurteilt wird das Verhalten gegenüber Jesus und seiner Botschaft. Die wegen der Zugehörigkeit zu Jesus Verfolgten wissen, daß Gottes Macht größer ist als die der Verfolger. Jesus bekennt sich zu denen, die sich zu ihm bekennen. Die jetzt mächtigen Gegner werden der endzeitlichen Strafe nicht entgehen. Das Thema der endzeitlichen Vergeltung gibt es wie im Judentum in unterschiedlicher Variation. Die Spannbreite reicht von knappen Hinweisen bis zu den Schilderungen der Petrusapokalypse und der Lohntheorie im Hirten des Hermas. Ein spezifisch christliches Thema ist die Verknüpfung der apokalyptischen Zukunftshoffnung mit der seit Jesus schon möglichen Heilserfahrung (vgl. etwa Paulus, 1 Petr, Offb). Entsprechend jüdischen Anschauungen kennt das frühe Christentum die Vorstellung des Zwischenzustandes der Verstorbenen, die auf die zukünftige volle Wiederherstellung warten (vgl. Mt 10,28par; Offb. 6,9—11; 20,4—6). Wie im hellenistischen Judentum begegnet aber auch die Überzeugung, daß im Tod schon der Überschritt in das volle Leben Gottes erfolgt. In christlicher Sicht ist dieses Leben durch Tod und Auferstehung Jesu erschlossen. Zu denken ist an Phil 1,21.23, an die Vorstellung der Nachfolge als des Überschritts vom Tod zum Leben im Johannesevangelium (Joh 12,26; 13,36—38; vgl. auch 11,25f. und 12,25) und vor allem an Ignatius.

[1] Vgl. 16,4 (109 Goodspeed); 39,1 (135); 73,6 (183f.).

In den aus der jüdischen Apokalyptik übernommenen Themenkreis
gehört die Erwartung einer zukünftigen großen Verfolgung (Himmelfahrt des Mose; Mk 13,9—13). Markus sieht in der Verfolgungssituation der Kirche ein Zeichen des nahen Endes, das jedoch nicht
für die allernächste Zukunft erwartet wird. Mattäus trennt zwischen der Verfolgung von Christen in der dem Ende vorausgehenden Zeit und der erwarteten endzeitlichen Drangsal, von der auch
die Didache und der Hirt des Hermas sprechen. Lukas scheint
21,12—19 in der Parallele zu Mk 13 als Vorhersage für die Zeit
der Kirche, von der die Apostelgeschichte handelt, verstanden zu
haben. Nach der Offenbarung des Johannes ist die in der kirchlichen Gegenwart erlittene Bedrängnis Anfang der sich steigernden
endzeitlichen Verfolgung. Aufs ganze gesehen wird ein sich ver-
stärkendes Bemühen deutlich, der kirchlichen Gegenwart und der
in ihr zu erleidenden Verfolgung ein Eigengewicht gegenüber der
endzeitlichen Drangsal zu verleihen.

Die frühe Kirche hat die jüdischen Traditionselemente in entscheidenden Punkten modifiziert und den eigenen Intentionen dienstbar
gemacht. Im Zentrum des christlichen Verfolgungsverständnisses
steht die Bedeutung Jesu und der Gedanke der Nachfolge. Auch in
Lebensgefahr darf man Jesus und seiner Botschaft nicht untreu
werden. Die Ablehnung, die er erfahren hat, überträgt sich auf die
an ihn Glaubenden. Nachfolge des Gekreuzigten impliziert die
Bereitschaft zum Leiden und zur Lebenshingabe. Der letzte Gedanke hat einen besonderen Ausdruck in Mk 8,27—9,1 gefunden.
Nach dem Johannesevangelium ist die Leidensnachfolge des Jüngers erst in nachösterlicher Zeit gefordert. Sie unterscheidet sich
fundamental von der Lebenshingabe Jesu. Paulus spricht von der
Gemeinschaft im Leiden, ohne die Nachfolgeterminologie zu verwenden. In der Schicksalsgemeinschaft mit dem Gekreuzigten
gewinnen die Christen Anteil am Auferstehungsleben Jesu. Dieses
wirkt sich schon aus im gegenwärtigen Leben und im Moment des
Todes, um am Ende der Tage voll sichtbar zu werden. Aus der Idee
der Nachfolge entwickelt sich unter hellenistischem Einfluß der
Gedanke der Nachahmung. In Unterordnung unter Jesus gelten
auch Paulus (2 Tim, 1 Clem 5), Petrus (1 Clem 5), alttestamentliche
Gestalten (Hebr 11) und bald auch Märtyrer (1 Clem 6,1f.; Polykarpbrief; Polykarpmartyrium) als Vorbilder.

Im Gedanken der Jüngerschaft liegt von Anfang an eine missionarische Komponente, die sich auch in der Sicht der Verfolgung
auswirkt. Die Verfolgung, die die Boten der Logienquelle erfahren,
trifft sie in ihrem Zugehen auf die Menschen, denen sie die Bot-

schaft Jesu ausrichten. Die Jünger Jesu werden verfolgt wegen ihrer Zugehörigkeit zu Jesus und wegen der Verkündigung des Evangeliums (Mk 8,35). In der Verantwortung vor Gericht bezeugen sie ihren Glauben (Mk 13,9). Die Aussendungsrede Mt 10, in der das Thema der Verfolgung breiten Raum einnimmt, dürfte sich an Missionare richten. Paulus hat sich die Leiden im apostolischen Dienst zugezogen. Die Apostelgeschichte berichtet von der Missionspredigt als Ursache von Verfolgungen. Paulus ist ihr als Angeklagter der Zeuge Jesu. Der jüdische Märtyrer bekennt nach 2 und 4 Makk im Martyrium seinen Glauben als Grund seiner Festigkeit. Man kann ihn deshalb auch als einen Bekenner und Zeugen des Glaubens ansehen. Doch wird er nicht verfolgt wegen eines missionarischen Zugehens auf die Menschen. Hier zeigt sich ein weiterer Unterschied zwischen der jüdischen und der christlichen Idee des Martyriums. Die Apostelgeschichte und der 2. Timotheusbrief verstärken den missionarischen Charakter des Martyriums, wenn sie in der Prozeßsituation nicht nur die Gelegenheit eines einfachen Bekenntnisses, sondern den Moment großangelegter Verkündigung sehen.

Das Leiden um des Glaubens willen gilt als zu preisendes Geschick (Mt 5,10—12; Lk 6,22f.; 1 Petr 4,13f.). Es ist Geschenk Gottes, Gnade (Phil 1,29; vgl. 1 Petr 2,19). Die nachpaulinische Kirche entdeckt in den apostolischen Leiden des Paulus einen Segen für die Kirche; Ignatius berührt sich in einer 4 Makk nahestehenden Terminologie mit diesem Denken. Die Hochschätzung des Verfolgungsgeschicks zeigt sich weiter im verstärkten Aufgreifen der agonistischen Sprache. Das Erdulden des Leidens erscheint so als aktives Geschehen. Die Gedankenwelt, von der 4 Makk geprägt ist, und später dieses Buch selbst beeinflussen immer mehr die Sicht der Verfolgung und des Martyriums. Paulus bedient sich des Bildes des bedürfnislosen Weisen der Popularphilosophie, um den apostolischen Dienst zu kennzeichnen, in dem er dann jedoch Gottes Kraft am Werk sieht. Die Paulusdarstellung des 1. Clemensbriefs zeigt, daß man später die paulinische Umwertung der Gestalt des philosophischen Athleten aufgibt. Paulus erscheint nun als der heroische Kämpfer nach Art des Herakles, der gewaltige Mühen und Leiden einschließlich des Martyriums auf sich nimmt.

Im Rahmen der allgemeinen Hochschätzung des Verfolgungsgeschicks gilt dem Märtyrertod verstärkt eine besondere Ehre. Paulus sieht im apostolischen Dienst wie im gewaltsamen Tod Gelegenheiten, in denen Christus groß gemacht wird (Phil 1,20). Ein solcher Tod geschieht zur Ehre Gottes; er kann in der Opferterminologie beschrieben werden (Phil 2,17). Nach ihm sehnt sich der Apostel,

um bei Christus zu sein (Phil 1,23), doch er entscheidet sich der
Adressaten wegen für die Fortsetzung des apostolischen Dienstes
(Phil 1,24f.). Nach Joh 21,19 wird im gewaltsamen Tod des Petrus
Gott verherrlicht. Solchen, die Jesus im Erleiden des Todes-
geschicks nachfolgen, wird die Ehrung durch Gott verheißen
(Joh 12,26). Für Ignatius ist der Märtyrertod Ziel seiner Sehnsucht.
Das Polykarpmartyrium schließlich zeichnet den Märtyrertod als
ein von göttlichem Glanz überstrahltes Geschehen. Andeutungs-
weise werden Züge des hellenistischen göttlichen Menschen auf
den Märtyrer übertragen. Der Märtyrerkult kündet sich an[2].

Der wachsenden Hochschätzung des Märtyrertodes entspricht es,
daß das Martyrium zu einem eigenständigen theologischen Thema
wird. Ansätze dazu finden sich in der Offenbarung des Johannes.
Der Hirt des Hermas unterscheidet schon zwischen Bekennern und
Märtyrern. Bei Ignatius und im Martyrium des Polykarp ist dann
der Punkt einer eigenständigen Theologie des Martyriums und der
festumrissenen Märtyrergestalt erreicht. Die Verselbständigung des
Martyriumsthemas verlangte nach eindeutigen Termini. Die Aufnahme der popularphilosophischen Thematik der Übereinstimmung
von Wort und Tat und des Zeugnischarakters der Tat in die christliche Paränese, die durch ähnliche christliche Gedanken vorbereitet
war, und der Wunsch nach einer eindeutigen Benennung des Märtyrers führten dazu, daß man die überkommene christliche Zeugnisterminologie modifizierte und μάρτυς zur Bezeichnung des Blutzeugen wurde, der seinen Glauben durch die höchste Tat des Martyriums bezeugt. Andere terminologische Versuche, die weniger
eindeutig oder komplizierter waren (Joh: Nachfolgen im Sinn des
gewaltsamen Sterbens, Ignatius, Hirt des Hermas) setzten sich nicht
durch.

Der jüdische Märtyrer stirbt im Gehorsam gegenüber Gottes Willen, wie dieser sich in der Tora und in dem ihm zufallenden
Geschick zeigt. Das Martyrium kann mit dem Gedanken des
Bekenntnisses verbunden werden. Auch der christliche Märtyrer
stirbt im Gehorsam gegenüber Gott. Doch zeigt sich dieser für ihn
in der absoluten Treue zu Jesus und seiner Botschaft. Der Bekennt-
nisgedanke steht im Christentum für den hier behandelten Zeitraum
meist in einem missionarischen Kontext. Die christliche Erlösungs-
lehre prägt den Glauben und die Hoffnung der Märtyrer. Eine
Martyriumssicht, die 2 und 4 Makk an die Seite gestellt werden
kann, hat sich im Christentum erst im 2. Jh. entwickelt. In dieser

---

[2] Vgl. W. Rordorf, Zur Entstehung der christlichen Märtyrerverehrung =
F. v. Lilienfeld u. a. (Hrsg.), Oikonomia. Quellen und Studien zur orthodoxen
Theologie 6 (Erlangen 1977) 35/53 u. 150/68.

Zeit erreicht man den Punkt, an dem man das Märtyrerbild des hellenistischen Judentums rezipiert. Die Kirche macht sich diese Sicht zu eigen, verbindet sie mit der eigenen Tradition und entwickelt sie weiter, während das zeitgenössische Judentum sich von ihr löst und das Martyrium vor allem im Sinn der Leidenstheologie als Sühnemöglichkeit für eigene Schuld bestimmt. Das Judentum dämpfte den Martyriumsenthusiasmus; in der Kirche wird das Thema des Martyriums immer wichtiger und beherrschender. Die Grundlagen für diese Entwicklung wurden in der Zeit zwischen der Abfassung des Buches Daniel und der Niederschrift des Polykarpmartyriums geschaffen.

LITERATURVERZEICHNIS[1]

Ahern, B. M., The Fellowship of His Sufferings (Phil 3,10). A Study of St. Paul's Doctrine on Christian Suffering = CBQ 22 (1960) 1/32.

Aland, K., Der Tod des Petrus in Rom. Bemerkungen zu seiner Bestreitung durch Karl Heussi = Kirchengeschichtliche Entwürfe (Gütersloh 1960) 35/104.

Alföldi, A., Der Philosoph als Zeuge der Wahrheit und sein Gegenspieler der Tyrann = Scientiis Artibusque. Collectanea Academiae Catholicae Hungaricae I (Rom 1958) 7/19.

Allard, P., Dix leçons sur le martyre (Paris 1907).

Ardizzoni, A., Il saggio felice tra i tormenti (Studio sull'eudemonologia classica) = Rivista di Filologia e d'Istruzione Classica N. S. 20 (1942) 81/102.

Baden, H., Der Nachahmungsgedanke im Polykarpmartyrium = ThGl 3 (1911) 115/22.

— Das Polykarpmartyrium = Pastor Bonus 24 (1911/2) 705/13; 25 (1912/3) 71/81, 136/51.

Balz, H. R., Heilsvertrauen und Welterfahrung. Strukturen der paulinischen Eschatologie nach Röm 8,18—39 (München 1971) = BEvTh 59.

Bammel, E., Zum jüdischen Märtyrerkult = ThLZ 78 (1953) 119/26.

Barnard, L. W., Clement of Rome and the Persecution of Domitian = NTS 10 (1963/4) 251/60.

— In Defence of Pseudo-Pionius' Account of Saint Polycarp's Martyrdom = Kyriakon. Festschrift J. Quasten I (Münster 1970) 192/204.

Barnes, T. D., Pre-Decian Acta Martyrum = JThS N. S. 19 (1968) 509/31.

Bartelink, G. J. M., Quelques observation zur ΠΑΡΡΗΣΙΑ dans la littérature paléo-chrétienne = Graecitas et Latinitas Christianorum Primaeva. Supplementa III (Nijmegen 1970) 5/57.

Bartsch, H.-W., Gnostisches Gut und Gemeindetradition bei Ignatius von Antiochien (Gütersloh 1940) = BFChTh, 2. Reihe, 44.

Bauer, A., Heidnische Märtyrerakten = Archiv für Papyrusforschung und verwandte Gebiete 1 (1901) 29/47.

Baumeister, Th., Martyr invictus. Der Martyrer als Sinnbild der Erlösung in der Legende und im Kult der frühen koptischen Kirche. Zur Kontinuität des ägyptischen Denkens (Münster 1972) = FVK 46.

Baumert, N., Täglich sterben und auferstehen. Der Literalsinn von 2 Kor 4,12—5,10 (München 1973) = StANT 34.

Bayet, J., Le suicide mutuel dans la mentalité des Romains = L'Année Sociologique, 3e s. 1951 ⟨1953⟩ 33/89.

Benz, E., Das Todesproblem in der stoischen Philosophie (Stuttgart 1929) = Tübinger Beiträge zur Altertumswissenschaft 7.

— Der gekreuzigte Gerechte bei Plato, im Neuen Testament und in der alten Kirche = AAMz 1950, 12.

---

[1] Auswahl. Ohne Kommentare. Die Lit. zur Zeugnisterminologie wird nicht vollständig verzeichnet; dazu vgl. die Literaturverzeichnisse bei N. Brox, Zeuge und Märtyrer, J. Beutler, Martyria, und E. Nellessen, Zeugnis für Jesus und das Wort. Mitaufgenommen wurden einige Studien, die die Gesamtsicht der Arbeit beeinflußt haben, auch wenn sie im Vorhergehenden nicht zitiert wurden.

— Christus und Sokrates in der alten Kirche (Ein Beitrag zum altkirchlichen Verständnis des Märtyrers und des Martyriums) = ZNW 43 (1950/1) 195/224.

Berger, Kl., Die Auferstehung des Propheten und die Erhöhung des Menschensohnes. Traditionsgeschichtliche Untersuchungen zur Deutung des Geschickes Jesu in frühchristlichen Texten (Göttingen 1976) = StUNT 13.

Betz, H. D., Nachfolge und Nachahmung Jesu Christi im Neuen Testament (Tübingen 1967) = BHTh 37.

Beutler, J., Martyria. Traditionsgeschichtliche Untersuchungen zum Zeugnisthema bei Johannes (Frankfurt 1972) = FTS 10.

Beyschlag, K., Clemens Romanus und der Frühkatholizismus. Untersuchungen zu I Clemens 1—7 (Tübingen 1966) = BHTh 35.

Bickermann, E., Der Gott der Makkabäer. Untersuchungen über Sinn und Ursprung der makkabäischen Erhebung (Berlin 1937).

Bieler, L., ΘΕΙΟΣ ANHP. Das Bild des »göttlichen Menschen« in Spätantike und Frühchristentum (Nachdruck Darmstadt 1967).

Bihler, J., Der Stephanusbericht (Apg 6,8—15 und 7,54—8,2) = BZ N. F. 3 (1959) 252/70.

— Die Stephanusgeschichte im Zusammenhang der Apostelgeschichte (München 1963) = Münchener Theologische Studien. I. Hist. Abt., 30.

Blinzler, J., Der Prozeß Jesu⁴ (Regensburg 1969).

Bommes, K., Weizen Gottes. Untersuchungen zur Theologie des Martyriums bei Ignatius von Antiochien (Köln-Bonn 1976) = Theophaneia 27.

Bonhöffer, A., Epiktet und das Neue Testament (Gießen 1911) = RVV 10.

Bornkamm, G., Sohnschaft und Leiden = W. Eltester (Hrsg.), Judentum, Urchristentum, Kirche. Festschrift für J. Jeremias. Beihefte ZNW 26 (Berlin 1960) 188/98.

Borse, U., Die Wundmale und der Todesbescheid = BZ N. F. 14 (1970) 88/111.

Bower, R. A., The Meaning of ἐπιτυγχάνω in the Epistels of St. Ignatius of Antioch = VigChr 28 (1974) 1/14.

Breitenstein, U., Beobachtungen zu Sprache, Stil und Gedankengut des Vierten Makkabäerbuchs (Basel-Stuttgart 1976).

Brekelmans, A. J., Martyrerkranz. Eine symbolgeschichtliche Untersuchung im frühchristlichen Schrifttum (Rom 1965) = Analecta Gregoriana 150.

Brown, R. E. — Donfried, K. P. — Reumann, J. (Hrsg.), Der Petrus der Bibel. Eine ökumenische Untersuchung (Stuttgart 1976).

Brown, S., Apostasy and Perseverance in the Theology of Luke (Rom 1969) = AnBib 36.

Brox, N., Zeuge und Märtyrer. Untersuchungen zur frühchristlichen Zeugnis-Terminologie (München 1961) = StANT 5.

Brunner, G., Die theologische Mitte des Ersten Klemensbriefs. Ein Beitrag zur Hermeneutik frühchristlicher Texte (Frankfurt 1972) = FTS 11.

Bultmann, R., Der Stil der paulinischen Predigt und die kynisch-stoische Diatribe (Göttingen 1910) = FRLANT 13.

— Ignatius und Paulus = Studia Paulina. In honorem Johannis de Zwaan Septuagenarii (Haarlem 1953) 37/51.

Campenhausen, H. Frhr. von, Die Idee des Martyriums in der alten Kirche (Göttingen 1936).

— Bearbeitungen und Interpolationen im Polykarpmartyrium = Aus der Frühzeit des Christentums (Tübingen 1963) 253/301.

Carmignac, J., La théologie de la souffrance dans les hymnes de Qumrân = Revue de Qumrân 3 (1961) 365/86.

Casey, R. P., Note V. Μάρτυς = F. J. Foakes Jackson — Kirsopp Lake, The Beginnings of Christianity I,5 (London 1933) 30/7.

Cavallin, H. C. C., Life after Death. Paul's Argument for the Resurrection of the Dead in 1 Cor 15. Part I: An Enquiry into the Jewish Background (Lund 1974).

Choron, J., Der Tod im abendländischen Denken (Stuttgart 1967).

Cullmann, O., Les causes de la mort de Pierre et de Paul d'après le témoignage de Clément Romain = RHPhR 10 (1930) 294/300.

— Petrus. Jünger — Apostel — Märtyrer. Das historische und das theologische Petrusproblem² (Zürich-Stuttgart 1960).

— Courants multiples dans la communauté primitive. A propos du martyre de Jacques fils de Zébédée = RSR 60 (1972) 55/68.

Daniélou, J., Die Lehre vom Tod bei den Kirchenvätern = Das Mysterium des Todes (Frankfurt 1955) 127/48.

Dassmann, E., Sündenvergebung durch Taufe, Buße und Martyrerfürbitte in den Zeugnissen frühchristlicher Frömmigkeit und Kunst (Münster 1973) = MBTh 36.

Daube, D., Civil Disobedience in Antiquity (Edinburgh 1972).

— Limitations on Self-Sacrifice in Jewish Law and Tradition = Theology 72 (1969) 291/304.

Dauer, A., Die Passionsgeschichte im Johannesevangelium. Eine traditionsgeschichtliche und theologische Untersuchung zu Joh 18,1—19,30 (München 1972) = StANT 30.

Dautzenberg, G., Sein Leben bewahren. Ψυχή in den Herrenworten der Evangelien (München 1966) = StANT 14.

Davies, P. E., Did Jesus die as a Martyr-Prophet = Biblical Research 2 (1957) 19/30.

Davies, St. L., The Predicament of Ignatius of Antioch = VigChr 30 (1976) 175/80.

Deißner, K., Das Idealbild des stoischen Weisen (Greifswald 1930) = Greifswalder Universitätsreden 24.

Delatte, A., Le sage-témoin dans la philosophie stoïco-cynique = Académie Royale de Belgique. Bulletin de la Classe des Lettres et des Sciences Morales et Politiques, 5e Série, 39 (1953/4) 166/86.

Delehaye, H., Martyr et Confesseur = AnBoll 39 (1921) 20/49.

— Sanctus. Essai sur le culte des saints dans l'Antiquité (Bruxelles 1927) = SHG 17.

Delling, G., Der Kreuzestod Jesu in der urchristlichen Verkündigung (Göttingen 1972).

de Mouxy, P., Nomen Christianorum. Ricerche sulle accuse e le difese relative al nome cristiano nella letteratura apologetica dei primi due secoli = Atti della Accademia delle Scienze di Torino II. Classe di Scienze Morali, Storiche e Filologiche 91 (1956/7) 204/36.

des Places, E., Un thème platonicien dans la tradition patristique: Le juste crucifié (Platon, République, 361e4—362a2) = Studia Patristica IX. TU 94 (Berlin 1966) 30/40.

Dibelius, M., Rom und die Christen im ersten Jahrhundert = SAH 1941/2, 2.

Di Capua, Fr., La concezione agonistica del martirio nei primi secoli del cristianesimo e l'introito della messa di S. Agata = Ephemerides Liturgicae 61 (1947) 229/40.

Dölger, Fr. J., Gladiatorenblut und Martyrerblut. Eine Szene der Passio Perpetuae in kultur- und religionsgeschichtlicher Beleuchtung = Vorträge der Bibliothek Warburg 3 (1926) 196/214.

— Der Feuertod ohne die Liebe. Antike Selbstverbrennung und christlicher Martyrium-Enthusiasmus. Ein Beitrag zu I Korinther 13,3 = AuC I,254/70.

— Tertullian über die Bluttaufe. Tertullian De baptismo 16 = AuC II,117/41.

— Der Kampf mit dem Ägypter in der Perpetua-Vision. Das Martyrium als Kampf mit dem Teufel = AuC III,177/88.

— Christophorus als Ehrentitel für Martyrer und Heilige im christlichen Altertum = AuC IV,73/90.

Dörrie, H., Leid und Erfahrung. Die Wort- und Sinnverbindung παθεῖν — μαθεῖν im griechischen Denken = AAMz 1956, 5.

Doormann, Fr., Der neue und lebendige Weg. Das Verhältnis von Passion und Erhöhung Jesu im Hinblick auf das Heil der Glaubenden im Hebräerbrief (Münster 1973).

Dormeyer, D., Die Passion Jesu als Verhaltensmodell. Literarische und theologische Analyse der Traditions- und Redaktionsgeschichte der Markuspassion (Münster 1974) = NTA N. F. 11.

Downing, J., Jesus and Martyrdom = JThS N. S. 14 (1963) 279/93.

Dupont, J., Les Beatitudes² I—III (Paris 1958—1973) = ÉtB.

— Syn Christo. L'union avec le Christ suivant Saint Paul I (Bruges-Louvain 1952).

Dupont-Sommer, A., Le Maître de Justice fut-il mis à mort = VT 1 (1951) 200/15.

Eckert, H.-H., Weltanschauung und Selbstmord bei Seneca und den Stoikern, in antiker Mystik und im Christentum (phil. Diss. Tübingen 1951).

Emonds, H., Geistlicher Kriegsdienst. Der Topos der militia spiritualis in der antiken Philosophie = O. Casel (Hrsg.), Heilige Überlieferung. I. Herwegen zum silbernen Abtsjubiläum (Münster 1938) = Beiträge zur Geschichte des Alten Mönchtums und des Benediktinerordens. Supplementband, 21/50.

Esking, E., Das Martyrium als theologisch-exegetisches Problem = W. Schmauch (Hrsg.), In Memoriam E. Lohmeyer (Stuttgart 1951) 224/32.

Finkelstein, L., Akiba. Scholar, Saint and Martyr (Cleveland-New York 1962) = Meridian Books.

Fischel, H. A., Martyr and Prophet (A Study in Jewish Literature) = The Jewish Quarterly Review 37 (1946/7) 265/80, 363/86.

Fischer, G., Die himmlischen Wohnungen. Untersuchungen zu Joh 14,2f. (Bern-Frankfurt/M.) = Europäische Hochschulschriften XXIII,38.

Fischer, J. A., Studien zum Todesgedanken in der alten Kirche. Die Beurteilung des natürlichen Todes in der kirchlichen Literatur der ersten drei Jahrhunderte I (München 1954).

Fitzer, G., Der Begriff des μάρτυς im Judentum und Urchristentum (theol. Diss. Breslau 1928).

Frankemölle, H., Jahwebund und Kirche Christi. Studien zur Form- und Traditionsgeschichte des »Evangeliums« nach Matthäus (Münster 1974) = NTA N. F. 10.

Frend, W. H. C., The Persecutions: some Links between Judaism and the Early Church = The Journal of Ecclesiastical History 9 (1958) 141/58.

— Martyrdom and Persecution in the Early Church. A Study of a Conflict from the Maccabees to Donatus (Oxford 1965).

Fridrichsen, A., Propter invidiam. Note sur I Clém. V. = Eranos 44 (1946) 161/74.

Fuchs, H., Der geistige Widerstand gegen Rom in der antiken Welt (Berlin 1938)

Gaß, F. W., Das christliche Märtyrerthum in den ersten Jahrhunderten, und dessen Idee = Zeitschrift für die historische Theologie 29 (1859) 323/92; 30 (1860) 315/81.

Geffcken, J., Die christlichen Martyrien = Hermes 45 (1910) 481/505.

George, A., Le sens de la mort de Jésus pour Luc = RB 80 (1973) 186/217.

Gerstenberger, G. — Schrage, W., Leiden (Stuttgart 1977) = Kohlhammer-Taschenbücher 1004.

Giet, St., Le témoignage de Clément de Rome sur la venue à Rome de Saint Pierre = RevSR 29 (1955) 123/36.

— Le témoignage de Clément de Rome. La cause des persecutions Romaines = RevSR 29 (1955) 333/45.

Gnilka, J., Das Martyrium Johannes' des Täufers (Mk 6,17—29) = P. Hoffmann — N. Brox — W. Pesch (Hrsg.), Orientierung an Jesus. Zur Theologie der Synoptiker. Für J. Schmid (Freiburg-Basel-Wien 1973).

— Wie urteilte Jesus über seinen Tod = K. Kertelge (Hrsg.), Der Tod Jesu. Deutungen im Neuen Testament (Freiburg-Basel-Wien 1976) 13/50 = Quaestiones Disputatae 74.

Goldstein, H., Das Gemeindeverständnis des ersten Petrusbriefs. Exegetische Untersuchungen zur Theologie der Gemeinde im 1 Pt (Münster 1973).

— Paulinische Gemeinde im Ersten Petrusbrief (Stuttgart 1975) = SBS 80.

Goltz, E. Frhr. von der, Ignatius von Antiochien als Christ und Theologe. Eine dogmengeschichtliche Untersuchung (Leipzig 1894) = TU 12,3.

Grant, R. M., Hermeneutics and Tradition in Ignatius of Antioch. A methodological investigation = Archivio di Filosofia 1963, 1—2: Ermeneutica e Tradizione. Scritti di E. Castelli, P. Ricoeur etc. (Padova 1963) 183/201.

Gubler, M.-L., Die frühesten Deutungen des Todes Jesu (Freiburg Schweiz — Göttingen 1977) = Orbis biblicus et orientalis 15.

Günther, E., ΜΑΡΤΥΣ. Die Geschichte eines Wortes (Gütersloh 1941).

— Zeuge und Märtyrer. Ein Bericht = ZNW 47 (1956) 145/61.

Güttgemanns, E., Der leidende Apostel und sein Herr. Studien zur paulinischen Christologie (Göttingen 1966) = FRLANT 90.

Guillaumin, M.-L., En marge du »Martyre de Polycarpe«. Le discernement des allusions scripturaires = Forma Futuri. Studi in onore del Card. M. Pellegrino (Turin 1975) 462/9.

Hamman, A., Signification doctrinale des actes des martyrs = Nouvelle Revue Théologique 75 (1953) 739/45.

Hanson, A. T., The Wrath of the Lamb (London 1957).

Hare, D. R. A., The Theme of Jewish Persecution of Christians in the Gospel according to St. Matthew (Cambridge 1967) = Society for New Testament Studies. Monograph Series 6.

Hellmanns, W., Wertschätzung des Martyriums als eines Rechtfertigungsmittels in der altchristlichen Kirche bis zum Anfange des vierten Jahrhunderts (Breslau 1912).

Hengel, M., Die Zeloten. Untersuchungen zur jüdischen Freiheitsbewegung in der Zeit von Herodes I. bis 70 n. Chr.[2] (Leiden-Köln 1976) = Arbeiten zur Geschichte des antiken Judentums und des Urchristentums 1.

— Leiden in der Nachfolge Jesu. Überlegungen zum leidenden Menschen im Neuen Testament = H. Schulze (Hrsg.), Der leidende Mensch. Beiträge zu einem unbewältigten Thema (Neukirchen-Vluyn 1974) 85/94.

— Nachfolge und Charisma. Eine exegetisch-religionsgeschichtliche Studie zu Mt 8,21f. und Jesu Ruf in die Nachfolge (Berlin 1968) = Beihefte ZNW 34.

Heussi, K., Die römische Petrustradition in kritischer Sicht (Tübingen 1955).

Hirzel, R., Der Selbstmord (Darmstadt 1967).

Hocedez, E., Le concept de martyr = Nouvelle Revue Theologique 55 (1928) 81/99, 198/208.

Hoffmann, P., Die Toten in Christus. Eine religionsgeschichtliche und exegetische Untersuchung zur paulinischen Eschatologie (Münster 1966) = NTA N. F. 2.

— Studien zur Theologie der Logienquelle² (Münster 1975) = NTA N. F. 8.

Holl, K., Die Vorstellung vom Märtyrer und die Märtyrerakte in ihrer geschichtlichen Entwicklung = Gesammelte Aufsätze zur Kirchengeschichte II. Der Osten (Tübingen 1928) 68/102.

Jansen, H. H., Gedachten over het lijden in klassieke oudheit en Christendom (Nijmegen-Utrecht 1949).

Jeremias, G., Der Lehrer der Gerechtigkeit (Göttingen 1963) = StUNT 2.

Jeremias, J., Heiligengräber in Jesu Umwelt (Mt. 23,29; Lk. 11,47). Eine Untersuchung zur Volksreligion der Zeit Jesu (Göttingen 1958).

Johann, H.-Th., Trauer und Trost. Eine quellen- und strukturanalytische Untersuchung der philosophischen Trostschriften über den Tod (München 1968) = Studia et Testimonia Antiqua 5.

Kaiser, O. — Lohse, E., Tod und Leben (Stuttgart 1977) = Kohlhammer-Taschenbücher 1001.

Kamlah, E., Wie beurteilt Paulus sein Leiden? Ein Beitrag zur Untersuchung seiner Denkstruktur = ZNW 54 (1963) 217/32.

Kassel, R., Untersuchungen zur griechischen und römischen Konsolationsliteratur (München 1958) = Zetemata 18.

Kattenbusch, F., Der Märtyrertitel = ZNW 4 (1903) 111/27.

Kertelge, K. (Hrsg.), Der Tod Jesu. Deutungen im Neuen Testament (Freiburg-Basel-Wien 1976) = Quaestiones Disputatae 74.

Kessler, H., Die theologische Bedeutung des Todes Jesu. Eine traditionsgeschichtliche Untersuchung² (Düsseldorf 1971).

Kettel, J., Martyrium und Eucharistie = GuL 30 (1957) 34/46.

Klassen, W., Vengeance in the Apocalypse of John = CBQ 28 (1966) 300/11.

Klauser, Th., Christlicher Märtyrerkult, heidnischer Heroenkult und spätjüdische Heiligenverehrung (Köln-Opladen 1960) = AGF NRW 91.

Klein, G., Die Verfolgung der Apostel, Luk 11,49 = H. Baltensweiler — B. Reicke (Hrsg.), Neues Testament und Geschichte. Historisches Geschehen und Deutung im Neuen Testament. Oscar Cullmann zum 70. Geburtstag (Zürich-Tübingen 1972) 113/24.

Knoch, O., Eigenart und Bedeutung der Eschatologie im theologischen Aufriß des ersten Clemensbriefes (Bonn 1964) = Theophaneia 17.

Knoche, U., Der römische Ruhmesgedanke = Philologus 89 (1934) 102/24.

Kötting, B., Heiligenverehrung = H. Fries, Handbuch theologischer Grundbegriffe I (München 1962) 633/41.

— Der frühchristliche Reliquienkult und die Bestattung im Kirchengebäude (Köln-Opladen 1965) = AGF NRW 123.

Kremer, J., Was an den Leiden Christi noch mangelt. Eine interpretationsgeschichtliche und exegetische Untersuchung zu Kol. 1,24b (Bonn 1956) = BBB 12.

Kutsch, E., Von Grund und Sinn des Leidens nach dem Alten Testament = H. Schulze (Hrsg.), Der leidende Mensch. Beiträge zu einem unbewältigten Thema (Neukirchen-Vluyn 1974) 73/84.

Laracy, M., Cross and Church in the Spirituality of Ignatius of Antioch = American Ecclesiastical Review 67 (1973) 387/92.

Lasso de la Vega, J. S., Heroe Griego y Santo Cristiano (Madrid 1962).

Leany, A. R. C., The Eschatological Significance of Human Suffering in the Old Testament and the Dead Sea Scrolls = Scottish Journal of Theology 16 (1963) 286/96.

Lebram, J. C. H., Die literarische Form des vierten Makkabäerbuches = VigChr 28 (1974) 81/96.

Leeman, A. D., Das Todeserlebnis im Denken Senecas = Gymnasium 78 (1971) 322/33.

Leipoldt, J., Der Tod bei Griechen und Juden (Leipzig 1942).

Léon-Dufour, X., Jésus devant sa mort, à la lumière des textes de l'Institution eucharistique et des discours d'adieu = J. Dupont (Hrsg.), Jésus aux origines de la christologie (Löwen-Gembloux 1975) 141/68 = Bibliotheca Ephemeridum Theologicarum Lovaniensium 40.

Liechtenhan, R., Die Überwindung des Leides bei Paulus und in der zeitgenössischen Stoa = ZThK N. F. 3 (1922) 368/99.

Lietzmann, H., Petrus und Paulus in Rom. Liturgische und archäologische Studien² (Berlin-Leipzig 1927) = Arbeiten zur Kirchengeschichte 1.

— Petrus römischer Märtyrer = SAB 1936, 392/410; auch in: Kleine Schriften I. TU 67 (Berlin 1958) 100/23.

Lindenbauer, E., Sokrates und das Sterben Jesu (Stuttgart 1971) = Calwer Hefte 113.

Lods, M., Confesseurs et martyrs successeurs des prophètes dans l'église des trois premiers siècles (Neuchâtel-Paris 1958) = Cahiers Théologiques 41.

Loewe, R., A Jewish Counterpart to the Acts of the Alexandrians = The Journal of Jewish Studies 12 (1961) 105/22.

Lohmeyer, E., Die Idee des Martyriums im Judentum und Urchristentum = Zeitschrift für systematische Theologie 5 (1928) 232/49.

Lohse, E., Märtyrer und Gottesknecht. Untersuchungen zur urchristlichen Verkündigung vom Sühntod Jesu Christi² (Göttingen 1963) = FRLANT 64.

Lomiento, G., Ἀθλητὴς τῆς εὐσεβείας = VetChr 1 (1964) 113/28.

Maas, M., Die Maccabäer als christliche Heilige (Sancti Maccabaei) = Monatsschrift für Geschichte und Wissenschaft des Judenthums 44 (1900) 145/56.

Manson, T. W., Martyrs and Martyrdom = BJRL 39 (1956/7) 463/84.

Maurer, Chr., Ignatius von Antiochien und das Johannesevangelium (Zürich 1949) = AThANT 18.

Meinhold, P., Schweigende Bischöfe. Die Gegensätze in den kleinasiatischen Gemeinden nach den Ignatianen = Festgabe J. Lortz II (Baden-Baden 1958) 467/90.

— Episkope — Pneumatiker — Märtyrer. Zur Deutung der Selbstaussagen des Ignatius von Antiochien = Saeculum 14 (1963) 308/24.

— Die geschichtstheologischen Konzeptionen bei Ignatius von Antiochien = Kyriakon. Festschrift J. Quasten I (Münster 1970) 182/91.

Michel, O., Prophet und Märtyrer (Gütersloh 1932) = BFChTh 37,2.

— Biblisches Bekennen und Bezeugen. ὁμολογεῖν und μαρτυρεῖν im biblischen Sprachgebrauch = EvTh 2 (1935) 231/45.

— Zum »Märtyrer«-Problem = Theologische Blätter 16 (1937) 87/90.

— Zeuge und Zeugnis. Zur neutestamentlichen Traditionsgeschichte = H. Baltensweiler — B. Reicke (Hrsg.), Neues Testament und Geschichte. Historisches Geschehen und Deutung im Neuen Testament. O. Cullmann zum 70. Geburtstag (Zürich-Tübingen 1972) 15/31.

Millauer, H., Leiden als Gnade. Eine traditionsgeschichtliche Untersuchung zur Leidenstheologie des ersten Petrusbriefes (Bern-Frankfurt/M. 1976) = Europäische Hochschulschriften XXIII,56.

Mogavero, E. M., La letteratura di esortazione al martirio (Università degli Studi di Torino. Facoltà di Lettere e Filosofia. Tesi di Laurea. Anno accademico 1955/6).

Müller, H., Das Martyrium Polycarpi. Ein Beitrag zur altchristlichen Heiligengeschichte = RQ 22 (1908) 1/16.

— Eine Bemerkung zum Martyrium Polycarpi = ThGl 2 (1910) 669f.

Mundle, W., Die Stephanusrede Apg. 7: eine Märtyrerapologie = ZNW 20 (1921) 133/47.

Musurillo, H., The Acts of the Pagan Martyrs. Acta Alexandrinorum (Oxford 1954).

— The Acts of the Christian Martyrs (Oxford 1972) = Oxford Early Christian Texts.

Mußner, Fr., Wohnung Gottes und Menschensohn nach der Stephanusperikope (Apg 6,8—8,2) = R. Pesch — R. Schackenburg — O. Kaiser (Hrsg.), Jesus und der Menschensohn. Für A. Vögtle (Freiburg-Basel-Wien 1975) 283/99.

Nauck, W., Freude im Leiden. Zum Problem einer urchristlichen Verfolgungstradition = ZNW 46 (1955) 68/80.

Nellessen, E., Zeugnis für Jesus und das Wort. Exegetische Untersuchungen zum lukanischen Zeugnisbegriff (Köln 1976) = BBB 43.

Nestle, W., Die Überwindung des Leids in der Antike = Griechische Weltanschauung in ihrer Bedeutung für die Gegenwart. Vorträge und Abhandlungen (Stuttgart 1946) 414/40.

Nickelsburg, G. W. E., Resurrection, Immortality, and Eternal Life in Intertestamental Judaism (Cambridge-London 1972) = Harvard Theological Studies 26.

Normann, Fr., Christos Didaskalos. Die Vorstellung von Christus als Lehrer in der christlichen Literatur des ersten und zweiten Jahrhunderts (Münster 1967) = MBTh 32.

Nützel, J. M., Zum Schicksal der eschatologischen Propheten = BZ N. F. 20 (1976) 59/94.

O'Connor, D. Wm., Peter in Rome. The Literary, Liturgical, Archeological Evidence (New York-London 1969) 70/86.

Paulus, J., Le thème du juste souffrant dans la pensée grecque et hébraique = RHR 121 (1940) 18/66.

Pellegrino, M., Semen est sanguis Christianorum (Tertulliano, Apologeticum, 50,13) = Atti della Accademia delle Scienze di Torino. II. Classe di Scienze Morali, Storiche e Filologiche 90 (1955/6) 371/442.

— L'imitation du Christ dans les actes des martyrs = VS 98 (1958) 38/54.

— Le sens ecclésial du martyre = RevSR 35 (1961) 151/75.

Perler, O., Das vierte Makkabäerbuch, Ignatius von Antiochien und die ältesten Martyrerberichte = RivAC 25 (1949) 47/72.

Pesch, R., Die Vision des Stephanus. Apg 7,55—56 im Rahmen der Apostelgeschichte (Stuttgart 1966) = SBS 12.

— Naherwartung. Tradition und Redaktion in Mk 13 (Düsseldorf 1968).

— Zur Entstehung des Glaubens an die Auferstehung Jesu. Ein Vorschlag zur Diskussion = ThQ 153 (1973) 201/28.

Peters, N., Die Leidensfrage im Alten Testament (Münster 1923) = Biblische Zeitfragen 11,3/5.

Peterson, E., Zur Bedeutungsgeschichte von Παρρησία = Reinhold-Seeberg-Festschrift I (Leipzig 1929) 283/97.
— Zeuge der Wahrheit = Theologische Traktate (München 1951) 165/224.
— Das Martyrium des Hl. Petrus nach der Petrusapokalypse = Frühkirche, Judentum und Gnosis. Studien und Untersuchungen (Rom-Freiburg-Wien 1959) 88/91.
Pfannmüller, G., Tod, Jenseits und Unsterblichkeit in der Religion, Literatur und Philosophie der Griechen und Römer (München-Basel 1953).
Pfitzner, V. C., Paul and the Agon Motif. Traditional Athletic Imagery in the Pauline Literature (Leiden 1967) = NovT.Suppl. 16.
Pohlenz, M., Die Stoa. Geschichte einer geistigen Bewegung[4] I u. II (Göttingen 1970/2).
Polag, A., Die Christologie der Logienquelle (Neukirchen-Vluyn 1977) = WMANT 45.
Pollard, T. E., Martyrdom and Resurrection in the New Testament = BJRL 55 (1972/3) 240/51.
Preiss, Th., La mystique de l'imitation du Christ et de l'unité chez Ignace d'Antioche = RHPhR 18 (1938) 197/241.
Quacquarelli, A., Il triplice frutto della vita cristiana: 100, 60 e 30 (Matteo XIII-8, nelle diverse interpretazioni) (Rom 1953).
Quell, G., Die Auffassung des Todes in Israel (Darmstadt 1967).
Rabbow, P., Seelenführung. Methodik der Exerzitien in der Antike (München 1954).
Radl, W., Paulus und Jesus im lukanischen Doppelwerk. Untersuchungen zu Parallelmotiven im Lukasevangelium und in der Apostelgeschichte (Bern-Frankfurt/M. 1975) = Europäische Hochschulschriften XXIII,49.
Regenbogen, O., Schmerz und Tod in den Tragödien Senecas (Darmstadt 1963).
Reitzenstein, R., Bemerkungen zur Martyrienliteratur I. Die Bezeichnung Märtyrer = NGG 1916, 417/67.
— Der Titel Märtyrer = Hermes 52 (1917) 442/52.
Reploh, K.-G., Markus — Lehrer der Gemeinde. Eine redaktionsgeschichtliche Studie zu den Jüngerperikopen des Markus-Evangeliums (Stuttgart 1969) = SBM 9.
Reuning, W., Zur Erklärung des Polykarpmartyriums (Darmstadt 1917).
Ricci, M. L., Topica pagana e topica cristiana negli »Acta Martyrum« (Firenze 1964) = Atti dell'Accademia Toscana di Scienze e Lettere »La Colombaria«, XXVIII, 1963/4.
Riddle, D. W., The Martyr Motif in the Gospel according to Mark = The Journal of Religion 4 (1924) 397/410.
— From Apocalypse to Martyrology = Anglican Theological Review 9 (1926/7) 260/80.
— The Martyrs. A Study in Social Control (Chicago 1931).
— Die Verfolgungslogien in formgeschichtlicher und soziologischer Beleuchtung = ZNW 33 (1934) 271/89.
Ronconi, A., Exitus illustrium virorum = Studi Italiani di Filologia Classica N. S. 17 (1940) 3/32.
— Art. Exitus illustrium virorum = RAC VI,1258/68.
Rordorf, W., Martirio e testimonianza = Rivista di Storia e Letteratura Religiosa 8 (1972) 239/58.
— L'espérance des martyrs chrétiens = Forma Futuri. Studi in onore del Card. M. Pellegrino (Turin 1975) 445/61.

Ruppert, L., Der leidende Gerechte. Eine motivgeschichtliche Untersuchung zum Alten Testament und zwischentestamentlichen Judentum (Würzburg 1972) = Forschung zur Bibel 5.
— Jesus als der leidende Gerechte? Der Weg Jesu im Lichte eines alt- und zwischentestamentlichen Motivs (Stuttgart 1972) = SBS 59.
— Der leidende Gerechte und seine Feinde. Eine Wortfelduntersuchung (Würzburg 1973).
Rush, A. C., Death as a Spiritual Marriage: Individual and Ecclesial Eschatology = VigChr 26 (1972) 81/101.
Sanders, E. P., R. Akiba's View of Suffering = The Jewish Quarterly Review 63 (1972/3) 332/51.
Sanders, J. A., Suffering as Divine Discipline in the Old Testament and Post-Biblical Judaism (Rochester 1955) = Colgate Rochester Divinity School Bulletin, Vol. XXVIII, Special Issue.
Sanders, L., L'Hellénisme de Saint Clément de Rome et le Paulinisme (Louvain 1943) = Studia Hellenistica 2.
Satake, A., Das Leiden der Jünger »um meinetwillen« = ZNW 67 (1976) 4/19.
Sattler, W., Das Buch mit sieben Siegeln. Studien zum literarischen Aufbau der Offenbarung Johannis. I. Das Gebet der Märtyrer und seine Erhörung = ZNW 20 (1921) 231/40.
Sauer, K., Untersuchungen zur Darstellung des Todes in der griechisch-römischen Geschichtsschreibung (Frankfurt 1930).
Schadewald, W., Sophokles und das Leid (Potsdam 1947).
Scharlemann, M. H., Stephan: A Singular Saint (Rom 1968) = AnBib 34.
Schatkin, M., The Maccabean Martyrs = VigChr 28 (1974) 97/113.
Schermann, Th., Propheten- und Apostellegenden nebst Jüngerkatalogen des Dorotheus und verwandter Texte (Leipzig 1907) = TU 31,3.
Schippers, R., Getuigen von Jezus Christus in het Nieuwe Testament (theol. Diss. Amsterdam, Franeker 1938).
Schlatter, A., Der Märtyrer in den Anfängen der Kirche (Gütersloh 1915) = BFChTh 19,3.
Schlier, H., Religionsgeschichtliche Untersuchungen zu den Ignatiusbriefen (Gießen 1929) = Beihefte ZNW 8.
Schmidt, W., De ultimis morientium verbis (Marburg 1914).
Schneider, G., Die Passion Jesu nach den drei ältesten Evangelien (München 1973) = Bibl. Handbibliothek 11.
Schoeps, H. J., Die jüdischen Prophetenmorde = Aus frühchristlicher Zeit. Religionsgeschichtliche Untersuchungen (Tübingen 1950) 126/43.
Schottroff, L., Der Glaubende und die feindliche Welt. Beobachtungen zum gnostischen Dualismus und seiner Bedeutung für Paulus und das Johannesevangelium (Neukirchen-Vluyn 1970) = WMANT 37.
Schrage, W., Das Verständnis des Todes Jesu im Neuen Testament = E. Bizer u. a., Das Kreuz Jesu Christi als Grund des Heils (Gütersloh 1967) 49/89.
— Leid, Kreuz und Eschaton. Die Peristasenkataloge als Merkmale paulinischer theologia crucis und Eschatologie = EvTh 34 (1974) 141/75.
Schreiner, J. — Dautzenberg, G. (Hrsg.), Gestalt und Anspruch des Neuen Testaments (Würzburg 1969).
Schürmann, H., Wie hat Jesus seinen Tod bestanden und verstanden? Eine methodenkritische Besinnung = P. Hoffmann — N. Brox — W. Pesch (Hrsg.), Orientierung an Jesus. Zur Theologie der Synoptiker. Für J. Schmid (Freiburg-Basel-Wien 1973) 325/63.

Schüssler Fiorenza, E., Priester für Gott. Studien zum Herrschafts- und Priestermotiv in der Apokalypse (Münster 1972) = NTA N. F. 7.

Schütz, Fr., Der leidende Christus. Die angefochtene Gemeinde und das Christuskerygma der lukanischen Schriften (Stuttgart 1969) = BWANT 89.

Schulz, A., Nachfolgen und Nachahmen. Studien über das Verhältnis der neutestamentlichen Jüngerschaft zur urchristlichen Vorbildethik (München 1962) = StANT 6.

Schulz, S., Q. Die Spruchquelle der Evangelisten (Zürich 1972).

Schunck, P., Römisches Sterben. Studien zu den Sterbeszenen in der kaiserzeitlichen Literatur, insbesondere bei Tacitus (phil. Diss. Heidelberg 1955).

Seidensticker, Ph., Paulus, der verfolgte Apostel Jesu Christi (Stuttgart 1965) = SBS 8.

Sevenster, J. N., Paul and Seneca (Leiden 1961) = NovT.Suppl. 4.

Simon, M., Les Saints d'Israël dans la dévotion de l'Eglise Ancienne = RHPhR 34 (1954) 98/127.

— Hercule et le Christianisme (Straßburg 1956).

Simonetti, M., Alcune osservazioni sul martirio di S. Policarpo = Giornale Italiano di Filologia 9 (1956) 328/44.

— Qualche osservazione sui luoghi comuni negli atti dei martiri = Giornale Italiano di Filologia 10 (1957) 147/55.

Söder, R., Die apokryphen Apostelgeschichten und die romanhafte Literatur der Antike (Stuttgart 1932) = Würzburger Studien zur Altertumswissenschaft 3.

Spanneut, M., Le stoicisme des pères de l'Eglise de Clément de Rome à Clément d'Alexandrie (Paris 1957) = Patristica Sorbonensia 1.

Stauffer, E., Die Theologie des Neuen Testaments³ (Stuttgart 1947), bes. 314/7.

— Der gekreuzigte Thoralehrer = ZRGG 8 (1956) 250/3.

Steck, O. H., Israel und das gewaltsame Geschick der Propheten. Untersuchungen zur Überlieferung des deuteronomistischen Geschichtsbildes im Alten Testament, Spätjudentum und Urchristentum (Neukirchen-Vluyn 1967) = WMANT 23.

Stemberger, G., Der Leib der Auferstehung (Rom 1972) = AnBib 56.

— Das Problem der Auferstehung im Alten Testament = Kairos 14 (1972) 273/90.

Stockmeier, P., Der Begriff παιδεία bei Klemens von Rom = Studia Patristica VII. TU 92 (Berlin 1966) 401/8.

Stolle, V., Der Zeuge als Angeklagter. Untersuchungen zum Paulus-Bild des Lukas (Stuttgart 1973) = BWANT 102.

Stork, Tr., Nil igitur mors est ad nos. Der Schlußteil des dritten Lukrezbuches und sein Verhältnis zur Konsolationsliteratur (Bonn 1970) = Habelts Dissertationsdrucke. Reihe Klassische Philologie 9.

Surkau, H.-W., Martyrien in jüdischer und frühchristlicher Zeit (Göttingen 1938) = FRLANT 54.

Swain, J. W., The Theory of the Four Monarchies. Opposition History under the Roman Empire = Classical Philology 35 (1940) 1/21.

Swartley, W. M., The Imitatio Christi in the Ignatian Letters = VigChr 27 (1973) 81/103.

Tannehill, R. C., Dying and Rising with Christ. A Study in Pauline Theology (Berlin 1967) = Beihefte ZNW 32.

Thüsing, W., Die Erhöhung und Verherrlichung Jesu im Johannesevangelium (Münster 1960) = NTA 21,1/2.

— Per Christum in Deum. Studien zum Verhältnis von Christozentrik und

Theozentrik in den paulinischen Hauptbriefen (Münster 1965) = NTA N. F. 1.

Trilling, W., Das wahre Israel. Studien zur Theologie des Matthäus-Evangeliums[3] (München 1964) = StANT 10.

Van Damme, D., MAPTYC — XPICTIANOC. Überlegungen zur ursprünglichen Bedeutung des altkirchlichen Märtyrertitels = Freiburger Zeitschrift für Philosophie und Theologie 23 (1976) 286/303.

Viller, M., Les martyrs et l'esprit = RSR 14 (1924) 544/51.

— Martyre et perfection = RAM 6 (1925) 3/25.

— Le martyre et l'ascèse = RAM 6 (1925) 105/42.

Vögtle, A., Todesankündigungen und Todesverständnis Jesu = K. Kertelge (Hrsg.), Der Tod Jesu. Deutungen im Neuen Testament (Freiburg-Basel-Wien 1976) = Quaestiones Disputatae 74,51/113.

Vogt, J., Lo schiavo morente immagine di compiuta umanità = Studi Romani 20 (1972) 317/28.

— Caesar und Augustus im Angesicht des Todes = Saeculum 23 (1972) 3/14.

Wächter, L., Der Tod im Alten Testament (Stuttgart 1967) = Arbeiten zur Theologie, II,8.

Weber, H.-R., Kreuz. Überlieferung und Deutung der Kreuzigung Jesu im neutestamentlichen Kulturraum (Stuttgart-Berlin 1975).

Welten, P., Leiden und Leidenserfahrung im Buch Jeremia = ZThK 74 (1977) 123/50.

Wichmann, W., Die Leidenstheologie. Eine Form der Leidensdeutung im Spätjudentum (Stuttgart 1930) = BWANT 53.

Williams, S. K., Jesus' Death as Saving Event. The Background and Origin of a Concept (Missoula, Montana 1975) = Harvard Dissertations in Religion 2.

Zanone, L., Ricerche su motivi della letteratura del martirio (Università degli Studi di Torino. Facoltà di Lettere e Filosofia. Tesi di Laurea. Anno Accademico 1954/5).

Zedda, S., Le metafore sportive di S. Paolo = Rivista Biblica Italiana 6 (1958) 248/51.

Ziegler, A. W., Neue Studien zum ersten Klemensbrief (München 1958).

REGISTER

1. Stellen

2. Moderne Autoren

3. Namen, Wörter und Sachen[1]

---

[1] Dieses Register enthält u. a. die Schriften, die im Text gelegentlich oder häufiger in allgemeiner Weise ohne die Angabe einzelner Stellen genannt werden. Wenn diese Schriften auch ausführlich besprochen werden, wird zusätzlich auf die entsprechenden Seiten verwiesen.

356 Register